LA FILLE DE MOLLY

Edna Arseneault-McGrath

LA FILLE DE MOLLY

www.quebecloisirs.com

UNE ÉDITION DU CLUB QUÉBEC LOISIRS INC.

Dépôt légal — Bibliothèque et Archives nationales du Québec, 2010
ISBN Q.L. 978-2-89430-998-8
Publié précédemment sous ISBN 978-2-7621-2971-7

Imprimé au Canada

À Eddie,
je marche avec toi, face au soleil,
sans craindre la brûlure du bonheur.

À
Lynda,
Eddy, Sylvie, Kim, Kevin,
Muriel, Richard, Alexandre et Guillaume.
Vous cheminez avec moi.
Grâce à vous,
ma vie est un merveilleux arc-en-ciel.

« La perte d'une mère est le premier chagrin
que l'on pleure sans elle. »

Avant-propos

Oui, j'ai repris la plume. Pourtant, mon troisième livre, *Voir l'invisible, réaliser l'impossible*, devait être le dernier, du moins je le pensais. Mais, quand, à mon corps défendant, le besoin de créer s'est fait plus impérieux, j'ai succombé à la tentation. Une destination s'est précisée : l'Irlande (Eire). La première partie de ce roman *Du trèfle au lys* se déroulera en Irlande ; la seconde, au Québec. Pourquoi l'Irlande ? Mon conjoint Eddie et moi y avons passé trois semaines en 2000, le pays de ses ancêtres. Des rencontres avec des gens férus d'histoire suivies d'échanges intéressants allaient devenir l'élément déclencheur.

Ce pays aux quarante différentes teintes de vert, son histoire mouvementée, sa richesse culturelle, ses gens accueillants, fiers et généreux m'ont envoûtée. Manifestant une grande ouverture d'esprit, amoureux de la musique, raconteur-né, chaque Irlandais est un peu poète. Les Irlandais et les Acadiens ont beaucoup de choses en commun. Tous deux ont eu à surmonter bien des obstacles et tous deux se sont relevés et en sont sortis ennoblis.

En outre, l'Irlande m'interpelle parce que, pendant de nombreuses années, elle a comblé le génie créateur de ses artistes qui ne payaient pas d'impôt, un incitatif créatif non négligeable. Ce privilège qui attirait des artistes d'autres pays, dont certains du Canada, vient d'être aboli. Il ne faut pas s'étonner qu'un si petit pays ait donné le jour à tant d'écrivains célèbres dont quatre prix Nobel de littérature : Seamus Heavy, 1995 ; Samuel Beckett, 1962 ; George Bernard Shaw, 1925 ; et W. B. Yeats, 1923.

J'y suis retournée seule en juin 2006. C'est dans la ville de Navan, à 40 km au nord-ouest de Dublin, dans le comté de Meath, riche en monuments historiques, que se déroulera l'action

de ce roman. J'y ai rencontré des gens qui m'ont ouvert leur porte et leur cœur, notamment Esther et Patrick Reil. Ils sont nés et ont grandi à Navan, ils en connaissent l'histoire et les gens. Pendant deux jours, sur le toit du troisième étage de leur grande maison, transformé en terrasse fleurie, ils ont répondu patiemment à mes interminables questions. Moi ? Une éponge ! J'ai tout absorbé. Mes yeux ébahis et mon cœur ont été touchés devant les toiles de Patrick, un grand peintre, un génie créateur.

Ma bonne fortune se poursuivant, je rencontrai Dermot Corcoran, un policier récemment retraité qui me servit de guide. Muni de mon dictaphone, je ne perdis rien de ses descriptions et commentaires : bâtiments, immeubles, sites d'intérêt, y compris la maison où Paul Brosnan, le 5e James Bond, a vécu ; sans oublier une pause dans un des trente-deux pubs de cette ville de 3 500 habitants. Après tout, nous étions en Irlande et le pub est la résidence secondaire de certains Irlandais !

L'Irlande d'aujourd'hui est bien différente de celle des années 1950 et 1960 décrites dans ce roman commencé en 2006. L'Irlande vivait alors une véritable métamorphose : constructions de grands hôtels et d'édifices à bureaux, sièges sociaux de géants américains : Google, Yahoo, eBay et bien d'autres. Un millier de multinationales y étaient présentes. L'Irlande offrait une fiscalité avantageuse. Cette nouvelle prospérité avait incité plus de cent trente mille Irlandais vivant à l'étranger à revenir au bercail. Malheureusement, l'Irlande n'a pas échappé à la débâcle financière récente, plusieurs sièges sociaux ont quitté et le pays éprouve de grandes difficultés. Malgré tout, l'Irlande est demeurée un pays accueillant, agréable et passionnant !

Dans la deuxième partie du roman, mon héroïne émigre au Québec, à Pointe-Claire. Une partie de la population étant anglophone, elle y sera moins dépaysée. Cependant, voulant s'intégrer à sa nouvelle patrie, elle se fera un devoir de commencer à apprendre le français même avant son arrivée.

Grâce à une rencontre fortuite avec Mme Micheline Bélanger de Stewart Hall je fus référée à M. Claude Arsenault, président de la Société pour la sauvegarde du patrimoine de Pointe-Claire. Celui qu'on a baptisé le Don Quichotte des temps modernes m'a

fait connaître le Pointe-Claire de 1966, date de l'arrivée de mon héroïne. M. Arsenault m'a permis de rencontrer des gens de cette époque: les notables, les gens d'affaires, le policier, l'antiquaire, les épiciers, le tavernier, le propriétaire du magasin de chaussures et cordonnerie. Tous ont été très coopératifs. M. le maire, Bill McMurchie, m'a offert sa coopération et m'a raconté sa ville. Mme Joan Dyer a gracieusement accepté que sa maison serve de toile de fond au roman.

Les rencontres avec les gens de Navan et de Pointe-Claire ont grandement contribué à l'élaboration de ce roman étoffé de faits véridiques et historiques. J'ai marché sur les pas de Tara, mon héroïne, et des autres personnages, je les voyais se rendre à l'école, à l'épicerie, chez la coiffeuse, à l'usine, dans différents commerces, à l'hôpital, aux pubs. Je les ai suivis à la trace, j'ai vécu leurs joies, leurs peines, leurs souffrances. En somme, eux et moi sommes devenus interdépendants.

Remerciements

Sincères remerciements à toutes les personnes suivantes :

Eddie, mon conjoint et fidèle compagnon, pour son soutien inconditionnel.

Ma fille Lynda, pour son aide constante et précieuse.

Céline Petit-Martinon, pour son appui indéfectible, Renée Chumak, Tony Langelier Vincent et Marcie Rémillard, Jean-Paul et Pierrette Patenaude, Gaétane Laporte, André P. Beauchamp et Clifford McGraw, pour leur contribution non négligeable.

Aux gens de Pointe-Claire

M. le maire, Bill McMurchie, M. le curé Fernand Beaulieu,

Sœurs Beloin et Blondin, de la Congrégation Notre-Dame (couvent de la pointe), M. Claude Arsenault, le Don Quichotte des temps modernes, président de la Société pour la sauvegarde du patrimoine de Pointe-Claire,

Mme Micheline Bélanger, chef de division de Stewart Hall,

Mme Joan Dyer, qui a si généreusement accepté de « vendre » sa maison à Tara, mon héroïne. Sauf quelques changements mineurs à l'intérieur et la date de l'acquisition, la maison décrite dans le roman est conforme à la réalité.

M. Dyer, gentleman distingué, maintenant décédé, était vivant en 1966 ; en accord avec Mme Dyer, je l'ai inclus dans le roman.

Les docteurs Vince Poitras et Pierre Daoust, médecins à Pointe-Claire en 1966.

Le constable Ouellette, MM. Edouard Dagenais, tavernier, Jean-Claude Boisvert de la Cordonnerie Boivert, Jacques Semeteys, artiste-peintre, David Byers – Babar Books, M. et Mme Gilles Bissonnette et Mme Lucie Bissonnette,

Mme Cardinal qui m'a fait connaître son mari, Gérald Cardinal, l'antiquaire, maintenant décédé.

Mmes Chantal Giroux-Lachance, Taylor.

Aux gens de Navan

MM. Dermot Corcoran Patrick Reil, madame Esther Reil et les autres que je n'ai pas nommés mais qui se reconnaîtront.

1

Pédopimp

— Kuoi-Koui ! Kuoi-Koui ! Vite, dépêche-toi, je suis en retard.

Tara filait comme le vent, le soleil irradiant sa flamboyante chevelure rousse. Son chien à ses trousses, ses pieds nus effleuraient à peine la surface poussiéreuse du sentier. Une branche morte ralentit sa course. Elle l'enjamba avec précaution, prête à reprendre son élan, mais elle s'immobilisa aussitôt ; elle venait d'apercevoir deux souliers vernis et les plis en lames de rasoir d'un pantalon noir. « Pédopimp ! » murmura-t-elle tout bas. Lentement, à contrecœur, elle releva la tête. Ses grands yeux bleus affolés rencontrèrent le regard amusé de Francis Lennon, l'amant de sa mère, que certains avaient affublé du nom de *Pédopimp.*

— Tu es en retard, ma poupée, ta mère t'attend, susurra-t-il en reluquant la frimousse de Tara.

« Qu'elle est belle ! » pensa-t-il. Ses boucles de feu, toutes désordonnées, encadraient un minois de porcelaine. Une bouche fraîche, des lèvres bien ourlées, de longs cils, des yeux perçants qui papillotaient, imploraient. Il attrapa Kuoi-Koui, le cala au creux de son bras gauche. Le petit chien se débattait. Lennon accentua la pression ; ses yeux fouissaient ceux de Tara. Prête à détaler, le corps entier tendu comme un ressort sur le point de se détendre. Son cœur cognait dans sa poitrine, une marmite en pleine ébullition. Elle se raidit et, avant qu'il ait pu esquisser le moindre geste, elle se saisit de Kuoi-Koui et dévala le sentier. Pédopimp la dévora des yeux. Une chaleur animale traversa son corps. Glissant sa main droite dans la poche de son pantalon, souriant d'un air béat, prenant tout son temps, il se dirigea vers la maison.

Tara avait passé l'après-midi à jouer avec son amie, Maggie Ryan, près des Remparts, le long de la rivière Boyne. Maggie était grande ; ses cheveux cuivrés, presque toujours ébouriffés, sa figure criblée de taches de rousseur et son nez malicieux lui donnaient un air espiègle, enjoué. Tara l'adorait et Maggie le lui rendait bien. Elles étaient inséparables. Maggie avait le don de dérider Tara, de lui faire oublier Pédopimp, sa mère, son père, son chagrin. Bavarde comme une pie, bien campée sur ses deux jambes, elle avait plongé son regard dans celui de Tara, cligné des yeux, les avait ensuite écarquillés, puis plissés et, se dandinant sur un pied puis sur l'autre, avait approché son visage tout près de celui de son amie, ne la quittant pas des yeux. Éberluée, Tara avait ri à en perdre haleine.

— Tu es folle, Maggie ! Mais comme je suis contente que tu sois mon amie. Si seulement tu étais magicienne !

— Magicienne ? Mais je le suis ! *Blackmag O'Toole* à votre service ! Que désirez-vous, ma belle dame ?

— Si seulement tu pouvais faire disparaître Pédopimp !

Attrapant son lance-pierre, Maggie s'était hissée sur une roche et emprunta une voix d'outre-tombe, détachant chaque syllabe :

— A-bra-ca-da-bra ! A-bra-ca-da-bra ! Pédopimp, tu es fait comme un rat. Que ta peau se change en celle d'un crapaud galeux, que ton nez se transforme en trompette, que tes yeux se ferment à jamais, que tous tes cheveux tombent, que tes oreilles pendent jusqu'à terre, que tes jambes se tordent comme des ressorts et que… tu disparaisses à jamais !

D'un geste théâtral, elle avait fouetté l'air de son lance-pierre, y avait inséré un caillou et, tendant l'élastique, avait visé un arbre à cinq mètres et relâché l'élastique.

— Bang ! Entre tes deux yeux, Pédopimp !

Tara rigolait, mais son rire s'étrangla dans sa gorge.

— Si seulement tu pouvais réussir ! Imagine ! Il insiste pour me laver. J'ai sept ans et demi. Il met de l'eau dans une cuve, la pousse devant la porte de notre chambre et me savonne, lentement, longtemps… Tu sais…

Tara éclata en sanglots. Son regard désespéré la regardait, la suppliait presque. La rage au cœur, Maggie contemplait son amie. Elle faisait peine à voir.

— Écoute bien, Tara. L'autre soir, j'ai entendu mon père discuter avec les voisins. Il était question de Pédopimp, que mon oncle appelle aussi un *girlie man*. Les gens de Navan ne peuvent plus le sentir, il ferait mieux de retourner d'où il vient sinon ils prendront les grands moyens. Mon père disait que quelqu'un devrait lui donner un bon coup de pied dans les couilles. Il paraît que ça fait mal à mourir.

— Si je pouvais, je le frapperais avec un marteau, je l'écraserais comme un cafard.

Puis, entendant les cloches sonner seize heures…

— Maggie, je dois y aller, sinon…

Tara n'avait pas eu le courage d'en dire davantage, elle avait trop honte. Comment expliquer qu'il était à la maison chaque après-midi pendant que son père travaillait ou s'enivrait au pub? Le vicieux ne repartait que pour sortir avec sa mère. Il s'était arrogé le droit de les discipliner, de les laver… Comment expliquer qu'il lavait son frère en moins de deux mais que lorsque venait son tour, il n'en finissait plus de la laver… tout en douceur; il la frottait partout mais surtout… tout en la fixant d'un air obtus. Un cochon fleurant une truffe! Elle n'oserait jamais avouer qu'ensuite il allait se frotter contre mère — cette dernière riait — et la bécotait, sans jamais cesser de couvrir Tara d'un regard de convoitise. Elle en ressentait un profond malaise. Puis, tenant Molly par la taille, il se dirigeait vers la chambre et d'un ton sans réplique disait: «Tara, amène ton petit frère dehors et ne t'avise pas de revenir avant qu'on t'appelle.» Trop contente d'être hors de sa vue et de ses mains baladeuses, Tara s'empressait d'obtempérer.

D'aussi loin que Tara se rappelait, elle savait que sa mère sortait. Elle entendait les enfants chuchoter dans son dos: «*Easy Molly! Easy Molly!* (Molly, la femme facile.)» Elle en avait appris la signification. Sa mère avait des amants… payants. Son père ne s'en formalisait pas ou faisait l'autruche, il était presque toujours en état d'ébriété, plus encore depuis que Pédopimp tournait autour de sa femme. Le visage marbré, une démarche résignée, il était en chute libre. Tara ne le voyait que le matin; parfois, il lui beurrait une tranche de pain, il lui passait la main dans les cheveux en disant: «Tu es une bonne fille, Tara. Fais attention à ton petit

frère. » De trop brefs moments de bonheur ! Quand il partait, elle le regardait s'en aller, espérant qu'il rentrerait tôt. En vain.

Depuis l'arrivée de Pédopimp, sa mère n'était plus la même. Elle avait toujours eu la main leste, mais elle distribuait aussi des caresses, un bon mot, de petits gestes anodins mais qui comblaient le cœur de Tara et de son frère. Ce Pédopimp avait tout gâché, chambardé leur vie, bouleversé leur cœur. Eux ? Désormais invisibles aux yeux de leur mère ! Même son père se comportait différemment depuis la venue de ce salaud. Chaque jour, cette fripouille se pointait à la maison et, chaque jour, son père rentrait de plus en plus ivre.

Inquiète, Maggie avait suivi Tara. Elle avait aperçu Pédopimp attraper Kuoi-Koui, entendu les jappements de ce dernier et deviné le baratin de l'homme à l'endroit de Tara. Le brusque départ de celle-ci avec Kuoi-Koui, rapide comme le vent, lui avait ouvert les yeux ; elle avait tout compris. Indignée, elle grimpa sur la roche. Son frère Paul lui avait appris à bien manipuler le lance-pierre, à choisir de beaux cailloux ronds, polis. Elle en gardait toujours quelques-uns dans sa poche.

— Avec ça, Maggie, tu peux blesser gravement quelqu'un si tu vises juste. Alors, fais attention !

Elle avait choisi le plus gros caillou, un beau caillou lisse et dur comme du marbre, et l'avait inséré dans son lance-pierre. Juste ce qu'il lui fallait pour ce fumier.

— *Mallaigh muc* ! (Damné cochon !) Tu vas y goûter. C'est ça, bouge-toi les fesses, gigote.

Visant la nuque, elle tendit l'élastique au maximum et le relâcha, puis elle prit ses jambes à son cou. Lennon était absorbé par son plaisir ; le caillou le fit bondir. Lâchant un juron, d'un geste brusque, il retira sa main droite de son pantalon et la passa sur sa tête. Maggie n'avait pas manqué sa cible, il saignait abondamment. Regardant sa main, jurant comme un charretier, il scruta les environs, mais ne vit personne. Le sang rougissait sa chemise blanche. Dégoûté, énervé, il se hâta vers sa maîtresse.

Hors d'haleine, Tara s'approcha de la maison. Ray, son petit frère, l'attendait. Dès qu'il la vit, ses yeux noirs s'illuminèrent, il s'élança dans ses bras. Plutôt chétif mais espiègle, son short tou-

jours de travers, il ne marchait pas, il sautillait. Il adorait Tara, qui représentait un peu sa mère puisqu'elle veillait sur lui depuis qu'elle était haute comme trois pommes.

— Tara! Tara! Vite, maman t'attend! Elle a les joues rouges.

Tara le souleva difficilement, lui ébouriffa les cheveux et se faufila en douceur à l'intérieur.

Une cigarette au coin des lèvres, Molly s'affairait dans la cuisine en chantonnant. On sentait qu'elle avait des fourmis dans les jambes. Blottie dans un coin, l'index sur les lèvres de Ray, Tara la regarda de biais. « Ce qu'elle est belle ! » pensa-t-elle. Elle l'adorait. Des cheveux de feu encadraient un visage laiteux et de grands yeux émeraude. Molly resplendissait. La muse parfaite pour un peintre. Pédopimp entra en coup de vent. Il était d'humeur massacrante. Molly s'élança à sa rencontre.

— Qu'est-ce qui t'arrive ? Tu es tombé ? Tu saignes !

— Non, je ne suis pas tombé ! On a essayé de me tuer avec un gros caillou.

Tara se releva, retenant son souffle. Oh non ! Était-ce possible ? Maggie !

— Qui a pu faire une chose pareille ?

— Je ne sais pas ! Une chance pour lui ; je l'aurais tué. Quand je me suis retourné, il n'y avait personne, le lâche s'était sauvé.

— Il faut que tu voies le médecin...

— Et faire rire de moi ? Non merci ! Tu vas nettoyer cette plaie et laver ma chemise.

Dégoûtant ! La coupure d'environ deux centimètres n'était pas profonde. Le cajolant, lui chuchotant des mots qui font rougir, Molly nettoya la plaie et se frôla contre lui pendant qu'il souriait d'un air benêt. Tara retenait sa respiration, elle connaissait la coupable et en était ravie. Déjà, une cicatrice qui partait sous l'oreille gauche et s'arrêtait à la commissure des lèvres balafrait le visage de l'homme. Molly l'appelait son « beau pirate ». Tara, elle, aurait été très heureuse de lui décorer le côté droit. Tout de même, Maggie ne l'avait pas manqué. Merveilleuse amie !

Pédopimp admira Molly. Bouche pulpeuse, svelte, une robe noire moulante, un décolleté provocateur qui révélait plus qu'il ne cachait. Une fleur épanouie ! Quand elle regardait son amant, ses

yeux s'illuminaient. Une femme en amour ! Inquiète, Tara n'osa lever les yeux. L'apercevant, sa mère l'apostropha.

— Toi ! Je t'avais dit de rester près de la maison et de t'occuper de ton frère. Il faut que tu m'aides ! Je travaille pour vous nourrir et vous habiller, parce que si je me fiais à ton sans-cœur de père, vous crèveriez de faim. Envoie, grouille, prépare la table.

La regardant de plus près :

— Mais tu es toute crottée ! Où étais-tu ?

Pédopimp s'interposa :

— Elle jouait aux Remparts avec son amie…

Il avait ajouté en rigolant : « … la petite échalote. »

— Ne t'en fais pas, chérie, je laverai Tara après souper.

Tara fulminait ! Dommage que Maggie ne l'ait pas tué.

— J'étais avec mon amie, Maggie. J'ai presque huit ans, je peux me laver toute seule.

La main leste, Molly la gifla.

— Francis veut m'aider et tu te permets de refuser ! Excuse-toi vite, avant que je me fâche.

La tête basse, les yeux pleins d'eau, Tara murmura : « Excusez… »

Magnanime, les yeux fouineurs, il s'empressa d'ajouter :

— Ça me fera plaisir, ma belle enfant. Je laverai aussi Ray.

Puis il serra Molly dans ses bras.

— Tu vas faire un malheur ce soir, ma poupée. Les hommes vont en baver.

— Et les femmes, Francis ?

— Les femmes ? Vertes de jalousie ! Venez Ray, Tara, il est temps de vous décrasser. Vite, on veut faire plaisir à maman.

Joignant le geste à la parole, il mit de l'eau dans une cuve et commença à laver Ray. Sitôt, commencé, sitôt terminé.

— Toi, Ray, tu n'étais pas sale. Envoie, Tara, déshabille, ma belle petite cochonne. Je n'ai pas toute la soirée.

Rouge de honte, prête à dégobiller, se tordant pour cacher sa nudité, elle s'avança. À peine avait-elle mis ses mains entre ses jambes qu'il les lui enleva prestement et commença à la savonner. Ses yeux de génisse à demi fermés, chantonnant, il continua de la laver, partout, ses mains insistant entre les jambes. Elle essaya de

les lui enlever. Sa mère était près de la cuisinière. Il accentua la pression ; bouche ouverte, il se passa la langue sur les lèvres, la souleva dans ses bras pour l'essuyer sans jamais enlever sa main de son entrecuisse. Horrifiée, les yeux exorbités, Tara essaya de se libérer, il tint bon. Un sursaut de colère décupla ses forces, aucune armure ne pouvait l'arrêter. Elle allongea vivement sa jambe droite et, avec toute l'énergie du désespoir, son pied rencontra les « bijoux de famille » de l'homme. Celui-ci poussa un cri strident et la relâcha. Molly accourut. Plié en deux, le visage blanc comme un drap, il bafouilla :

— J'ai eu un élancement dans la tête. Je vais m'asseoir, ça va passer…

— Tu es certain que tu veux sortir ce soir ? Tu sais, on peut rester ici.

— Non, non ! Je vais aller mieux dans une minute. Tara est très débrouillarde… un peu sauvage mais… grande et très forte pour son âge. Elle va garder.

— Oui, maman, ne t'inquiète pas, je peux m'occuper de Ray.

Quinze minutes plus tard, ils partaient. En passant près de Tara, Lennon dévisagea la proie de ses sens ; ses yeux cruels en disaient long. La fillette lui tourna le dos.

— Merci Maggie, merci deux fois ; pour l'avoir blessé et pour tes bons conseils. La prochaine fois, je frapperai encore plus fort.

Chaque fois qu'elle le voyait arriver, Tara sentait que tout devenait glissant, la vie, leur maison, son foyer… tout lui échappait. Elle rêvait de le faire disparaître, de le tuer. Alors, tout redeviendrait comme avant.

2
Molly Doyle

Molly était l'aînée d'une famille de trois enfants, née d'un père alcoolique et d'une mère hypocondriaque, geignarde. Très jeune, elle avait appris à mettre la main à la pâte, à se tirer d'affaire. Son enfance et son adolescence s'étaient passées à s'occuper de ses deux frères, James et Ken. James, treize ans, était le clone de son père et le chouchou de sa mère ; Molly ne pouvait le souffrir. Chaque fois qu'il passait près d'elle, il la pinçait, lui donnait une chiquenaude. Révoltée d'être son souffre-douleur, à dix ans, elle s'était rebellée. Malgré les admonestations de sa mère, elle avait envoyé au diable ce frère égoïste et méchant et avait servi un ultimatum à cette femme dépourvue de colonne vertébrale.

« S'il ne me fiche pas la paix, s'il continue de me harceler, je refuse de t'aider, de te seconder, ou plutôt, de faire tout le travail à ta place. *Ton* travail, maman ! » La menace avait porté fruit. Désormais, James se tenait coi. Ken, le benjamin, onze ans, plutôt frêle, un beau visage de chérubin piqueté de taches de rousseur, toujours de bonne humeur, intelligent, un cœur d'or, aimait sa sœur et faisait son possible pour l'aider. Molly l'appelait son « *dear little leprechaun* (cher petit lutin) ».

Mère avant l'âge, Molly devait s'absenter souvent pour aider sa mère ; ses années passées au couvent des *Loretta Nuns* avaient été de courte durée. Elle avait détesté l'école dès le primaire, à *St. Anne's Primary,* et les choses ne s'étaient guère améliorées au secondaire, au *Mercy Convent.* Elle n'avait pas la faveur de certaines religieuses. La plupart, très dévouées, aidaient les élèves en difficulté après la fin des cours, mais, en général, les pauvres n'avaient pas la cote. Ses frères allaient à l'école des *Christian*

Brothers au secondaire, leurs professeurs étaient des frères. Qu'ils soient prêtres, religieux, religieuses ou laïcs, durant les années cinquante, tous employaient la même méthode : celle de la carotte et du bâton. Pour la plupart, la carotte était distribuée avec parcimonie, surtout si un élève était souvent absent. Inévitablement, ceux issus de milieux pauvres qui manquaient la messe le dimanche méritaient inévitablement une punition corporelle. Molly la subissait sans broncher. Elle préférait être punie le matin, surtout quand il faisait un peu froid ; sa main, un peu engourdie, ressentait moins la morsure de la lanière de cuir. Très brillante, Molly était triplement coupable. Même si la plupart des religieuses essayaient de l'aider, elle détestait l'école.

Quand arriva le temps de se préparer pour la première communion, les étudiantes portaient toutes au cou un carton sur lequel était inscrit le numéro un, si elles savaient toutes les réponses aux questions concernant la doctrine, et le deux, si elles en rataient quelques-unes. Molly avait eu un numéro deux. Humiliée, lorsqu'une élève s'était moquée d'elle, elle lui avait asséné un coup de pied tel que la fillette s'était effondrée. Ses lamentations auraient pu réveiller un mort.

La supérieure, *Sister Lazarian,* avait convoqué Molly à son bureau. De taille moyenne, visage osseux, presque noble, yeux observateurs et perspicaces, elle dirigeait le couvent d'une main de fer. Elle connaissait chaque étudiante, chaque parent. Elle savait mâter les plus rebelles, mais n'était jamais injuste. Contrariée, elle rentrait les joues et clappait de la langue. Molly l'avait affublée du nom de *Smacky*.

En voyant Molly entrer dans son bureau, la blouse un peu serrée, sa jupe marine un peu courte, des souliers ayant vu des jours meilleurs, elle avait compris. Pauvreté ! Elle avait longuement regardé Molly, et cette dernière avait soutenu son regard.

— Vous avez frappé une élève, une de vos amies.

— Je n'ai pas d'amie et elle se moquait de moi, parce que j'ai eu un carton n° 2. Je ne lui ai pas fait mal, elle crie fort pour me faire punir et elle réussit ! Et vous pouvez me battre encore, je ne m'excuserai pas.

— On me dit que vous êtes intelligente. Pourquoi n'avez-vous pas appris la doctrine et… vous manquez souvent la messe le dimanche…

— Je ne peux pas tout faire ! Je dois aider ma mère, elle se croit toujours malade, alors…

— La messe, vous ne pouvez pas venir ?

— La messe ? Une fois par mois on lit tout haut le nom des personnes qui donnent de l'argent et combien elles donnent. On se moque de celles qui n'en ont pas. Je suis punie parce que je manque la messe…

Elle ajouta, presque tout bas : « Drôle de bon Dieu ! Drôle de charité ! » Puis plus fort :

— Je déteste venir ici, ce n'est pas pour moi, les autres me détestent…

La supérieure ne releva pas la remarque, mais elle l'avait entendue.

— Molly, il faut tout de même que vous fassiez votre première communion. Vous connaissez sœur Cécile ?

— Ah oui ! elle est bonne, elle.

— Tiens, nous en avons au moins une de bonne !

Molly rougit, mais ne broncha pas.

— Elle va vous aider et vous allez faire votre première communion avec les autres. Vous voulez essayer ?

— Oui… Merci, je vais essayer…

Puis la regardant dans les yeux :

— Vous n'êtes pas si mal !

Sœur Lazarian eut envie de rire mais se retint.

— Merci, Molly, venant de vous, je considère cela comme un compliment et… vous n'êtes pas mal non plus. Allez !

Il y avait une hiérarchie dans l'Église irlandaise et Navan ne faisait pas exception à la règle. Même les religieuses n'acceptaient aucune fille de familles pauvres dans leurs communautés. Au fil des ans, une seule avait obtenu la grâce d'entrer au couvent… et elle avait passé sa vie à accomplir des tâches ménagères. Durant les rares visites de l'évêque, on déroulait le tapis rouge, il ne foulait pas le sol. Le monseigneur ne fraternisait pas avec les fidèles, encore moins avec les pauvres. Et pourtant, les gens de Navan et

d'ailleurs en Irlande étaient très pratiquants et vouaient un grand respect aux prêtres et aux religieux et religieuses. Des années plus tard, on dira: « C'était dans le temps! »

Les vêpres, les dévotions, les processions, le Triduum pascal, les prières et la religion ne faisaient pas souvent partie de la famille Doyle. De temps en temps, le père de Molly allait à la messe. Il le fallait, sinon le prêtre lui aurait rendu visite. Même s'il était plutôt distant avec les paroissiens, ce dernier veillait sur ses ouailles. Sa mère y allait rarement, alanguie par ses maladies imaginaires, se croyant toujours en phase terminale. Molly et ses deux frères suivaient leur père… à reculons. Au grand dam de Molly, monsieur Doyle faisait en sorte que tous les paroissiens soient témoins de sa présence. Son ventre le précédant, bel homme, malgré les ravages de l'alcool, il s'avançait dans l'allée latérale, saluant à droite et à gauche. Un paon faisant la roue! Molly bouillait, elle aurait préféré être à dix mètres sous terre mais, en son for intérieur, elle se disait que son père ne manquait pas d'audace.

Aidée de sœur Cécile, Molly avait étudié le petit catéchisme et fait sa première communion. Madame Dever lui avait acheté une belle robe blanche. De loin, elle était la plus jolie communiante de la paroisse, mais certainement pas la plus heureuse.

Jeune fille à l'esprit vif, intelligente et débrouillarde, Molly était trop jolie. Les autres filles la rejetaient, d'un mépris quasi unanime. Les garçons, eux, l'entouraient. En grandissant, elle leur fit payer. Avec ses prunelles étincelantes, son corps de déesse, d'un regard, d'une parole, elle pouvait choisir les garçons. Non pas ceux qu'elle voulait, mais surtout ceux que certaines filles « de la haute » souhaitaient attirer. Cela ne l'empêchait pas de se moquer de ces jeunes coqs et de leur culotte courte qu'ils détestaient mais qu'ils devaient porter jusqu'à l'âge de quinze ou seize ans. Le samedi, elle se rendait au Marché des fermiers. Tout Navan était présent. Elle ne passait pas inaperçue, surtout des *Corner Boys*, un petit groupe de jeunes hommes. Vêtus de longs manteaux imperméables noirs et coiffés de chapeaux, genre gangs de New York… ils se tenaient dans un coin et zieutaient les filles.

En septième année, le jour de ses quatorze ans, en rentrant chez elle, Molly avait lancé son sac d'école dans le coin de la cuisine.

Terminées les études ! Mal fagotée, avec un physique qui suscitait la jalousie chez les filles et allumait les garçons, elle avait souvent été la cible de quolibets et avait même subi des coups. Coups reçus, coups rendus ! Elle s'endurcissait, mais son cœur pleurait en silence.

Son père ? Toujours entre deux bières. Du moment que ses repas étaient servis quand il rentrait d'un pas chaloupé du travail ou, plus souvent, du pub, il devenait aveugle à son entourage. Sauf quand sa femme se lançait dans ses jérémiades. Il l'incitait alors à prendre une bière : « Ça te fera du bien, ça te donnera de l'énergie. C'est plein de fer, même les femmes enceintes en boivent. » Bien des gens croyaient en effet que la bière Guinness était bonne pour la santé ; la compagnie encourageait cette croyance. Sa mère ne voyait aucun bienfait à cette boisson « inventée par le diable » et continuait à geindre ad nauseam. Au troisième avertissement, il lui administrait une bonne taloche derrière la tête, une qui la soulevait de sa chaise. Alors, elle se tenait coite… pour quelque temps ou jusqu'à ce que la mémoire de la claque se soit effacée. Puis elle récidivait ; lui, égal à lui-même, en faisait autant. Molly observait leur manège, son dénouement invariablement prévisible, toujours estomaquée de voir que sa mère ne se taisait pas au deuxième avertissement. Parfois, même si elle savait que ce n'était pas drôle, elle éclatait de rire en voyant cette marionnette rebondir sur sa chaise. La tragédie, une comédie !

Émancipée, Molly n'avait pas l'intention de raser les murs. Le soir même, elle alla célébrer au *Music Pub* à *Hunter's Town*, un *dancing pub* semblable aux autres, avec du bran de scie près du comptoir pour absorber les crachats de certains buveurs, d'où l'expression : « *spitting in the sawdust* (cracher dans le bran de scie) ». Heureusement, cette coutume n'avait pas duré. Molly avait volé deux *three pence*, communément appelé *two-truptney bits* ou six cents, pour la chance. Navan comptait quatre mille cinq cents habitants, une belle jeunesse qui aimait se dégourdir les jambes.

Ce soir-là, elle avait presque provoqué une émeute en se lançant dans une danse endiablée, dégageant une sensualité hypnotisante. Boucles rousses en folie, le teint en feu, les yeux brillants de plai-

sir libéré, détaché de la réalité, son jeune corps à peine éclos bougeait sans effort, telle une marionnette robotisée. Ses pieds martelaient les clous. La vie lui appartenait. Les jeunes filles présentes lui décrochaient des regards assassins pendant que les hommes, jeunes et moins jeunes, leur virilité attisée, salivaient d'anticipation. Molly était inconsciente de la sensualité qu'elle dégageait. Dès que le premier jeune homme eut débité la formule usuelle — « *Would my heroin like to dance*? (Est-ce que mon héroïne aimerait danser ?) » —, elle accepta et, par la suite, dansa avec quelques autres. Tous, maladroits, inexpérimentés, jouant à l'homme, croyant avoir droit à certaines libertés, avaient rapidement déchanté. Le premier qui avait poussé l'audace jusqu'à poser sa main gauche sur ses fesses et la serrer contre lui avait reçu un coup de genou dans les « bijoux de famille ». Tâchant de ne pas perdre la face, tout en grimaçant de douleur, il s'était exclamé d'un air innocent :

— Qu'est-ce qui te prend ? Veux-tu m'estropier, Molly ?

— Avec plaisir, si tu essaies ça à nouveau ! Et ne fais pas l'hypocrite, garde tes distances, je suis ici pour danser.

Les autres qui, rêvant d'une partie de jambes en l'air, attendaient leur tour, n'avaient rien manqué. Deux braves et audacieux, pensant réussir là où leur ami avait échoué, minaudaient d'un sourire qu'ils croyaient irrésistible en avançant une main baladeuse vers le sein de la jeune fille. Mal leur en prit ; l'un reçut un coup de pied sur le tibia et l'autre se retrouva étendu de toute sa longueur. Il riait jaune. Humiliés, deux ou trois de ces malotrus ne tardèrent pas à se venger en affublant Molly d'épithètes vulgaires : « *Easy Molly, Red Hot, Tart* », au grand plaisir de quelques filles qui n'osaient le dire à haute voix. Molly les aurait écrasés tous et toutes.

La semaine suivante, Molly s'était trouvé un emploi chez *Clayton Woollen Mills.* Dès que le patron, M. Bardwelsh, l'avait aperçue, droite, résolue, il s'était dit : « Voilà une Irlandaise authentique. » D'un œil approbateur, il l'avait regardée. Elle avait soutenu son regard, sans effronterie mais sans gêne.

— Vous savez travailler, mademoiselle ?

— Oui, monsieur, j'ai commencé avant de venir au monde.

— Bien ! Ici, vous travaillez à la pièce. Plus vous en faites, plus vous gagnez. Présentez-vous ici demain matin, à sept heures. Je n'aime ni les retardataires ni les paresseuses.

— Moi non plus, monsieur.

— Parfait, nous allons bien nous entendre !

Hochant la tête, il l'avait regardée partir. Quelle fille ! Heureusement que presque tout le personnel était de sexe féminin, sinon elle aurait ralenti la production.

Telle une fourmi laborieuse, Molly n'avait pas chômé. En moins d'une semaine, elle s'était révélée l'une des plus productives. Les salaires étaient bas, mais elle dépassait son quota ; elle savait compter, ce petit superflu allait lui permettre quelques gâteries. Même si elle continuait à donner un coup de main à la maison, sa mère se plaignait assidûment. Toujours en robe de chambre et en cheveux, elle était experte en l'art de gémir. Les quelques dollars que Molly lui remettait chaque semaine atténuaient quelque peu ses symptômes.

Molly avait peu d'amies et les garçons ne l'intéressaient que très peu. Ceux de son âge étaient trop jeunes et les autres, quantité négligeable. Aucun ne l'attirait vraiment ; elle n'avait pas l'intention de suivre les traces de sa mère. Jamais ! Intelligente et débrouillarde, elle attirait les garçons. Comme des abeilles près d'une ruche, quelques filles essayaient de se rapprocher d'elle. Molly se rappelait leurs humiliations au couvent, leurs yeux jaloux, si bien que leur soudaine conversion la laissa de marbre. Fausse, leur gentillesse. Si elles arrivaient à se faire proches de Molly, elles attireraient la gent masculine ! Pardonner ? Jamais ! Une seule, Mabel McCann, trouva grâce à ses yeux. Assez mince, intelligente mais plutôt effacée, elle aurait pu être jolie si elle ne se perdait pas toujours dans des vêtements trop amples et si elle coiffait ses cheveux ébouriffés. Mabel ne jalousait pas Molly. Au contraire, elle l'admirait, mais n'en faisait pas ostentation. À son affaire, aussi futée que Molly, solitaire, discrète, elle n'essayait pas d'impressionner, ce qui plaisait à cette dernière. Voyant que certaines filles ne l'affectionnaient pas particulièrement, Molly la prit sous son aile.

Elles sortaient souvent ensemble. Molly l'avait amenée se faire coiffer chez *Clark Hair Dresser*. Le résultat avait été plutôt déce-

vant. Molly lui fit une nouvelle coupe et lui montra comment se coiffer, mais les cheveux de Mabel s'étaient aussitôt redressés en crête de coq. Le maquillage avait été plus réussi ; la jeune fille, toutefois, n'était pas vaniteuse. La lecture la passionnait. Elle se révéla une amie drôle, intéressante. En discutant avec elle, Molly constata que sa nouvelle amie était une fille instruite et sans prétention. La beauté de Molly, son aspect physique qui attirait les regards, ne suscitaient aucune jalousie chez Mabel. Certaines filles tentèrent de l'amadouer ; perspicace, le nez fin, s'exprimant avec humour, elle se moquait d'elles subtilement. Molly souriait plus souvent.

Treize mois plus tard, un samedi soir que Mabel faisait des heures supplémentaires, Molly se rendit seule au *Music Pub* à *Hunter's Town*. À peine arrivée, inconsciente des désirs qu'elle suscitait, elle avait accepté de danser avec un bel uniforme, le soldat Michael O'Brien. Orphelin de mère, père trop souvent absent, il avait vécu une adolescence à la limite de la légalité. En octobre 1943, âgé de dix-sept ans, insouciant, mentant sur son âge, accompagné de quelques amis, il s'était engagé dans l'armée sur un coup de tête. Plus de cent mille Irlandais devaient faire de même durant cette guerre. Il s'était intégré sans difficulté. La discipline en fit un homme. Il noua des amitiés, l'armée devint sa seule famille. Enfin heureux !

3

Premier amour

Michael était plutôt beau garçon : des yeux bleus au regard lascif, des cheveux noirs rebelles, droit, fier, bien musclé. Molly l'avait envoûté et elle en était tombée follement amoureuse. Ses principes ? Sa logique ? Envolés ! Ils ne s'étaient plus quittés de la soirée. Les autres n'existaient plus. Michael avait une permission de dix jours. Ils avaient multiplié les rencontres — presque toujours dans les sous-bois, près des Remparts. Molly s'était confiée à Mabel.

— Ma chère, je te souhaite d'être heureuse, tu le mérites ! Et si tu en trouves un autre pour moi, ne te gêne pas pour me le présenter.

Molly travaillait frénétiquement, avec des gestes mécaniques, l'esprit ailleurs. Michael l'attendait à la sortie. Chacune de leurs rencontres était plus passionnée que la précédente. Elle l'avait « vampirisé ».

— Molly, je t'aime, tu peux me faire confiance, jamais je ne te ferai souffrir. Je ne pourrai jamais vivre sans toi, je veux que tu sois ma femme. On va se marier dès ma prochaine permission. Est-ce que tu m'aimes, Molly, veux-tu de moi ?

Molly buvait les paroles de Michael, elle n'y voyait que du feu. Pour toute réponse, elle s'était jetée dans ses bras, le corps brûlant de désir. Michael avait un penchant pour la bouteille. Cependant, il l'avait rassurée.

— Je ne suis pas un ivrogne, j'aime prendre un verre avec mes amis, mais tu n'as rien à craindre, mon amour. Je ferai tout pour te rendre heureuse. Jamais je n'ai vu plus belle femme que toi. Tu me rends fou, je n'en dors plus !

La veille du départ de Michael, elle avait terminé plus tôt. Il l'attendait, les cheveux gominés, l'uniforme impeccablement pressé, les souliers parfaitement cirés. Un souper en amoureux et deux bières plus tard, il lui avait offert une bague de fiançailles. Complètement envoûtée, flottant sur un nuage, elle avait frémi d'anticipation quand il l'avait glissée à son doigt. L'anneau ne sortait pas d'une bijouterie d'un grand joaillier, mais pour Molly, il représentait le symbole de leur amour. La voix brisée par l'émotion, elle n'avait pu que murmurer : « Ah ! Michael, je t'aime tant ! » Il l'avait attirée à lui. Ils étaient sortis du restaurant et s'étaient dirigés vers les Remparts, sous une nuit percée d'étoiles et à la lueur d'une lune complice. Étendant son veston sur l'herbe, il s'était glissé près d'elle. Admirant ses lèvres entrouvertes, innocentes et provocantes, il l'avait embrassée avec passion. Ses baisers se firent plus ardents, sa langue plus exigeante. Un désir intense, presque douloureux, l'avait secoué, et ses lèvres furent partout. Tendrement pour ne pas l'effrayer, il avait déboutonné sa blouse, sa langue avait glissé de son cou à ses seins. Il se repaissait de leur nectar. Pendant qu'il la caressait de la main gauche, sa main droite la dépouillait de ses vêtements. Effrontés, ses seins pointaient vers le ciel alors que la lune argentée auréolait son corps. Il dut se faire violence pour ne pas la prendre tout de suite, le sang bourdonnant dans ses oreilles. Il savait mesurer chaque plaisir, gardant le meilleur pour la fin. Haletante, Molly avait les sens en ébullition. Les contorsions sensuelles de son premier amant avaient obnubilé sa raison. Le corps en feu, impénitent, un désir furieux la consumait, ses ongles s'enfonçaient dans le dos de son amant, et ses jambes se nouèrent autour de lui. Michael baignait dans l'euphorie ; passionnément, Molly lui avait offert sa virginité. L'intensité de leur union les laissa sans voix.

Plus tard, une lueur d'adoration dans les yeux, il la contempla. La serrant tendrement, il avait murmuré :

— Molly, je t'adore ! Dès que la guerre sera terminée, tu seras ma femme, je te le jure. Tu es l'amour de ma vie.

Il avait eu plusieurs aventures, mais n'avait jamais éprouvé pareille extase.

— Je n'aimerai jamais une autre que toi. Je repars demain mais dans trois mois, je serai de retour et on se mariera. Je ne veux pas vivre une autre permission loin de toi. Tu m'attendras ?

— Tu es mon unique amour, aucun autre homme ne me touchera. Je t'attendrai, je compterai les jours. Quand tu reviendras, je serai sur le quai.

Le 2 septembre 1945, Michael reprenait l'autobus qui le conduirait à Dublin. Les soldats partaient du *North Wall* vers Londres via le traversier. L'embrassant passionnément, se rengorgeant dans son uniforme, il avait sauté sur le marchepied en lançant : « Ne t'inquiète pas, ma belle rousse, je reviendrai et tu seras ma femme. » Il était monté dans l'autobus ; son cœur l'avait précipité à la fenêtre. Il avait à peine eu le temps de lui envoyer un baiser avant que l'autobus ne s'éloigne. L'espace d'un instant, leurs regards s'étaient soudés ; les mains sur les lèvres, Molly l'avait suivi des yeux jusqu'à ce que le monstre de métal disparaisse, emportant une partie de son cœur. Les idées se chamboulaient dans sa tête. S'il fallait que… Éplorée, Molly était rentrée à la maison.

La patience et Molly ne faisaient pas bon ménage. On aurait dit un cheval de course piaffant en attendant qu'on ouvre la barrière. Le lendemain, à part quelques mots à Mabel, elle travailla sans relâche. Sitôt la journée terminée, elle se dirigea vers les Remparts. Le sous-bois portait l'empreinte de leur amour. Le cœur serré, les yeux pleins d'eau, assise, tâchant de mettre de l'ordre dans ses idées, elle laissa couler ses larmes. Assoiffée d'amour, tel un chaton sevré trop tôt, elle avait eu le coup de foudre pour ce soldat, vivant les dix derniers jours dans un état second, en parfaite symbiose avec Michael. Le reste du monde ? Envolé ! C'était donc ça, l'amour ? Souvent, elle entendait dire qu'un homme ayant tout quitté pour une femme, fou d'amour, avait perdu la tête. Elle, si logique, s'était juré de ne pas se laisser prendre. Sa raison ? Dans sa grande sagesse, Mabel lui avait déjà expliqué : « Ce n'est pas la raison qui mène l'amour, c'est plutôt la folie ! »

Mais quelle douce folie ! Plus rien n'avait d'importance, ni parents ni amis, elle voguait sur un nuage rose. Son cerveau vidé, il n'y restait qu'une cellule, contrôlant tout. Le soleil brillait même quand il pleuvait, les journées et les nuits, trop courtes. Un per-

pétuel sourire était accroché à ses lèvres. Michael subjuguait toutes ses pensées. « C'est terrible », pensa-t-elle. Terrible, mais tellement agréable ! Et l'acte de l'amour ? Rien que d'y penser, une douce chaleur envahissait son corps. Elle édifiait des projets. Comment allait-elle survivre à son absence ?

Sa mère lui fit des reproches. Sa fille ne l'aidait presque plus. Une vraie sans-cœur ! Elle l'ignora ; son père et son frère James ne s'étaient même pas aperçus de son absence. Seul Ken manifesta de la joie, mais une certaine gêne l'empêcha de le lui dire. Le souper terminé, la vaisselle rangée, elle sortit. Le corps fiévreux, les sens en éveil, elle revivait les dernières heures, elle touchait amoureusement sa bague, l'embrassait. Lentement, à reculons, elle rentra. D'un air soupçonneux, sa mère tournait autour d'elle. Molly avait changé, son instinct maternel se doutait de quelque chose… avec Michael. Ayant aperçu la bague au doigt de sa fille, d'un ton monocorde, elle se lança dans une litanie de reproches. Tantôt accusatrice, tantôt geignarde, elle lui servit un sermon digne d'un rédemptoriste.

— Tout Navan est au courant que tu t'es entichée de ce Michael O'Brien, un bon à rien qui s'est enrôlé pour échapper à la prison. Un oiseau de malheur, ce garçon-là. Tu t'en es amourachée et là, il est parti. On vous a vus hier soir, le long de la rivière Boyne. Tu devrais avoir honte ! J'espère qu'il ne t'a pas laissé un petit cadeau et… tu sais ce que je veux dire.

Rouge de colère, Molly s'était approchée de sa mère.

— Tu ne connais pas Michael, et si tu dis encore un mot contre lui, je fiche le camp d'ici. Tu t'arrangeras toute seule. Tu pourras toujours te plaindre, mais je ne serai pas là pour t'endurer. Michael, c'est un bon garçon. Il m'aime et quand il va revenir, on va se marier. Il me l'a promis.

— Promesses d'ivrogne !

— Michael prend un coup, mais il n'est pas un ivrogne.

— Pauvre innocente ! Il a commencé jeune et tu penses que ton amour l'empêchera de boire ? Il sera pire que ton père.

— Vivre comme toi ! Ça, jamais ! On s'aime et on va se marier. Tu es juste jalouse.

Titubant, son père était rentré. Se balançant de l'avant à l'arrière, le regard glauque, fixant Molly d'un air moqueur :

— Tiens ! Tiens ! Tiens ! Il est reparti, le beau Michael. Bon débarras ! Ma fille qui passe la nuit dehors. Une traînée !

— Avec un père ivrogne, tu ne pensais tout de même pas que j'aurais l'embarras du choix parmi les gars de la haute ?

— Molly ! C'est ton père ! Et figure-toi, mon cher, que ta fille est fiancée !

Les parents ! Molly les regardait. Quand elle faisait quelque chose de répréhensible à leurs yeux, elle devenait la fille exclusive de l'un ou l'autre. Même chose lors d'un bon coup.

— Ma fille ? Fiancée ? Au fils de Ray O'Brien, le fainéant ! Jamais je ne donnerai mon consentement à ce mariage.

— Tu ne pourras jamais, tu es toujours saoul. J'y pense. Tu seras bien trop content de le faire, tu ne manquerais jamais une occasion de prendre un verre. Oui ! Un verre… Te saouler !

Sur ce, Molly claqua la porte et se dirigea vers la rue principale. Elle marchait sans but. Michael lui manquait terriblement. Avide de tendresse, elle s'était donnée corps et âme à cet homme, un soldat dont elle savait très peu de choses, dont elle ignorait même l'existence quinze jours plus tôt. Insensé ! Et pourtant, elle l'avait dans la peau, son corps ressentait l'empreinte de son amour. Inconsciemment, ses pieds l'avaient conduite au bord de la Boyne. Elle se laissa choir sur l'herbe. Des larmes glissaient sur ses joues, les mots si amoureusement murmurés résonnaient dans sa tête. Le corps encore sensible aux caresses de la veille, elle tremblait de désir. Impénitentes, ses mains frôlèrent ses seins. Elle aurait fait les pires folies pour se retrouver dans ses bras. Les leçons de religion lui effleurèrent l'esprit : le péché de la chair, l'impureté, le remords, la confession, le regret, le ferme propos de ne plus pécher… Mais comment regretter une chose si belle ? Un plaisir si grand ? Promettre de ne plus recommencer ? Impensable ! Ses sens subjuguaient sa raison, elle n'avait qu'un seul désir, se retrouver dans ses bras.

Elle revivait leur première soirée. Elle, assise sur son veston, et lui, d'un geste de la main, lui enjoignant de se rapprocher. Avec douceur, ses mains sensuelles caressant son visage, ses lèvres

effleurant les siennes, puis l'embrassant à pleine bouche. C'était son premier baiser ! La sensation ? Foudroyante ! Adroitement, avec une lenteur calculée, les mains de Michael s'étaient faufilées, glissées dans son corsage, l'avaient dévêtue. Elle savait qu'elle devait le retenir, mais son corps, à peine sorti de l'adolescence, réagissait avec l'ardeur de sa jeunesse. Les sens en feu, Molly avait gémi pendant qu'il la caressait. Un bref moment de recul qu'il s'était empressé d'anéantir en la couvrant de baisers. Ses lèvres brûlantes enflammaient chaque millimètre de son visage, de son cou, de ses seins. Elle se rappelait chaque geste, chaque parole.

— Comme tu es belle ! Aucune femme au monde n'est plus parfaite, plus désirable que toi, Molly. Tu me rends fou ! Je t'adore !

Il s'était reculé pour mieux admirer cette offrande si candide, une sensualité jusque alors ignorée. Hypnotisée, elle avait bu ses paroles. Il la désirait tellement qu'il avait dû se faire violence pour ne pas la posséder dès cette première sortie. Se ressaisissant, il l'avait tout simplement serrée dans ses bras. Surprise, un peu déçue, elle s'était collée contre lui. Son corps le désirait.

— Attention, mon petit chaton. Je te désire aussi, mais nous devons attendre un peu. Tu es si jeune.

Les soirées subséquentes avaient été tout aussi ardentes, chacune plus passionnée que celle de la veille. Jusqu'à la dernière, où ils s'étaient donnés l'un à l'autre.

Molly soupira, se releva et se dirigea vers la maison. Quand elle pénétra dans la cuisine, personne ne fit aucun commentaire. C'était mieux ainsi.

Deux mois plus tard, Molly sut qu'elle était enceinte. Elle exultait. Michael lui avait laissé une partie de lui-même, elle serait sa femme quand il reviendrait en permission. Il avait promis de revenir à Noël. Leur bébé naîtrait au début juin. Elle flottait sur un nuage, un sentiment de douceur, de paix l'envahissait. Son bonheur était apparent, mais elle ne pipa mot. Même sa mère l'ignorait. Cette dernière, trop centrée sur elle-même, sur ses misères, réelles et imaginaires, ne pouvait porter attention à son unique fille.

Travailler, préparer les repas, nettoyer la maison, s'occuper de ses deux frères, subir les reproches constants de sa mère, tout cela

ne faisait que renforcer son désir de s'évader de cette prison. Fuir! En tombant amoureuse de Michael, elle venait d'assurer sa délivrance. Un bébé? Bof! Elle avait pratiquement élevé ses deux frères. Celui-ci serait le leur. Ils s'aimaient tellement! Le vrai bonheur était enfin à sa portée. À seize ans, le corps à peine formé, elle ne réalisait pas dans quel bourbier elle s'enlisait.

Ses seins s'étaient alourdis, mais Molly ne ressentait aucun malaise, aucune nausée. Personne n'avait deviné son état. Toutefois, un rayonnement émanait de son être. Elle dégageait une force calme, sereine, une aura propre à toute femme qui attend un enfant désiré. Elle n'avait jamais été aussi belle. Certaines des autres filles l'observaient avec circonspection. Des vêtements plus amples dissimulaient ses rondeurs apparentes, de sorte qu'elle avait pu continuer son travail chez *Clayton Woollen Mills*. Avec un peu de chance, son état passerait inaperçu jusqu'au retour de Michael. À l'usine, loin de ralentir la cadence, elle travaillait mieux et plus vite. Chaque supplément était soigneusement mis de côté. Leur bébé ne manquerait de rien. Molly était certaine que seule Mabel était au courant de sa situation, et son amie savait tenir sa langue. Mais une autre personne avait deviné son état. Madame Dever, l'infirmière, l'avait rencontrée à quelques reprises. Ses blouses amples, son maintien de femme comblée ne l'avait pas trompée. Pourvu que les autres ne remarquent pas son état! Surtout pas madame Finnigan. Assurément, elle serait montrée du doigt.

Tout aussi ravie que Molly, Mabel l'écoutait échafauder des plans pendant qu'elles se promenaient, examinaient les maisons à louer — à la dérobée —, riaient. Des moments de joie innocente.

— Tu vas être une bonne maman, je le sais.

— Je l'espère, cet enfant-là, je l'aime déjà, il est le fruit de notre amour.

— Tu vas être merveilleuse, je suis si contente pour toi! As-tu pensé à une marraine?

— Oui, c'est déjà tout décidé!

— Ah!

Puis, d'un air un peu dépité, elle avait osé.

— C'est qui?

— Toi, ma nouille ! Qui d'autre ? Tu es une vraie amie, ma seule amie, c'est toi que j'ai choisie !

Les larmes aux yeux, Mabel l'embrassa.

— Merci ! Merci ! Je suis tellement contente ! Tu peux compter sur moi, je vais te donner un coup de main. Mais... et si Michael ne veut pas ?

— Arrête ! Michael m'aime, il sera content. Tu vas être la marraine.

Sur ces mots, Mabel se mit à sauter, danser. Elle riait, chantait...

— Arrête ! Les gens vont dire qu'on est folles.

4

Molly et Michael

Les dieux s'étaient mis de la partie. Le 8 mai 1945, la guerre prenait fin et Michael revenait au pays. Fébrile, Molly l'attendait à la gare, deux heures avant l'arrivée du train. Des passants la regardaient en hochant la tête ; elle ne les voyait pas. Michael avait à peine mis pied à terre qu'il la serrait dans ses bras, la couvrant de baisers.

— *Jaysus !* Tu es encore plus belle qu'à mon départ.

Molly riait et pleurait. Michael était revenu. Ils ne perdirent pas de temps. Deux jours plus tard, ils se rendaient à l'église prendre les dispositions pour le mariage. Son père avait donné son consentement et, le 5 décembre 1945, Molly devenait madame Michael O'Brien. L'avenir leur appartenait et le soleil riait de toutes ses fenêtres ouvertes. D'un gringalet insouciant, l'armée avait transformé Michael en un solide gaillard, plus calme, sûr de lui, un homme qui n'avait peur de rien… mais qui aimait toujours se rincer la luette. Amoureux fou de Molly, il était très heureux de la venue de son enfant.

Une petite maison, sur la rue Flower Hill, les avait séduits : une grande pièce servait de cuisine, de salon et de salle à manger. Selon le propriétaire, la cuisinière chauffait très bien avec du *maith móin* (briquettes de tourbe ou de mousse séchée). Molly détestait ce carburant salissant et son odeur âcre, mais c'était économique pour la cuisson et le chauffage. Le reste de la maison comprenait deux petites chambres contiguës, une salle de bain comptant un bain minuscule, un évier et une toilette. Ce n'était pas le grand luxe. De plus, la maison baignait dans l'odeur de chou bouilli et de porc.

Molly avait tout récuré et astiqué avec amour. Elle avait rapidement fait disparaître une petite ampoule rouge suspendue devant une image du Sacré-Cœur, illuminant le cœur ensanglanté. Michael avait protesté.

— Molly, tu ne dois pas l'enlever, l'Irlande a été consacrée au Sacré-Cœur en 1873. Bien des gens lui vouent une grande dévotion.

— Et moi, je n'étais pas née en 1873. Ma mère a une image semblable dans le salon. Enfant, ce cœur saignant me terrifiait. Elle faisait aussi brûler trois chandelles chaque jour, *penny candles,* devant une statue de la Vierge. Ça ne l'empêchait pas de passer le reste de la journée à se lamenter pendant que je besognais à sa place.

Michael n'avait pas insisté. Au fond, il s'en fichait. Il était tellement fier de sa petite maison, surtout que Molly l'avait meublée sans peine… En effet, des amis du père de Mabel qui déménageaient en Europe lui avaient donné un lit deux places, deux petites commodes, un divan, une table, quatre chaises et un petit réfrigérateur. Une manne providentielle. Mabel avait insisté pour lui offrir la literie. Ils étaient riches.

Molly était certaine que Michael se trouverait sans difficulté un emploi à Navan. Après tout, il avait été soldat. L'usine de tapis, *Navan Carpets,* établie en 1938 près de la rivière Blackwater par la famille McClean d'Écosse, était en pleine expansion. Ses tapis tissés sur des métiers de trois mètres et demi de largeur étaient en grande demande. Les couleurs, la beauté des motifs, la qualité faisaient leur grande renommée, non seulement en Irlande mais aussi en Europe. Le peintre Patrick O'Reil fut l'un des meilleurs dessinateurs-créateurs de la compagnie. Celle-ci dut augmenter sa production. Neuf métiers fonctionnaient vingt-quatre heures par jour, sept jours sur sept. Les tapis étaient transportés par une flotte de camions.

— Ils ont toujours besoin de bons chauffeurs, tu pourrais aller voir.

— Oui, ma belle Molly, j'y vais aujourd'hui même ; toi, tu donnes ta démission. Tu portes mon enfant, tu dois te reposer. De

plus, je veux que ma femme soit à la maison pour m'accueillir quand je reviens du travail.

Le jour même, il se présenta à l'usine et fut engagé sur-le-champ. Il était propre, bien mis, avec une belle prestance, de l'assurance… Le gérant fut heureux de ce nouvel employé. Molly était ravie, elle ne demandait pas mieux. Elle avait pris du poids et voulait se consacrer à Michael et à la venue de leur enfant. Michael et elle étaient allés danser au *Beachmount Ballroom*, danse organisée par l'Église. Tout se passait selon les règles de la bienséance ; les hommes d'un côté, les femmes de l'autre. Certains jeunes étaient habillés un peu différemment des autres, ils venaient de la ville. Michael expliqua à Molly comment différencier les gens de la ville de ceux des campagnes.

— Quand ils dansent, ceux des villes baissent le coude et ceux des campagnes le remontent ; c'est facile de les reconnaître.

Cette information n'était pas tombée dans l'oreille d'une sourde. Molly s'en souviendrait quelques années plus tard. Au *Beachmount Ballroom*, on ne servait aucune boisson, il n'y avait qu'un *mineral bar* où l'on pouvait acheter des boissons non alcoolisées. Naturellement, ce n'était pas l'endroit rêvé pour Michael ; Molly n'en raffolait pas non plus. Trop empesé ! Le *Music Pub* de *Hunter's Town* était plus vivant. C'était son pub.

Molly avait commencé à aider sa mère alors qu'elle était à peine haute comme trois pommes. Elle appréciait donc ces quelques mois de répit. Tout allait pour le mieux, sauf qu'au retour du travail, Michael faisait toujours un arrêt au pub, le *Farmer's Rest*, qui allait devenir son second foyer. Il s'y était fait des amis, Greg et Ross, deux voyous au langage grivois. L'un, marié, trois enfants, battait sa femme et s'en vantait.

— Quelques bonnes taloches, ça commande le respect, et votre femme marche droit. Je peux même vous dire qu'elle ne demande rien. Elle pense même ce que je lui dis de penser.

L'autre, Thomas, célibataire, travaillait juste assez pour payer sa bière. Bud, le tenancier, solide comme un roc, visage hermétique, sourcils en broussailles, l'œil américain, pouvait jauger un client au premier coup d'œil. Il n'avait pas été surpris de revoir Michael soir après soir. Son instinct lui disait que Michael était en pente

descendante et son flair lui faisait rarement défaut. Seul maître à bord, il voyait tout, entendait tout, ne commentait jamais. Doléances et confidences recevaient la même réponse: «Hmmm!» Chaque soir, c'était le même rituel. Deux, trois bières plus tard, Michael retournait chez lui. Connaissant les ravages de la boisson, Molly s'inquiétait, mais elle aimait tellement Michael qu'elle ne rouspétait pas trop. Doux, amoureux, il l'adorait et lui jurait que la boisson n'était pas un problème. Prendre un verre, jaser entre amis, un simple moyen de décompresser après une dure journée de travail. Elle était aimée, même choyée, alors pourquoi se mettre martel en tête?

5
L'histoire se fait écho

Le 15 juin 1946, Tara fit une entrée remarquée dans le monde, hurlant à pleins poumons. Affamée, elle tétait goulûment. C'était un beau bébé, tout le portrait de sa mère. Molly était aux anges. Michael, qui aurait préféré un garçon, n'en était pas moins fier. Il se pavanait avec son bébé, un paon faisant la roue. Il avait fêté cette naissance en payant la tournée à tous ses amis du *Farmer's Rest* et avait même un peu abusé de la dive bouteille. Titubant, il était revenu chez lui en chantant à tue-tête, réveillant madame Finnigan, que Molly appelait *Pipelette*, la gazette de Navan. Cette punaise de sacristie, qui avait la langue plus tranchante que la guillotine, voyait tout, savait tout et se croyait investie d'une mission : ramener au bercail les brebis égarées, au grand dam du curé, le père Walsh.

— Si ce n'est pas honteux ! Un ange voit le jour et le père se saoule ! Une grande offense faite au Seigneur. Vous lui faites de la peine. Un enfant de Dieu qui agit comme un païen.

Éclatant de rire, Michael avait rétorqué :

— Madame Finnigan, le bon Dieu, c'est lui, le premier contrebandier. C'est lui qui a changé l'eau en vin. Il était pour la boisson.

Pipelette avait failli avoir une attaque d'apoplexie. Incapable d'articuler une parole, ouvrant et refermant la bouche comme un poisson hors de l'eau, elle le fixait en le montrant du doigt. L'image de cette commère, le visage cramoisi, incapable de prononcer un seul mot, traversa la brume alcoolisée de son cerveau. Vacillant de droite à gauche, il s'était approché d'elle.

— Mais, chère Madame Finnigan, vous avez perdu la parole. C'est un miracle ! Je boirais bien un autre verre pour fêter ça.

Indignée, humiliée, tel un militaire, elle avait pivoté sur ses talons et s'était précipitée chez elle, poursuivie par les éclats de rire de Michael. Le lendemain, tout Navan était au courant de la conduite scandaleuse de celui-ci. Molly en avait eu vent. Quand Michael lui raconta l'altercation, Molly ne s'en soucia pas, elle détestait passionnément Pipelette.

La jeunesse de Molly avait vite eu raison de l'accouchement. Une semaine plus tard, elle vaquait à ses occupations. Tara était un bon bébé, Michael l'adorait et la vie reprenait son cours normal. Ils s'aimaient. Trois mois plus tard, elle était de nouveau enceinte. À dix-sept ans, vibrante, éprouvant une folle envie de vivre, de s'épanouir, elle se sentit piégée. Elle jura que ce serait sa dernière grossesse. Michael n'était pas plus emballé. Molly n'avait jamais été aussi belle, il voulait sortir, aller danser avec elle — avoir du plaisir. Tara n'avait que trois mois et Molly, qui n'avait éprouvé aucun malaise lors de sa première grossesse, souffrait de nausées. Pendant que leurs torrides nuits d'amour se raréfiaient, les arrêts quotidiens de Michael au *Farmer's Rest* s'allongeaient. À la fin du quatrième mois, les maux de cœur disparurent, l'énergie et la joie de vivre de Molly refirent surface. Michael et elle purent sortir ensemble. Quelquefois, leurs pas les ramenaient près des Remparts.

Un soir que Michael se sentait particulièrement amoureux, il avait étendu une petite couverture par terre pour Tara, et là, avec les étoiles comme témoins, lentement, tendrement, il avait fait l'amour à sa Molly. Ses lèvres chaudes et humides lui embrassaient le cou, les seins, glissaient le long de son corps. Elle n'était que feu et désir. Moment d'extase pour lequel les anges et les saints auraient volontiers sacrifié une parcelle d'éternité.

Comme il se penchait pour enfiler son pantalon, il aperçut deux jambes à travers les buissons. Mettant un doigt sur la bouche de Molly, il s'élança et attrapa l'intrus, Carl Finnigan, et le souleva de terre par le collet. Ce dernier se débattit comme un diable dans l'eau bénite, mais il n'était pas de taille pour Michael. Il geignait, pleurnichait. Michael le traîna jusqu'à Molly. Le pantalon à

mi-jambe, une piteuse érection en débandade, rouge de honte, il n'osait relever la tête.

— Ce petit salaud nous espionnait. Regarde son pantalon sur les talons, sa mini-saucisse...

Dégoûtée, en colère, Molly le regardait. Une envie folle la submergea.

— Ah! mon petit serin, ta mère, la sainte, n'a pas bien élevé son cher Carl. Tu te masturbais en nous espionnant! C'est très vilain, tu dois être puni.

— Si vous me touchez, je crie et je dirai ce que j'ai vu.

La main de Michael s'abattit sur sa joue comme un coup de fouet. Finnigan pivota comme une toupie, ses dents battirent en tambour, il s'affala dans un buisson et n'osa plus bouger.

— Tu m'espionnes pendant que je fais l'amour à MA FEMME, mon *damnaigh saobhmaudit* (maudit pervers). Tu ouvres la bouche et je te coupe la langue!

— Voyons, Michael, ne sois pas si cruel! Tu ne vois pas, il sue à grosses gouttes. Commence par lui enlever son pantalon, il sera plus à son aise. Le pauvre, sa petite saucisse a disparu.

— Non, non, s'il vous plaît, je ne dirai rien, je vous le jure.

— On ne te croit pas. Non seulement tu es un petit vicieux, un pervers, mais je t'ai vu maltraiter un chaton, espèce de sadique. Quel fieffé menteur!

Avant qu'il ait pu esquisser le moindre geste, Michael l'avait déculotté.

— Maintenant, file! Et si jamais je te retrouve à nous espionner, je te coupe ton petit cure-dent et je te tue. Tu comprends?

— Mais... Je n'ai plus de pan... ta... lon, on va me...

Il pleurnichait. Michael n'était pas ému. Indécis, se dandinant d'un pied sur l'autre, Finnigan hésitait à déguerpir. Michael lui asséna un coup de ramille sur les cuisses, mettant instantanément fin à son indécision.

La vie reprit son cours. Molly grossissait, Michael tardait un peu plus chaque soir. Douceur, tendresse, colère, menaces, elle avait essayé de le raisonner. Il promettait mais... promesses d'ivrogne. Même après la fermeture du pub, il y avait toujours un endroit connu où l'on pouvait acheter de la boisson, comme une *Bona*

fides Place. Alors, malgré ses serments, quelques soirs plus tard, il récidivait. Molly dut se rendre à l'évidence : comme son père, Michael était lui aussi un ivrogne. Il l'aimait, mais les mots du cœur devenaient plus rares, elle n'était pas de taille à rivaliser avec la bouteille. Jeune, bientôt un deuxième enfant, elle avait le goût de vivre, de rencontrer des gens, de s'amuser.

Le sort semblait s'acharner sur elle. Trois mois plus tard, son père mourut subitement. Elle dut passer quelques jours chez sa mère. Cette dernière n'était plus une voix, mais un écho. Les funérailles ? Une journée où elle aurait aimé disparaître. Certaines coutumes la révoltaient, surtout celles auxquelles on s'adonnait à la fin de la cérémonie à l'église : la vente du corps à l'encan, ce rituel qu'on appelait *to auction the body.* Cette vente se déroulait selon les normes, et on remettait l'argent recueilli à la veuve. Le motif était louable, mais l'idée d'un encan la révoltait. De plus, c'était une occasion pour s'enivrer et Michael en avait profité. La colère et le dégoût la consumaient. Ce soir-là, quand il s'approcha pour la caresser, il puait la bière à plein nez. Molly ne put retenir son exaspération et sa répulsion. Rouge de colère, elle l'envoya valser à l'autre bout du salon. Crânant, minaudant, il s'était faufilé vers elle en se dandinant, tel un bateau qui tangue, mais le temps des palabres et du pardon était terminé. Ne s'avouant pas vaincu, il tenta de l'amadouer, mais brusquement se retrouva étendu sur le divan. Les yeux de Molly lançaient des éclairs. Elle ne lui avait jamais paru aussi désirable.

— Ne me touche pas ! Plus jamais, tu m'entends.

Le fixant et indiquant son ventre :

— Tu n'es qu'un ivrogne et tu m'as touchée pour la dernière fois.

— Moi, un ivrogne ? Je prends un verre mais...

— Tais-toi, tu mens comme un ivrogne, tu ne peux passer une seule journée sans boire, et ça, mon cher, je ne le supporterai plus.

Le ton de la voix de Molly pénétra son cerveau embrumé : il sentit qu'elle ne plaisantait pas. Il ne l'avait jamais vue ainsi, une colère calme, dangereuse. Il se redressa.

— Tu exagères, ma chérie, je prends un verre, mais tu n'as pas à te plaindre, on ne manque pas de nourriture, Tara, je l'aime.

— Tu l'aimes et tu m'aimes aussi, mais tu aimes encore plus la bouteille. Et moi, je ne suis pas ma mère. Mes enfants auront toujours à manger et ils seront bien habillés, j'y veillerai. Continue à te saouler la gueule, *meisceoir* (soûlard) !

Entrée dans leur chambre, elle lui lança son oreiller en disant :

— Je ne veux plus de toi dans mon lit, couche sur le divan.

Incrédule, beaucoup plus sobre, il s'était relevé, avait essayé de l'embrasser. Comme un éclair, le genou droit de Molly rencontra ses testicules. Courbé en deux, il l'apostropha :

— Tu es devenue folle ! Tu veux m'estropier !

— T'estropier ? Ce n'est pas grave, tu es si souvent ivre qu'il s'ennoblit à peine, ne plus t'en servir ne changerait pas grand-chose. Un ivrogne n'est jamais bien performant, et tu ne fais pas exception. Ce bébé, mon cher, c'est notre dernier ! Tu ne me toucheras plus !

— Tu le regretteras ! J'irai voir ailleurs !

— Pauvre Michael ! Qui voudra de toi ? Des biberons de ton espèce ! Et tu sais, saoul, tu n'es pas tellement attirant et... pas très...

Orgueilleux, piqué dans sa masculinité, il lui rappela qu'elle avait été très heureuse de l'avoir dans son lit et qu'elle aimait trop le sexe pour pouvoir s'en priver.

— M'en priver ? Je n'ai même pas dix-huit ans. Je n'en ai nullement l'intention. Le vœu de chasteté ? Pas pour moi !

Ce genre d'affirmation ? Rien de tel pour dégriser un homme, même un ivrogne ! Incrédule, presque sobre, il la regarda comme s'il la voyait pour la première fois. Non, elle ne plaisantait pas.

— Au contraire, mon cher, j'y vois clair et je t'avertis pour la dernière fois, c'est moi ou la bouteille. Sinon, toi et moi et la couchette, c'est ter-mi-né. Tu penses que je vais passer ma vie à courir te chercher au *Snug Pub*, à demander si tu y es ?

Le *Snug Pub* était un pub muni d'une porte sur le côté où l'on pouvait servir de la boisson aux femmes sans qu'elles soient vues des hommes à l'intérieur. Certaines femmes allaient demander à

parler à leur mari, quémandaient quelques pennies ou livres £. Souvent, on leur répondait qu'il n'était pas là, même s'il y était.

— Ce n'est pas une femme qui va me dicter ma conduite !

— Tu préfères que ce soit la bouteille ? À ton aise, Michael ! Réfléchis bien ! Tu me toucheras quand tu auras été sobre pendant six mois et que je serai convaincue que tu tiens vraiment à moi, à notre famille. Je ne reviendrai pas sur ma décision. Elle est définitive !

Il sortit en claquant la porte. Tara s'éveilla en pleurant. Avait-elle deviné que quelque chose d'important s'était brisé ? Molly la consola ; l'enfant se rendormit. En réalité, elle était seule ou presque. Ses illusions de bonheur, envolées. Une douleur lui vrilla le cœur. Malgré elle, les larmes inondaient son visage. Elle pleura son enfance perdue, son rêve brisé, son bonheur éphémère avec Michael. Non ! Elle ne serait pas comme sa mère. Passer des soirées à l'attendre, à espérer qu'il n'ait pas dépensé toute sa paye, essayer de le changer ? Dans son for intérieur, elle savait qu'il n'arrêterait pas de boire, il en était incapable. Les signes ne manquaient pas, elle les connaissait depuis sa plus tendre enfance. C'était un ivrogne ! Cette réalité lui fit mal. Plus jamais un homme ne la ferait souffrir, ne la ferait pleurer.

Dès son réveil, le lendemain, elle s'était maquillée, apportant un soin particulier à sa toilette. Déterminée, elle veillerait sur ses enfants, les protégerait. À dix-sept ans, vivante, elle voulait vivre, avoir du plaisir. Renoncer aux plaisirs de l'amour ? Ça, jamais ! On ne se rassasie pas des plaisirs de l'amour ! Son corps avait des exigences, elle n'avait pas l'intention de lui faire violence. Elle n'irait pas d'un lit à un autre, elle choisirait un amant. Michael avait été un amant expérimenté, ses compagnons d'armes l'avaient bien entraîné. Elle ne se vendrait pas aux plus offrants, mais il n'était pas plus difficile d'aimer un homme fortuné qu'un mendiant. Elle saurait s'y prendre pour qu'il soit porté à se montrer reconnaissant. Tôt ou tard, Michael serait congédié, une journée de travail productive n'étant plus sa première préoccupation. Ni ses enfants ni elle ne manqueraient de rien. Elle ne passerait pas sa vie à manger du chou et du *mince meat* (hachis de pommes de

terre et de graisse). Jamais elle ne dirait à ses enfants : « Votre souper est versé », comme parfois chez ses parents, quand tout ce qu'il y avait à manger était une soupe aux pommes de terre. Coûte que coûte, elle s'en sortirait. Alors, pourquoi ne pas joindre l'utile à l'agréable ? Plus elle y pensait, mieux elle se sentait. Sa logique endormait ses scrupules et ses principes. Elle regarda sa tirelire : pas de bouilli ce soir, elle pouvait se permettre un petit gigot. Quand Tara se réveilla, elle la fit manger, l'habilla avec soin et elles sortirent.

Michael était parti travailler en claquant la porte. Cette femme ! Oser lui lancer un ultimatum ! Il la revoyait, les joues en feu, les yeux brillants, lui reprochant quelques verres de bière avec ses amis et ayant le culot de le menacer de ne plus faire l'amour avec lui. Elle était sa femme, elle ne pouvait lui refuser ce droit. Ruminant ses pensées, il s'était tordu la cheville en déchargeant des tapis. La soif le tenaillait… le visage de Molly s'imposa… il devrait faire plus attention. Cette tigresse à la crinière rousse était bien capable de mettre sa menace à exécution. La journée terminée, il n'avait pris que deux bières au pub et s'était empressé de rentrer à la maison.

Molly ne l'avait pas encensé pour autant. Et quand il avait voulu l'approcher, elle avait prétexté un mal de dos. Il fut choqué, humilié qu'elle ne lui ait pas ouvert les bras après un si grand sacrifice ! Après tout, ses deux meilleurs amis, Greg et Rob, étaient libres d'agir à leur guise. Le lendemain soir, Michael avait repris ses bonnes habitudes, quatre ou cinq bières. Quand il était rentré, Molly était au lit. Dormait-elle ou faisait-elle semblant ? Il n'osa la toucher.

6

Pipelette

Comme par hasard, Pipelette était à l'extérieur. Le nez fouineur, son regard circulaire enveloppait tout son environnement. Elle humait les ragots potentiels. Debout, sur son perron, elle s'attardait à enlever une poussière imaginaire sur son veston. Emmaillotée dans son âme missionnaire, elle interpella Molly d'une voix mielleuse.

— Belle journée pour promener votre bébé. Et vous en attendez un autre ? Michael est un homme très occupé. Il va bien ?

— À merveille, madame Finnigan ! Merci de vous intéresser à lui.

Molly se doutait bien que la voisine avait entendu leur altercation de la veille. Cette vipère avait des antennes partout, ses oreilles bioniques entendaient tout, ou plutôt percevaient ce qu'elle croyait entendre.

— Tant mieux, madame O'Brien. Vous êtes une bonne fille, toujours dans le droit chemin. Si jamais vous avez besoin de quoi que ce soit…

Molly n'y tint plus. Cette fouille-merde, cette Pipelette la faisait sortir de ses gonds.

— Merci, chère madame, mais occupez-vous plutôt de votre cher Carl, ce faux-cul qui espionne les gens, qui torture les animaux, qui…

— Mon Carl, c'est un bon garçon !

— C'est un malade ! Faites-le soigner avant qu'il ne se fasse ramasser !

Pipelette se lança dans une litanie d'épithètes, mais Molly continua sa route. Les paroles de la commère la poursuivaient. Les

mots dévoyée, enfer, perdition se perdirent entre les exclamations. Ah! Oh! Puis, elle ne l'entendit plus. Si jamais elle attrapait ce petit pervers, elle lui ferait voir des étoiles en plein jour. Elle tiendrait loin de ses enfants cet être asocial, dont tout Navan connaissait les frasques. Le chouchou d'une mère aveugle.

Pipelette s'était empressée de rentrer chez elle. S'étant signée, elle avait allumé les trois chandelles devant la statue de la Vierge qui trônait sur une étagère dans la cuisine. Monsieur le curé saurait tout avant la fin de la journée. Cette Molly, cette âme damnée osait prétendre que son Carl était un vicieux. Un si bon garçon! Elle se dirigea vers la chambre de son fils. Celui-ci l'avait entendue venir et s'affairait à y mettre de l'ordre. Treize ans, costaud, tête de porc-épic, nez busqué, yeux noirs, bouche gourmande, oreilles en chou-fleur, un ensemble pas très avenant mais que l'amour irrationnel de sa mère embellissait. Avec elle, il se faisait câlin, soumis. Elle lui aurait offert le bon Dieu sans confession. Son père? Carl sentait sa désapprobation, alors il l'ignorait.

Cet homme doux, affable, déplorait l'amour excessif dont sa femme entourait leur seul fils et subissait le comportement de celle-ci. À plusieurs reprises, il avait essayé, sans succès, de discipliner son fils, mais sa femme s'était mise dans une sainte colère.

— Tu ne connais rien aux enfants, alors laisse-moi faire, contente-toi de nous faire vivre. Carl est un bon fils, on ne le comprend pas.

— Et toi, tu lui passes tous ses caprices. J'entends les commentaires des gens, il a de mauvais penchants, il nous en fera voir de toutes les couleurs. Si tu passais moins de temps à l'église, tu verrais ce qui se passe dans notre maison. Heureusement, Mary nous fait honneur.

— Mary! Mary! Les gens sont jaloux! Ne t'inquiète pas, je connais Carl mieux que toi, il veut devenir prêtre.

— Prêtre? Quand il sera ordonné, fais-moi signe. Pauvre toi, ton amour pour ce garçon t'aveugle. Il finira en taule… pas au séminaire… des fois, je me demande si tu as toute ta tête.

Souvent, Mary venait s'asseoir sur un petit banc que son père avait construit pour elle. Elle l'appelait son *thinking bench* (banc

pour réfléchir). Elle adorait son père, ils causaient et elle lui disait tout. Quelle fille ! Si différente de Carl.

Son fils l'inquiétait. Les autres enfants se moquaient de lui, de sa voix nasillarde. Il essayait d'attirer les jeunes filles de son âge, sans grand succès. Il se branlait régulièrement, détestait sa sœur, Mary, dont il était l'antithèse. Cette dernière, quatorze ans, affable, plutôt frêle, douce, adorée de son père, avait été le souffre-douleur de son frère, mais en grandissant, elle avait appris à riposter et lui avait servi quelques bonnes taloches. Carl la craignait et ne lui adressait jamais la parole. Elle avait vainement essayé de dire à sa mère que son frère faisait des mauvais coups et qu'il brutalisait les animaux. Cette dernière n'avait rien voulu entendre. Sa fille ? Quantité négligeable.

7

Naissance de Ray

Mary aimait bien rendre visite à Molly, la regarder s'occuper de Tara. Sa mère lui avait défendu de parler à cette mauvaise femme, cette même mère qui était de toutes les messes, les neuvaines, les dévotions. La vie spirituelle de Navan et son cher Carl mobilisaient tellement chacune des minutes qu'elle était éveillée qu'elle se souciait peu de Mary, alors celle-ci en profitait pour bercer le bébé. Molly l'aimait bien, encore plus parce qu'elle savait que sa mère, cette Pipelette, ne voulait pas qu'elle lui parle. Douce revanche !

Un samedi matin, pendant que Molly était à nettoyer la maison, une première douleur au ventre lui coupa le souffle, puis une seconde. Ce ne pouvait être que le bébé. Elle n'était enceinte que de sept mois. Elle s'allongea, mais une autre douleur lui vrilla le corps. Se traînant jusqu'à la porte, elle l'entrouvrit et aperçut Mary.

— Mary, va chercher le docteur Fitzsimmons… non, c'est trop loin ! Cours chez madame Dever, je suis malade. Vite ! Vite !

— Oui, oui, madame.

Mary prit ses jambes à son cou et se précipita chez madame Dever. Frappant furieusement à la porte, elle faillit tomber à plat ventre quand l'infirmière lui ouvrit.

— Qu'y a-t-il ? Es-tu malade ?

— Non, non, c'est madame Molly, il faut que vous veniez. Vite !

En moins de deux, madame Dever avait attrapé son sac et s'était précipitée chez Molly. Étendue sur son lit, haletant de douleur, entre deux contractions, Molly lui avait souri en murmurant : « Merci ! »

— Doucement, ma fille ! Il arrive un peu tôt, mais tu es une femme forte, ça va bien aller.

De son sac, elle sortit un grand ciré, quelques serviettes et, tout en encourageant Molly, elle l'installa confortablement, lui releva les jambes et commença à les lui masser ainsi que les muscles autour de la vulve.

— Doux Jésus, le bébé arrive ! Pas trop vite, ma belle, pas trop vite ! Tu es trop jeune, tu ne veux pas endommager cette belle machinerie. Ah ! le voici, le beau petit garçon !

D'une main habituée à assister le médecin lors des accouchements, elle le prit par les pieds, lui ouvrit la bouche, y passa l'index, enleva le mucus et avant qu'elle ne lui eût administré la fameuse petite tape sur les fesses, un grand cri la rassura.

— Madame Dever, il est vivant ! Il n'a rien ?

— Mais oui ! Un beau petit garçon ! L'entendez-vous hurler ? Et il gigote, une vraie petite anguille.

— Je veux le voir.

Madame Dever s'affaira à nettoyer le nouveau-né, l'enveloppa dans une petite couverture en flanelle et le déposa dans les bras ouverts de Molly. Cheveux noirs, minuscule frimousse rouge plissée, il lançait de petits cris de colère. Elle lui tendit le sein qu'il se mit à téter goulûment.

— Voyez, il a faim. Il est petit, mais il va vite prendre du poids. Celui-là va vous tenir occupée. Chère Molly, vous êtes une bonne fille, courageuse, une femme sans avoir été une jeune fille. Votre Tara est toujours propre, belle comme sa mère, votre maison bien entretenue, ce bébé est entre bonnes mains.

— Merci ! Il n'y a pas beaucoup de gens qui pensent comme vous. On me regarde de haut ou de travers, même monsieur le curé. Tout de même, je suis contente d'être délivrée.

Madame Dever l'avait vue grandir, elle connaissait sa mère et son père, l'avait vue se débattre pour mettre un semblant d'ordre dans sa vie et de propreté dans sa maison. Molly venait de loin.

— Laissez dire ! Vous êtes jeune, diablement jolie, débordante de vie, ça excite la jalousie. Vous mordez dans la vie et Michael vous aime. Vous êtes une bonne fille. Restez allongée, je vais vous faire une bonne tasse de thé, ça va vous faire du bien.

Des larmes glissèrent sur les joues de Molly. Elle aimait cette femme droite, honnête, charitable, la mère qu'elle aurait aimé avoir. Madame Dever ne la jugeait pas, elle la comprenait. Molly lui ouvrit son cœur. Oui, Michael l'aimait, mais il buvait et lui remettait juste assez d'argent pour l'épicerie et l'entretien de la maison. Son besoin de boire augmentait.

— Je sais, c'est un gros problème, mais l'alcoolisme est une maladie et lui seul peut décider s'il veut guérir.

— J'aime Michael, mais je ne vivrai pas la vie de ma mère. Jamais! Je ne vivrai pas avec un ivrogne. Ce bébé, c'est notre dernier.

Madame Dever prépara le thé, tira une chaise et s'assit près de Molly. Elle la regarda avec tendresse. C'était une bonne fille, sa vie n'avait pas été facile. Issue d'une famille dysfonctionnelle, à peine dix-huit ans, deux enfants et mariée à un ivrogne. Son avenir et celui de ses enfants la préoccupaient.

— Vous, madame Dever, je ne connais pas votre histoire, mais je sais que vous êtes veuve. Les gens disent que votre mari était un homme bon. De quoi est-il mort? Vous n'avez pas d'enfants?

Madame Dever ferma les yeux, les rouvrit, prit une profonde respiration et commença. Elle s'était mariée le 15 mai 1922, elle avait vingt-deux ans, Thomas vingt-quatre. Oui, son mari était un homme bon, jamais un mot plus haut que l'autre. Il la respectait. Toujours propre, toujours prévenant, prêt à rendre service. Ils s'adoraient. Deux ans après leur mariage, elle était tombée enceinte. Neuf mois plus tard, elle avait accouché d'une belle petite fille, Esther. Un ange.

— On aurait dit qu'elle avait une auréole autour de la tête. Thomas en était fou. Dès qu'il revenait du travail, il la promenait sur ses épaules, se mettait à quatre pattes. Elle le montait comme un cheval, il lui racontait des histoires. Et elle riait en frappant des mains. Notre belle, notre douce Esther! Notre soleil!

Molly lui frôla les mains. La douleur qu'elle ressentait chez cette femme si bonne, solide comme un roc, la touchait profondément. Madame Dever lui sourit et, d'une voix calme et sereine, continua son récit.

— Esther venait d'avoir trois ans. Un matin, elle se leva fiévreuse et enrhumée. Je lui donnai un peu de miel dans de l'eau chaude, une petite aspirine de bébé et je la berçai. Trois jours après, elle était rétablie, mais rechuta quelques jours plus tard. Thomas s'énervait, il avait peur pour sa petite princesse. J'allai consulter le bon docteur Fitzsimmons, qui me rassura. « Les enfants ont souvent de petits rhumes, il ne faut pas s'en inquiéter. » Esther se remit une quatrième fois mais elle se mit à tousser, une toux persistante. Parfois, elle suait à profusion, des gouttes très salées. Elle éprouvait de la difficulté à respirer, une respiration sifflante, asthmatique. Elle n'allait pas bien. Nous étions inquiets, Thomas était au bord de la panique.

Ils étaient allés consulter un spécialiste à Dublin. Radiographies, examens minutieux, consultations auprès de trois confrères et, finalement, un diagnostic dont ils ignoraient la signification.

— Votre fille souffre de fibrose kystique

— C'est quoi cette maladie ? Vous pouvez la guérir !

Thomas était debout, les yeux égarés, blanc comme neige. Avec un air de commisération et toute la bonté possible, le spécialiste leur avait annoncé la terrible nouvelle.

— Cette maladie ne se guérit pas. Avec beaucoup de chance, elle vivra… jusqu'à dix ans… Peut-être plus, peut-être moins.

Thomas et Mary étaient anéantis. Thomas avait regardé le visage ruisselant de larmes de sa Mary, son cœur battant dans sa poitrine, il étouffait. Leur Esther, ce petit ange au beau visage souriant qui l'accueillait chaque soir ! Lorsqu'il apercevait sa jolie frimousse en entrant, toute la fatigue de la journée disparaissait. Et Mary, si bonne, si douce. C'était un cauchemar ! Pourquoi, Seigneur ?

Mary s'était redressée, elle avait porté cette enfant pendant neuf mois, l'avait mise au monde, elle saurait la ramener à la santé. Elle avait demandé des explications et, surtout, comment la soigner. Patiemment et en douceur, le médecin leur avait décrit la fibrose kystique. Ce dont elle se souvenait, c'est que les symptômes les plus sérieux sont surtout localisés dans les bronches, au niveau respiratoire. Sécrétion excessive et épaisse de mucus, obstruction des voies respiratoires, d'où la difficulté à respirer. La nourriture

n'est pas bien absorbée, l'enfant perd du poids, souffre de diarrhées chroniques, est toujours fatigué.

— Il faut d'abord la protéger de toute infection. De plus, elle devra prendre de trente à quarante pilules chaque jour. Au moins deux à trois fois par jour, il faudra essayer de dégager ses poumons, lui donner des tapes dans le dos, pour dégager les mucus. C'est primordial pour lui permettre de mieux respirer. Sinon, ses poumons seront congestionnés et elle en mourra.

— En faisant tout ça, elle vivra ?

— Avec un peu de chance, peut-être jusqu'à dix ans, à condition qu'elle n'attrape aucune infection.

Esther avait dormi dans ses bras durant toute la durée du trajet du retour. Elle la tenait contre son cœur et s'était collée contre Thomas. Celui-ci pleurait tellement qu'elle ne sut par quel miracle il les avait ramenés sains et saufs à la maison.

— Je refoulais mes larmes, je me devais d'être forte, nous avions une dure bataille à livrer, et l'ennemi était sournois et sans merci. Au matin, les beaux cheveux cuivrés de Thomas étaient tout blancs. Il ne sembla pas s'en rendre compte, il était sous le choc. Surprise, Mary le regarda, toucha ses cheveux et se mit à rire. Mon cœur se serra. En moins de vingt-quatre heures, notre bonheur était devenu chose du passé. La transition était tellement radicale que je me demandai si nous n'avions pas perdu la raison.

Esther mourut le 10 mai 1935, elle venait d'avoir huit ans. Ce fut une délivrance pour ce petit ange. Mary et Thomas en avaient fait leur deuil. Ils l'aimaient trop pour vouloir prolonger sa vie. Jamais elle ne se plaignait, mais jour après jour, la voir se battre pour chaque respiration, tousser, demeurer prostrée, vidée de toute énergie était un supplice pour elle et pour eux. Elle toussait de plus en plus, une toux constante, elle n'était que l'ombre d'elle-même.

— Thomas n'était plus le même homme. Toujours bon pour moi, il allait, venait, comme un automate. Il faisait des efforts héroïques pour adoucir les derniers jours de sa petite Esther, la berçait, lui chantait des chansons, la faisait rire. Je souffrais autant, mais il semble que les femmes soient plus aptes à surmonter les épreuves. Heureusement, nous avions la foi. Nous savions que

Dieu n'envoie pas la maladie et la souffrance; la fibrose kystique est génétique. Nous ne savions pas qui de nous deux était porteur et ne tenions pas à le savoir. Ce ne fut pas facile. Perdre un enfant laisse une blessure au cœur qui saigne toujours. Esther fait encore partie de moi, de ma vie. Pas une journée ne se passe sans que son souvenir traverse mon esprit.

— Et votre mari? Si ce n'est pas trop pénible pour vous.

— C'est pénible, mais il y a longtemps... Je n'en parle jamais, mais avec vous, je suis en confiance, je sais que vous serez discrète.

— Madame Dever, votre confiance me touche plus que vous ne pouvez imaginer. Je garderai tout pour moi seule. Comme j'aurais aimé vous avoir comme mère! Je ne serais pas dans cet imbroglio.

— Thomas et moi avons essayé de recoller les morceaux de notre existence. Chaque fin de semaine, nous partions sans but, et presque chaque fois nous faisions d'agréables découvertes. L'Irlande est un beau pays, il y a tellement de choses à voir. Nous étions plus sereins.

Un malheur n'arrive jamais seul. Deux ans plus tard, Thomas se rendait à Dundalk. Il faisait beau. La photo d'Esther, montée dans un petit cadre et placée sur le tableau de bord, l'accompagnait. Sa présence le réconfortait, il la sentait près de lui. Il n'était pas heureux, mais une certaine sérénité l'enveloppait. En approchant du sanctuaire de Faughart, à sept kilomètres au nord de Dundalk, le lieu saint le plus vénéré de toute l'Irlande, il avait eu envie d'aller se recueillir sur la tombe de sainte Brigide. Cette sainte qu'il vénérait, née en 451, fille d'un *chieftan* (chef de clan païen), avait reçu plusieurs demandes en mariage avant de prendre le voile. Elle les avait toutes refusées et avait érigé une église, *Cill-Dara* (l'église du chêne), à l'ombre d'un chêne majestueux. Thomas avait longé le ruisseau qui serpentait parmi les arbres et s'était agenouillé sur une roche portant l'impression des genoux de sainte Brigide.

Il avait soif, le goût de la bonne eau fraîche l'avait interpellé. Il s'était désaltéré. Serein, il avait repris sa route. Un peu plus loin, il avait aperçu, tout en bas, sur le versant d'une colline, un massif

de belles lobélias, d'un beau rose foncé. Il savait que sa chère Mary raffolerait de ces fleurs, elles pourraient aussi fleurir la tombe d'Esther. Terminant un long virage, il avait arrêté son petit camion sur le gravier et était descendu. Penché, amassant un gros bouquet de fleurs, il n'avait pas entendu le bruit d'un gros camion qui approchait. Ce dernier, en amorçant le virage, avait perdu une roue de plus d'un mètre de diamètre, qui avait dévalé la pente en accélérant. La force de ce bolide en folie avait été telle qu'elle s'était éloignée de la route et dirigée vers le massif de fleurs. Thomas n'a jamais su ce qui l'avait frappé à la tête. Il avait été tué sur le coup, les bras enserrés autour des fleurs.

— Quand on m'apprit la nouvelle, je crus que je ne m'en remettrais jamais. Des gens l'avaient vu au sanctuaire, la police avait reconstitué la suite des événements.

La première année fut terrible. La mort, cette cabotine sans cœur, m'avait dépouillée de ceux que j'aimais le plus au monde. Chaque recoin de la maison me rappelait Esther et mon Thomas. Cette maison était à nous, il m'avait laissé une bonne assurance. Nous habitions en campagne, j'avais mon diplôme d'infirmière, je décidai de reprendre du service à *Our Lady's Hospital*, ici à Navan. Je vendis la maison et j'achetai celle que j'occupe toujours.

Molly pleurait. Quelle femme courageuse !

— Chère Molly, ne pleurez pas, je vais bien et je suis heureuse. Thomas et Esther font toujours partie de moi. Le temps modifie presque tout. On n'oublie pas nécessairement, mais petit à petit on reprend goût à la vie et on s'aperçoit que le soleil brille, que les oiseaux chantent et que la vie continue. Je suis infirmière, j'ai une petite clientèle qui me procure une grande satisfaction. J'aime la vie, je rends grâce au Créateur chaque matin.

Madame Dever avait baissé la voix.

— Je me suis laissée aller. Il faut vous reposer. Je vais aller chercher Tara, elle sera si contente d'avoir un petit frère ! Il faut aussi avertir votre mari.

— Je vous en prie, pas tout de suite, madame Dever, encore quelques minutes. Je veux être seule avec mon enfant.

— D'accord, Molly. Je reviens avec Tara, je vous prépare une bonne soupe et ensuite je me chargerai d'avertir Michael.

Rassurée, délivrée, Molly s'était mise à rêver. Elle savait que les débuts seraient difficiles, mais elle y arriverait. Quand le bébé aurait trois mois, elle retournerait travailler. Rien que d'y penser, elle se sentait revivre. Passer ses journées à la maison, les soirées à attendre Michael, se creuser les méninges pour joindre les deux bouts… Non, merci ! Elle s'assoupit.

8
À la croisée des chemins

Une demi-heure plus tard, Michael entrait avec Tara. En deux enjambées, il fut près du lit.

— Mon fils! Mon fils!

Il embrassa Molly, prit son fils dans ses bras, l'examina sous toutes les coutures et s'exclama:

— Il est petit! Mais parfait! Ah! Molly, tu m'as surpris, il est arrivé plus tôt.

Éclatant d'un rire sonore, il ajouta:

— Tu es bonne pour six!

Elle se souleva, se redressa, puis le fixant dans les yeux, d'une voix posée, sans le moindre sourire:

— Pas six, pas cinq, pas quatre, pas trois, Michael. Ce petit garçon, Ray, c'est notre deuxième et notre dernier. Deux enfants, pas plus.

— Voyons, Molly, tu plaisantes! On en reparlera quand tu seras remise. Dix-huit ans et plus d'enfants? Tu veux me faire marcher.

— Te faire marcher? Écoute-moi bien, Michael! Je ne serai plus jamais enceinte, plus jamais. Pense ce que tu voudras, mais c'est définitif!

— Sans me consulter, sans savoir si je suis d'accord?

— Pour te consulter, mon cher, il faudrait que tu rentres à la maison après le travail et que tu sois sobre. Comme ce n'est pas demain la veille... Tu penses qu'à dix-huit ans je vais passer mes soirées tranquillement assise à la maison à t'attendre? Fini, ce temps-là! Dix-huit mois de ce régime et j'en ai par-dessus la tête.

Alors mon cher, d'accord ou pas, plus de bébé. Quand il aura trois mois, je retournerai travailler.

Michael s'était laissé choir sur la chaise. Il la regardait sans la voir. Il n'avait aucun doute qu'elle tiendrait parole, elle avait certainement réfléchi et tout planifié, il pouvait en faire son deuil. Molly venait de mettre un frein à leur vie sexuelle. Tout bien considéré, celle-ci serait très limitée ou... inexistante.

Dès qu'elle fut complètement remise, Molly alla présenter son dernier-né à sa mère, qu'elle visitait le moins souvent possible. Son frère Ken venait souvent la voir. « *Mo aingeals* (mes anges) », disait-il en voyant Tara et Ray. Un cœur d'or ! Tara l'adorait et il le lui rendait bien. Discret, il savait se rendre utile, faisait de menus travaux ici et là et dépensait ses petites économies à acheter des cadeaux à Tara. Quand Molly voulait sortir, aller danser, il était toujours disponible.

Maintenant que Ken s'offrait pour garder, Molly se permettait deux sorties chaque semaine. Mabel l'accompagnait. Celle-ci ne raffolait pas de la danse, sauf à l'occasion. Molly, elle, avait des fourmis dans les pieds aux premières notes de musique. Dès les premiers pas, elle était envoûtée, toutes les fibres de son corps tremblaient. Dix-huit ans, plus femme, plus belle et surtout plus avisée, elle avait l'embarras du choix, mais elle choisissait toujours son partenaire avec soin. Les vêtements, le maintien, l'assurance lui en disaient long sur la situation pécuniaire du futur élu. Le père de Mabel fréquentait les gens d'affaires ; certains aimaient se payer du bon temps. Mabel en connaissait plusieurs, des avantages non négligeables pour Molly. Elle ne sautait pas dans leurs bras à la première danse. Souriante, aguichante, elle savait s'y prendre pour appâter le poisson et il mordait à l'hameçon. La suite avait toujours lieu à Dublin, dans un hôtel cinq étoiles. Jamais de harcèlement de sa part, pas de passé, pas d'avenir. Le monsieur était toujours prêt à récompenser une partenaire qui lui faisait entrevoir un coin de paradis. Le scénario était toujours le même, le don Juan en redemandait, mais elle savait le faire patienter.

— On se reverra dans une semaine ou deux, si je suis libre.

Elle n'avait jamais qu'un amant à la fois et pouvait le garder pendant des semaines, parfois des mois. Tout allait comme sur

des roulettes. Les enfants étaient convenablement habillés, ils mangeaient à leur faim, la maison était propre. Quand Ray eut trois ans, toutefois, elle décida qu'il était urgent de retourner travailler. Les gratifications de ses amants aidaient, mais ce n'était pas suffisant. À la suite de plusieurs retards et incidents fâcheux, Michael avait été congédié ; sa consommation d'alcool, elle, n'avait pas diminué. Il s'était trouvé un emploi à la fonderie *Elliot Foundry*, travail plus éreintant et moins bien rémunéré. Ken s'était offert pour garder après la classe et le samedi. Elle alla rencontrer le gérant de *Clayton Woollen Mills*. Elle pouvait travailler de seize heures à vingt heures, trois jours par semaine, et toute la journée du samedi. Jamais auparavant le patron n'avait accepté pareil arrangement, mais il connaissait son application au travail ; Molly valait deux employées. Il donna son accord.

Tara grandissait. À quatre ans, elle était déjà très débrouillarde ; souvent, elle prenait soin de son petit frère, Ray. Belle comme un cœur, raisonnable, une vieille âme, elle ne comprenait pas la relation entre sa mère et son père. Elle constatait cependant que, contrairement aux parents de son amie Maggie, les siens ne s'aimaient pas. Elle adorait sa mère, même si cette dernière, prise entre un mari ivrogne, sa vie nocturne, le travail et la maison, avait parfois la mèche courte. Ses enfants avaient toujours une place dans son cœur, mais plus toute la place. Molly était entraînée dans une aventure qui lui faisait oublier le quotidien ; son cœur s'était endurci. Le *Dancing Pub* était devenu son lieu d'évasion. Dès qu'elle y pénétrait, la musique déclenchait un flot d'émotions qui l'entraînait sur la piste de danse. Libre, une jeune fille devenue mère trop jeune, assujettie à une tâche sans issue. Michael, les enfants, le quotidien… plus rien n'existait, que le plaisir du moment présent.

Les années filaient, les enfants grandissaient et Molly commençait à en avoir marre de sa vie. Les chaînes du mariage lui pesaient, ses sorties ne lui apportant que peu de satisfaction. Elle voulait sa place au soleil. Mabel, sa seule amie, sa confidente, s'était mariée et était allée s'établir à Drogheda. Molly souffrait de son absence. Ses aventures la laissaient sur son appétit. Tous voulaient la même chose, s'envoyer en l'air avec une maîtresse ; différents lits, même

scénario. Aucun ne laisserait sa femme pour elle. Certains en avaient parlé, mais sans jamais vraiment se compromettre.

Malgré son alcoolisme, Michael était au courant des incartades de Molly. Des âmes bien intentionnées, fouettées par Pipelette, avaient tôt fait de le renseigner. Il en avait été profondément meurtri. Inconcevable! Il prenait un verre, mais il était un bon mari, il ne la battait pas et était un bon père. Cocu, il était la risée du voisinage. Au *Farmer's Rest*, on faisait attention de ne pas attiser le feu, mais après quelques verres, certains s'oubliaient. Michael entendait parfois chuchoter: «*Easy Molly*».

Navan était une petite ville, des gens chaleureux, dévoués, toujours prêts à s'entraider, ils connaissaient Michael. La plupart des hommes ne portaient pas Molly dans leur cœur. Une femme ne devrait pas se conduire comme une traînée parce que son mari boit! Elle donnait un mauvais exemple à leur femme. Une ou deux épouses avaient même poussé l'audace jusqu'à menacer leur mari de faire comme Molly. Une femme devait respecter son mari… même un ivrogne. Plusieurs comprenaient Molly mais quelques-unes, drapées dans leur indignation de vierges offensées, surtout quelques jalouses, aiguillonnées par l'ineffable Pipelette qui abhorrait la terrible Molly et son voyou de mari, jouissaient de pouvoir enfin la traîner dans la boue. Depuis que Pédopimp était arrivé en ville et qu'il «visitait» Molly, ces mégères ne se gênaient pas pour casser du sucre sur son dos. Sous sa carapace d'indifférence, quelques fissures laissaient pénétrer la douleur. Molly souffrait dans son cœur et dans son âme. Enlisée dans un bourbier sans issue, elle méditait sur sa situation.

Tara avait maintenant sept ans, elle était en première année. Elle était aussi rousse que sa mère, mais plus belle parce qu'elle avait encore l'innocence de l'enfance. On lui servait le même traitement que celui que sa mère avait subi. Des années s'étaient écoulées et le traitement s'était raffiné. On avait de nouvelles munitions: sa mère, *Easy Molly*. Intelligente, première de classe, Tara était la cible de paroles blessantes de la part de quelques jalouses, des filles de la haute société, que sa beauté et son intelligence dérangeaient. On ne l'appelait jamais Tara, mais plutôt «la fille de Molly». Elle ne comprenait pas pourquoi on s'acharnait

sur elle avec tant de hargne. Heureusement que Maggie était là pour la défendre ! Celle-ci invitait souvent Tara chez elle. Là, la fillette se sentait en sécurité. On l'aimait.

Les Ryan étaient une famille où il faisait bon vivre. Le père, entrepreneur électricien, n'était pas riche, mais ils vivaient bien. À son affaire, bon père, il ne levait jamais la main sur ses trois enfants, ni même la voix. Une carrure respectable, visage ouvert, sourcils en broussaille, une bonne bouille, il adorait sa femme et ses gosses.

Grace, la mère, cheveux noirs, très courts, visage souriant, yeux taquins, le cœur sur la main, toujours de bonne humeur, était une excellente maîtresse de maison. La cuisine était son royaume. Paul, son aîné, quatorze ans, grand, robuste, cheveux ondulés, visage à l'avenant, travaillait avec son père. Maggie, la dernière, le boute-en-train, déplaçait de l'air. Tara adorait cette famille où le bonheur régnait en maître, où l'on se taquinait. C'est chaque fois à regret qu'elle les quittait.

Toujours prête à tendre la main, sans égard pour la condition sociale de la personne, Grace aimait beaucoup Molly, elle en avait pitié. Malgré ses frasques, Molly s'était démenée pour se sortir d'une famille dysfonctionnelle pour se jeter dans les bras d'un ivrogne, puis s'enticher de ce Francis, ce Pédopimp, dont personne ne pensait rien de bon. Elle tombait de Charybde en Scylla. Maggie et Tara étaient inséparables, et Grace encourageait cette amitié. Tara, petite mère, portait trop de responsabilités pour son jeune âge. Maggie, fidèle, calme, n'avait peur de rien, elle savait la protéger.

Pauvre Tara ! Son oncle Ken, qu'elle adorait, travaillait maintenant à Dublin. De temps en temps, il revenait les visiter, alors c'était la fête. Quand il repartait, tenant la main de Ray, le cœur en lambeaux, Tara le regardait s'éloigner. À table, elle faisait bonne figure mais le soir, seule dans son lit, elle pleurait en silence.

On la jugeait assez grande pour garder son frère ; très souvent, elle ne s'endormait pas avant que son père rentre en trébuchant ou, les jeudis et samedis, avant que sa mère revienne du pub.

9

Terrain glissant

C'était un samedi soir. Molly était assise au *Dancing Pub,* la soirée lui pesait. Aucun homme ne l'intéressait. Aucun, jusqu'à ce que Francis Lennon s'approche d'elle, lui prenne la main et l'invite à danser. D'abord réticente, elle n'avait pu résister à la ferme pression de sa main et s'était levée en souriant. Grand, mince mais musclé, impeccablement vêtu, un visage arborant une cicatrice qui lui donnait un air coquin, dansant comme un dieu, il avait passé la soirée à faire danser Molly. Fière de l'attention que ce bel étranger lui portait, ses antennes à l'affût, elle avait accepté de revenir avec lui. Il logeait à l'hôtel, une aventure excitante... Poli, il lui avait ouvert la porte, tiré sa chaise, l'avait complimentée, mais avec une certaine réserve ; ils avaient siroté un café tout en parlant à bâtons rompus.

— Vous êtes une très belle femme, vous devez être Cliodna, déesse irlandaise d'une très grande beauté. J'ai voyagé, mais je n'ai jamais rencontré votre égale. Vous feriez fureur à l'écran.

— Merci monsieur. Vous n'êtes pas mal non plus.

Une heure plus tard, elle retournait chez elle, non sans l'avoir invité à venir la visiter, le lendemain.

— Vous vivez seule ? Des enfants ?

— Deux enfants, une fille, un garçon, ils sont très bien élevés.

— Un mari ?

— Un mari ivrogne, nous faisons chambre à part depuis près de six ans. Je suis à reconsidérer mon avenir. Le statu quo n'est plus acceptable. Voilà ma situation. Ça vous tente toujours de venir chez moi ?

— Plus que jamais, chère madame. J'adore les enfants et la mère me semble de plus en plus attirante.

Et c'est ainsi que Francis Lennon s'était insinué dans leur vie.

Francis Lennon, petit caïd de la pègre, mieux connu sous le nom de *Francis the Ferret* (le furet), était né dans un faubourg de Liverpool. Fils unique, il avait à peine connu son père, ce dernier ayant filé à l'anglaise quand son fils n'avait que trois ans. Sa mère faisait des ménages chez des gens fortunés et réussissait à peine à joindre les deux bouts. Cependant, elle insistait pour que Francis soit toujours proprement vêtu. Une de ses patronnes avait un fils un peu plus âgé et de la même taille que son Francis chéri, alors, contrairement à ses amis, ce dernier était toujours tiré à quatre épingles. Les filles ? Précoce, il en avait eu plus d'une dans son lit. Il en avait même chaperonné trois ou quatre, juste pour son argent de poche. Un souteneur en devenir.

Quelques garçons se gaussaient de son déguisement de faux riche. Il s'en moquait. Un gang de rue l'attirait ; ne craignant ni Dieu ni diable, il fut vite accepté. Commençant par de menus larcins, il monta en grade comme revendeur de drogue. Les études ? L'école de la rue lui avait tout appris, du moins le croyait-il. Il savait surtout regarder, il voyait tout, d'où son surnom, *Ferret*. L'argent entrait à flots, il menait la grosse vie mais était devenu très gourmand. Lors d'une grosse transaction, il avait « oublié » de remettre tout l'argent de la vente de la poudre blanche au Caïd. Mal lui en prit ! Deux gorilles l'attrapèrent et faillirent le tuer. N'eût été l'arrivée inopinée de la police, il y laissait sa peau. Vingt-deux points de suture plus tard — d'où la balafre qu'il arborait au visage —, des analgésiques et une planque, le temps de guérir et d'aller récupérer l'argent « volé », un bon déguisement et il prenait l'avion pour l'Irlande. C'était cet homme, ce Francis Lennon, qui avait fait chavirer le cœur de Molly et de certaines jeunes pubères.

Les Irlandais avaient vu clair dans son jeu dès qu'ils avaient observé ses agissements étranges. Dès qu'il s'était ouvert la bouche, ils l'avaient deviné. Ils en avaient vu d'autres, inutile d'essayer de les endormir avec de belles paroles. D'où le sobriquet dont ils l'avaient affublé, Pédopimp.

A beau mentir qui vient de loin ! Le nouveau don Juan de Molly, ce chic monsieur venait de perdre ses parents adorés dans un accident de voiture, où il avait bien failli mourir lui aussi. C'est avec un trémolo dans la voix et la bonne dose d'émotion qu'il avait raconté cette fable, inventée de toutes pièces pour Molly et les autres. Jouer du violon ? Il était un virtuose !

— Il y a plus d'un an que c'est arrivé, et mon cœur a encore mal. Ma pauvre mère, si douce et si gentille... et mon père, qui m'aimait tant... Ah ! je ne pas peux continuer.

Le *Farmer's Rest* suivait les aventures de Pédopimp et de Molly. Michael feignait de ne rien entendre. Pas batailleur, il laissait dire, mais certains commentaires commençaient à le mettre en rogne. Il entendit Lee, un ivrogne, bafouiller : « Il y a un pensionnaire chez Michael, Molly s'envoie en l'air dans sa maison, Pédopimp garde le lit chaud. » C'en était trop ! Michael se leva et avant que le plaisantin ait pu lever le bras pour se défendre, il se retrouva étendu sur le plancher. Il essaya de se relever, mais la honte et la colère trop longtemps retenues avaient décuplé les forces de Michael. Il fallut trois hommes pour le retenir.

Bud le saisit par le collet et le pria de s'asseoir.

— Michael, tu te tiens tranquille ou je te jette dehors, compris ? Tes problèmes de famille, tu les laisses chez toi.

L'œil mauvais, Michael se releva, se redressant avec effort. Il se tint debout, jeta un regard circulaire aux habitués et se dirigea vers la porte. Il fit quelques pas, ses épaules s'affaissèrent ; titubant, il se dirigea vers sa maison, mais il avait à peine franchi quelques pas qu'il reçut un coup derrière la tête.

— Ça, c'est pour le coup de poing de tout à l'heure. T'avais pas à me frapper parce que je disais que ta Molly s'envoie en l'air avec Pédopimp. Tu le sais, tout le monde le sait.

Furieux, Michael se jeta sur lui et le martela de ses poings.

— Arrête ! T'es devenu fou ou quoi, on va pas se battre pour une putain.

— Une putain ?

Michael se rua de nouveau sur Lee, mais ce dernier l'esquiva et Michael s'affala de toute sa longueur. Sa tête heurta un caillou ; il se mit à saigner.

— Mon Dieu, Michael, lève-toi, je t'en prie.

Greg et Ross étaient venus au secours de leur ami. Greg s'élança à l'intérieur, trois hommes sortirent en trombe et aidèrent Michael à se relever.

Malgré les protestations de Michael, ses fidèles amis, Greg et Ross, se portèrent volontaires pour le reconduire. Ils formaient un joli trio, deux soûlards vacillant de gauche à droite encadrant un autre ivrogne encore plus saoul qu'eux. La rue était à peine assez large. Michael n'était pas beau à voir, ses joues se creusaient en entonnoir; en tombant, il s'était maculé le visage. Il ne saignait plus, mais un filet de sang séché partait du front et descendait en rigole vers la bouche.

La marche les avait dégrisés et, sans raison aucune, Greg se mit à rire, Ross fit de même. Michael ne savait pas pourquoi ils riaient, mais c'était certainement drôle, alors il se mit à rire lui aussi. Greg se pencha vers Michael.

— T'as une maudite bonne droite! T'as failli lui décrocher la tête.

— J'te pensais pas si capable, enchaîna Ross.

— J'aurais dû le tuer, ce petit baveux.

— Chanceux qu'on ait pris nos vacances ensemble.

Ils pouffèrent, se tordant de rire.

— Pauvre Ross, tu travailles à peine une journée par deux semaines.

— C'est ça que je disais, je travaillais pas aujourd'hui, j'suis là pour toi.

— Oui... c'est bien, mais il semble que la route monte, il y a une côte qui n'était pas là hier.

Sur ce, ils se mirent à rire de plus belle.

En arrivant chez Michael, ils virent que Molly était revenue; elle n'était pas seule. Une confrontation était inévitable. Les bonsoirs furent brefs, Greg et Ross étaient déjà au coin de la rue quand Michael pénétra chez lui. Incrédule, Molly le regarda entrer.

— Tu es saoul, comme d'habitude... et tiens, tu es tombé.

Michael se redressa et regarda Francis.

— Non, je me suis battu, ma belle.

— Battu? Tu veux rire, on t'a fichu une volée.

— Excuse-moi de te décevoir, mais je me suis battu… pour défendre ton honneur ou… ce qu'il en reste. Je n'aime pas qu'on dise que ma femme est une putain ou qu'elle s'envoie en l'air avec un gigolo.

— Monsieur, je ne suis pas…

— Toi, Pédopimp, écoute-moi bien. T'arrives par ici, les poches pleines d'argent, habillé comme un *girlie man*, personne ne sait d'où tu viens, tu prends ma femme, une mère de deux enfants, tu t'envoies en l'air avec elle dans ma maison, dans mon lit…

Furieuse, Molly s'approcha.

— T'es rien qu'un ivrogne…

— J'suis peut-être un ivrogne, mais j'suis pas fou. J'entends les rumeurs, j'entends les gens rire, *Easy Molly*, *Tart*, etc. C'est pas ton premier amant.

Une douleur intense teintée de mépris le submergea.

— Monsieur, je ne vous permets pas…

Mimant la voix de Francis :

— Je ne vous permets pas… Des gars dans ton genre, on connaît ça. Pauvre Molly, tu penses que t'es mal pris avec moi… Toi, Pédopimp, maudit c'que tu portes bien ton nom ! On a failli te tuer aujourd'hui, dommage, alors tu vas me faire le plaisir d'enlever ce grand corps parfumé de MA maison. J'veux pus jamais que tu touches à mes enfants. Donner le bain à une petite fille de sept ans, *damnaigh saobh* (maudit pervers). Fiche le camp !

— T'es rendu fou, Michael, Francis n'a jamais…

— Pauvre Molly, tu vois pus clair, tu ne verrais rien même s'il la violait devant tes yeux.

— Attends, reste là, Francis. Toi, Michael…

Francis était déjà dehors, sa bravoure se limitait à abuser de petites filles sans défense. C'était un lâche ! Molly le suivit. Pendant qu'elle était dehors, Tara était apparue dans la cuisine. Michael la prit dans ses bras. Les yeux craintifs de la fillette le scrutaient.

— Va te coucher, ma belle, ta mère et moi on a des choses à régler.

Molly revint. Elle était d'un calme terrifiant, la colère déformait ses traits. Elle le regarda dans les yeux et, d'une voix basse, lui dit :

— Là Michael, t'es allé trop loin. J'en ai assez. Je t'ai aimé à la folie, mais tu m'as préféré la bouteille. Je t'ai dit que je ne vivrais pas avec un ivrogne, et c'est ce que tu es. Oui, j'ai eu des amants, j'ai aidé à habiller et à faire manger les enfants parce que, comme père, tu ne vaux pas grand-chose. Ça fait plus de huit ans que ça dure. Terminé ! Je m'en vais avec Francis. Il m'aime et j'ai le goût d'être heureuse.

— Avec ce gigolo ? Tu choisis mal tes hommes, je ne valais peut-être pas grand-chose, mais ton Francis… N'oublie pas, Molly, le chat finit toujours par manger la souris avec laquelle il joue. Je ne peux pas t'empêcher de partir, mais pas avec MES enfants.

— Je te les laisse. J'ai fait ma part, c'est à ton tour.

— Une mère qui abandonne ses enfants ! Tara t'adore, tu vas la démolir. Molly, je ne te reconnais plus. Je souhaite me tromper sur Francis, qu'il vaille le sacrifice, sinon, tu verseras des larmes de sang.

— Ils ont un père, j'ai déjà payé.

Sur ces derniers mots, Molly était allée dans leur chambre, avait jeté quelques vêtements dans un sac. Endiguant toutes émotions, craignant de flancher à la dernière seconde, elle ne s'était pas permis le moindre coup d'œil, encore moins un adieu à ses enfants. Elle avait passé la porte et était disparue dans la nuit. Dans l'espace de quelques minutes, Michael et Molly avaient cessé d'être un couple, à peine plus de temps qu'il n'en faut pour dire : « Oui, je le veux ! »

Michael était assis. Ses yeux secs tombèrent sur le calendrier : le 3 avril 1953. La pire journée de sa vie ! Il se sentait vidé. Il avait gâché sa vie d'époux et de père. Molly avait raison, il était un ivrogne, mais il l'aimait. Il l'avait aimée de toutes les fibres de son corps, dès qu'il l'avait aperçue au *Dancing Pub*. Son besoin d'alcool avait détruit leur vie de couple, mais pas son amour. Qu'allaient-ils devenir ? Il n'avait jamais rien fait dans la maison. De plus, il ne pouvait à la fois travailler et s'occuper de ses enfants. Il lui faudrait de l'aide, mais qui pourrait l'aider ? La nuit porte conseil, dit-on, mais quand le soleil se leva, il n'avait pas fermé l'œil et ne savait toujours pas comment il allait s'en tirer.

10

Qui voudra de nous ?

Tara fut debout la première, puis Ray arriva en sautillant. Tara l'habilla, tout en regardant son père. Elle courut dans la chambre et revint, perplexe : « Où est maman ? »

— Elle est partie en voyage. Viens, je vais faire votre déjeuner.

— En voyage ? Où ? Pour longtemps ? Quand revient-elle ?

Ses yeux fouillaient ceux de son père.

— Elle est partie avec Francis ! Je le sais. Elle ne nous a pas amenés avec elle ! Elle ne nous aime plus, juste ce Pédopimp.

Ses mots étaient dits sur un ton tellement fataliste que Michael en eut un choc au cœur. Grand Dieu ! Qu'avaient-ils fait à leurs enfants ? L'énormité de leurs actions le fit chanceler.

— Elle vous aime, c'est sûr, mais parfois…

— Non, elle ne nous aime pas, sinon elle ne serait pas partie. Mais toi, tu restes. On va s'arranger, papa ! Je suis grande, je peux m'occuper de Ray. On va s'arranger.

— Tara, aujourd'hui, nous allons rester ici, je vais m'occuper de vous deux. Après, on avisera.

— Papa, je ne peux pas manquer une journée de classe. Reste avec Ray, il aime jouer. Je reviendrai dîner et ce soir, je ferai le souper.

Tara s'était habillée, avait à peine mangé et, la tête basse, avec au cœur une plaie béante, elle était partie pour l'école. Sa mère les avait abandonnés. Ce Pédopimp ! Elle l'avait entendu parler à sa mère, il pensait qu'elle était dehors. Il insistait pour que Molly parte avec lui. Partir seule ? Molly avait commencé par refuser, elle ne voulait rien entendre, mais il l'avait embrassée, avait insisté sur la vie qui l'attendait si elle restait, une vie de femme déçue, aigrie.

Il lui avait fait miroiter une vie de plaisir, juste eux deux; la belle vie, une vie taillée sur mesure, juste pour elle. Tara n'avait pas entendu la fin, mais elle comprenait maintenant que sa mère tenait moins à eux qu'à son Pédopimp. Ce monstre. Plus de mère!

Anesthésiée de douleur, la mine basse, Tara avançait à pas comptés, des boulets aux pieds, une ombre qui bouge. Un voile s'interposait entre elle et la réalité, elle ne voyait pas les autres enfants qui se rendaient en classe. Toutes les fibres de son corps tremblaient, les pensées résonnaient dans sa tête comme des tambours. Un enfant ne peut pas vivre sans mère. À qui allait-elle se confier, demander conseil, confier ses secrets? On venait de lui voler son enfance! La souffrance de réaliser que sa mère ne les avait pas aimés suffisamment pour les amener avec elle était pire que tout. Même si sa mère était moins portée à lui témoigner son amour, elle était là chaque matin, la coiffait et veillait à ce que ses vêtements soient toujours propres. De temps en temps, elle lui achetait un beau ruban pour ses cheveux, des bonbons pour Ray et elle. Parfois, quand sa mère se coiffait, Tara lui parlait, lui racontait sa journée. Même si souvent Molly n'écoutait que d'une oreille, elle était là. Qu'est-ce qu'ils allaient devenir? Elle n'avait que sept ans, Ray cinq. Son père? Il les aimait, mais il avait un gros problème.

Ils mangeraient du pain. Peut-être que son père achèterait des *fish and chips*, ils aimaient ça. Peut-être, s'il restait assez de sous après le pub. Le lavage? Elle se sentait écrasée par les tâches qui l'attendaient.

Maggie l'avait rejointe, mais en voyant le visage défait de son amie, elle eut peur. La vie semblait s'être retirée de son corps. Tara n'avait pas dit mot, telle une automate, imperméable à la sollicitude de son amie. Quand les autres filles sauraient — elles savaient peut-être déjà —, leur langue plus acérée que le tranchant de la guillotine se délecterait de sa souffrance. Un mélange de haine et de honte la fit rougir. Elle jeta un coup d'œil à Maggie et murmura: «Tu aurais dû le tuer.» Maggie lui prit la main, et c'est en silence qu'elles arrivèrent à l'école.

Tout Navan était au courant du départ de Molly avec son amant. On les avait vus prendre l'autobus, et la nouvelle s'était

répandue comme une traînée de poudre. La plupart des gens étaient peinés. Pipelette, la commère, n'avait pas perdu de temps. Le père Walsh était à peine levé qu'elle frappait à sa porte. Il détestait les visites impromptues. Comme il tardait, ses coups redoublèrent.

— Un instant ! Il y a quelqu'un de mort ?

Apercevant le visage chafouin de sa paroissienne, il entrouvrit la porte.

— Le bureau n'est pas ouvert, revenez plus tard.

Il n'avait pas terminé sa phrase que, tel un taureau en furie, elle l'avait repoussé et était entrée. Les yeux exorbités, le regard courroucé, elle ne lui avait pas donné la chance de placer un mot.

— Monsieur le curé, c'est terrible !

— Mais qu'est-ce qui vous arrive ? Êtes-vous malade ? Votre mari ?

— Non, non, il ne s'agit pas de moi, je suis en parfaite santé. Le bon Dieu veille sur ceux qui le suivent.

— Alors, de quoi s'agit-il ?

— De Molly, la belle Molly ! Celle-là qui pactise avec le diable. Non satisfaite d'agir comme une traînée, de causer du scandale dans la paroisse, voilà qu'elle est partie…

— Madame Finnigan, modérez vos transports, Molly est une enfant de Dieu.

— Du diable ! Du diable ! Elle est partie avec l'étranger, le Francis…

— Partie ? Ses enfants ?

— Voyons donc ! Elle est partie seule, elle a abandonné ses enfants. Une mère qui abandonne ses enfants ! Les pauvres petits, ils font pitié. Ils sont bien à plaindre, ils n'ont ni père ni mère.

— Ils ont un père, Michael est toujours vivant.

— Toujours saoul comme une bourrique ! Ce n'est pas un père, il va falloir y voir, il ne peut pas s'occuper de ses enfants. Les Services sociaux…

— Madame Finnigan ! C'est assez. Michael est leur père. Personne n'avertira les services sociaux, vous m'entendez ? Je vais aller voir Michael et lui seul décidera.

— Mais il ne peut pas…

— Madame Finnigan, retournez chez vous, je suis capable de m'occuper de mes paroissiens. Allez prier, allez dire un chapelet, non, plutôt un rosaire. Ces enfants ont bien besoin de prières. Vous êtes bonne, le bon Dieu vous écoutera.

En regardant ce grand chicot sec sur deux cannes se diriger vers l'église, le père Walsh se dit qu'il aurait dû lui demander de faire aussi un chemin de croix, il aurait eu la paix pendant deux heures... au moins. Le père Walsh n'était pas aussi rigide que ses prédécesseurs, il faisait des efforts pour se rapprocher des gens. Pauvre Molly ! Il l'avait rencontrée à quelques reprises, lui avait parlé, elle l'avait écouté poliment mais lui avait fait comprendre que son bon Dieu n'avait pas fait grand-chose pour elle depuis sa naissance.

— Père, j'ai connu la sainteté de certaines bonnes personnes au couvent, des gens qui fréquentent l'église... si le diable ne les emporte pas en enfer, c'est que le bon Dieu n'existe pas. Je sais, il y a aussi du bon monde, mais ces commères me les font oublier. Alors, laissez-moi vivre ma vie, je fais ce que je peux.

Le père Walsh lut son bréviaire, déjeuna et se hâta vers la maison des O'Brien. Il vit madame Dever qui s'apprêtait à partir et s'approcha. Cette femme avait une tête sur les épaules, elle était respectée de tous et toutes, son opinion importait beaucoup.

— Madame Dever, vous savez la nouvelle, je suis certain que madame Finnigan a déjà fait le tour de la ville.

— Ah ! mon père, s'il n'en tient qu'à elle, ces enfants seront sous la protection des Services sociaux avant une semaine. J'aime beaucoup Molly, c'est une brave fille qui n'a pas eu de chance. Sa petite fille, Tara, est un ange et le petit garçon, un vrai petit lutin. Ils sont bien élevés. J'en suis toute bouleversée. Je m'excuse, on m'attend. Si je puis vous être utile, n'hésitez pas.

Déçue, elle le salua. Le père Walsh arriva chez Michael. Ce dernier n'avait pas fermé l'œil, avait bu café sur café, il ne savait où donner de la tête. Il envoya Ray jouer dehors, regarda le père Walsh sans rien dire, des larmes coulèrent sur ses joues.

— Tout est de ma faute, oui. Molly était une bonne fille, une bonne épouse et une bonne mère, mais c'est la boisson qui a tout gâché. Je suis un ivrogne. Résultat ? Elle est partie. Je la comprends,

mais mes enfants, qu'est-ce que je vais faire ? Je sais que je ne pourrai pas m'en occuper et pourtant, je les aime.

— Avez-vous de la famille ? Peut-être pourrait-elle vous aider.

— La famille de Molly, inutile d'y penser. Il y a bien Ken, mais il est marié et a un petit enfant. Je n'ai qu'un frère que je n'ai pas vu depuis mon mariage. C'est un brave homme, il a un petit commerce. Il est marié mais ils n'ont pas d'enfant. Sa femme… je pense…

— Où demeure-t-il ?

— À Dundalk.

— Peut-être prendrait-il votre petit garçon ? Nous devons faire vite. Madame Finnigan menace d'appeler les Services sociaux.

— Cette maudite vipère ! Si elle s'approche de mes enfants, je la tue. Je vous avertis, mon père, ce n'est pas une menace, c'est une promesse.

— Calmez-vous, vous aimez vos enfants et je vais tout faire pour qu'ils aient un bon foyer avec des gens chez qui vous serez assurés qu'ils seront bien élevés et heureux.

— J'ai réfléchi toute la nuit. Je me suis rappelé qu'il y avait une personne que Molly aimait beaucoup et qui la respectait, elle lui parlait et la traitait toujours comme une dame. Elle disait qu'elle avait perdu une petite fille et qu'elle aurait aimé l'avoir pour mère. Peut-être qu'elle prendrait Tara.

— Mais qui est cette perle ? Je me ferai un plaisir d'aller la voir.

— C'est madame Dever.

— Madame Dever ?

— Quoi, vous ne pensez pas que ce soit une bonne personne ?

— Michael, je suis convaincue que c'est une très bonne personne, la personne idéale, mais je ne savais pas qu'elle avait déjà eu un enfant. Si elle accepte, ce serait merveilleux. Mais n'en dites rien à Tara ou à Ray. Je vais faire mon possible. Entre-temps, essayez de ne pas boire pour quelques jours, si vous le pouvez.

Le père Walsh retourna au presbytère. L'après-midi même, il se rendait chez madame Dever. Quand madame Finnigan le vit, elle s'élança vers lui. D'un geste, il l'arrêta.

— Pas maintenant, madame Finnigan, pas maintenant.

Dépitée, elle retourna chez elle à reculons, mais resta sur le perron. Elle ne pouvait voir la maison de madame Dever, mais dès que le curé apparaîtrait, elle irait aux nouvelles. Il ne pouvait la laisser dans l'ignorance. Madame Dever fut surprise de la visite du curé, mais elle n'en laissa rien paraître. Après les banalités d'usage, le père Walsh lui parla de sa visite chez Michael et de son dilemme quant à l'avenir des enfants. Il voulait la consulter. Il parla du frère de Michael et de sa décision de lui parler l'après-midi même.

— Ce serait vraiment l'idéal, mais ces deux enfants s'adorent. Tara a presque élevé Ray. Elle vient de perdre sa mère et la séparer de son frère serait inhumain. Il faudra trouver quelqu'un qui l'aimerait sincèrement. Avez-vous déjà quelqu'un pour elle aussi ?

— J'ai trouvé la femme idéale, la seule à laquelle Molly aurait confié sa fille.

Il la regarda... longuement. Elle soutint son regard, puis elle comprit.

— Moi ? Moi ? Voyons, monsieur le Curé, j'aime cette enfant mais... à cinquante-trois ans...

— Madame Dever, je sais que c'est inattendu, mais vous êtes en bonne santé. Sans être riche, vous pouvez faire vivre un enfant. On m'a dit qu'on lui faisait parfois la vie dure, on l'appelle « la fille de Molly ». Imaginez ce qu'on va lui dire maintenant ! On vous respecte, on la respectera. Vous pouvez lui donner une bonne éducation, la faire instruire ; elle est brillante, avec vous, elle s'épanouira. Vous savez, ce Francis a failli abuser d'elle, il lui donnait son bain et y mettait tout son temps. S'il fallait qu'elle aille dans une famille où l'on abusera d'elle ? C'est très possible, vous savez. Avec vous, elle serait en sécurité. Elle vous aimera et sera le soleil de vos vieux jours.

Étonnée, incrédule, madame Dever le regarda longuement. L'idée de garder un enfant ne lui avait jamais effleuré l'esprit. Ce n'était pas une décision à prendre à la légère.

— Écoutez, mon père, je suis honorée que vous pensiez autant de bien de moi, mais c'est une décision lourde de conséquences. Je ne peux vous répondre tout de suite. Vous me prenez au dépourvu. Je dois réfléchir. Donnez-moi un peu de temps.

— Madame Dever, je comprends très bien, je ne veux pas vous brusquer, mais je suis poussé par les événements. Madame Finnigan rôde et menace d'appeler les Services sociaux. Si elle s'aventure chez Michael, il affirme qu'il la tuera. Dans son état, je ne suis pas rassuré. Je ne pense pas pouvoir la retenir plus de deux ou trois jours. Ah ! ces fanatiques ! Elles sont la croix des prêtres.

— Je comprends et je vais faire diligence. Je mets mes autres occupations au frigidaire, je vais y réfléchir sérieusement.

Le père Walsh la remercia et partit. Heureusement, madame Finnigan était entrée préparer le dîner de son Carl. Quand elle ressortit, elle attendit en vain. Déçue, elle rentra chez elle.

Madame Dever regarda le père Walsh s'éloigner. Sa visite l'avait profondément bouleversée. Âme sensible et généreuse, elle n'avait jamais refusé d'aider les gens dans le besoin. Sa porte et son cœur étaient toujours ouverts. Elle revit le jour de l'accouchement de Molly, se rappela ses confidences, son désarroi devant l'ivrognerie de Michael. Pauvre elle, elle était tombée dans les griffes de ce Francis. D'après les commentaires entendus, ce n'était qu'un beau parleur, un peu louche. Molly s'était laissé endormir par ses belles paroles, ses attentions, elle était perdue. Tara, si belle, qu'allait-il lui arriver ? Elle était une proie facile pour des gens sans scrupules. Assise dans sa berçante, sirotant une tasse de thé, elle ne s'aperçut pas que le temps avait filé, il était plus de dix-sept heures. Sans aucune hésitation, elle enfila son manteau et sortit. Au coin de la rue, elle aperçut Tara qui rentrait chez elle. Les cheveux défaits, un œil au beurre noir, elle avançait comme une somnambule. Elle s'était battue. Madame Dever en devina la raison. Molly ! Doux Jésus ! Le calvaire de cette innocente était commencé. Cette enfant allait payer pour sa mère. Lentement, elle se dirigea vers le cimetière.

Tara avait deviné juste, les couventines étaient au courant et trois d'entre elles l'attendaient : Patricia, la fille du directeur de la Banque, Ed Mulrooney, Abbie, fille du docteur Fitzsimmons, et Eileen, fille de Me Connelly, la plus brave, la plus fielleuse et la plus jalouse. Elle commença le bal et les autres suivirent.

— Mademoiselle Tara, la petite fille si gentille, si intelligente, la fille de Molly est seule ? Mais non, pas la fille de Molly, la fille de personne.

— Sa mère l'a abandonnée, abandonner ses enfants...

— Faut croire qu'elle n'est pas aussi gentille que ça, puisque sa mère n'en veut même plus. Faut dire que la Molly, une jolie pute... Et...

— Elle ? C'est une fille de pute.

C'en fut trop ! Aveuglée par la douleur et la colère, Tara fonça sur Eileen, celle qui venait de traiter sa mère de pute, et la frappa en plein ventre. Les autres essayèrent d'aider Eileen, mais Tara était déchaînée. Elle la frappa à coups de pieds et à coups de poing. Elles se jetèrent sur elle et Maggie se lança dans la mêlée. Une religieuse surgit et toutes décampèrent, sauf Eileen, qui se leva avec difficulté. Rugissante, une prune au front, la blouse déchirée, elle n'était pas belle à voir. Tara n'était guère mieux, avec un œil au beurre noir. Maggie aida Tara à ramener un semblant d'ordre dans ses vêtements. Les trois furent conduites *manu militari* chez la supérieure. Étant au courant du départ de Molly, cette dernière devina la cause de l'altercation. Elle leur parla seule à seule et n'en épargna aucune.

— Tara, je suis au courant pour ta mère, je suis peinée pour toi, je comprends ce que tu ressens.

— Vous ne pouvez pas comprendre, pas du tout ! Je suis le souffre-douleur de quelques filles de la haute, elles sont pires que ma mère ne le sera jamais. Mé-chan-tes ! On se moque de moi depuis le premier jour et ça, jour après jour. Vous êtes au courant pour ma mère, mais êtes-vous au courant de ça aussi ? Quand on traite ma mère de putain, alors...

La religieuse la contempla, elle revoyait Molly, dix ans plus tôt. Tara était encore plus belle, la même intelligence et la même logique. Les fautes des parents rejaillissent sur leurs enfants. Pauvre petite !

— Mon enfant, on ne règle rien avec ses poings. Vous allez retourner chez vous et peut-être vous reposer deux ou trois jours.

— Me reposer ? Et les trois autres ? Vous allez les retourner chez elles ? Noooon !

Puis, fixant la supérieure, elle secoua la tête. Des larmes coulaient sur ses joues, chaque larme plus douloureuse que la précédente. Elle se leva et, malgré les protestations de la supé-

rieure, elle sortit. La supérieure enjoignit à Maggie d'accompagner son amie. La pauvre Eileen reçut un savon et repartit la mine basse. Tara avait obligé Maggie à la laisser seule et était allée se cacher près de la rivière. Elle essayait de refouler sa peine, mais celle-ci revenait comme une vague déferlante qui se brise contre un rocher et recommence sans cesse, sans se lasser. Elle retournait chez elle quand madame Dever l'avait aperçue.

Madame Dever était allée se recueillir sur la tombe de Thomas et Esther. Elle y allait chaque mois, parfois deux ou trois fois, surtout si elle avait une décision importante à prendre. Elle parla à son Thomas, le seul homme qu'elle ait vraiment aimé ; elle se rappela la plénitude de son amour inconditionnel. Elle pensa aussi à sa petite Esther. Malgré sa maladie, celle-ci avait été un soleil dans leur vie. En fermant les yeux, elle pouvait encore entendre son rire cristallin. Son rôle de mère l'avait comblée. Mais elle dépassait la cinquantaine, sa vie était organisée, elle n'avait de compte à rendre à personne. Était-elle devenue égoïste ? Alors qu'elle était penchée sur la tombe d'Esther, le visage de Tara lui apparut. Esseulée, abandonnée de sa mère, qu'allait-elle devenir ? La servante d'une femme autoritaire ? L'objet de désir d'un désaxé ? D'un pédophile ? Cette pensée la fit frémir. Elle se signa et se leva. Sa décision était prise.

Elle se dirigea vers le presbytère.

— Monsieur le curé, j'ai réfléchi. Vous me demandez de changer ma vie, de m'occuper d'une enfant. J'ai cinquante-trois ans, mais je ne peux refuser. Je vais la prendre avec moi et... à la grâce de Dieu.

— Madame Dever, vous connaissant, je savais que vous ne pourriez accepter que cette enfant soit placée chez des inconnus. Je vous remercie profondément, la vie de ces enfants me tient à cœur. Le Seigneur vous remercie. J'ai aussi une bonne nouvelle : le frère de Michael et son épouse arrivent après demain, ils sont très heureux d'accueillir leur petit neveu. De plus, j'ai parlé à leur curé et il m'a assuré que ce sont de braves gens, doux, généreux, serviables. Je pense que ce petit ne pouvait mieux tomber. Je vais aller voir Michael et lui expliquer ce qui arrive. Ce n'est pas un mauvais bougre, mais il est malade. À bien y penser, j'y vais de ce pas.

— Ne parlez pas devant les enfants, je vous en prie. Dites à Michael que j'irai chercher Tara demain matin. Je partirai pour la journée. Je dois lui parler seule à seule. Madame Ryan se fera un plaisir de s'occuper de Ray.

Michael fut soulagé. Démoli, le cœur en lambeaux, il reconnaissait l'échec de son mariage. Cet échec, il aurait pu l'accepter, mais devoir donner ses enfants était la plus cruelle de toutes les souffrances. Une mère qui abandonne ses enfants et un père qui ne peut les garder! Cette pensée lui fit honte. Il était un père indigne. Un coup de poignard au cœur n'aurait pas été pire. Les vingt-quatre dernières heures avaient été pénibles. C'était comme si son corps s'était dissocié de sa raison, il n'était qu'un automate. Le manque d'alcool lui avait fait perdre la notion du temps. La date? Le jour? L'heure?

Quand Tara arriva, il ne la questionna pas. Ray courut se jeter dans les bras de sa sœur. Michael fit chauffer de l'eau et elle se lava.

— Tu vas mettre la table. Je vais aller chercher des *fish and chips* et on va souper.

— Je n'ai pas très faim.

— Tara, il faut manger, nous avons de grosses décisions à prendre. Nous avons besoin de toute notre énergie et tu me peinerais beaucoup si tu ne mangeais pas.

— Tara, j'aime ça des *fish and chips*, on va en manger, tu veux?

Ray se faisait câlin. Elle lui sourit. Quand son père revint, ils mangèrent puis remirent tout en ordre.

— Tara, tu sais que ton père boit, je suis un ivrogne et là je n'en peux plus, je dois aller prendre un verre. Mais écoute-moi bien. Je prends deux bières et je reviens. Tu peux me croire, je vais demander à Bud de me mettre à la porte après la deuxième. Je te le jure, Tara. Occupe-toi de ton frère, je serai de retour dans une heure.

Il partit et Tara barra la porte.

Malgré sa peine, elle se força à jouer et à rire avec Ray. Puis elle l'aida à se laver et alla le border.

— Où est maman, Tara? Elle va revenir?

— Elle est partie en voyage, mais on s'arrange bien. Tu vas voir, on va avoir du plaisir.

Il noua ses bras autour de son cou, poussa un long soupir et s'endormit. Tara regarda l'horloge, son père serait de retour dans vingt-huit minutes. Elle sortit son livre de lecture et se força à lire tout en gardant un œil sur l'horloge.

Michael s'était rendu au *Farmer's Rest*. Il ne s'était pas assis à une table, il était resté au bar, demandant à Bud de ne lui servir que deux bières. Il devait retourner chez lui, ses enfants l'attendaient. Frappé par le visage défait de Michael, Bud lui donna une bière.

— T'inquiète pas, je t'enverrai après la deuxième.

Michael but lentement, ses mains tremblaient tellement qu'il avait de la difficulté à tenir sa bouteille. Il dut s'y prendre à deux mains. Ses amis, Greg et Ross, l'avaient invité à leur table.

— Non, les gars, pas ce soir.

Quand il eut terminé sa deuxième bière, Bud l'avisa qu'il était temps de rentrer. Michael hâta le pas. Hasard ou calcul, madame Finnigan le vit et vint à sa rencontre. Le visage mielleux, elle s'approcha de lui, mais n'eut pas le temps d'ouvrir la bouche que déjà il la repoussait. Stupéfaite, elle avait chancelé, failli tomber et s'était redressée. Ah! ce Michael, aussi pire que la Molly. Il fallait débarrasser Navan de cette race de païens.

11

C'était écrit !

Tara guettait l'arrivée de son père. C'est avec un soupir de soulagement qu'elle lui ouvrit la porte. Elle était inquiète, ses yeux n'avaient pas quitté les aiguilles de l'horloge. Assis à la table, Michael lui fit signe de venir le rejoindre. Hésitante, elle se tint sur le bout de la chaise. Son père était différent. Des sanglots dans la gorge, il toussa pour se donner une contenance.

— Écoute, Tara, demain, j'ai des choses importantes à régler et j'aimerais que tu fasses quelque chose pour moi. Madame Dever va venir te chercher demain matin, tu passeras la journée avec elle.

— Mais je ne peux pas, je dois aller au couvent. Et Ray ?

— Demain, tu n'iras pas au couvent, j'ai déjà averti les religieuses et ne t'inquiète pas pour le petit. Madame Ryan va s'en occuper. Tu veux faire ça pour moi, Tara ? Je t'expliquerai tout demain soir. Je sais que c'est difficile, mais tu dois me faire confiance. Je fais mon possible.

— Oui, papa, si c'est ça que tu veux, j'irai avec madame Dever. Maman l'aimait beaucoup et elle a toujours été bonne pour nous. Ce n'est pas comme cette Finnigan ; elle est venue ici, ce soir. Maman la détestait.

— Ici ? La maudite vipère, je...

— Ne t'en fais pas papa, je ne lui ai pas ouvert la porte...

Puis avec un petit sourire :

— ... je lui ai dit qu'on n'était pas là. C'est vrai, on n'était pas là... pas pour elle.

Michael sourit, lui donna un petit bec sur le front et l'envoya se coucher.

Les vingt-quatre dernières heures avaient été éprouvantes pour la fillette. La peine, la colère, l'altercation au couvent l'avaient brisée. Fourbue, elle s'endormit.

Tara se réveilla tôt. Elle choisit une belle blouse et une jupe que sa mère lui avait achetées avant Noël. Son père était déjà debout.

— Comme tu es belle ! Viens, je t'ai fait des rôties. Ray s'est réveillé avant toi, il est déjà parti chez les Ryan. Madame Dever sera ici vers dix heures.

À neuf heures trente, madame Dever arriva avec sa petite Ford Anglia rouge. Elle salua Michael, lui demanda de ses nouvelles. Puis elle regarda Tara et lui dit, avec son plus beau sourire :

— C'est avec cette belle jeune fille que je sors aujourd'hui ? Viens !

Tara esquissa un petit sourire, salua son père et la suivit. Elle n'était jamais montée en voiture. Madame Dever lui ouvrit la portière. La fillette jeta un coup d'œil à l'intérieur, prit place, pendant que madame Dever s'installait au volant. Celle-ci regarda sa passagère, dont les yeux la fixaient, remplis de questions.

Tara n'avait jamais vraiment observé madame Dever. Pas très grande, grassouillette, bon pied, bon œil, cheveux grisonnants ondulés, coupés courts, encadrant un visage digne, des yeux bleus pleins de bonté et de douceur. La femme conduisait avec assurance. Prenant une grande inspiration, elle regarda Tara et plongea. Pourvu que le filet apparaisse…

— Tu te demandes pourquoi je suis venue te chercher et où nous allons ?

Tara se redressa et tendit l'oreille.

— D'abord, je sais au sujet de ta mère et j'en suis très désolée. Tu n'as que sept ans, mais je ne vais pas te raconter d'histoires, jamais. Tu es trop intelligente et tu ne me croirais pas. Avec moi, tu auras toujours la vérité. Ça te va, Tara ?

— Oui, madame.

— J'aimais ta mère et je l'aime toujours, c'est une bonne personne.

— Merci. Vous êtes la seule à le penser.

— C'est une bonne personne ; elle n'a pas eu de chance et même si elle est partie, elle vous aime. Aujourd'hui, toi et moi,

nous avons des choses importantes à discuter, alors nous ne resterons pas dans Navan, il y a peut-être quelques oreilles qui sont… un peu trop grandes…

— Comme celles de madame Finnigan !

Madame Dever sourit et continua.

— Tu peux me faire confiance, Tara. J'ai apporté un petit goûter, nous pouvons parler en paix. Tu veux bien ?

— Oui, madame. Ma mère vous aimait beaucoup aussi. La semaine dernière, elle m'a dit que si jamais quelque chose allait mal, je devais aller vous voir. Ça doit être ça qu'elle voulait dire, parce que ça va… mal… beaucoup mal.

Elle se mit à pleurer. Surprise par la tournure des événements, madame Dever acquiesça. Les astres étaient alignés.

— Alors, Tara, nous allons profiter de cette belle journée. Regarde le paysage, comme c'est beau ! L'Irlande est un très beau pays. Les samedis ou dimanches, j'aime bien partir à l'aventure, chaque fois je découvre un coin nouveau.

Tara ne répondit pas, mais elle se sentait mieux. Cette femme aimait sa mère, elle pouvait lui faire confiance. Elle se détendit, examina autour d'elle, mais après quelques minutes la vision de sa mère et de son père s'imposa à elle. Elle soupira. Un fardeau bien trop lourd pour de si petites épaules ! Elles roulèrent pendant près d'une heure, sans être allées trop loin ; elles avaient pris de petites routes à peine carrossables pour revenir sur la route principale, tout en restant dans le comté de Meath. Elles ne parlaient pas, mais Tara regardait partout. Tout était nouveau, si différent, si vaste et si vert. Finalement, madame Dever arrêta la voiture et en descendit. Tara fit de même. À sa gauche, une immense colline.

— Tara, tu vois cette colline ? Elle s'appelle *The Hill of Tara* (La colline de Tara), en gaélique Tara se dit *Temair.* C'est un endroit extrêmement important, reconnu à travers le monde. Je t'expliquerai le tout une autre fois, mais sache que ton nom n'est pas banal.

Les yeux alertes, Tara écoutait. Tara – *Temair.*

Madame Dever prit le joli contenant en cuir rouge et une petite couverture et se dirigea vers la colline. À mi-chemin, elle s'arrêta, étendit la couverture, ouvrit la boîte, prit une petite nappe

toute blanche et l'étendit. Elle y déposa deux sandwiches, deux pommes, deux morceaux de gâteau et deux bouteilles de jus, puis s'installa sur la couverture. Tara en fit autant.

— As-tu faim ?

— Je pense que oui.

— Nous allons manger tranquillement et ensuite nous parlerons. Chaque chose en son temps. Tu es d'accord, ma belle *Temair* ?

Tara sourit et fit signe que oui. Elles mangèrent lentement. Au début, Tara avalait avec difficulté, puis le silence, le ciel bleu sans nuages, la proximité de cette femme douce... tout cela fit en sorte qu'un sentiment de confiance s'immisça doucement en elle ; elle mangea avec appétit. Le calme avant la tempête. Quand elles eurent terminé, madame Dever replia la nappe, la remit dans la boîte rouge et regarda la fillette.

— Ma chère Tara, ce que tu vis est terrible. Ta mère est partie, ton père ne sait plus où donner de la tête, Ray et toi ne savez plus ce qui vous arrive. Tu n'as que sept ans, c'est trop pour une enfant de ton âge. Tu as non seulement la beauté de ta mère, mais aussi son intelligence et son courage. Oui ! oui ! Je vais d'abord t'expliquer ta mère et ton père. Tu veux bien ?

Tara hocha la tête. Madame Dever commença par l'enfance de Molly, celle de Michael, puis parla de leur rencontre et du problème d'alcool de celui-ci. Avec des mots tout simples, elle essaya de lui faire comprendre que sa mère n'était pas une méchante femme, qu'elle avait souvent supplié son père d'arrêter de boire. Il avait perdu de bons emplois. Sa mère était convaincue qu'il ne changerait pas et elle ne voulait pas passer sa vie avec un ivrogne. Il fallait trouver de l'argent pour les nourrir convenablement, elle avait fait des choix... pas toujours les bons, mais... est-ce que c'est bien d'abandonner ses enfants ? Non ! Cependant, elle n'allait pas la juger. Son père n'était pas un méchant homme, il avait un gros problème, l'alcool est une maladie.

— Il en est incapable. Son foie est malade, trop de boisson. Je pensais qu'il fallait que tu comprennes ta mère et ton père. Il est important que tu saches ces choses. Est-ce que tu comprends ?

— Oui, madame Dever, merci. Mais qu'est-ce qui va nous arriver maintenant ?

Ses yeux inquiets étaient fixés sur le visage de madame Dever. Elle attendait. Le cœur dans un étau, cette dernière se demandait comment lui apprendre qu'ils allaient être séparés. Elle aurait voulu être ailleurs. Ce qu'elle devait lui annoncer briserait le cœur de la fillette.

— Ce que je vais te dire me peine beaucoup et ce n'est pas facile. Ton père a consulté le père Walsh, qui est venu me voir hier. Ton père ne peut pas vous garder.

— Pourquoi ? On pourrait s'arranger, je suis capable de m'occuper de Ray et de la maison.

— Je comprends, mais il ne le veut pas parce qu'il ne le peut pas. Il ne peut arrêter de boire et le gouvernement viendrait vous chercher pour vous placer chez des gens qui s'occupent des enfants qui ont des problèmes à la maison. Malgré ce que tu peux penser, ton père ne veut pas ça. Il vous aime et veut que vous ayez la chance de grandir, d'être bien, de vous faire instruire, tout ce que lui n'a pas eu.

Le cœur de Tara s'était emballé, elle avait peur. Où iraient-ils ? Elle n'osait deviner la suite.

— Alors, où allons-nous ?

— Le frère de ton père demeure à Dundalk.

— C'est où Dundalk ?

— À un peu plus de trois heures d'ici. Ton oncle est marié, il n'a pas d'enfant, il ne boit pas. Sa femme et lui sont de braves gens. Il a un petit commerce et a accepté d'accueillir Ray.

— Ray ? Juste Ray ? Ils veulent emmener Ray ? Non ! Non ! C'est mon frère, je l'aime. On ne peut pas nous séparer !

Les larmes se mirent à couler, un déluge de sanglots la secouait. Madame Dever avait de la peine à retenir ses larmes. Molly, qu'as-tu fait ? Mon Dieu, pardonnez-lui. Tara pleura longtemps.

— Ma mère est partie, mon père ne veut pas nous garder et mon frère… j'aime mieux mourir.

— Ne dis jamais une chose pareille, Tara. La vie, c'est précieux.

Madame Dever tendit les bras et Tara vint s'y blottir. Elle lui parla doucement, lui expliqua que son frère avait beaucoup de chance. Son oncle et sa tante en prendraient bien soin. Personne ne lui dirait des méchancetés ou ne le ferait souffrir. Il serait

toujours bien nourri, il pourrait aller à l'école et, un jour, il hériterait du commerce de son oncle.

— Tu veux qu'il soit bien ? Qu'il soit heureux ? Il va l'être. Et Dundalk n'est pas au bout du monde, il ne t'oubliera pas et tu pourras le voir de temps en temps.

Les grandes douleurs sont souvent muettes. Tara ne parla pas, la vie avait quitté son corps. Juste au moment où elle pensait qu'elle ne pouvait éprouver pire souffrance, on ajoutait à sa peine. Elle aimait tant son frère, elle voulait qu'il soit heureux. Elle s'était occupée de lui depuis qu'elle marchait. Elle avait joué avec lui, l'avait consolé, elle était un peu sa mère. Quelle cruauté ! Madame Dever se sentait complètement désarmée devant cette souffrance.

— Et moi, alors, qu'est-ce qu'on va faire de moi ? Où va-t-on m'envoyer ?

Madame Dever hésita. Ce Michael ! Quel lâche ! Après avoir passé toutes ces années à boire, il lui laissait l'odieux de la situation.

— Je t'ai dit que je te dirais la vérité. Le père Walsh et ton père m'ont demandé de te garder.

— Vous ? Et vous avez dit oui ?

— La vérité, Tara ? Au début, j'ai dit non. Je n'étais pas tellement d'accord. Je suis vieille, j'ai déjà été mère.

— Mais vous n'êtes pas mariée !

— J'ai été mariée à un homme que j'aimais et qui m'aimait aussi, et nous avons eu une petite fille, Esther.

— Où sont-ils ?

— Décédés... oui, les deux. Notre Esther est morte à huit ans, d'une maladie grave, et mon Thomas, dans un accident.

Touchée, Tara la regarda et avec un trémolo dans la voix : « Vous aussi, vous avez tout perdu et... vous voulez me garder ? »

Serrant les mains de Tara dans les siennes, d'une voix qu'elle voulait calme, madame Dever lui expliqua le plus simplement possible ses intentions. Oui, tout cela chambardait sa vie, mais elle pensait qu'elles pourraient s'entendre. Elle ne serait pas sa mère. Molly était sa mère et, si elle revenait, Tara pourrait retourner vivre avec elle, si elle le désirait. Tara ne remplacerait pas

Esther, sa fille décédée, mais elle l'aimerait de tout son cœur et ferait son possible pour qu'elle grandisse dans une maison où elle se sentirait chez elle.

— Je ne pouvais penser que tu pourrais finir dans une maison où tu ne serais pas aimée, risquant peut-être d'être violentée par des hommes vicieux avec des mains baladeuses.

— Vous savez ? Vous savez que Pédopimp…

— Tout se sait dans les petites villes. Les gens le soupçonnaient, ton père s'en est douté et l'a mis à la porte. Je ne peux pas te forcer à venir habiter avec moi et je déteste qu'on soit si pressés, mais une personne menace déjà d'avertir le gouvernement. Penses-tu que tu pourrais vivre chez moi ? On fera notre possible, toi et moi.

— Je n'ai pas le choix… tout est décidé. Ça va être pire au couvent, les filles vont encore…

— Tara, elles ne feront rien du tout ! Je suis une personne connue et respectée à Navan, généreuse avec les religieuses. Le jour où tu entreras dans ma maison, j'irai leur faire une visite de courtoisie. Crois-moi, on ne te fera pas de misère, plus jamais. Tu dois me croire. Tu seras traitée comme les filles… tu sais, celles qui ont le nez en l'air.

— Mais je ne voudrais jamais avoir… le nez en l'air, jamais !

— Je sais, tu es trop intelligente et trop bonne pour devenir méchante.

Cette brave petite ! Les enfants peuvent être mesquins, mais ils peuvent faire preuve d'un courage, d'une générosité et d'une abnégation inimaginables. Madame Dever avait une autre mauvaise nouvelle à annoncer à Tara. Son père quittait Navan. Molly parti, celui-ci n'avait pas le courage de rester, c'était au-dessus de ses forces.

Le lendemain même, Michael prenait le traversier pour Londres. Il habiterait chez un ami et essayerait de recommencer sa vie. Molly s'y trouvait, peut-être… Il n'était pas certain de pouvoir arrêter de boire, mais il essayerait. Des habitués du pub s'étaient cotisés pour acheter ses meubles. Le jour même, Ross et Greg venaient les chercher et les distribuer aux plus démunis. Pendant son absence, Michael avait mis les quelques vêtements et bijoux

de Molly dans un sac qu'il remettrait à Tara. L'oncle David et tante Ceili arrivaient le soir même.

— Ma mère, mon frère, mon père, notre foyer, j'ai tout perdu!

Tara avait recommencé à pleurer et madame Dever ne put retenir ses pleurs. Ce visage inondé de larmes réveillait des souvenirs qu'elle pensait oubliés à jamais. Tara s'en remettrait, elle était jeune, mais les blessures faites aux enfants ne guérissent jamais. Une fois devenus adultes, si l'on pouvait ouvrir leur cœur, on y verrait des plaies béantes.

Madame Dever baissa les yeux, elle étouffait. Longtemps, elles restèrent silencieuses.

— J'aurais aimé que ton père te dise tout ça, mais il ne le pouvait pas. Il m'a demandé de le faire, et c'est la pire chose que j'aie jamais faite. J'aime les gens, j'essaie toujours de les aider, pas de leur faire de la peine. Tara, je suis désolée et très peinée pour toi. Je voudrais pouvoir t'enlever ton chagrin, je ne le peux pas, mais... une consolation. Tu ne pourras pas voir ton frère tous les jours; toutefois, ton oncle a promis de t'écrire et nous irons le voir au moins quelques fois par année. Ray ne t'oubliera pas.

— Ah! merci! merci! merci beaucoup! Ce n'est pas de votre faute, et je veux bien vivre avec vous. Je suis contente de rester ici... mon amie Maggie et si ma mère... Il faut que j'aille quelque part et vous êtes la meilleure de toutes.

Elles se levèrent et partirent. Tara avait vieilli de dix ans.

La suite se déroula en accéléré. Dès leur retour, Tara s'était précipitée chez elle. Apercevant son frère, elle l'avait serré dans ses bras. Assise par terre, près de la porte, elle lui avait expliqué qu'ils allaient être séparés. Ray avait protesté, pleuré, mais elle avait été ferme.

— Écoute Ray, tu as presque six ans, tu es un grand, tu vas avoir une belle chambre, des nouveaux amis, des jouets, et je pourrai aller te voir.

— Tous les jours?

— Non, pas tous les jours, mais tous les trois mois.

— Mais Tara, ce ne sera pas pareil, je vais m'ennuyer beaucoup...

Tara le serra dans ses bras. Non, ce ne serait pas pareil ! Plus rien ne serait jamais pareil. Sa mère avait décidé de partir, son père aussi, sans penser à eux, chacun de son côté. Sa mère parce qu'elle ne voulait plus endurer son père et qu'elle était tombée amoureuse de ce… Et son père parce que c'était plus facile de partir que d'arrêter de boire, sans penser à eux. Tara leur en voulait, surtout pour son petit frère. D'ailleurs, son père n'avait pas attendu longtemps, même pas deux jours ! La maison était déjà presque vide, quelques tiroirs vomissaient leur contenu. Elle n'était même plus leur foyer, elle était comme eux, abandonnée. L'âme l'avait quittée. Tara examina chaque recoin, son cœur voulait se rappeler le seul foyer qu'elle ait jamais connu. Fermant les yeux, elle revit sa mère debout près de la fenêtre, comme chaque matin. Elle dut se faire violence pour reprendre ses esprits. Une petite valise et deux sacs trônaient dans la cuisine. Son père avait bu, il n'était pas saoul, juste un peu pompette. Blessée, Tara se demandait pourquoi il n'avait pas pu rester sobre pour leur dernière journée. C'était peut-être mieux ainsi, elle réalisait qu'ils n'auraient jamais réussi à se tirer d'affaire.

Tara avait à peine fini de parler avec Ray qu'un petit camion bleu arriva. Un homme grand, pommettes saillantes, yeux plissés, en descendit, suivi d'une petite femme joufflue. Kuoi-Koui courut vers eux en agitant la queue. Ray sauta sur ses pieds, se pencha pour le flatter. Kuoi-Koui lui lécha le visage.

— Regarde, Tara, il m'aime ! Je joue toujours avec lui, il va s'ennuyer…

— Oui, il t'aime, tu peux l'amener avec toi.

Même son fidèle Kuoi-Koui l'abandonnait. L'homme et la femme, des étrangers, s'avancèrent vers eux :

— Tara et Ray, je suis votre oncle Stanley et voici votre tante Ceili.

Tara et Ray se regardèrent. Ils étaient déjà arrivés ! Ray allait partir. Le cœur en miettes, Tara pencha la tête.

— Tara, ce ne doit pas être facile et tu dois nous en vouloir, mais ton père nous a demandé de nous occuper de Ray et nous allons le faire. Tu ne nous connais pas, tout ce que ta tante et moi pouvons te dire, c'est que nous serons bons pour lui. Ça, tu dois

le croire. Chaque mois, si tu veux bien, ta tante va t'envoyer un petit mot, une lettre pour te parler de ton frère. On va s'arranger pour qu'il ne t'oublie pas.

— Je ne vous blâme pas, ce n'est pas votre faute. Mais Ray, c'est mon frère, je l'aime et je vais m'ennuyer de lui... très... beaucoup...

Sa tante Ceili s'approcha d'elle, la regarda dans les yeux, avec tendresse.

— Tara, on va l'aimer, ton petit frère, et tu le reverras. Pas tous les jours, on a un magasin, on ne peut pas laisser le commerce souvent. Tu veux que je t'écrive?

— Ah! oui! s'il vous plaît.

Sa tante la prit dans ses bras. Elle ne résista pas, cette femme sentait la bonté. Elle était soulagée, son frère serait heureux et ils ne s'oublieraient jamais. Cette consolation ne diminuait en rien sa douleur. Le dernier maillon de sa famille ne serait plus qu'une personne que l'on aime à distance. Sa raison lui disait que son frère serait entre bonnes mains, mais son pauvre cœur ruisselait de désespoir. On avait chambardé sa vie et elle devait se montrer raisonnable, reconnaissante.

Les larmes au bord des cils, elle laissa Ray avec le chien et les fit entrer. Quelques instants plus tard, ils ressortaient avec une valise. Michael embrassa son fils:

— Tu es chanceux, ton oncle et ta tante vont prendre soin de toi. Fais le bon garçon.

Tara le regarda, il semblait pressé de s'en débarrasser. Il devait avoir soif. Oui, son frère était chanceux, il serait mieux avec son oncle et sa tante. Son frère! Les adieux furent brefs. Tara embrassa Ray, il la serra fort. Kuoi-Koui sauta dans ses bras et il monta dans le camion qui démarra aussitôt. Ray cria:

— Je t'aime Tara, je vais faire le bon garçon.

Elle les regarda s'éloigner. On venait de lui amputer une partie de son cœur. Cruelle séparation!

Seule au monde, se demandant comment elle allait survivre, elle tourna le dos et entra dans la maison. Son père y était toujours. D'une main, il tenait une petite valise et de l'autre, un sac. Il la regarda et elle soutint son regard. Il était encore pire que sa

mère! Comme elle ressemblait à Molly, les mêmes yeux accusateurs! Pointant du doigt, elle lui demanda:

— C'est à moi ça? Tu veux que j'aille chez madame Dever?

— Dans la valise, des vêtements et tes livres, et dans le sac, des choses, des… souvenirs de ta mère. J'ai pensé…

— Donne, je n'ai pas besoin de toi! Je peux y aller toute seule.

Il la regarda, mais son air déterminé le convainquit qu'elle ne céderait pas. Elle prit la valise et le sac. D'un pas décidé, elle se dirigea vers la porte:

— Bye, papa!

— Bye, Tara, je t'aime, fais attent…

Elle était déjà partie, des parcelles de son cœur se détachant à chaque pas. Il la regarda, sa petite tignasse rouge ne se retourna pas. Soupirant douloureusement, il sortit, ferma la porte et se dirigea vers le *Farmer's Rest*.

Il était seize heures. D'autres avaient vu Tara revenir avec madame Dever, l'avaient aperçue avec Ray sur ses genoux et ensuite, observé le camion arriver puis repartir avec le garçon. La Pipelette était en transe. Tant d'événements et on ne l'avait même pas consultée! Le père Walsh ne perdait rien pour attendre.

Grace Ryan avait tout vu, elle aussi. Bouleversé, son cœur de mère saignait. Que Molly ne veuille plus rester avec Michael, elle pouvait le comprendre; elle arrivait même à comprendre ses amants, Molly était jeune. Mais qu'elle abandonne ses enfants, qu'elle avait portés, que Michael les place et fiche le camp deux jours plus tard, c'était impardonnable. Séparer une sœur et un frère qui vivaient en symbiose, leur briser le cœur… Comment avaient-ils pu? Les larmes coulaient sur ses joues, elle avait mal.

John, qui venait d'arriver, regarda Tara approcher, courbée comme un vieillard sous le poids des années.

— Ils devraient être pendus! Les maudits! Mettre des enfants au monde puis les abandonner quand ça va mal. Monstrueux!

John et Grace virent leur fille courir vers Tara. Quand Maggie arriva à ses côtés, Tara la regarda, lâcha sa valise et son sac et se jeta dans ses bras. Une enfant qui comprenait mieux la souffrance de l'autre que bien des adultes! La scène avait quelque chose de

surréaliste. Un drame venait de se jouer, et la seule personne qui accompagnait la jeune malheureuse était une petite fille, leur petite fille.

— Brave Maggie, va ! Elle a besoin de toi.

Les mains sur les hanches, le regard décidé, Maggie souleva la valise et se rapprocha de Tara.

— Tara, t'es pas toute seule, on est amies pour la vie. Essaie pas de m'envoyer chez nous parce que je n'irai pas. Compris ? Tu t'en vas chez madame Dever, elle est bonne, elle va prendre soin de toi. Viens-t'en ! On y va ensemble. Faut quelqu'un pour t'aider à déballer tout ça !

— Merci, Maggie, merci ! Une chance que t'es là !

— Oui, et je suis là pour longtemps. Que personne vienne nous achaler, parce que je sortirai mon lance-pierre. Il fonctionne à merveille !

Tara éclata de rire bien malgré elle.

— Oui, mais il faut que tu pratiques encore un peu, parce que t'as pas réussi à tuer Pédopimp…

— Il n'est pas parti… ta mère… à cause de ça ? Je ne me le pardonnerais jamais.

— Non, non, ça n'a rien à voir… je suis bien contente que… tu lui aies laissé un beau souvenir.

Tara se redressa. Elle n'était pas seule. Elles continuèrent leur chemin en silence. Parfois, entre elles, les mots étaient superflus.

Tara et Maggie arrivèrent chez madame Dever. Tara hésita, mais Maggie lui prit la main. La porte s'ouvrit avant qu'elles aient le temps de frapper.

— Entre Tara, je t'attendais. Ah ! Maggie Ryan, c'est ton amie ?

— Oui et la meilleure… Vous la connaissez ?

— Certainement, je sais que c'est une bonne fille, débrouillarde, habile… surtout avec… un lance-pierre.

Tara et Maggie se regardèrent, inquiètes. Elles étaient drôles à voir.

— Vous savez ? Vous savez pour Pédopimp ?

— Qui, Pédopimp ?… Francis ? Francis Lennon ?

Elle les regarda et se mit à rire.

— Tout se sait, mes petites. Ici, en Irlande, les murs ont des oreilles et les roches parlent. J'espère bien que tu ne te serviras pas de ton lance-pierre sur moi.

— Oh non ! jamais, madame. Jamais. C'est juré.

— Bon, je me sens rassurée. Maggie, tu vas donner un coup de main à Tara. Elle va avoir besoin de toi pour arranger sa chambre. Tu veux bien ? Je dois sortir quelques instants. Tara, je suis contente que tu veuilles rester avec moi, j'ai l'impression que je ne m'ennuierai pas. Ta chambre est la première à gauche. Si tu n'aimes pas les meubles, il faudra me le dire. Je te laisse faire connaissance avec ton nouveau foyer. Maggie, veille sur elle.

Sur ces mots, elle sortit.

Tara et Maggie se regardèrent. Tara avait le cœur gros. Tant de bonté ! Madame Dever la laissait seule avec son amie ! Cette maison était la sienne. Elle se jura qu'elle ferait tout pour lui exprimer son appréciation. Même Maggie était impressionnée. Tara fit le tour de la cuisine, une belle grande cuisine tout en soleil, propre, aux murs jaune pâle. La fenêtre était habillée d'un rideau en dentelle blanche, les appareils brillaient. Une table ronde, quatre chaises. La table était recouverte d'une nappe beige avec quelques fleurs roses. Tara la frôla. Au centre, un bouquet de fleurs. C'était ça, un foyer, mais son cœur faisait tellement mal.

Séparé de la cuisine par une grande arche, un salon. À droite, deux grosses chaises habillées de chintz fleuri, une cacophonie de couleurs. Juste à côté trônait une lampe sur pied. Sur le mur en face, une étagère débordante de livres. Maggie et Tara n'avaient pas assez d'yeux pour tout voir. Tara toucha Maggie et s'exclama : « Mon Dieu, mais c'est un piano, un vrai piano ! Elle joue du piano ! »

Maggie la laissa seule et se mit à regarder les photos sur les murs. Sur une grande photo, elle vit un homme, une femme — elle reconnut madame Dever — et une jolie petite fille, trois ans environ, un visage d'ange auréolé de cheveux blonds. Un sourire radieux éclairait son visage ; ses yeux noirs candides contemplaient sa mère.

— Qui sont-ils, Tara, tu les connais ?

— Le monsieur, c'est son mari, et cette enfant, sa fille.

— Où sont-ils ?

— Ils sont morts. Viens, je dois aller porter mes choses dans la chambre avant qu'elle revienne.

Tara se dirigea vers la chambre, elle y pénétra sur la pointe des pieds. Une belle chambre, toute blanche, sauf pour le rideau rose pâle à la fenêtre. Au centre, le petit lit, parallèle à la fenêtre, une belle couverture beige pâle aux motifs de ballerines ; même la taie d'oreiller arborait une ballerine. Une lampe avec un abat-jour fait du même tissu que le rideau de la fenêtre. À côté du lit, deux poupées assises sur une longue commode blanche. Derrière la porte, trois beaux crochets. Dans le coin droit, une chaise recouverte d'un tissu vert pomme. Sur la chaise, un carton blanc avec le mot : Tara...

— C'est ta chaise ! TA chaise ! Regarde la petite table juste à côté, regarde, il y a des livres... des livres pour enfants...

12

Je suis née à sept ans

Tara s'avança timidement. Elle toucha la chaise, la table, les livres… et se mit à pleurer… Si sa mère… Les tiroirs de la commode étaient entrouverts. Le cœur gros, Maggie l'observait.

— Tara, madame Dever va revenir. Il faut que tu vides ta valise et ton sac.

— La valise, oui; le sac, non, mets-le dans le dernier tiroir, pousse-le au fond.

— Mais… Tara?

— Maggie, veux-tu m'aider? Alors, vide la valise, c'est tout.

Elles placèrent ses quelques vêtements dans le tiroir. À peine avaient-elles terminé que madame Dever arriva. Elle déposa deux sacs sur la table et les regarda.

— Vous avez fait le tour de la maison, elle vous plaît?

— Oui, madame. C'est très beau, merci beaucoup.

Puis Maggie regarda Tara et se dirigea vers la porte.

— Au revoir, madame, je dois y aller. Tara, je te verrai à l'école demain.

— Elle ne sera pas au couvent demain. Nous avons à faire et elle doit se reposer. J'ai averti la religieuse, trois jours ne seront pas de trop. Mais tu viendras la voir, n'est-ce pas?

— Oui, je serai ici après l'école. Bye, Tara!

La porte à peine refermée, Tara se sentit à l'étroit. Gênée, elle se tenait debout près de la table pendant que madame Dever vidait les sacs: pain, tomates, jambon, fromage, biscuits et lait. Tout en observant Tara, elle enleva ses chaussures qu'elle envoya valser près de la porte.

— Tu voudrais m'aider, ma grande? Je me sens un peu fatiguée.

— Ah oui ! Voulez-vous une tasse de thé ? Je sais le faire.

— Je ne veux pas te faire travailler, mais je ne dirais pas non. La théière est là et le thé dans la boîte en métal sur l'armoire.

Madame Dever mit des napperons fleuris sur la nappe, allongea le bras et sortit deux couteaux et deux fourchettes et demanda à Tara de lui donner deux assiettes, une tasse et un verre. Le thé fut bientôt prêt et Tara remplit la tasse de madame Dever. Celle-ci huma le liquide chaud, en prit une gorgée et un sourire de satisfaction illumina son visage.

— Ça, c'est du bon thé ! Tu fais du bon thé, on va bien s'entendre. Viens t'asseoir. Ce soir, je n'ai rien préparé, nous mangerons à la bonne franquette. Ça te va ?

— Oui, oui, mais c'est beaucoup trop.

Sur ce, madame Dever prit deux tranches de pain, alla chercher du beurre et de la mayonnaise et se fit un sandwich. Elle tendit deux tranches à Tara. La fillette l'imita. Elles mangèrent en silence, un silence interrompu par les soupirs de satisfaction de madame Dever :

— Ah, c'est bon ! J'avais faim, je pense que j'avais l'estomac dans les talons.

Tara éclata de rire. Gênée, elle pencha la tête, le rire était venu malgré elle.

Madame Dever se mit à rire elle aussi. Elle versa un grand verre de lait à Tara et se prépara un autre sandwich. Tara refusa le deuxième, mais elle accepta les biscuits que madame Dever déposa dans son assiette.

— Là, je me sens mieux. Tu veux me verser une autre tasse de thé, Tara ? Viens, on va s'asseoir au salon comme des grandes dames. Je prends toujours ma deuxième tasse de thé au salon. Tu peux apporter ton verre, si tu veux.

Madame Dever prit la chaise de droite, ouvrit la radio et la musique remplit la pièce. Tara s'assit sur l'autre chaise. Elle ne connaissait pas cette musique, mais celle-ci la pénétrait. Une grande tristesse l'envahit et les larmes coulèrent, silencieuses. Cette maison, cette dame, cette musique, tout lui semblait hors du temps, elle se sentait comme une étrangère perdue dans sa ville. Du salon, l'extérieur paraissait tellement loin, irréel. Madame

Dever se leva, la prit par la main, lui montra la salle de bain, avec une vraie douche, un lavabo et une toilette. Tara ouvrit grand les yeux.

— Vous devez être très riche, madame!

Madame Dever éclata de rire. Quand son mari était décédé, elle avait reçu la prime de décès d'une compagnie d'assurances. En outre, quelques jours avant sa mort, Thomas avait acheté un billet du *Irish Hospitals' Sweepstake* d'un type de Dublin qui parcourait le pays. Ce billet gagnant avait rapporté 60 000 livres (90 000 dollars CAN), une fortune à l'époque. À cela s'ajoutait son salaire d'infirmière, elle avait toujours travaillé. Elle ne travaillait plus maintenant, sauf en cas d'urgence. Elle vivait seule. Excellente ministre des Finances, elle était financièrement à l'aise. Cette salle de bain? Indispensable!

Elle indiqua à Tara deux porte-serviettes; sur chacun, une grande serviette et une petite débarbouillette.

— Les roses sont à toi; les blanches sont à moi.

Tara n'avait jamais pris de douche, alors madame Dever lui montra comment bien fermer la porte, faire couler l'eau et l'ajuster. Elle lui donna du shampoing pour ses cheveux.

— Tu n'as qu'à en mettre un peu dans ta main quand tes cheveux seront mouillés. Aussi bien pratiquer tout de suite, il y a un pyjama propre sur ton lit. Va le chercher, enlève ton linge, mets-le dans le panier, nous laverons la semaine prochaine. Prends ta douche… si tu veux.

Quand Tara revint, madame Dever entrouvrit la porte de la douche, ajusta l'eau et sortit de la salle de bain. Au début, Tara était un peu anxieuse, mais elle ne voulait pas décevoir madame Dever, alors elle se lava les cheveux et tout le corps. Elle se contenta d'effleurer ses parties intimes; elle se revit nue devant Pédopimp et frissonna, n'osant même pas se regarder. Elle ferma les robinets, se tordit les cheveux pour enlever le plus d'eau possible et sortit. Posant les pieds sur le petit tapis, elle s'essuya vigoureusement, plia la serviette, enfila le pyjama et se dirigea vers sa chambre. Madame Dever vint la rejoindre. À la main, elle tenait un peigne à grosses dents. Tara se plaça debout devant elle. Cela lui sembla tout naturel.

— Comme tu as de beaux cheveux ! Mmmm ! Tu sens bon. Il est tôt, mais si tu veux, tu peux te coucher. Je vais prendre ma douche, je me sens sale. Je pue comme une mouffette !

Tara sourit. Cette dame avait des expressions surprenantes.

— Cette chambre est semblable à celle d'Esther. Quand j'ai acheté cette maison, j'ai apporté ses meubles. Je ne pouvais me résoudre à m'en séparer. Depuis qu'elle n'est plus, personne n'a jamais couché dans son lit, mais je suis certaine qu'elle serait heureuse que ce soit toi qui l'aies maintenant. Je ne l'aurais laissé à personne d'autre. Si tu as besoin de quelque chose, tu viens me voir, le jour ou la nuit. Si tu as peur, je veux que tu viennes dans ma chambre. C'est promis ?

— Oui, merci, et merci pour la chaise et la petite table.

Madame Dever la prit dans ses bras, déposa un baiser sur son front, sortit et alla prendre sa douche.

Tara retourna le coin de la couverture. De beaux draps blancs saupoudrés de petites fleurs roses lui sourirent. Elle alla chercher un livre sur sa table et s'étendit dans son lit. C'était un beau livre, elle le feuilleta, regarda autour d'elle et ferma les yeux. Des images défilaient dans sa tête : sa mère, le dernier soir… si elle avait su que c'était la dernière fois qu'elle la voyait, elle aurait pu lui parler, la supplier de ne pas partir, lui dire qu'elle l'aimait. La veille du dernier matin, où elle n'avait pas aperçu sa mère dans la cuisine, l'incident au couvent, la journée avec madame Dever où elle avait tout appris, le départ de Ray… Ray, elle n'avait pas pensé à lui depuis quelques heures. Elle se sentit coupable. Tant de choses en deux jours, sa mère partie, son frère, son père et plus de maison. Un rêve ou un cauchemar ?

— Ray, je t'aime, je t'aime tellement ! Sois un bon garçon, il faut que mon oncle et ma tante t'aiment aussi.

Madame Dever était bien bonne de vouloir la garder ; elle avait sa vie bien organisée et elle s'embarrassait d'une étrangère. Sa mère avait raison, elle était spéciale. Elle allait faire son possible pour ne pas la décevoir. Cette maison, la douche, l'eau qui descendait sur tout son corps comme… comme une fontaine. La vision de Ray sautillant dans cette douche la fit sourire. Son regard embrassa la chambre, une chambre de princesse, mais elle

aurait cent fois mieux aimé se retrouver dans sa petite chambre miteuse ! Sur ce, elle sombra dans un profond sommeil.

Le lendemain, le soleil brillait de tous ses feux quand Tara ouvrit les yeux. Où était-elle ? Ce n'était pas un rêve ! Elle avait dormi ! Il devait être très tard. Elle regarda autour d'elle et avisa une petite horloge en porcelaine blanche sur la commode : neuf heures dix. Ce n'était pas possible ! Neuf heures dix ! Sautant de son lit, elle courut à la cuisine. Madame Dever était assise à la table, une tasse de café à la main.

— Bonjour, ma grande !

— Oh ! madame, je m'excuse, je ne sais pas ce qui s'est passé, j'ai dormi tard, je suis désolée.

Madame Dever éclata d'un grand rire franc.

— Mais c'est une bonne chose ! Tu as vécu des journées difficiles, tu étais exténuée, ton corps avait besoin de sommeil. C'est bien ! Je suis allée jeter un coup d'œil, tu dormais comme un ange. Comme j'étais contente ! Viens, je te prépare des rôties, il y a du fromage et des confitures. Ça te va ? Je ne sais pas ce que tu aimes, il faudra me le dire.

Les yeux écarquillés, Tara fixa madame Dever.

— Mais je n'oserai jamais, tout va être parfait, parfait… Parfait !

Un immense rire secoua madame Dever.

— Non ! Non ! Tu es la plus adorable petite fille que j'ai jamais vue, sauf Esther, bien sûr. Tout ne sera jamais parfait et je ne suis pas parfaite. Je suis désolée de ce qui t'arrive, mais je suis heureuse que tu veuilles rester avec moi. Oui, c'est ma chance !

Les mains sur les hanches, Tara secoua la tête, d'un air découragé.

— C'est moi qui ai toute la chance ! Mais… je pense que vous êtes encore fatiguée !

Madame Dever riait de plus belle, elle prit Tara dans ses bras.

— Ah ! ma belle Tara, assieds-toi, viens manger. Toi et moi avons des choses à faire. Je dois aller visiter une maman qui vient d'avoir un bébé. Tu veux m'accompagner ? À l'avenir, tu seras mon assistante, si tu le veux…

Ainsi commença la nouvelle vie de Tara. Elle avait déjeuné avec appétit et, malgré les protestations de madame Dever, elle s'était

empressée de nettoyer la table et de faire la vaisselle. D'un air déterminé, elle lui avait expliqué qu'elle serait très malheureuse si elle ne participait pas aux tâches dans la maison. La vaisselle, c'était sa tâche, et d'autres choses aussi. Après quoi, madame Dever lui avait remis une brosse à dents, de la pâte dentifrice, une boîte de poudre avec une poudrette, pour après la douche... un peigne, une crème pour ses beaux cheveux. Elle lui montra comment l'appliquer : en verser juste un petit peu dans le creux de sa main, frotter sur l'autre main et bien faire pénétrer dans ses cheveux. Elle lui donna aussi une brosse, des barrettes, un petit étui à manucure... Cet étui l'émerveilla.

— Mon étui à moi ? Un étui avec une vraie fermeture éclair. Juste pour mes ongles ! Incroyable !

Elle l'ouvrit et le referma en douceur, frôla le cuir et le déposa délicatement sur sa table. À partir de ce jour, elle se cura les ongles chaque soir ; une habitude qui lui devint familière au fil des ans.

Madame Dever avait pensé à tout ! Le reste viendrait plus tard, elles iraient magasiner. Tara ne voulait pas pleurer, mais elle avait les larmes faciles.

— C'est vraiment trop, je ne pourrai jamais vous rendre...

— Me rendre quoi ? Tara, écoute-moi bien, tu ne me devras jamais rien, ta présence va me suffire. Allons faire un tour au jardin et ensuite, nous irons voir le petit bébé de madame Mary.

Elles s'étaient retrouvées dans la cour arrière. Tara allait de surprise en surprise. Au fond, à droite des clématites, des camélias, des anémones et de superbes lobélies, puis des dahlias, des pétunias et des pensées. À gauche, d'autres magnifiques fleurs, ainsi que des arbustes en fleurs, tels des rosiers nains. Une folie de couleurs et d'odeurs ! Deux exotiques mangeoires d'oiseaux, une de chaque côté du jardin, et un bain au centre complétaient l'arrangement. Pas très loin de la porte arrière, une balançoire. Le cœur de Tara bondit. Elle s'avança, regarda madame Dever et s'assit dans la balançoire et se berça en douceur. Une légère brise caressait son visage, elle se sentit plus détendue.

Toutes les douleurs, les souffrances semblaient plus loin. Quelle révélation, ce ravissement à sa portée qu'elle pouvait apprécier de tout son cœur !

— Comme c'est beau ! Ça doit ressembler à ça, le paradis, toutes ces fleurs, ces odeurs…

Gênée de son exubérance pendant que sa vie basculait, elle eut honte, elle pencha la tête et se tut.

— Tara, je suis heureuse que tu apprécies les fleurs, la nature, les belles choses ; tu mérites au moins ces petits bonheurs, et beaucoup plus. Attends de voir les oiseaux ! Le matin, ils viennent manger et boire. Si tu restes immobile, tu verras, ils viendront près de toi.

Elle reçut sa première leçon d'ornithologie. Parmi les oiseaux les plus connus qu'on retrouve en Irlande et à Navan, il y a le *blackbird*, noir avec un beau bec jaune, au chant mélodieux, et le *blue tit*, avec sa robe d'un mélange de bleu, jaune, blanc et vert. Chaque matin, ils arrivent quatre ou cinq à la fois. Évidemment, il y avait aussi le *robin*, le rouge-gorge, et le *house sparrow*.

— Mais mon préféré est le *blackbird*, c'était aussi celui d'Esther. J'aime l'entendre chanter et aussi le *blue tit*. Au fond, je les aime tous.

— Je vais les aimer aussi et j'aime la haie tout autour. On est juste nous deux, personne ne peut nous voir.

— C'est exactement pour préserver notre intimité que j'ai planté cette haie. On est en paix.

À partir de ce jour, chaque fois qu'il faisait beau, Tara se levait sur la pointe des pieds et allait se lover dans un coin de la balançoire. Ses yeux embrassaient le jardin, s'émerveillant de chaque fleur. Petite boule rousse au teint laiteux, recroquevillée, s'extasiant devant les oiseaux et les fleurs, elle ne bougeait pas, respirait à peine. Un baume pour son cœur. Elle conserva cette pratique au fil des ans. Tara devint fille d'habitude.

Dès sa première visite dans ce jardin enchanté, une remise appuyée contre la maison avait attiré son regard. Madame Dever lui annonça qu'un monsieur viendrait y mettre de l'ordre. La remise étant beaucoup trop grande pour ses outils, il allait la diviser en deux ; d'un côté, il y mettrait deux bancs, une petite table et quelques étagères. Ce serait son petit coin à elle. Maggie et elle pourraient s'y amuser quand elles le voudraient, ou durant

les journées maussades. En somme, ce serait sa *cubby house*, son petit royaume à elle seule.

Tara bondit hors de la balançoire et courut se jeter dans les bras de madame Dever :

— Merci ! Merci ! Je suis trop contente, trop contente ! Madame Dever, vous êtes… vous êtes… une magicienne !

— Non, pas une magicienne, mais je vais faire tout ce que je peux pour te donner un peu de bonheur, tu le mérites. Maintenant, Tara, asseyons-nous dans la balançoire. Nous avons un problème à régler. Je m'appelle madame Dever, mais c'est bien long comme nom ; j'aimerais qu'on trouve un nom plus court. D'accord ?

— Oui, mais lequel ? Je n'ai qu'une grand-maman, je ne la vois presque jamais, alors… je pourrais vous appeler… Mamie ?

— Mamie, ça me va. J'aime ça. Mamie !

Les premiers jours de Tara dans son nouveau foyer ne furent qu'une suite de surprises, d'événements heureux. Plus tard, elle dira : « Je suis née à sept ans. »

Mamie l'avait amenée voir le nouveau-né. Son rôle ? Porter la trousse d'infirmière de Mamie et la seconder, si nécessaire. Elle n'avait pas assez d'yeux pour tout voir. On lui permit de prendre le nouveau bébé dans ses bras ; elle le regarda avec vénération. La mère était en adoration devant son poupon. Tara pensa à sa propre mère, à sa naissance. Molly l'avait-elle regardée de cette façon, l'avait-elle aimée ? Voyant son trouble et devinant ses pensées, Mamie avait fait dévier son attention. Tara était fragile.

Une visite au couvent s'imposait. Avec un empressement respectueux, la supérieure les avait reçues dans son bureau. Mamie lui avait expliqué que Tara était maintenant sa protégée, sa petite fille, et qu'elle voulait qu'on la traite ainsi.

— Tara, vous êtes bien chanceuse.

— Ma mère, la chanceuse, c'est moi ! Tara est une bonne fille, intelligente, bien élevée. Elle n'est pas ma fille, mais je veux qu'elle soit traitée comme si elle l'était. Je suis un peu sa mamie. Je compte sur vous pour qu'on la traite avec respect, je pense que vous me comprenez. Au début de septembre, je voudrais qu'elle apprenne la musique. Je suis certaine que cette enfant a des talents qui ne demandent qu'à s'épanouir.

— Vous pouvez compter sur nous, madame Dever, nous ferons tout pour vous être agréables. Tara sera traitée comme votre fille.

Tara était sans voix, sa vie avait basculé et un miracle s'était produit. Elle était la même personne, certes, mais son statut avait changé et, du même coup, on était tout miel avec elle. Pour un peu, on lui donnait des ailes. Elle ne savait pas comment interpréter ce changement radical, mais quelque chose ne tournait pas rond. Pauvre, elle n'était rien, une petite fille qu'on tolérait à peine, qu'on humiliait, la fille de Molly. En l'espace de quelques jours, on avait des égards pour elle. Ce n'était pas chrétien ! Elle aurait voulu dire des choses à la supérieure et… pas toutes gentilles.

Les deux étaient retournées dîner à la maison, puis Mamie s'était promenée dans son jardin, s'arrêtant pour arroser les fleurs, enlever les feuilles mortes et quelques mauvaises herbes. Tara la suivait pas à pas. Ensuite, elles s'étaient reposées dans la balançoire.

Maggie était arrivée après l'école, Tara était heureuse de la voir. Elles s'installèrent dans la balançoire et Maggie lui raconta sa journée, elle la fit rire. Au couvent, les langues allaient bon train, les jalouses chuchotaient entre elles, mais elles s'étaient tues dès qu'elles avaient aperçu Maggie.

— Je te dis qu'elles vont faire attention, elles ne vont pas nous aimer, mais elles vont se surveiller. Sœur Anne se promenait, comme un aigle qui surveille sa proie ; elle est allée leur parler, elle n'avait pas l'air de bonne humeur.

— Je ne demande pas qu'elles m'aiment, seulement qu'elles me fichent la paix.

Ce soir-là avant de se coucher, Tara avait ouvert le dernier tiroir et avait sorti LE sac, contenant les souvenirs de sa mère. Assise par terre, près de son lit, elle l'avait serré dans ses bras, puis lentement, comme on déballe un objet précieux, elle l'avait vidé. Le foulard rouge, elle le porta à son visage, l'odeur de sa mère lui fit mal. Elle étala les autres objets : un slip, deux petites culottes, un chandail vert pâle, le préféré de sa mère, des boucles d'oreilles et un cadre en deux sections. Tara l'ouvrit : deux photos, celles de sa mère et

de son père souriant à l'appareil photo. Une douleur vive comme de l'acide lui transperça le cœur, elle éclata en sanglots.

Mamie entra et la trouva prostrée, le petit cadre en argent ouvert sur le lit. Tara fixait la photo. Des larmes inondaient son visage. Mamie la prit dans ses bras. Tara pleura longtemps.

— Tu ne peux oublier tes parents et, malgré ce qu'ils ont fait, tu ne pourras pas les haïr. Les enfants veulent que leurs parents soient parfaits, mais ils sont comme tout le monde, ils ont des défauts et on n'y peut rien. Voici ce que je te propose. Je vais te donner une petite boîte, tu y mettras ces boucles d'oreilles et ton cadre. Place-les dans ta commode. Quand ton cœur fera moins mal, tu déposeras le cadre sur ta commode, tu regarderas tes parents, tu pourras même leur confier tout ce que tu as sur le cœur. Peut-être même arriveras-tu à te dire : « Oui, ce sont mes parents ; ils ne sont pas parfaits, mais ils m'ont aimée. » Parce qu'ils t'ont aimée, ça, je le sais. Peut-être ont-ils pensé qu'il valait mieux pour Ray et toi qu'ils partent. Ta mère ne pouvait plus rester ici et ton père non plus. S'ils réussissent à s'en sortir, tant mieux. Ils ne sont pas morts. Un jour, ils seront fiers de vous deux. Ray et toi, vous allez vous en sortir, vous allez devenir quelqu'un.

— Jamais je ne pardonnerai à ma mère. Jamais !

— Ne dis pas ça, Tara. Ta mère t'a aimée dès ta naissance, elle a veillé sur toi, elle a fait son possible, c'était le mieux qu'elle pouvait faire, et elle doit penser à toi tous les jours.

— Peut-être, mais elle ne reviendra probablement jamais…

Elle s'était levée et avait remisé la boîte en soupirant. Mamie avait raison, mais c'était beaucoup trop tôt ; son petit cœur ne pouvait rationaliser cette tragédie. Les vêtements de sa mère furent pliés et remisés. Plus tard… peut-être.

13

Le bonheur a un visage

Le samedi matin, elles se rendirent à Dublin. Dès leur arrivée, Tara se colla contre Mamie ; trop de bâtiments, de rues, de voitures, de gens qui marchaient dans toutes les directions. Effrayée, fascinée, elle ne savait plus où poser son regard. Elles allèrent chez Arnotts et Mamie se dirigea vers le rayon des enfants.

— Tara, il te faut des vêtements, tes parents n'avaient pas les moyens de t'en acheter…

— Mamie, mais ça va coûter trop cher.

— Chut, ma petite. Viens m'aider, on va choisir ce dont tu as besoin.

Deux heures plus tard, elles ressortaient du magasin avec trois sacs de vêtements et deux paires de chaussures. Tout y était : sous-vêtements, chaussettes, pyjamas, chemise de nuit, robe de chambre, pantoufles, robes, blouses, jupes, chandails, un manteau court, un long, une paire de gants et un joli petit chapeau. Tara ne voulait pas de chapeau, mais Mamie lui avait expliqué que les dames bien habillées portaient un chapeau, surtout pour aller à l'église. Joignant le geste à la parole, elle lui avait posé sur la tête un chapeau… au moins trois fois trop grand pour elle. Debout devant le miroir, Tara se regarda et éclata d'un rire sonore. Plus elle se regardait, plus elle riait. Mamie ne put se retenir, pas plus que deux dames qui étaient tout près.

— Ce qu'elle est drôle et jolie ! Votre petite-fille ?

— Oui, c'est ma Tara, et je pense que ce n'est pas la bonne taille.

Tara essaya de lui expliquer qu'elle ne pouvait pas porter ce chapeau, mais elle riait trop. Finalement, elle put reprendre son

calme et avait hérité d'un petit bibi tout simple, qui lui allait à ravir. Mamie arrêta dans le premier restaurant et se laissa choir sur une chaise.

— Magasiner aiguise l'appétit, je meurs de faim. Et toi?

— Un petit peu, mais je devrai travailler jusqu'à deux cents ans pour vous rendre tout ce que vous payez pour moi.

— Me rendre? Tu veux rire! Jamais. Ma petite-fille doit être bien habillée et, tu sais, il y a longtemps que je n'ai pas eu autant de plaisir. Je me sens rajeunir. Un peu plus et je me mettrais à danser.

Tara se dit qu'elle avait perdu la tête. Elle avait dépensé assez d'argent pour nourrir une famille pendant des mois. Maggie aurait du plaisir à l'aider à mettre tout ça dans les tiroirs. Un petit sourire se dessina au coin de ses yeux. Mamie l'interrogea.

— Je vois Maggie essayant mon chapeau.

Mamie se mit à rire.

— Je ne pense pas qu'il lui fasse.

Mamie se dit: « Merveilleux enfants! Comme ils sont forts. » On leur brise le cœur, ils endurent les pires sévices, ils sont prêts à tout pardonner, passent du rire aux larmes, ils se relèvent. Quelle leçon de courage! Ils ne demandent qu'à être aimés et Tara était si facile à aimer.

Le lendemain, elles se rendirent à l'église et firent tout un effet quand elles entrèrent. Le père Walsh les salua et remercia madame Dever. Puis, regardant Tara, qui rougissait jusqu'à la racine des cheveux, il lui dit: « Bonjour, mademoiselle! » Elle avait balbutié un bonjour. Elles avancèrent dans l'allée centrale. Mamie se tenait bien droite, mais sans ostentation, saluant à droite, à gauche, elle se dirigea vers son banc, le dixième à droite. Les Ryan étaient déjà dans leur banc, à gauche. Ils la saluèrent et Maggie lui fit un clin d'œil. Les gens s'étiraient le cou pour voir la fille de Molly. Elle était ravissante. Quelques mégères grinçaient des dents, mais n'oseraient jamais lui manquer de respect. Madame Dever était une grande dame, une bienfaitrice, elles se tiendraient coites. Les autres, la très grande majorité, étaient sincèrement heureux pour la petite Tara.

Madame Finnigan marmonnait des prières ; son cou, un vrai balancier. Quand elle se retourna et aperçut madame Dever suivie de Tara, elle se mit à la verticale ; la bouche ouverte, penchée vers l'arrière, elle semblait gelée dans cette position. Certaines personnes riaient. Son mari tira sur sa jupe, elle le repoussa. Lui prenant solidement le bras, il la fit asseoir. Elle essaya de se relever, mais il la tint fermement.

— Reste assise, tu es folle, tu es la risée des fidèles. Tu ne les entends pas rire ?

Le regard haineux, elle le repoussa. Madame Dever, cette chère madame Dever, elle avait pris Tara sans qu'elle-même en soit informée, et elle ne savait même pas où était Ray. Incompréhensible ! Le père Walsh, un mou ! Elle aurait dû appeler les Services sociaux. Elle avait détesté passionnément Molly et Michael, et leur fille était toujours à Navan. Une mauvaise influence !

Le lundi matin, Tara était retournée en classe. Maggie l'accompagnait. Deux religieuses surveillaient la cour. Quand elles virent trois filles, dont la meneuse, Eileen, regarder Tara et rigoler, elles les firent entrer. On ne sut jamais ce qui se passa dans le bureau de la supérieure, mais elles en ressortirent la tête basse. À partir de ce jour, Tara entendit parfois quelques commentaires désobligeants, en général, on la laissa tranquille, mais leur haine était tenace. Tara s'épanouissait et ses notes montèrent en flèche. Dès le semestre suivant, elle fut première dans presque toutes les matières, rang qu'elle ne céda jamais durant ses années au couvent.

Ce matin-là, Tara était à peine partie pour l'école qu'on frappa à la porte de madame Dever. Elle était assise à table, son grand livre ouvert, mettant de l'ordre dans ses comptes. Elle n'attendait personne. Elle se leva, ouvrit la porte et fit face à madame Finnigan. Elle ne la portait pas vraiment dans son cœur, mais elle s'efforça d'être aimable et la fit entrer.

— Asseyez-vous. Que puis-je faire pour vous ?

— Vous savez que je ne veux de mal à personne, mais j'ai pensé vous mettre en garde.

— Me mettre en garde ? Contre quoi ? Contre qui ?

— Je sais que vous avez pris la lourde responsabilité de garder la fille de Molly.

— Elle a un nom, elle s'appelle Tara et ce n'est pas une lourde responsabilité, c'est un plaisir. Cette enfant est un ange!

— Madame, mais c'est de la mauvaise graine! Elle aurait dû être placée... elle tournera...

— Madame Finnigan, écoutez-moi bien. Pour une personne qui se prétend une grande chrétienne, comment pouvez-vous manquer de charité à ce point? Vous devriez avoir honte!

— Je n'ai pas de leçon à...

— Taisez-vous! Je ne veux plus jamais vous entendre parler de Tara. Je regrette d'en arriver là, mais je sais que vous ne pourrez vous empêcher de colporter des médisances à son sujet, parce que c'est votre passe-temps favori, qui monopolise tout votre temps. Vous êtes la honte de la paroisse! Alors, je vous mets en garde. Je vous dis que j'ai des preuves accablantes contre votre fils, Carl, des preuves qui pourraient l'envoyer en prison.

— Vous mentez, mon Carl est...

— ... est un malade, et si vous ne l'aimiez pas si aveuglément, vous pourriez le constater, puisque tout Navan est au courant. Alors, vous allez partir et ne plus jamais remettre les pieds chez moi. Si jamais j'entends dire le moindre mot contre Tara ou si votre petit vicieux s'approche d'elle, je le dénonce. Et croyez-moi, ce ne sont pas des paroles en l'air. Ne pensez pas que je garde ces preuves ici, elles sont en lieu sûr. Au revoir, madame Finnigan, je ne vous retiens pas.

Le visage décomposé, madame Finnigan était sortie sans rien dire. Madame Dever s'était remise au boulot.

— Quelle femme! Quelle mauvaise langue! Elle va monopoliser l'enfer!

Chaque jour, Tara surveillait le passage du facteur. Son frère lui manquait cruellement. Dix jours plus tard, une lettre de sa tante Ceili arriva, adressée à son nom. Mamie la lui remit, mais Tara tremblait trop pour l'ouvrir; elle lui fit signe de la lire. Ray allait très bien; il voulait dire à Tara qu'il l'aimait beaucoup, beaucoup; sa tante et son oncle et Kuoi-Koui allaient bien; il s'était fait des amis, allait souvent au magasin de son oncle et ce dernier allait lui acheter un poney. Heureux, plutôt insouciant, il n'avait pas oublié Tara.

Chaque soir, il se couchait et lui racontait sa journée. Est-ce qu'elle pouvait tout lui raconter aussi, juste pour faire semblant, mais il aimerait ça. Il l'embrassait fort et avait hâte de la voir. Tara soupira d'aise. Sa tante avait tenu parole, Ray était bien, ils se reverraient. Mamie lui tendit la lettre. Tara la prit, la posa sur son cœur et s'en fut vers sa chambre. Elle la plaça dans le tiroir de sa table. Mamie lui avait acheté du papier à lettres et des enveloppes. Elle s'assit et, de sa plus belle écriture, elle répondit à la lettre de son frère.

Après le souper, Mamie lui annonça que, dès la fin des classes, à la fin juin, elles se rendraient à Dundalk. Le bonheur était possible ! Elle s'était précipitée dans ses bras.

Penser que Tara était pleinement heureuse, qu'elle avait oublié ses parents et son frère serait utopique. Sa mère lui manquait cruellement : ses moments de tendresse, sa façon de prononcer son prénom, de préparer ses vêtements, toujours bien pliés, déposés sur son lit, sa façon de pencher la tête et de la fixer en souriant, le rire insouciant du Ray des derniers jours... C'était peut-être sa faute si elle était partie... elle aurait pu l'aider plus... Un avenir de blâme se dessinait. Elle était retournée à leur maison, la porte était barrée. Elle avait pu jeter un coup d'œil à l'intérieur. La maison était vide, délabrée. Tara n'avait pas reconnu son foyer. Marchant autour de la maison, un petit soulier avait attiré son attention, un soulier de Ray. Il était trop petit, sa mère l'avait jeté. Elle le ramassa et s'en retourna chez Mamie. Elle l'essuya, le serra contre son cœur et le mit dans son tiroir avec la lettre et ses autres « trésors ». Serait-il possible qu'elle se réveille un matin et que sa mère soit debout, à côté de son lit ? « Maman, pourquoi nous as-tu abandonnés ? »

Chaque soir, Mamie allait la border dans son lit. Voir cette petite frimousse ivoire, encadrée d'une auréole fauve, lui jeter un regard inquiet, comme si elle craignait de lui avoir déplu, lui faisait mal. Elle s'efforçait donc de toujours entrer avec son plus beau sourire. Cette attention était récompensée : un petit soupir de satisfaction s'échappait de sa protégée. Souvent, elle approchait la chaise et lui lisait une histoire. *The Legend of the Shamrock* (La

légende du trèfle), l'emblème de l'Irlande, lui plaisait particulièrement; Tara l'écoutait religieusement et en redemandait.

— Il y a très longtemps, quand les druides habitaient l'Irlande, un grand évêque du nom de Patrick était venu prêcher l'Évangile à travers le pays. Ce saint, puisqu'il était saint, était aimé de tous. Un jour, un groupe de personnes qui le suivaient lui dirent qu'elles avaient beaucoup de difficulté à comprendre le dogme de la Sainte Trinité. Saint Patrick se mit à réfléchir et, se penchant, il cueillit un trèfle. Le leur montrant, il leur enjoignit de regarder cet exemple vivant: une fleur, trois feuilles. Un Dieu, trois personnes. Cette belle illustration, toute simple, convainquit même les sceptiques et, depuis ce jour, le trèfle est vénéré dans toute l'Irlande. Saint Patrick se servit aussi du trèfle pour expliquer le mystère de la Sainte Trinité aux anciens grands rois d'Irlande. En gaélique, *seamrog* (trèfle) veut dire « plante d'été » et on trouve son symbole sur les tombes médiévales et sur les vieilles cents en cuivre, connues sous le nom de monnaie de saint Patrick. Cette plante est réputée posséder des pouvoirs magiques. On dit que les feuilles se tiennent au garde-à-vous afin d'avertir les gens à l'approche d'une tempête.

— Mamie, jamais je ne regarderai le trèfle sans penser à cette légende.

— Il y a aussi la légende la plus célèbre auprès de tous les Irlandais, celle de *Cúchulainn*, mais ce sera pour une autre fois.

Au couvent, les filles qui se moquaient d'elle se surveillaient, mais cela ne les empêchait pas de former le nom Molly avec leur bouche, quand elles passaient près de Tara. Un jour, une religieuse s'aperçut de cette mimique et ouvrit toute grande la main pour administrer une bonne gifle sur la bouche de la coupable. Insultée, la fille s'était plainte à la supérieure. Mal lui en prit! Pendant une semaine, la moqueuse passa les récréations à l'intérieur. Les autres avaient compris: Tara ne serait plus le souffre-douleur de personne. D'autres, qui s'étaient rangées de son côté, se rapprochaient d'elle. Après tout, elle était bien habillée, et elles avaient entendu dire qu'elle avait une belle chambre remplie de cadeaux. Quel plaisir de se faire inviter! Tara n'était pas aveugle à leur manège, mais demeurait sourde à leur souhait. Elles ne faisaient preuve d'aucune

subtilité et Tara faisait semblant de ne pas comprendre. Chaque journée présentait un défi. Mamie était bonne pour elle et l'aimait, mais on ne guérit pas d'un abandon seulement par des gestes de bonté. Il faut beaucoup d'amour et de temps. Mamie avait les deux, et sa nouvelle mission consistait à rendre Tara heureuse.

Enfin, le grand jour arriva ! Tara ne tenait plus en place. Debout avant l'aube, dès six heures, elle était assise sur le perron et attendait. Quand Mamie se leva, elle la chercha et l'aperçut sur le perron. Elle s'assit à ses côtés. Doucement, elle lui expliqua qu'elles ne pouvaient partir pour Dundalk avant onze heures. Son oncle et sa tante les attendaient vers treize heures.

— Viens déjeuner avec moi. J'ai besoin de ton aide, juste quelques minutes. Tu veux bien ?

Tara entra à reculons. Une belle boîte ouverte était sur la table.

— Tara, nous ne pouvons pas nous présenter chez ta tante et ton oncle les mains vides. J'ai acheté de petites choses pour eux. Dis-moi ce que tu en penses.

Sans grand enthousiasme, Tara se pencha et jeta un coup d'œil à l'intérieur. D'un côté, unc belle boîte de biscuits et une boîte de chocolats ; de l'autre, un petit camion rouge, un ballon et des bonbons. Un sourire de bonheur illumina son visage.

— C'est pour mon frère ? Vous avez acheté des cadeaux pour mon frère ? Vous avez fait ça ?

Elle riait et pleurait tout à la fois.

— Vous êtes… vous êtes… je vous aime plus que je n'aurais jamais cru possible… C'est facile… vous faites tout pour me rendre heureuse, vous êtes un ange… mon ange gardien.

— Un ange ? Ma petite Tara, tu es tellement raisonnable, c'est si facile de t'aimer ! Et on ne peut pas arriver les mains vides. Penses-tu que Ray sera content ?

— Ah oui ! Ah oui ! Il va sauter de joie. Merci ! Merci ! Je ne finirai jamais de vous remercier.

— Ces cadeaux, c'est toi qui vas les lui offrir. C'est ton argent.

— Mais je n'ai pas un sou, rien.

— Tu réussis bien en classe, même très bien, tu m'aides dans la maison, au jardin, j'ai décidé de te donner une allocation.

— C'est bien normal que je vous aide... C'est quoi ça, une allocation ?

— J'ai la meilleure petite-fille du monde. Écoute-moi bien. Ce que je vais te dire est très important ; je vais te donner ta première leçon d'économie.

D'un ton de comptable, Mamie lui expliqua qu'une allocation est un montant que l'on donne à un enfant, chaque semaine, s'il est sage et travaille bien. Elle avait donc décidé de lui remettre cinquante pence (80 cents) chaque semaine. De plus, comme elle avait déjà sept ans et n'avait pas un sou vaillant, elle avait d'abord mis 10 livres (16 dollars CAN) dans sa tirelire. Sur ce, elle lui présenta une belle petite tirelire. Tara n'en avait jamais vu. Elle l'examina attentivement.

— Mais comme c'est toi qui offres ces cadeaux à ton frère et qu'ils ont coûté 2,25 livres (3,60 dollars CAN)... alors, donne-moi 2,25 livres.

Frappée de stupeur, Tara l'observa. Sa Mamie avait perdu la tête !

— Vous me donnez de l'argent et je dois vous rembourser avec l'argent que vous me donnez ?

Les sourcils froncés, elle scrutait le visage de sa Mamie. Celle-ci n'avait plus toute sa tête ! Mamie devinait le cours de ses pensées et le fou rire la gagnait.

— Alors, tu paies tes dettes ou quoi ?

Interdite, elle regarda la tirelire, trouva la façon de l'ouvrir, sortit 3 livres qu'elle tendit à sa Mamie. Celle-ci prit son porte-monnaie et lui remit 75 pence.

— Bon, maintenant qu'on a réglé nos comptes, je dois ajouter que le montant de l'allocation augmentera avec l'âge. Quand tu auras huit ans, tu recevras 50 pence de plus chaque semaine.

Mamie précisa que Tara pouvait faire ce qu'elle voulait avec son argent, mais qu'il serait peut-être sage qu'elle ne gaspille pas tout, qu'elle en mette un petit peu de côté. Elle lui révéla un principe extrêmement important qu'elle ne devait jamais oublier : l'autonomie financière est la chose la plus importante pour une femme. Quand une femme est capable de vivre sans demander un sou à personne, capable de se débrouiller seule, elle peut faire ce qu'elle

veut. Si Tara voulait économiser un peu d'argent chaque semaine, elle irait avec elle à la banque et lui ouvrirait un compte.

— Mon compte de banque? Mon livre de banque? Wow!

— Oui, c'est toi qui décides, je ne m'en mêlerai plus. Si tu veux réussir dans la vie, aller loin, c'est ton choix. Maintenant, fais-moi une bonne tasse de thé, on va déjeuner et filer.

Tara ne se le fit pas dire deux fois.

14

Un si grand bonheur !

Ray s'était très vite adapté à sa nouvelle maison. Sa tante l'avait habillé des pieds à la tête, lui avait acheté des jouets, lui mijotait de bons petits plats. Elle l'adorait et il l'aimait bien. Son oncle Stanley était un peu plus ferme, mais très bon lui aussi. Il l'amenait souvent au magasin. Ray essayait de se rendre utile, il aimait voir les gens entrer, regarder partout, parler avec son oncle. Ce dernier les recevait toujours avec le sourire et faisait tout pour leur être agréable ; Ray aimait les regarder. Un jour, il aurait un magasin. Plus tard, alors qu'ils étaient seuls, son oncle lui en avait parlé.

— Si tu réussis bien en classe, si tu travailles bien, si tu es honnête, tu pourras l'avoir, le magasin, tu en seras le propriétaire.

Il était trop jeune, et son oncle avait réalisé qu'il ne comprenait pas trop ce qu'il disait. Ce soir-là, en revenant, il lui acheta une glace. Assis à l'avant, à côté de son oncle, il la savoura. Il aimait son oncle, qui n'élevait jamais la voix, qui n'allait jamais au pub.

— Vous ne buvez pas, vous ?

— Non, je n'ai pas besoin de ça pour être heureux ! La boisson, ça ne cause que des problèmes.

Même s'il aimait bien sa tante et son oncle, qu'il adorait son chien, Tara lui manquait terriblement, beaucoup plus que sa mère. Son père ? Il était toujours au travail ou au pub ; Tara, elle, l'avait toujours aimé.

Debout avant l'aube, assis sur le perron, il attendait sa sœur avec excitation. À tour de rôle, sa tante et son oncle essayaient de le faire rentrer. Tara ne serait pas là avant treize heures ! Rien n'y fit. Son nouvel ami, Ed, qu'il aimait bien, était venu le chercher, mais

Ray lui avait clairement fait comprendre qu'il attendait sa sœur. Il n'avait même pas envie de causer avec lui. Sa tante lui apporta un verre de lait et des biscuits, qu'il avala sans rien dire. Le cœur gros, elle le regardait : « Si ce n'est pas terrible, faire souffrir des enfants comme ça ! Il y a des femmes qui ne devraient jamais en avoir et d'autres, comme moi, qui ne peuvent en avoir ! »

La petite voiture rouge de Mamie tourna le coin de la rue et Tara aperçut Ray. Leurs yeux se croisèrent et il fut dans ses bras alors que la porte n'était qu'à demi ouverte. Elle le serra bien fort. Les deux enfants pleuraient. Ray bécotait sa sœur, courait autour d'elle, gesticulait, faisait le pitre, puis se jeta à nouveau dans ses bras. Impossible de rester insensible à ces enfants. Les yeux humides, la tante, l'oncle et Mamie les regardaient. Ray prit la main de Tara et l'entraîna à l'intérieur. Babillant sans arrêt, il lui montra sa chambre. Sa tante et son oncle n'avaient pas lésiné sur la qualité. C'était une vraie chambre de garçon, avec une grande commode, un beau bureau de travail, des cahiers à colorier, des crayons de toutes les couleurs, des livres d'images, des casse-tête pour enfants, un beau lit, un couvre-lit et des draperies bleus. À côté, un panier en osier pour Popcorn.

D'un sourire espiègle, il regarda Tara :

— Je sais, il s'appelait Kuoi-Koui, mais j'aime mieux Popcorn. Mon oncle a beaucoup ri quand il m'a entendu l'appeler Popcorn ! Il devait coucher dans son panier, mais il couche sur mon lit. Chaque fois que je l'appelle, il saute sur le lit, alors ma tante met une petite couverture juste pour lui au pied du lit. Je l'aime tellement ! Quand je pense à toi, je le prends dans mes bras.

Tara était heureuse. Son frère était aimé, lui aussi, il était en sécurité. Elle avait de la peine, mais elle était rassurée.

— Ray, fais le bon garçon. Tu es bien ici, et moi je suis bien avec cette dame. Je l'appelle Mamie. Elle est très bonne pour moi. On peut s'écrire et on pourra se voir de temps en temps. Quand je serai grande, j'aurai des pence et nous vivrons ensemble.

La journée fila. Mamie fut chaleureusement reçue. Les adultes parlèrent des enfants, de leur avenir, du commerce, de Dundalk, pendant que Ray montrait à sa sœur l'école, le magasin de son oncle et son environnement.

L'heure du départ arriva. Ils s'embrassèrent, il y eut quelques larmes, mais la promesse d'écrire et de se revoir en décembre adoucit la séparation. L'auto repartit. Tara se retourna. Grimpé sur les épaules de son oncle, Ray lui envoya la main, puis disparut de sa vue. Une partie de son cœur ne voulait pas suivre. Mamie conduisait. Tara était silencieuse et Mamie respecta sa peine. Une demi-heure plus tard, elle avança sa main et toucha le bras de Mamie.

— Merci, Mamie, je suis contente de rester avec vous et je suis contente que Ray soit avec mon oncle et ma tante. Il va être heureux avec eux. J'aimerais que l'on soit ensemble, mais maintenant que je sais que l'on ne sera jamais vraiment séparés, j'aurai moins de peine.

— Ma chère Tara, si jeune et si raisonnable! Je t'aime aussi plus que moi-même et je suis très heureuse d'avoir décidé de t'accueillir.

— Croyez-vous que ma mère reviendra un jour?

— J'y ai songé. Je suis certaine qu'elle pense à vous deux tous les jours. Je te jure qu'elle vous aime, mais vivre à Navan serait difficile pour elle... Souhaitons qu'elle soit heureuse.

Sur ces mots, Mamie lui parla de son oncle; il n'avait pas de fils, alors tout ce qu'il possédait reviendrait un jour à Ray. Celui-ci aurait un bel avenir, s'il le voulait, et elle aussi, sa chère Tara. Elle poursuivrait ses études, irait à l'université, deviendrait une femme bien, elle irait loin. Tout était possible.

La visite à Dundalk avait été salutaire pour Tara. Son père et surtout sa mère lui manquaient cruellement, mais elle se sentait plus sereine, plus en paix. Ray allait bien. Au couvent, la vie était plus agréable; les trois ou quatre chipies? Elle les ignorait et, après un temps, quand elles s'aperçurent que leurs stratagèmes ne fonctionnaient plus, elles cessèrent, sans l'aimer pour autant. Les autres étaient gentilles.

Sa vie était bien remplie. Elle aimait beaucoup travailler dans le jardin avec Mamie, se balancer, mais c'était la remise qui l'enchantait. Le menuisier l'avait rénovée, y ajoutant une division, une porte et une fenêtre, créant ainsi une *cubby house*, avec deux petits bancs, une table et quelques étagères, juste pour elle. Mamie lui

avait donné quelques petites assiettes et deux poupées ayant appartenu à Esther. Tara les traitait avec révérence : « Je vais y faire très attention, jamais je ne les briserai. » Elle avait expliqué à Maggie que ces poupées étaient précieuses. Dès que son amie arrivait, Tara l'emmenait dans leur *cubby house* ; elles pouvaient s'y amuser pendant des heures. Parfois, Mamie les entendait rire ; elle en ressentait une grande joie. Cette idée du *cubby house* avait été un trait de génie. Toutes deux y trouvaient leur compte : Tara l'adorait et elle-même retrouvait sa maison, ses moments de solitude.

Tara et Maggie étaient inséparables. Elles jouaient parfois chez Maggie. Grace, la mère de Maggie, accueillait toujours Tara avec le sourire. Elle veillait sur sa maisonnée avec bonté. Paul, l'aîné, avait une petite amie, Shauna Sullivan, qui était toujours gentille avec Tara.

Tara avait commencé ses leçons de piano. Sœur Cécile faisait courir ses doigts sur le clavier. Tara voulait l'imiter, mais les débuts furent un peu difficiles. Exigeante mais douce et compréhensive, cette religieuse aimait bien Tara, une élève docile qui voulait apprendre : elle écoutait avec ses oreilles et son cœur.

— C'est un plaisir de vous enseigner, vous apprenez vite et vous aimez la musique. Je suis fière de vous.

Rougissant de gêne, Tara avait murmuré un merci. Elle n'avait jamais soupçonné qu'un jour elle apprendrait la musique et y prendrait plaisir. Quand ses doigts couraient sur le clavier, elle s'évadait dans un monde de rêves, elle était heureuse. Mamie avait fait accorder son piano. Tara s'exerçait chaque soir et toutes deux étaient sous le charme.

15

Tara, adolescente

Les années passaient, Tara avait maintenant quatorze ans. Ces sept dernières années avaient été merveilleuses. Maggie ne l'avait pas lâchée d'une semelle, elles étaient comme deux fèves dans une même cosse. Elles organisaient des pique-niques, montaient des spectacles, parfois avec Mamie comme seule spectatrice. Tara jouait du piano pendant que Maggie dansait, coiffée d'une casquette, vêtue d'un pantalon de son frère dont elle retroussait les jambes, retenu par des bretelles. Le tout était agrémenté d'une chemise de son père qu'elle rentrait dans son pantalon, en laissant dépasser une pointe du côté droit. Parfois, elle revêtait une robe démodée de sa grand-mère. Quel que soit son accoutrement, elle le portait avec panache. Maggie apparaissait toujours sortant de la chambre de Tara. Mamie ne savait jamais à quoi s'attendre, mais chaque spectacle était hilarant, un délice, tellement que, lorsque Mamie savait qu'un spectacle se préparait, elle avertissait Grace qui s'empressait de venir la rejoindre. Les deux femmes riaient aux éclats. À quelques reprises, elles avaient insisté pour que le spectacle ait lieu en soirée, afin que John et Paul puissent y assister. La « foule » avait un effet énergisant sur Maggie ; sa danse, un mélange de danse traditionnelle irlandaise additionnée de quelques pas de son cru, ajoutés à des mouvements de lessivage et adaptés à son humour du jour, changeait au gré de ses fantaisies. Le résultat était tout simplement tordant. Même Tara riait parfois trop pour continuer ; les deux poings sur les hanches, Maggie la relançait alors : « Tu n'es pas payée pour dormir, *lazy brat. Move it, play!* Petite paresseuse ! Active-toi ! Joue ! »

Tara avait pris de l'assurance. Parfois, elle rejoignait Maggie, elle dansait divinement; cette dernière s'arrêtait alors et, d'un air désespéré, la dévisageait en hochant la tête avant de se remettre à bouger. Le plancher en tremblait! Les deux gamines se promenaient, avaient toujours des choses à se dire. Mamie souriait de bonheur en entendant leurs éclats de rire. Instants sublimes qu'une mère garde précieusement dans son cœur jusqu'à son dernier jour… et que Molly ne verrait jamais.

Tara était une jeune fille bien élevée, elle avait appris les bonnes manières. Elle était heureuse. Sa mère faisait partie de ses souvenirs, elle ne l'avait pas oubliée. Quelques années plus tôt, elle avait ressorti le cadre avec les photos de ses parents. Il trônait sur sa table de chevet. Elle n'éprouvait plus aucune rancœur envers sa mère. Chaque trait de son visage était imprimé dans son cœur. Au début, elle était convaincue que Molly reviendrait. Chaque jour, elle guettait le courrier, elle observait les passantes, scrutait les visages. Il lui était même arrivé de l'apercevoir. Son cœur s'était affolé, elle s'était élancée pour la rattraper. Arrivée à la hauteur de cette femme à la chevelure fauve, à la démarche chaloupée… douloureuse méprise! Cette première déception avait été terrible.

Dès qu'elle avait ouvert la porte, Mamie avait compris que quelque chose de grave s'était produit. Tara la regarda, et Mamie lui tendit les bras sans la questionner. Ce n'est que quelques jours plus tard que Tara lui ouvrit son cœur. Mamie en fut très affectée. La souffrance de Tara lui rappelait la perte d'Esther; elle la comprenait. Le temps et l'amour transforment presque tout. Elle n'oublierait pas, mais elle avait recollé les morceaux de son passé. La douleur s'était estompée, elle ne disparaîtrait jamais. Puis, Tara s'était remise à espérer, les mois passaient. Quand la première année fut écoulée, elle se ne se fixa plus d'échéance. Un jour, sa mère reviendrait, elle s'en fit une certitude. Entre-temps, elle ferait tout son possible pour réussir. Mamie voulait qu'elle s'instruise, qu'elle aille à l'université, alors elle réussirait. Aucun obstacle ne l'arrêterait. Avec doigté et beaucoup de douceur, Mamie avait insisté pour que Tara apprenne aussi le chant et la danse. Sans jamais prétendre que Tara deviendrait une grande musicienne ou

une cantatrice célèbre, elle avait reconnu son talent musical et sa belle voix. Quand la jeune fille se mettait au piano et interprétait une chanson, on prêtait l'oreille, sa voix plaisait infiniment.

Sœur Cécile ne se contentait pas de lui enseigner à faire ses gammes ou à interpréter une pièce musicale, elle lui racontait la vie des musiciens, lui apprenant à quelle époque et dans quel état d'esprit chacun avait composé ses pièces. Tara aimait bien Chopin. Lorsqu'elle jouait le *Prélude n° 6*, appelé *Prélude de la goutte d'eau*, elle entendait les gouttes de pluie tomber, puis la progression, l'orage du déluge ; une tonalité plus sonore, un crescendo, la tempête ; son âme vibrait. Elle aimait son romantisme, son âme s'unissait à la musique. Mamie préférait *La Polonaise.* Tara la lui jouait souvent.

Elle affectionnait Beethoven, ce génie sur lequel le sort semblait s'être acharné, mort à cinquante-sept ans. Le fait qu'il soit devenu sourd et ait continué à composer des chefs-d'œuvre ajoutait à sa détermination à réussir. La *Pastorale*, cette sonorité champêtre de la nature riante et embaumée, rappelait à Tara leurs moments passés dans le jardin.

Mozart aussi avait une place dans son cœur. Considéré comme l'un des plus grands compositeurs de musique classique, il possédait l'oreille absolue et faisait preuve d'une sensibilité exceptionnelle. Maggie affectionnait la musique plus légère du Irish Showbands, groupe très populaire qui remplissait les salles. Tara s'efforçait de lui faire plaisir, mais elle préférait les classiques et jouait aussi du Bach, Vivaldi, Händel, Debussy et autres.

Avant les vacances de Noël, les religieuses avaient organisé une soirée et convié les parents. Malgré les protestations de Tara, Mamie l'avait emmenée dans une boutique à Dublin. Une robe longuette beige, en mousseline de soie — bustier ajusté, décolleté censeur, manches longues se terminant en pointe sur la main, jupe un peu ample —, l'avait séduite. Elle lui allait à ravir. Un peu chère, mais Mamie n'avait pas sourcillé. Quand Tara s'avança sur la scène, un murmure d'admiration s'éleva. Elle rougit, puis s'installa au piano. Quand ses doigts glissèrent sur les notes pour *La Polonaise* de Chopin, on aurait pu entendre une épingle tomber. Mamie, assise à l'avant, entre le curé et le docteur Fitzsimmons,

la regardait avec tendresse. Un tonnerre d'applaudissements salua sa prestation. Tara leva discrètement l'index et le majeur vers Mamie, salua la foule et sourit. Mamie l'aimait profondément et Tara le lui rendait bien, mais il n'y aurait jamais entre elles cette symbiose qui existe entre une mère et sa fille. Néanmoins, cette femme lui avait tout donné, tout appris, sa maison était devenue son foyer. Tara s'était toujours efforcée d'être à la hauteur. Elle l'aimait tendrement. Mamie n'avait jamais eu à la réprimander.

Son père était décédé trois ans plus tôt, une cirrhose du foie l'avait emporté. Elle l'avait pleuré, même s'il n'était jamais revenu. Une partie de sa première vie n'existait plus.

Mamie tenait à faire connaître son pays, l'Irlande, à Tara. Dès la première année, elle discutait avec elle des événements courants, mentionnait le nom de personnes importantes, lui parlait d'égale à égale. Chaque samedi, s'il faisait beau, elles partaient en excursion. Mamie avait commencé par lui expliquer sa ville, Navan. Souvent, Maggie se joignait à elles.

Située à quinze kilomètres de Trim et à quarante-cinq de Dublin, dans le comté de Meath, Navan fut la première municipalité établie par les Anglais dans le palatinat de Meath, sous le patronage des barons de Navan qui, vers la fin du XIIe siècle, y fondèrent une abbaye de l'ordre de saint Augustin. En 1837, la ville comptait près de cinq mille habitants, environ huit cent cinquante maisons…

— Mais c'était plus que maintenant.

— Un peu plus, et la ville était emmurée.

Tara et Maggie ne comprenaient pas très bien.

— Je veux dire entourée d'un mur. Il en reste une partie près de la rivière.

Les filles étaient surprises. Elles décidèrent d'y aller sur-le-champ. Ce qui avait semblé ennuyeux au début devenait intéressant. La ville et celles qui étaient voisines étaient prospères. Tout près du pont de Navan, on retrouvait des moulins à farine de blé, à farine d'avoine, un moulin à papier, une usine de fabrication de toile à sac, où deux cents à trois cents métiers étaient en service. Le marché, où l'on trouvait les produits de la ferme, était

le plus fréquenté de tout le comté. Certaines autres informations, toujours pertinentes, captivaient Tara et Maggie.

— Vous voulez dire le marché du samedi ? Le même qui se tient encore chaque samedi ?

— Oui, le même, mais il était encore plus gros autrefois.

— On aime y aller, souvent les garçons draguent les filles, hein Tara ? Il y a même des idiotes de notre classe qui essaient de faire de l'œil aux garçons, elles se déhanchent comme ceci.

Joignant le geste à la parole, Maggie se mit à marcher en se tortillant et en jouant de l'œil. Mamie pouffa, cette enfant avait un vrai talent de comédienne.

— Il y avait aussi le couvent des *Ladies of Loretto*, un beau grand bâtiment.

— Le même que l'on fréquente ? C'est si vieux que ça ? Mais les religieuses ont changé, même s'il y en a… qui sont pas mal vieilles.

— Ce couvent a été fondé en 1853, il y a plus de cent ans ; les premières religieuses sont mortes, je présume…

Grand éclat de rire général.

16

Tel père, tel fils

Mamie avait maintenant soixante ans. L'arthrite la faisait parfois souffrir ; elle était encore très alerte, toujours prête à donner un coup de main, mais elle limitait ses activités à son jardin et à ses excursions avec Tara. Cette enfant était sa raison d'être, elle bénissait le ciel de la voir heureuse, épanouie, la fille que tout parent souhaite. Une seule ombre au tableau : Ray. Ils se voyaient trois, quatre fois l'an, sa tante et son oncle étaient toujours bons pour lui. Après des premières années prometteuses pendant lesquelles il avait été obéissant à la maison et en classe, vers dix ans, il avait commencé à faire l'école buissonnière. Sa tante et son oncle lui avaient parlé. Il avait pleuré, promis de s'amender, mais il récidiva quelques mois plus tard. Semonces, punitions, rien n'y fit. Ray s'insurgeait contre l'autorité, imperméable aux sanctions, se tenait avec deux voyous et ne voulait rien entendre. Le cœur brisé, Tara l'avait supplié de faire attention.

— Ray, je t'en supplie ! Tu as la chance d'avoir une famille qui t'aime, tu pourrais devenir un homme instruit.

— Tara, je t'aime bien, mais laisse-moi tranquille ! L'école m'ennuie, je veux m'amuser. Mon oncle pense que je vais travailler avec lui. Son magasin ? Moi, derrière un comptoir, servir les gens : « Oui madame, certainement madame ! Vous avez raison, monsieur » ? *Mo shao !* (Jamais !)

Peiné, déçu, son oncle, qui avait été si heureux d'accueillir son neveu, avait parlé à Tara. Il avait espéré, sans vraiment y croire, qu'elle pourrait peut-être influencer son frère.

— Je regrette de te dire ça, mais il est exactement comme son père. Michael ne voulait rien savoir, il séchait ses cours, courraillait

avec des voyous. S'il ne s'était pas enrôlé, il aurait fini en prison. Ray ? La même chose ! Ta tante l'adore, elle en est malade… mais il ne changera pas.

Les choses ne firent qu'empirer. À treize ans, il s'était enfui, emportant 200 livres (480 dollars CAN) dérobées à sa tante. Avec un ami, jeune délinquant, ils avaient pris le traversier pour Londres. Tara avait reçu une carte laconique : « Tara, ne t'en fais pas, j'en ai rien à foutre de l'école et de mon oncle, ne te fais pas de soucis, tu n'y peux rien. Je vis ma vie, je suis heureux. *Slán leat!* (Salut !) » Tara était au désespoir. Impuissante devant l'inconscience de son frère, elle se confia à Mamie, qui ne fut pas du tout surprise. Elle avait connu Michael enfant ; Ray lui ressemblait. Rien de ce que Tara aurait pu dire ou faire n'aurait changé quoi que ce soit ; le résultat n'aurait pas été différent si sa mère était restée.

Madame Ryan avait opiné dans le même sens.

— Toi, Tara, tu as de la volonté, un peu comme ta mère, mais tu as eu la chance de rencontrer madame Dever. Tu veux apprendre, tu es sage et tu as du jugement, c'est là toute la différence. Tu es en acier trempé, tu iras aussi loin que tu le veux.

— Alors, j'abandonne mon frère ?

— Non, mais personne ne peut vivre la vie de l'autre. Nous agissons selon ce que nous sommes, personne ne peut nous forcer à bien ou mal agir. Ton frère est libre de faire à sa guise. Ça te peine, tu l'aimes, c'est ton frère. Il t'aime aussi à sa façon. Ton père ? Ton frère ? Même attitude, même comportement ! Tu peux prier pour lui, espérer, mais ne le laisse pas détruire ce que tu accomplis en te morfondant ou en passant ta vie à pleurer et à l'attendre. Ce ne serait bon ni pour lui ni pour toi. Ne le fais pas pour ta Mamie, mais pour toi.

Elles étaient retournées à Dundalk. Tara tenait à parler avec son oncle et sa tante. Peut-être auraient-ils des explications, des renseignements sur son frère, mais ils n'en savaient pas plus qu'elle. Sa tante faisait peine à voir. Elle aimait Ray, espérait qu'il serait leur fils, qu'ils le verraient grandir, se marier, continuer le commerce. Tara était sortie abattue de cette visite. Mamie, qui la connaissait bien, avait pris les choses en main. Un changement de décor s'imposait.

En quittant la maison, Mamie avait dirigé sa voiture vers la campagne du comté de Louth.

— Mamie, où allons-nous? Je n'ai pas vraiment le cœur à me promener.

— Tara, fais-moi confiance. Ray, ton frère, a habité ici, il s'y est promené avec ton oncle et ta tante. Tu vas marcher dans ses pas. Qui sait? Un jour, vous pourrez peut-être y revenir ensemble.

Comme toujours, Tara avait réalisé le bien-fondé des arguments de Mamie. Les yeux grands ouverts, elle allait fixer dans sa tête tout ce qu'elle verrait afin de se le remémorer et en parler avec Ray quand elle le reverrait. Elles visitèrent les environs, le comté.

Louth partage ses frontières avec le comté de Meath et l'Irlande du Nord. La population est surtout concentrée dans les villes de Dundalk et de Drogheda. Même si c'est le plus petit comté, il n'en présente pas moins de nombreux attraits pour les amoureux de paysages enchanteurs. Ses rangées d'hydrangées sauvages en fleurs ou ses *limelights*, arbres pouvant atteindre plusieurs mètres, dispersés un peu partout, sont tout à fait spectaculaires. Ses magnifiques fleurs blanches deviennent roses et, plus tard, un peu cuivrées.

— Comme c'est beau, Mamie! Mon cœur se sent mieux. On peut s'arrêter, juste pour mieux les regarder?

— Avec grand plaisir, ma Tara, nous avons toutes deux besoin de refaire le plein de petits bonheurs.

Carlingford, avec ses superbes panoramas et sa diversité historique, fut une découverte fascinante pour Tara. Cette ville médiévale aux rues étroites, fondée par les Vikings, est dominée par un imposant château épiant la mer et Sliab Bay. Son unique église médiévale, *Holy Trinity Church* (église de la Sainte-Trinité), le *Domican Friary* (monastère de Saint-Malachie), tout était une révélation.

— Louth possède de nombreux monuments et reliques. Nous ne pouvons tout voir cette fois, mais nous reviendrons. Allons nous restaurer à Dundalk. J'ai une faim de loup!

— Chère Mamie, vous êtes une grand-maman unique.

Elles trouvèrent un beau petit restaurant, et cette pause les remit d'aplomb.

Mamie continuait son cours d'histoire. Tara était tout ouïe. Aux environs de 3500 av. J.-C., les hommes du néolithique laissèrent leurs marques au nord de Dundalk, dont les *Proleek Dolmen,* immenses tombes, portails de roches de plusieurs mètres couronnés d'un immense chapeau (roche) de plus de quarante tonnes.

— Il fallait des fils de Samson pour porter ces grosses roches jusqu'au sommet. Comment ont-ils fait pour y arriver?

— Ils étaient certainement très ingénieux et très forts. Une légende raconte que si on fait un souhait en lançant un petit caillou sur le sommet de la tombe, s'il ne glisse pas à terre, notre souhait sera exaucé.

— Mamie, quand on ira, je veux essayer.

En 500 av. J.-C. arrivèrent les Celtes et, en 1169, les Normands, dont un certain Bertram de Verdun, qui érigea un manoir, de même qu'une autre famille, les DeCourcey. Des années plus tard, Tara entendrait à nouveau ces noms.

— Tara, tout ici est tellement intéressant, j'aime visiter ces endroits historiques.

Elles pénétrèrent dans la chapelle Saint-Patrick, construite en 1835 sur le modèle de la chapelle du *King's College* de Cambridge, en Angleterre. Le monument et la magnifique *courthouse* les attiraient, mais Mamie était fatiguée et Tara avait hâte de retrouver sa chambre. Elles s'arrêtèrent pour une glace et reprirent la route. En avalant les kilomètres, Mamie ajoutait ici et là d'autres petites touches historiques à leur journée.

La plupart des Irlandais sont des raconteurs-nés. Mamie ne faisait pas exception et Tara était suspendue à ses lèvres. Au début, les croyances païennes étaient mêlées de superstitions, qui n'avaient pas toutes disparu. Certaines plantes sont censées posséder des vertus magiques: si la joubarbe pousse sur le toit d'une maison, elle la protège du feu et de la foudre; le mille-feuille éloigne le mal; certains arbres sont «sacrés». On ne touche pas à l'aubépine ni aux petits lutins (*leprechauns*) au milieu d'un champ, de peur que la colère des esprits ne retombe sur le propriétaire. Des milliers de puits sacrés sont supposés guérir les maladies de l'œil; des collines et des monts abritent les fées.

— Il y a tellement de légendes ! Les poètes celtiques, *fili* en gaélique, sont responsables des histoires et des contes mythologiques. Aujourd'hui, nous avons marché sur les traces de la plus célèbre légende, celle des *Táin Bó Cuailgne* (*Red Branch Knights*), dont *Cúchulainn*, le héros légendaire, le plus renommé de tous les héros irlandais.

— Ah Mamie ! vous m'aviez dit que vous me la raconteriez un jour. J'ai hâte de l'entendre. Vous voulez bien ?

— Je suis un peu fatiguée, mais si tu le veux, ce soir, quand nous serons lavées et prêtes à nous mettre au lit, tu viendras t'installer près de moi et je t'en raconterai une partie. Je t'achèterai le livre. Tu verras, l'histoire au complet est passionnante.

— Je suis égoïste, il faut vous reposer, je peux attendre.

— Toi, égoïste ! Tu es la fille la plus altruiste que je connaisse.

Aussitôt arrivée, Tara s'empressa de préparer un thé pour Mamie. En moins de deux, elle avait confectionné des sandwiches, tranché des tomates, mis quelques fruits sur la table et deux morceaux de gâteau. Une heure plus tard, lavée et en pyjama, elle alla s'étendre près de sa Mamie. Comment résister à cette jeune fille, si attachante, qu'elle aimait tant ? *Cúchulainn* ne pouvait attendre. Alors…

Il fut un temps dans l'histoire de l'Irlande où les clans et la chevalerie étaient rois. C'était à l'époque des grands rois d'Irlande et des *Red Branch Knights* et de… *Cúchulainn*. Ce dernier avait tué, à mains nues, le chien du forgeron, une bête sauvage. Dès son adolescence, il était tellement beau que les hommes de l'Ulster craignaient qu'il ne vole leurs femmes et leurs filles. Très tôt, ils lui trouvèrent une première épouse. Quasi-dieu, doué d'une énorme force physique, de pouvoirs magiques, il était parfois appelé le Contorsionniste, parce qu'il avait la faculté de prendre toutes les formes. La chaleur de son corps pouvait faire bouillir l'eau. Ses aventures et ses exploits étaient innombrables ! Seul, il défendit l'Ulster, faisant face aux forces de Connaught dans la bataille du *Cattle Raid of Cooley* (Razzia des vaches de Cooley). Une de ses armes favorites était le *gae bloga* (le javelot-foudre), une arme fatale. Quand elle pénètre le corps d'un ennemi, l'extrémité ferrée se déploie en de nombreuses pointes. Pendant des mois, il

se battit contre les champions et les vainquit l'un après l'autre. Attaqué de tous côtés, trois jours durant, il dut aussi se battre contre son ami, Ferdiad, et fut blessé mortellement au ventre. S'attachant à un pilier, il mourut debout.

— La plus belle statue de *Cúchulainn* se trouve au Bureau de poste central à Dublin. De la rue, on l'aperçoit à travers la fenêtre.

— Mamie, quand on ira à Dublin, on ira la voir à l'intérieur.

Ce bref intermède lui avait momentanément fait oublier son frère. Mais ne plus y penser, ne plus se tracasser pour lui fut peut-être plus difficile que le départ de sa mère et l'avalanche qui avait suivi. Un jour, peut-être? Dans son for intérieur, elle croyait que Ray finirait comme son père. Pourvu qu'il ne se marie pas et n'ait pas d'enfants! D'autres enfants abandonnés et malheureux. Elle ne se marierait jamais.

Un peu plus d'un an, et elle terminerait son secondaire. Elle n'avait jamais oublié la leçon d'économie que Mamie lui avait donnée peu après son arrivée. Son allocation avait augmenté année après année; elle recevait maintenant 10 livres (24 dollars CAN) par semaine, une fortune en 1960. Jamais elle n'avait dépensé plus de vingt-cinq pour cent de son argent de poche, sauf à Noël, pour la fête de Mamie et celle de Maggie, et quand elle allait voir Ray. Elle avait donc amassé un pécule appréciable. De plus, malgré ses protestations, Mamie insistait toujours pour payer tous ses vêtements.

À certaines occasions, celle-ci lui offrait des bijoux. Tara avait appris très tôt à la laisser libre de dépenser son argent à sa guise.

— J'en ai plus que je ne pourrai jamais dépenser, alors autant en faire profiter ma fille que j'aime. Ta conduite est irréprochable, tu réussis bien à l'école. Chaque soir, tu me sérénades au piano, tu ensoleilles ma vie. Je n'aurais jamais cru vivre un si grand bonheur.

— Mamie, ma mère m'a abandonnée, mais au moins elle vous a choisie et je lui en serai toujours reconnaissante. Jamais je n'aurais pu trouver meilleure personne que vous. Vous n'élevez jamais la voix, ma vie est tout en douceur, comme lorsque je me balance et que je regarde les fleurs et les oiseaux. Ça doit être ça, le paradis. Je vous aime plus que tout.

17

Petits plaisirs

Mamie menait une vie rangée, se permettant tout de même quelques petits plaisirs : entre autres les courses de chevaux, au moins deux ou trois fois l'an. Elle aimait les chevaux. À ses yeux, c'était le plus beau de tous les animaux : racé, noble, élégant, il s'élance comme le cerf, la crinière au vent. D'ailleurs, aux yeux des Irlandais, le cheval est presque un animal sacré. En 1920, une première course avait eu lieu à Navan, au *Proudstown Racecourse,* un hippodrome très apprécié. Il y avait et il y a encore au moins dix courses chaque année ; c'est dire l'importance de ce divertissement. Cependant, Mamie veillait à ne pas mettre trop d'argent sur ses mises.

— Tara, les courses, c'est comme la boisson, il y a des personnes qui y parient toute leur paye. Tu peux facilement te ruiner.

Tara aimait aussi les chevaux, mais jamais elle ne mettrait de l'argent sur aucun. Un bon ami de Mamie lui avait fait monter un cheval à quelques reprises. La première fois, elle avait été effrayée d'être juchée si haut ; par la suite, elle avait adoré l'équitation. Elle ressentait un sentiment de liberté et Mamie, toujours heureuse de voir le soleil dans ses yeux, lui avait payé quelques leçons d'équitation. Regarder les hommes bichonner les chevaux avec l'amour d'une mère la touchait, mais c'était surtout les noms que les propriétaires donnaient à leurs chevaux qui la fascinait : *Artful*, *Pretty Polly*, *Lady's Secret*, *Balbaro*, *Allegro*, *Wild Express*, *Tulyar*, *Dream Girl*, *Lightning*, etc.

Mamie aimait aussi aller chez la diseuse de bonne aventure, pour se faire prédire l'avenir. Comme beaucoup d'Irlandais, elle avait un faible pour les mythes, les légendes et les superstitions.

La cartomancie faisait donc partie de ses croyances. Tara était au courant de ses visites annuelles. Intriguée, elle lui avait demandé de l'accompagner ; à dix-sept ans, Mamie avait enfin consenti. Comme elle était très croyante et pratiquante, comme l'étaient et le sont toujours la plupart des Irlandais, elle lui avait fortement recommandé de ne pas ajouter foi à ces balivernes.

— Du paganisme, Tara ! Je ne crois pas à ces sornettes, c'est un divertissement, rien de plus. Seul Dieu connaît l'avenir.

Madame Ladyluck, la cartomancienne, habitait une petite maison à l'extérieur de Navan. Deux chats noirs en gardaient l'entrée. En s'approchant, Tara s'aperçut qu'ils étaient en plâtre. À peine avaient-elles mis les pieds sur le paillasson que la porte s'ouvrit. Une immense boule de poils noirs se faufila entre ses jambes. Sursautant, elle se trouva face à face avec un nez crochu et un visage ridé comme une pomme cuite. D'un regard incisif, la femme braqua ses yeux sur ceux de Tara. Clouée sur place, celle-ci n'osait avancer. Étonnée, Mamie revêtit son plus beau sourire :

— Madame Ladyluck, quel plaisir de vous revoir ! Voici ma petite-fille...

— Oui, je sais, je sais, Tara ! D'un geste sec de la main, elle leur fit signe d'entrer.

Elles pénétrèrent dans une pièce exiguë et faiblement éclairée par un filet de lumière provenant de l'unique petite fenêtre crasseuse. Deux autres chats noirs, les yeux à demi fermés, immobiles sur un petit divan, relevèrent la tête puis reprirent leur position de sphinx. Une table branlante, quelques bougies. La pièce baignait dans un nuage d'encens d'une odeur indéfinissable. Trois chaises dépareillées les attendaient. La pythie, revêtue d'une robe noire qui balayait le plancher à chaque pas, la tête ceinte d'un foulard rouge, passa la main sur la table, ses longues manches soulevant un nuage de poussière qui les encercla. Elle se dirigea vers la cuisinière. Tara regarda Mamie, et celle-ci comprit ce qu'elle n'osait dire. Pour la première fois, elle réalisa l'incongruité de la situation, contempla la pièce crasseuse et eut honte. Avant d'avoir pu articuler une seule parole, madame Ladyluck déposa sur la table une théière et deux tasses. Campant son corps décharné sur

une chaise, elle versa du thé dans une tasse et la tendit à Mamie. Celle-ci la prit et commença à boire à petites gorgées.

Les yeux de madame Ladyluck ne quittaient pas le visage de Tara. Elle poussa l'autre tasse vers la jeune fille, mais Tara fit un non catégorique de la tête; les lèvres de la liseuse de l'avenir se pincèrent en lames de couteau. Mal à l'aise, Tara baissa la tête.

Quand Mamie eut fini de boire son thé, elle remit la tasse à la « prophétesse » et attendit. Cette dernière tourna et retourna la tasse en tous sens puis, d'une voix monocorde, affirma :

— Madame Dever, votre existence a changé, beaucoup de bonheurs, oui, des surprises, une lumière éclaire votre route… mais… attention…

Mamie s'avança sur sa chaise, le corps penché vers l'avant. Son sourire se figea, une question en suspens alourdissait la pièce.

— Attention ? Pourquoi ? Que voyez-vous ?

Le visage de la cartomancienne se vida de toute expression. Elle regarda longuement Tara, puis Mamie, et se renfrogna dans un long silence…

— Je regrette, les feuilles sont trop embrouillées, je n'y comprends plus rien.

D'un signe de tête, elle les congédia, ou plutôt les chassa, les poussant vers la porte. Mamie voulut la payer, mais la porte s'était déjà refermée sur elles. Décontenancée, Mamie regarda Tara. Le visage défait, au bord des larmes, celle-ci se hâtait vers la voiture.

— Ma chère Tara, je suis insensée de t'avoir amenée dans cette maison. Cette femme a perdu la tête et je ne suis pas certaine que ce ne soit pas aussi mon cas. Comment ai-je pu aller consulter cette personne ? Elle profite de la crédulité et de la vulnérabilité des gens. Je ne remettrai plus jamais les pieds dans cette maison. Tu es bouleversée ! Je te demande pardon, Tara.

— Ne vous en faites pas, je ne reviendrai jamais ici, je ne crois rien de ses fadaises, de ce qu'elle pense ou de ce qu'elle dit.

En sortant, elles croisèrent une autre dame. Droite, bien mise, celle-ci frappa à la porte de madame Ladyluck. Incrédule, Tara regarda Mamie.

— Plusieurs personnes la consultent. Cette dame est la grand-maman de Patrick, Patrick Delaney, un ami de Paul.

Le nom de madame Ladyluck ne fut plus jamais prononcé entre elles. Tara en parla à Maggie. De la même voix caverneuse, celle-ci s'était lancée dans un monologue, mimant madame Ladyluck :

— Ma petite fille, vous avez de la chance, vous avez une amie exceptionnelle, brillante, belle, douée de pouvoirs magiques, faites très attention de ne pas la contrarier…

— … parce qu'elle est folle ! Quand es-tu allée la consulter ?

— *An ceann sin, ejit seanachois ?* (Cette stupide diseuse de bonne aventure ?) Cette vieille prune séchée ? Jamais ! Mais une fois, je me suis cachée et je l'ai écoutée. J'ai eu un fou rire et cette momie m'a aperçue ; elle m'a chassée. Je ne croirai jamais rien de ce qu'elle dit.

— Merci, tu me soulages. Je n'en entendrai jamais plus parler.

Malheureusement, elle se trompait.

Le dimanche suivant, pour lui faire oublier cette désagréable rencontre, Mamie prit le volant, elles se baladèrent pas très loin de chez elles, dans leur comté. Meath, historiquement *The Royal County* (le comté royal), était le territoire des hauts rois, le plus riche comté de toute l'Irlande. Mamie avait voulu le faire découvrir à Tara.

— On doit d'abord connaître son coin de pays, connaître ses racines. Un arbre ne grandit que lorsqu'il a de solides racines.

Elles se rendirent à *Brugh na Boinne*, un ensemble de sites préhistoriques, où l'on retrouve le célèbre Newgrange. Mamie lui avait parlé de ce site, le monument le plus connu de toute l'Irlande. Elle se rappelait la première fois qu'elle était venue dans cette région. Il y a fort longtemps, à une autre époque.

— Tara, Newgrange est l'une des merveilles archéologiques du monde ; il date de 3000 ans av. J.-C. Il précède de six cents ans les pyramides d'Égypte.

— C'est immense, un champignon énorme ! Comment ont-ils réussi à transporter toutes ces immenses roches ? Difficile à concevoir !

Tumulus surplombant la rivière Boyne, Newgrange est un imposant lieu de sépulture. Il mesure onze mètres de haut, quatre-vingt-cinq mètres de diamètre. Un long couloir conduit à la chambre

funéraire. Il a nécessité des millions de kilogrammes de pierres. Ce champignon immense dépasse l'imagination.

— Je ne sais pas pourquoi, mais je suis heureuse de ne pas avoir vécu à cette période. Je ne me vois pas tirant sur ces grosses roches.

Tara fut prise d'un fou rire qu'elle essaya de réprimer.

— Je ne nous vois pas non plus... pas assez... musclées.

— Pas assez musclées? Tu veux rire! Nous serions mortes, comme ces centaines d'esclaves qui ont peiné pour construire cette merveille. Aucun mortier n'a été utilisé, les pierres sont simplement superposées, à la façon d'un igloo, sculptées d'une myriade de spirales et de cercles concentriques. Plusieurs de ces pierres viennent du comté de Wicklow et des montagnes de Mourne, à plus de quatre-vingts kilomètres. Un mystère!

— Mamie, avec vous, tout devient tellement passionnant! Je remercie ma mère de vous avoir fait confiance.

Elles pénétrèrent à l'intérieur. Le couloir n'était ni très large ni très haut, parfois très étroit et tortueux. Tara frissonna et Mamie lui prit la main. Elle ne la retira pas; elle se sentait en sécurité.

— Ce couloir conduit à la chambre funéraire centrale. Le plafond y est de plus de cinq mètres. Le plus mystérieux est que le jour du solstice d'hiver, à huit heures et quarante-huit, au levée du soleil, les rayons flamboyants orangés éclairent la chambre funéraire pendant dix-sept minutes.

— Avez-vous déjà assisté à ce phénomène?

— Oui, avec mon Thomas. Il aimait cet endroit, il disait que l'âme d'Esther y flottait. Au prochain solstice, nous reviendrons, j'aimerais partager cette expérience unique avec toi.

Cette visite fut celle qui toucha le plus Tara. Elle resta gravée dans son cœur et marqua la fin des sorties historiques.

18

Avenir prometteur

Tara avait complété avec brio ses études secondaires. La carrière d'infirmière l'attirait. Elle avait été touchée par le dévouement de Mamie quand elle visitait les malades ; le soulagement et le réconfort qu'elle leur apportait l'avaient convaincue.

— Mamie, c'est une profession noble, aider les malades, les réconforter, soulager leur douleur, ça donne un sens à notre vie. Comme vous, je serai infirmière. Je ne pourrai jamais être aussi bonne que vous, mais je ferai mon possible.

— Ma chère Tara, je mentirais si je disais que ça ne me fait pas plaisir, mais c'est un travail exigeant, parfois épuisant.

— Mamie, je donnerai le meilleur de moi-même.

— Et tu réussiras, tu es bonne et généreuse… Il te faut une lettre de recommandation du curé confirmant ta bonne conduite. Tu l'auras, on n'a rien à te reprocher.

Il n'y avait pas d'école de nursing à Navan, les plus proches se trouvaient à Dublin, *St. Vincent's* ou *The Mater* ; certaines filles se rendaient aussi en Angleterre.

— Il te faudra habiter à la Résidence des infirmières. Les étudiantes n'ont qu'une ou deux journées de congé par mois, mais si tes notes sont excellentes — elles le seront, je le sais —, tu pourras peut-être venir un soir par semaine. Tu peux aussi envisager l'Angleterre, ils ont d'excellents professeurs.

— Mamie, je n'irai pas en Angleterre. J'irai à *St. Vincent's*, je veux rester près de vous. Je reviendrai coucher ici chaque mercredi soir, si la supérieure le permet. Vous allez trop me manquer ! Cette maison aussi va me manquer.

— Ce sera fatigant, tu ferais mieux de passer la semaine à Dublin.

— Non, Mamie, j'ai déjà réfléchi. Je suis jeune, en pleine santé. Je souhaite revenir chaque mercredi. Ce n'est pas négociable.

Mamie avait pris rendez-vous avec la mère supérieure. Sa santé n'étant plus très bonne, elle avait besoin de Tara. Elle pensait bien obtenir cette concession. Tara ne décidait rien à la légère et elle était heureuse, mais comme sa présence allait lui manquer !

Le samedi suivant, Mamie prétexta des courses à faire et partit tôt. John Ryan l'accompagnait. Tara n'était pas encore levée. Mamie lui avait laissé une note disant qu'elle se rendait à Dublin par affaires. Tara en profita pour faire un nettoyage en règle de la maison et désherber le jardin. Le piano l'attirait ; elle se laissa tenter et pendant une demi-heure, la maison retentit de ses morceaux préférés : *Étude* op. 10, n° 4 de Chopin, la *Sonate* « Clair de lune » et *Für Elise* de Beethoven, les *Quatre saisons* de Vivaldi, *Berceuse* de Brahms, etc. Maggie ne tarda pas à arriver. Elle se mit à tourbillonner, à virevolter au son de la musique. Tara souriait, toujours heureuse de la voir. Elles sortirent. Comme autrefois, leurs pas les conduisirent aux Remparts. Elles passèrent l'après-midi à se confier leurs rêves, leurs projets, à faire et à refaire le monde. Le soleil déclinait quand elles reprirent le chemin de la maison.

Tara hâta le pas. Mamie devait être revenue. En approchant de la maison, elle aperçut la voiture rouge de Mamie ; une autre voiture était garée à côté. Ils avaient de la visite. Maggie la zieuta.

— C'est une voiture neuve, une Ford Perfecta, pas mal du tout ! Un jour, j'en aurai une, et vroum ! vroum ! On partira à l'aventure.

Maggie se dirigea vers sa maison ; Tara pénétra chez elle. Mamie était assise au salon, les pieds allongés, un soulier à droite, l'autre plus loin sur le bord de la porte. Tara alla l'embrasser et se hâta de préparer le thé.

— Vous êtes épuisée ! Vous en faites trop, Mamie. Il faut vous reposer. Vous n'êtes pas raisonnable !

— Me reposer ? J'aurai toute l'éternité pour me reposer. Viens t'asseoir près de moi. Nous avons à causer.

— Que se passe-t-il ? Qu'avez-vous encore fait ?

— J'ai réglé un problème et j'en suis ravie. Apporte-moi mon sac à main.

L'ouvrant, elle en sortit un trousseau de clés.

— Tiens, mon enfant, voici, c'est à toi.

Tara la regarda sans comprendre.

— Tu as vu la voiture devant la porte ? C'est la tienne.

Incrédule, Tara la regarda :

— Non ! Non ! Ce n'est pas possible !

— Tu ne l'aimes pas ? Bleu marine, je la trouve belle.

— Mamie, avez-vous perdu la tête ? M'acheter une voiture !

— Non, je suis en pleine possession de toutes mes facultés. Tu ne pensais tout de même pas que j'allais te laisser prendre le train pour te rendre à Dublin et revenir ici le mercredi ! Parfois, il tarde, et tu perdrais trop de temps. Le temps, c'est de l'argent… et ce serait trop fatigant.

— Et cette voiture, c'est de l'argent. Mamie, votre argent.

— Tara, tu commences à m'ennuyer. Va me verser une tasse de thé et ensuite, va faire un tour avec Maggie.

Tara se jeta aux pieds de Mamie, mit sa tête sur ses genoux et se mit à pleurer.

— Ah ! Mamie, jamais je ne pourrai vous rendre tout ce que vous faites pour moi. Je ne sais plus quoi dire.

Émue, Mamie lui caressa les cheveux, puis en riant :

— Commence par dire : « Merci, Mamie » et verse-moi un bon thé. Ça me suffira ! Tu conduis depuis un an et tu conduis bien. Tu as toute ma confiance.

— Je vais être très prudente. Ma voiture ! Je suis contente, même si vous me gâtez trop.

— Tu mérites chaque chose que je te donne. Va faire un tour avec ton amie, Maggie ne dira pas non à une balade.

Mamie avait vu juste. Excitée, Maggie sauta dans la voiture, caressa le tableau de bord, leva le nez, ouvrit ses narines… pour mieux en humer l'odeur.

— Allez ! Tara, grouille, fais patiner cette météorite. Faut pas qu'une seule poussière reste collée sur cette carrosserie !

Riant aux éclats, secouant la tête, Tara mit la clé dans le contact.

— Du calme, Maggie, je ne veux surtout pas abîmer ce bijou.

19

Dernières vacances

C'étaient les dernières grandes vacances de Tara. Dès septembre, elle entrerait à l'école de nursing; après, finis les deux mois de congé chaque année. Mamie décida qu'elles devaient en profiter. Elles étrenneraient la nouvelle voiture. Elles passèrent deux jours à étudier les cartes, à fixer l'itinéraire, à préparer les valises et à garnir la glacière.

— Juste pour les en-cas, Tara. Nous mangerons au restaurant, dans de bons restaurants, et dormirons à l'hôtel. C'est un voyage souvenir, une randonnée mémorable, toi et moi, ensemble pour une dernière fois.

Tara ne demandait pas mieux et après la voiture surprise, elle était mal placée pour contrarier Mamie. De plus, celle-ci était tellement agréable, toujours de bonne humeur, si généreuse et prête à tout faire pour lui faire plaisir.

D'abord, le *Ring of Kerry*, une région mythique et une réserve naturelle d'une beauté spectaculaire. Une route panoramique, montagneuse, très étroite, souvent en lacets, moitié route, moitié haie, fossés ou murs de roches; rencontrer un camion ou un autobus demande parfois un solide sang-froid. Il faut être un peu kamikaze. Si on ajoute les moutons qui ne cèdent la route que quand bon leur semble, Tara fut servie. Certains disent qu'il vaut mieux prendre dix milligrammes de Valium avant le départ.

— Mamie, regarde les moutons! Ils ont tous une tache de peinture sur le dos.

— Chaque propriétaire a sa couleur et connaît ses bêtes. Il y a les *red necks* (cous rouges), les *red butts* (croupes rouges), les *patriots* (patriotes), etc.

Tara conduisait avec une dextérité inhabituelle pour une jeune fille. Mamie admirait la nature sauvage. Chaque courbe offrait une vue différente : des villages de pêcheurs tout en bas, sur le bord de l'océan, des falaises, des maisons fermement agrippées, enfouies sous différentes teintes de vert, des teintes uniques — émeraude, vert pomme, vert tendre, etc. —, parsemées de pourpre et d'ambre. Mamie avait des yeux tout le tour de la tête. À certains moments, elle voulait que Tara puisse elle aussi contempler le paysage.

— Tara, arrête-toi un peu. Prenons le temps de nous imprégner de cette splendeur qu'on ne reverra peut-être jamais. Mon cœur est si heureux !

— Chère Mamie, quand mes études seront terminées, nous reviendrons.

— Je vieillis, tu sais, je veux profiter de ces vacances.

— Vous n'avez pas à vous inquiéter, si vous êtes malade, je serai votre infirmière.

Elles étaient debout, côte à côte. Tara jeta un regard avide à ce paysage, pendant que Mamie se mit à réciter quelques lignes du célèbre poème de John Keats : *A thing of beauty is a joy for ever, / Its loveliness increases ; / It will never pass into nothingness...* Traduction bien rudimentaire : « Une belle chose est une joie éternelle, sa beauté s'accroît, elle ne sera jamais réduite à néant... »

— Ah Mamie ! c'est tellement beau ! Comme je suis contente de connaître ce coin de pays ! Merci de vivre avec moi cette expérience.

Elle se sentait en parfaite harmonie avec cette nature sauvage.

Ce *Ring of Kerry*, cent soixante-dix-sept kilomètres de route panoramique, fut un enchantement. Tout au long, des fermes, des animaux, des chutes, des sites historiques, des demeures typiques, des vues spectaculaires, des plages parmi les plus belles de toute l'Europe. Un aperçu étonnant, sensationnel, de l'héritage culturel préhistorique de l'Irlande — de l'*Iron age*, de l'âge de fer —, des *Ogham stones,* roches avec inscriptions, des vieux monastères de pierre, même paysage dans le roc datant de l'âge de glace, de plus de dix mille ans. Presque incroyable ! Killarney, Killorglin, Portmagee, Kenmare, etc. Tara prononçait ces noms étranges

qui l'enchantaient; elle aimait leur connotation musicale, ces villes accueillantes, leurs habitants chaleureux. Elles rencontrèrent quelques chariots recouverts de bâches plutôt minables, transportant des familles de deux, trois enfants. Incrédule, Tara regarda Mamie.

— Ce sont des itinérants, ils vont d'une ville à l'autre, certains parlent un dialecte, le *shetta*, font de menus travaux, réparent les casseroles, les récipients en fer-blanc. On les appelle les *tinkers*, du mot *tin* (fer-blanc).

— Où vivent-ils? Où est leur maison?

— Ils n'en ont pas, le chariot est leur maison. Ce sont des nomades.

Mamie n'était pas pressée de rentrer et Tara appréciait le voyage. Bonne bouffe, chambres confortables, Mamie insista pour tout payer.

— Je voulais faire un dernier voyage, je n'y serais jamais allée seule. Grâce à toi, je réalise un vieux rêve.

— Mamie, ne dites pas ça, nous en ferons d'autres!

Le voyage n'était pas terminé. Avant de rentrer, Mamie tenait à passer dans le comté de Cork, dans le sud-ouest de l'Irlande. C'est le plus grand comté, on l'appelle *The Rebel County*. Certains chauvins locaux prétendent que c'est la capitale de l'Irlande.

— Durant la Grande Famine de 1840, Skibbereen fut l'un des endroits les plus touchés. Il y a beaucoup de choses intéressantes à voir, mais on va simplement s'arrêter dans les petites villes et se promener un peu.

— D'accord, Mamie, ça me plaît. Il y a des musiciens un peu partout, on s'assoira et on les écoutera.

Ce qu'elles firent, causant avec les habitants, qui s'empressèrent de leur parler de la beauté des paysages, de leurs petites villes proprettes.

Sept jours s'étaient écoulés depuis leur départ. Mamie montrait des signes de fatigue et Tara insista pour prendre le chemin du retour.

— Soit, mais il reste un endroit que je tiens à te faire visiter: *Blarney Castle* (château de Blarney). Après, nous rentrerons. Blarney est l'un des plus vieux châteaux historiques. Construit en 1440,

c'était un des fiefs des MacCarthy. À certains endroits, les murs ont plus de cinq mètres d'épaisseur.

— Un prisonnier devait gratter longtemps avant de réussir à s'en échapper !

— Nous venons ici pour une seule raison : la fameuse *Blarney Stone*. Je ne monterai pas jusqu'au sommet pour aller la baiser, mais toi, tu iras. Tu ne seras pas seule, il y a toujours de longues files de gens qui attendent.

— Mamie, tu veux que je baise une pierre ? Non ! Là, Mamie, c'est non ! Qu'est-ce qu'elle a de particulier, cette pierre, cette *Blarney Stone* ?

— Selon la légende, si tu baises la pierre, tu auras le *gift of the gab* (le don de l'éloquence éternelle).

— Alors, je vais lui donner trois ou quatre grosses bises !

Baiser la pierre de Blarney ! Tara monta un escalier en pierre datant de plus de cinq cents ans. La fameuse pierre se trouve au faîte, dans le parapet de l'un des murs. Tara allait de surprise en surprise. À tour de rôle, chaque visiteur s'étend sur le dos, soutenu par un guide, penche la tête en arrière, vers le bas et... baise le dessous de... la *Blarney Stone*. Tara ne fut pas très impressionnée. Elle rejoignit Mamie en souriant.

— Mamie, attention, les mots se disputent la préséance dans ma bouche.

— Tant mieux, si je me fie aux milliers de personnes qui viennent ici chaque année, elle doit donner quelque chose.

— Oui, Mamie, des centaines de milliers de dollars à Blarney. Et puis, c'est une légende. Tout de même, je suis contente d'être venue.

Mamie souriait, elle était heureuse. Le chemin du retour se fit rapidement, toutes deux heureuses de retrouver leur maison.

— Ah ! mon dernier voyage ! Je suis trop vieille pour ces grandes escapades. Fais-moi une bonne tasse de thé, ma chère Tara. Merci d'avoir conduit, tu as beaucoup roulé, tu dois être fatiguée aussi.

— Non, je suis en pleine forme... et très éloquente... J'ai bien aimé notre voyage. Avec vous, c'est toujours intéressant, des leçons culturelles passionnantes.

20

Rencontre fatidique

Sa première année d'études comme infirmière se passa en accéléré. Il y avait tant à apprendre et, comme une éponge, Tara écoutait avec ses oreilles, ses yeux et son cœur. Les premiers mois, la pratique de certaines tâches n'était certes pas des plus prestigieuses : par exemple, laver les dents et… les dentiers, passer la bassine, apprendre à faire les lits afin que les draps tombent à angle droit, passer les plateaux de nourriture, noter si le patient a mangé, ensuite prendre la température, la tension artérielle, les pansements, tout en gardant son uniforme immaculé et bien amidonné. Selon Fiona, une autre étudiante : « Toujours sourire et être *cute, cute.* » Quand on lui avait demandé de surveiller les patients en observation, dans la salle de réveil, Tara ne savait que faire, quoi surveiller.

— Mademoiselle, regardez s'ils respirent, prenez leurs signes vitaux…

Son amie lui avait soufflé : « Quand la peau devient bleue, ce n'est pas la bonne couleur, et ça ne veut pas dire qu'il a froid. »

Malgré quelques petits incidents, tout la passionnait. La plupart des jeunes étudiantes étaient gentilles. Elles discutaient entre elles, Tara se montrait amicale avec toutes, mais l'amie d'aucune. À part peut-être deux filles, Mary et Fiona Houlihan, des cousines de Killarney, dans le comté de Cork. Elles partageaient la chambre voisine de la sienne et l'invitaient souvent à prendre le thé. Toujours souriantes, serviables, quand elles éprouvaient des difficultés, elles venaient la voir.

— Tu es tellement intelligente et belle, en plus ! Il n'y a pas de justice.

Fiona avait parlé de Tara à son frère.

— Il meurt d'envie de te connaître, il n'en dort plus.

— Qu'il prenne des somnifères !

La deuxième année, Tara sortit avec elles à quelques reprises et, au début de la troisième, elles étaient vraiment amies. Tara s'épanouissait. Chaque mercredi, elle revenait à Navan. Mamie trouvait la maison bien vide sans sa Tara, et il lui avait fallu une bonne persuasion pécuniaire pour que la supérieure consente à déroger aux règlements. Madame Dever brûlait d'impatience de la voir arriver et bénissait le ciel qu'elle ne soit pas allée étudier en Angleterre. Même si elle avait beaucoup d'études, Tara revenait et elle sentait que Mamie vivait difficilement son éloignement. De son côté, sa chambre, le jardin, le piano, sa chère Maggie, tout lui manquait. Elles discutaient. Tara lui racontait tout. Quand elle étudiait, Mamie entrait sur la pointe des pieds, apportant une tasse de thé, un jus, des biscuits, même si Tara n'en mangeait qu'un seul.

— Mamie, tu veux me faire engraisser.

— Toi ? Tu n'as pas une once de graisse. Tu travailles fort, il faut que tu manges. Et j'aime te gâter.

— Quand je serai insupportable, tu le regretteras.

— Toi ? Insupportable ? Quand les poules auront des dents !

Même si les vacances de Tara ne dureraient que deux semaines, Mamie comptait les jours. Une petite balade avec la jeune femme, quelques bons repas, elle sentait le besoin de changer d'air. Elle consultait régulièrement le docteur Fitzsimmons. Ce dernier lui conseillait le repos, elle refusait de l'écouter.

Tara était toujours aussi proche de son amie de toujours, Maggie. Celle-ci avait un petit ami, Jack Smith. Sportif, le front haut, cheveux rebelles, il aimait bien Tara. Quand il sortait avec Maggie, Tara était toujours de la partie. Parfois, ils allaient danser avec Paul et sa petite amie, son amie d'enfance, Shauna Sullivan. Jack et Paul la taquinaient et la défendaient des gars trop entreprenants.

Un autre ami de Paul, Patrick Delaney, se joignait parfois à eux. Grand, athlétique, cheveux roux, yeux perçants ombragés de longs cils, visage masculin avec un brin de douceur, rougissant facilement, aussi bon que beau, il adorait Tara, mais celle-ci

n'éprouvait aucune attirance pour lui. Elle était une jeune fille éblouissante et faisait tourner bien des têtes. Encore plus belle que sa mère, un port de reine, distinguée, sans ostentation, discrète, douce comme une soie, elle était dotée d'une volonté bretonne. Aucun homme ne restait insensible à son charme. Toutes les autres filles semblaient fades à côté d'elle. Simple, modeste, elle ne semblait pas se rendre compte de l'attrait qu'elle exerçait, ce qui ajoutait à son charme. Les étudiantes qui, enfants, la dénigraient et la jalousaient n'étaient pas plus charitables devenues adultes. Malgré ses vêtements chics et tous ses artifices, Eileen, la tête dirigeante des tortionnaires, ne lui allait pas à la cheville et l'enviait. Tara avait pris de l'assurance et leurs états d'âme la laissaient de glace. Elle les ignorait. Pour elle, ces filles n'existaient pas, ce qui les faisait rager encore davantage.

Patrick n'était pas le seul à avoir un faible pour Tara. Le compagnon d'Eileen, Sean Hilliard, fils unique d'Oscar Hilliard, un homme d'affaires très prospère, ne la quittait pas des yeux. Beau garçon, un peu crâneur, un solide gaillard, blond, front haut, pommettes saillantes, des yeux bleus, une bouche gourmande, un visage rieur, sûr de lui, légèrement condescendant, il était en première année de droit à *Trinity College*, à Dublin. Ayant sa propre voiture, il revenait régulièrement chez ses parents. Son ami, Grant Curry, son ombre et son complice, le suivait partout. Visage harmonieux, pas mauvais garçon, toujours prêt à protéger Sean, à le défendre, il parlait peu, écoutait beaucoup ; un vrai volcan en ébullition, toujours prêt à exploser. Jack, Paul et Patrick les connaissaient, mais n'étaient pas leurs amis.

Tara avait remarqué que Sean l'observait avec insistance ; les yeux d'Eileen lançaient des éclairs. Admirant Tara avec concupiscence, il avait murmuré à Grant :

— Celle-là, je l'aurai dans mon lit et elle aimera ça !

— Je n'ai jamais douté de ton charme, mais là, mon cher, tu vas avoir un problème ! Cette fille, c'est « pas touche » !

— La fille de Molly ? Pas touche ? Tu veux rire ?

— Je n'ai jamais été aussi sérieux et je te conseille de ne jamais prononcer ces mots à haute voix. Que ton père ait du fric ou pas, madame Dever aura ta peau. Tara est en troisième année d'études

comme infirmière. Je suis toujours prêt à te défendre, mais quand tu as tort, ne compte pas sur moi. Je suis sérieux !

— Combien gages-tu que je couche avec elle, de son plein gré ?

— Je ne doute pas de ton charme. Tu veux perdre de l'argent ? D'accord ! Disons 50 livres (80 dollars CAN). Je sais que tu me laisseras peut-être tomber, mais sache que je ne serai ni ton messager ni ton alibi. Je tiens à terminer mes études. Comme je suis magnanime, tu as six mois pour...

— 50 livres, c'est un peu cher, mais comme je suis certain de gagner... et ne t'en fais pas, je n'ai pas besoin de ton aide.

Les deux complices scellèrent leur entente par une poignée de main. Sean salivait déjà. Patrick murmura à Tara :

— Ce gars-là a un œil sur toi, surveille-toi.

— Il ne me dit rien. Je ne veux m'attacher à personne. Je veux une carrière, je serai infirmière, comme Mamie. Je commence ma troisième année et je n'ai pas besoin d'un amoureux. Plus tard... peut-être.

Ce regard insistant qui la suivait partout commençait à l'agacer. Quand Tara daigna le regarder, faussement modeste, Sean baissa les yeux pour les relever ingénument, lui adressant un sourire innocent. Tara ne fut pas dupe de son manège et détourna la tête. Une heure plus tard, il s'avança pour l'inviter à danser, mais elle l'avait vu s'approcher. Quand il arriva à sa hauteur, elle se tourna vers Patrick.

— Je t'avais promis cette danse, alors viens.

Interdit, mais trop content pour refuser, Patrick se leva d'un bond et l'entraîna sur la piste de danse pendant que Sean, le visage cramoisi, tourna les talons et se dirigea vers les toilettes. Grant le suivit.

— Je t'avais prévenu, oublie-la et annulons la gageure.

— Jamais ! Je l'aurai ! Elle sera à moi, pour quelque temps...

Quand il revint à sa place, Eileen et son amie, Martha, riaient et jasaient de plus belle, feignant de n'avoir rien vu. Eileen se colla contre lui et lui passa la main sur la cuisse. Il l'étreignit, elle ronronna.

21

Sean Hilliard

Sean, fils unique d'Oscar et Elizabeth Hilliard. Oscar, quarante-quatre ans, homme d'affaires astucieux, brasse de grosses affaires, certaines un peu louches. Habile aux jeux de la corruption, il est craint et respecté de tous. Un escroc en cravate! Pas très grand, assez bel homme qui se prend pour un Adonis. Ne fait pas dans la dentelle. Intelligent, un tantinet arrogant, beau causeur, un peu libertin. Une chevelure noire ondulée, un visage hautain, un nez d'empereur, menton arrondi, presque noble. Une certaine éloquence, peut se montrer charmant, on le craint plus qu'on ne l'aime. De taille moyenne, toujours impeccablement vêtu, ses mains, des battoirs aux ongles manucurés, un coup d'œil d'aigle, rien ne lui échappe. Ne tolère aucun désordre.

Elizabeth, plutôt jolie, snob, ne frayant qu'avec les gens de la haute. Son Oscar? Un génie! Il exige qu'elle soit toujours tirée à quatre épingles. Elle voit à ce que ses moindres désirs soient satisfaits, parfois même avant qu'il ne les exprime. Intelligente, mais soumise, avide lectrice, ne fait jamais étalage de ses connaissances devant lui, à moins qu'il ne la consulte. Elle pense ce qu'il lui dit de penser. Ils sont en parfaite harmonie sur un sujet en particulier: leur fils Sean. Leur création ultime! Comme chez la plupart des familles irlandaises, l'enfant avait été sa responsabilité et sous sa tutelle jusqu'à l'âge de sept ans. Depuis, Oscar veillait à son éducation. Tout comme Elizabeth, il l'adore, lui passant certains caprices, tout en maintenant une certaine discipline. Parfois, Elizabeth grince des dents, mais n'ose protester.

— Je veux en faire un homme, pas un *ejit* (un idiot). Qu'il s'amuse un peu, qu'il fréquente les filles, je veux bien, c'est normal

pour un homme. Un jour, il héritera de mon entreprise, je veux qu'il soit à la hauteur.

C'est dans cette famille que Sean avait grandi. Assez brillant, il réussissait sans trop d'effort. Il aimait la belle vie, mais se surveillait ; il ne tenait pas à ce que son paternel lui coupe les vivres. Il avait eu à subir ses foudres en dernière année du secondaire, et son postérieur en avait souffert pendant une semaine. Son père l'avait appelé à son bureau. Il était livide. En le voyant, Sean avait blêmi.

— Le directeur m'a téléphoné, tu n'as pas remis ton dernier travail et il t'a surpris à tricher. Je ne veux plus jamais recevoir ce genre de téléphone, tu m'entends. Jamais !

Il hurlait de colère, une colère à faire bouillonner l'air. Une grosse veine battait à sa tempe gauche. Terrifié, Sean recula.

— Approche et prends ta punition comme un homme. Trop niais pour tricher sans se faire prendre ! *Balbh amdán !* (Stupide idiot !)

Oscar lui avait alors administré une correction qu'il n'était pas près d'oublier.

Redoublant d'effort, voulant à tout prix éviter de s'attirer les foudres de son père, Sean était devenu un élève modèle. Sa bonne conduite lui avait valu l'approbation de ce dernier, lui qui était avare de compliments. Sa mère était aux anges. À sa première année à l'université, Oscar lui offrit une voiture.

— Tu fais de la vitesse, tu as un accident et je te l'enlève pour la durée de tes études. Tu me comprends ?

Il comprenait ! Très populaire auprès des filles, sa voiture avait été un atout appréciable. Son père était enchanté. Son fils était normal.

Le lendemain de la danse, Sean mit au point sa stratégie. Chaque fin de semaine le retrouvait à Navan. Il avait commencé par étudier les habitudes de Tara. Il se promena dans Navan et, comme par hasard, aperçut Tara. Il la salua et continua son chemin. Il refit le même manège quelques jours plus tard. Un samedi, l'épiant, il la vit sortir de chez elle et s'arrangea pour passer près d'elle, sans lui jeter un coup d'œil. Cette ruse se poursuivit pendant quelques semaines. Tara s'aperçut qu'il était souvent dans les

parages, mais n'y porta guère d'attention. Un jour qu'ils sortaient en même temps de la piste de course, il lui sourit. Ennuyée, elle détourna la tête. D'un air innocent, il la questionna du regard.

— Mademoiselle, vous ai-je blessée? manqué de respect? Je m'en excuse.

— Non, mais je ne vous connais pas.

— Alors, pourquoi me détestez-vous?

— Je ne vous déteste pas. Je ne vous connais pas et je ne tiens pas à vous connaître. Au revoir.

Comme elle s'avançait pour partir, il lui barra la route.

— Vous voyez, vous me détestez, et je ne sais même pas de quoi je suis coupable. Je ne suis pas un bandit, regardez…

Sur ces mots, il tourna ses poches et partit en se trémoussant.

Tara éclata de rire.

— Ah! Beaucoup mieux…

Puis, faisant une courbette et s'inclinant jusqu'à terre:

— Sean Hilliard, votre humble serviteur…

— Tara…

— Oui, Tara, belle, intelligente, musicienne, étudiante en nursing et… qui me déteste… même si je suis innocent…

— Innocent? Monsieur Hilliard, je n'irais pas jusque-là…

— Tiens! Et cette jolie demoiselle a des préjugés contre une personne qu'elle ne connaît pas et à qui elle n'a jamais adressé la parole… et qu'elle fuit comme la peste.

— Touché! Vous avez raison. Mais je vous ai parlé, je dois y aller…

— Merci, mademoiselle Tara, bonne journée.

Sur ces mots, il s'éloigna en sautillant sur un pied et sur l'autre, puis se retourna et s'inclina profondément jusqu'à terre, à la manière des chevaliers. Il poursuivit sa route en sifflotant. Songeuse, Tara se dit qu'il avait raison. Elle avait été injuste, et c'était tellement contraire à son caractère! Mais le visage d'Eileen s'imposa à elle. Danger! Tiens-toi loin de lui.

Sean était fou de joie. Il s'empressa d'en avertir son complice.

— Premier contact, bonne tactique, bonne réaction. L'oiseau est craintif, mais il finira par manger dans ma main.

— Mon cher Sean, ne vends pas la peau de l'ours avant de l'avoir tué.

— Il est déjà pris au piège!

Tara ne le revit plus pendant deux semaines, mais un jour qu'elle sortait de l'école de nursing, elle se trouva nez à nez avec lui. Il feuilletait une grande enveloppe. Feignant la surprise, il la regarda en s'éloignant un peu.

— Est-ce sécuritaire de m'approcher et de vous dire bonjour?

Tara sourit.

— Bonjour, monsieur Hilliard.

— Bonjour, mademoiselle Tara.

— Que faites-vous ici?

— Je suis venu vous kidnapper, belle demoiselle.

Devant sa mine effarée, il éclata d'un grand rire.

— Rassurez-vous, la sœur d'un ami désire s'inscrire en nursing et je suis venu chercher de la documentation et un formulaire.

— Ah! je vois.

— Mais ce que vous ne voyez pas du tout, c'est que j'aimerais vous inviter à prendre un café avec moi au petit casse-croûte du coin.

— Je ne crois pas que ce soit une bonne idée, nous ne sommes pas du même monde et vous avez...

— Franchement, mademoiselle Tara, vous êtes assez évoluée pour ne pas penser de la sorte. Nous sommes deux jeunes qui voulons prendre un café ensemble, c'est tout... et... je suis seul depuis un bon bout de temps...

Tara avait entendu dire qu'il ne fréquentait plus Eileen, mais elle avait des réserves.

— Mademoiselle Tara, venez, je suis un gentleman.

Hésitante, elle le regarda; son sourire dévastateur la fixait.

— D'accord, un café. Parole d'Évangile?

Il se signa.

— Croix de bois! Croix de fer! Si je mens, que j'aille en enfer! Venez!

Assis devant deux cafés et deux petits morceaux de gâteau, ils se regardèrent. Le fou rire les gagna. Sean savait se montrer aimable. Charmeur, il avait hérité de la séduction de son père. Un tantinet

drôle, il sut la faire rire, la faire parler, la questionnant. Détendue, rigolant, elle se confia, parla musique… Rien ne lui échappa.

— Comme c'est curieux ! Moi-même, j'adore l'histoire et il m'arrive d'aller visiter des sites historiques… seul. L'Irlande a tant à offrir, c'est passionnant !

Il mentait comme un arracheur de dents, mais Tara, si honnête, n'y vit que du feu. Étonnée et emballée, elle lui décrivit les endroits, les sites qu'elle avait visités avec sa Mamie. Il buvait ses paroles. Sa connaissance de l'histoire était très limitée, mais une idée germa dans sa tête. Il se promit d'étudier quelques sites et de les lui faire visiter. Les dieux lui étaient favorables !

Le mercredi suivant, elle le croisa de nouveau à la sortie de ses cours. Dans son for intérieur, elle avait bien pensé qu'il rappliquerait. Elle restait un peu sur ses gardes, mais cette première rencontre seule avec ce jeune homme lui avait plu. Ses yeux l'observaient d'un air mi-sérieux, mi-comique, puis avec un sourire narquois :

— Laissez-moi deviner. La sœur d'un autre ami désire s'inscrire.

— Quelle demoiselle perspicace ! J'aimerais, mais je ne veux pas vous mentir. J'espérais vous rencontrer, renouveler l'expérience de la dernière fois. Je ne vous avais pas trop torturée ? C'était agréable ? Avouez !

— Oui, j'avoue, c'était plutôt amusant.

— Alors, si on récidivait ? Qu'en dites-vous, bel ange terrestre ?

— Au casse-croûte, d'accord.

— J'ai pensé à notre rencontre, à notre conversation sur l'histoire… Je connais un endroit que vous adorerez… pas loin… une heure… je jure que nous reviendrons dès que vous le voudrez.

— Je ne crois pas que ce soit la bonne chose à faire. Mamie m'attend. J'étudie et je ne veux pas de relation, ni sortir avec un garçon.

— Qui vous parle de relation ? J'étudie moi aussi, je fais mon droit.

— Ça paraît ! Vous avez des aptitudes, vous savez plaider votre cause. Je dirais même que vous avez baisé la *Blarney Stone.*

— Chère demoiselle, venant de vous, ce compliment me touche beaucoup. Vous ne vous débrouillez pas mal non plus, vous savez

ce que vous voulez. Ce n'est pas le genre de conversation des jeunes filles de votre âge.

— Vous en connaissez beaucoup ?

— Assez pour savoir qu'elles ne parlent que de mode, de maquillage, de bébés et d'autres banalités. Ce n'est pas votre cas… Alors, nous partons ?

Elle hésitait. Il n'insista pas, se retourna en soupirant. Elle se ravisa.

— D'accord. Une heure et vous me ramenez ici même. J'ai ma voiture.

Sur ces mots, il la guida vers sa voiture et démarra en sifflotant. Ils ne parlèrent pas. De temps en temps, il lui faisait une œillade à la dérobée. Elle se sentait bien, heureuse même.

En moins de vingt minutes, Tara et Sean se retrouvèrent à l'entrée principale de *St. Stephen's Green,* une oasis de verdure en plein centre de Dublin qui accueille les visiteurs depuis 1690. Ce parc victorien est très fréquenté par les Dublinois et les visiteurs, qui vont s'y reposer et pique-niquer durant leur pause. Main dans la main, Sean et Tara traversèrent le pont, petite arche surplombant un lac artificiel, et parcoururent les sentiers ombragés pour arriver à un lieu de prédilection, les *Iveagh Gardens.* Ces jardins, élaborés par Daniel Niven en 1863, sont considérés comme les plus beaux, mais les moins fréquentés de Dublin. Les yeux de Tara ne manquaient aucun détail.

— On y retrouve une grotte rustique à cascade, des fontaines, un labyrinthe, une roseraie, des vallons et des boisés, etc.

— Tu en connais, des choses sur ce parc.

— Ma belle, comme toi, l'histoire me fascine et ce parc est tellement paisible, on s'y sent ailleurs. Il dégage un sentiment de sérénité, un repos bien mérité pour les marcheurs.

Sean l'observait. Dieu, qu'elle était belle et si pure ! Assez pour rendre un homme fou de désir. La promiscuité de son corps, sa jambe frôlant la sienne, la troubla. Se ressaisissant, elle lui lâcha la main et, d'un pas assuré, se dirigea vers la sortie. Percevant son trouble, il en fut à la fois peiné et ravi. Ces deux émotions l'irritaient. Tomber amoureux de cette fille ? Non !

— Sean, je te remercie de m'avoir fait vivre cette page d'histoire, mais je veux rentrer.

— Ai-je fait quelque chose de mal ? Tu sembles irritée.

Il ne la lâchait pas d'une semelle.

— Non ! Non ! Tu as été parfait, mais le temps file et j'ai un travail à remettre.

— Je comprends. Moi aussi, le droit me demande beaucoup d'étude.

Ils retournèrent en silence.

— Est-ce que je pourrai te revoir ou suis-je sur une liste noire ?

— Je ne pense pas. J'ai trop travaillé pour en arriver là, je dois garder la tête froide.

— Moi aussi, mais une certitude s'impose : je sais où je vais et j'aimerais que tu sois à la ligne d'arrivée.

Sur ses mots, il se dirigea vers sa voiture.

Cette rencontre marqua un tournant dans leur relation. Curieusement, Tara n'en parla à Mamie que quelques jours plus tard. Celle-ci blêmit.

— Tara, fais attention ! Ce garçon est peut-être un très bon garçon, mais son père a de hautes visées sur lui. Il est puissant ! Si on le contrarie, il peut devenir très dangereux. J'ai entendu parler de disparitions mystérieuses.

— Merci, Mamie. Je sais que vous pensez à mon bien-être. Je ne le reverrai plus. Je ne veux pas m'embarquer dans une aventure.

Mamie soupira d'aise. Toutefois, ce ne fut pas aussi facile pour Tara. C'était sa première sortie avec un garçon, et ce Sean avait beaucoup de charme. Bel homme, toujours bien mis, sachant s'exprimer, un sens de l'humour, il lui avait plu. Malgré elle, ses sens étaient en éveil, son corps désirait le revoir. Elle en avait honte. Elle n'avait jamais oublié Pédopimp. Sa raison lui soufflait : « Danger ! »

Les jours passèrent sans qu'il ne donne signe de vie. Retors, il préparait sa stratégie. Tel qu'il le souhaitait, elle fut déçue de ne pas le voir. Surprise à trop penser à lui, elle se fâcha contre elle-même, se traita de tous les noms… rien n'y fit. Trois semaines plus tard, quand enfin il apparut, son cœur fut saisi d'arythmie.

Elle se força à ne pas courir vers lui. Avec un regard mi-sourire, mi-interrogation, il s'arrêta, la contempla. Les cheveux relevés et retenus par un peigne en nacre, une blouse blanche en dentelle ajourée, une jupe ample vert pomme, un large ceinturon vert tendre soulignant sa minceur, des escarpins bronze, une petite touche de rouge aux lèvres, elle était irrésistible. Son cœur et son corps réagirent.

— Tara, j'ai essayé de ne plus te voir, de respecter tes désirs, c'est plus que je ne peux promettre et je m'en excuse. Si tu me dis de partir, je partirai, mais mon cœur restera ici.

Il s'approcha, lui tendit la main et ils se dirigèrent vers sa voiture.

— Où allons-nous ? J'ai faim. Il est treize heures et je n'ai pas dîné.

— Pas question d'avoir une jeune fille affamée dans ma voiture. Je vais trouver quelque chose qui comblera ton appétit.

Quelques minutes plus tard, il s'arrêtait devant un petit restaurant chic.

— Viens ! Je suis en pleine croissance... Il faut aussi que je me nourrisse, sinon je vais dépérir.

Ils mangèrent en silence, se regardant, souriant.

— Où mon explorateur m'amène-t-il aujourd'hui ?

Cette fois, Sean se dirigea vers le comté de Meath.

— Nous visiterons le site dont tu portes le nom : *The Hill of Tara* (la colline de Tara). C'est un endroit formidable !

Cette colline s'élève à plus de quatre-vingt-dix mètres. Les rois y avaient leur résidence, qui leur offrait une vue spectaculaire sur les environs — cent quarante-deux rois y auraient régné.

— Dans l'histoire ancienne de l'Irlande, Tara ou *Temair* était le lieu sacré des dieux et la porte d'entrée dans un autre monde. Tara, *Temair*, tu savais ?

Il la regarda et aperçut des larmes au bord de ses cils.

— Tara, qu'ai-je fait ? J'ai dit quelque chose qui t'a blessée ? Excuse-moi, je ne sais pas...

— Non, c'est que ce site me rappelle de douloureux souvenirs.

— Allons-nous-en, la dernière chose que je veux, c'est de te faire de la peine. Viens.

— Non, il y a très longtemps et… j'ai exorcisé mes démons.

— À tes souhaits, mais je ne veux pas que tu sois triste. J'étais tellement heureux à la pensée de te faire découvrir cette merveille. Viens ! Il fait beau, on s'assoit sur ce banc.

Pendant de longues minutes, ils restèrent silencieux. Lentement, d'une voix à peine audible, elle lui parla de son enfance, du départ de sa mère, de son frère et de son père, de la méchanceté de certaines élèves… et de Mamie, son ange gardien, qui lui avait sauvé la vie. Parfois, sa voix tremblait. Il l'entoura de ses bras. Malgré lui, il était ému. Cette fille ne méritait pas l'infamie qu'il mijotait. Il la détruirait, et cette pensée le révolta. Il l'aimait.

— Tu es une fille extraordinaire et très courageuse. Je suis honoré de te connaître.

Honoré ! Tout de même. Le mot la fit sourire.

— Tu y vas un peu fort ! J'ai travaillé dur et je continue. Je n'ai jamais raconté cela à qui que ce soit.

— Merci de cette marque de confiance. Tu peux te fier à moi. C'est notre secret. Je suis heureux que tu m'en aies parlé, je comprends mieux maintenant. Je vais faire attention à ma colombe, qui est encore très fragile.

En la tirant pour la relever, il se pencha et de ses lèvres, effleura sa bouche.

— Votre guide, chère madame. Il semble que saint Patrick soit venu ici pour confronter cette ancienne croyance païenne. Le nom Tara signifie « endroit offrant de grandes possibilités ». L'histoire de Tara regorge de faits historiques passionnants. Nous en reparlerons en route.

Avant de quitter les lieux, ils s'arrêtèrent à la boutique de souvenirs. Sean lui offrit un beau bijou, *The Tara Brooch* (La broche de Tara), en forme de cercle traversé d'une épée. Faite d'or, d'argent, sculpture par copeaux, filigrane, cloisonnement et cristal de roche, incrusté d'ambre et de verre de première qualité, c'était une réplique parfaite du magnifique travail des orfèvres irlandais du VIIe siècle. Tara fut très touchée. Ce somptueux bijou portait son nom, mais elle ne pouvait l'accepter.

— Sean, tu es trop généreux, je ne peux pas accepter.

— Tara, j'ai passé des heures merveilleuses avec toi. Tu es une fille intelligente, intéressante, je t'en prie, accepte cette broche en souvenir de cette rencontre. Fais-moi ce plaisir.

Elle la prit avec révérence, l'admira.

— C'est bien trop beau pour moi.

— Ma chère Tara, rien ne sera jamais trop beau pour toi, et ça me fait grand plaisir de te l'offrir. Je suis tellement heureux de te connaître ! Je n'aurais pu choisir meilleure fille.

— Sean, merci ! merci beaucoup !

Retournant à la voiture, il l'embrassa tendrement ; elle ne lui résista pas. Elle l'aimait ! D'un pas léger, elle monta, il la ramena à Dublin. Elle prit sa voiture et se dirigea vers Navan.

22

Pourquoi ? Pourquoi ?

Légère comme un papillon, elle chantonnait. Aucune date pour leur prochain rendez-vous n'avait été fixée, mais elle savait qu'ils se reverraient. Il l'aimait. Elle allait se confier à Mamie, elle comprendrait. Toute à son bonheur, elle ne vit pas la commotion près de la maison. Quand elle redescendit des nuages, le docteur Fitzsimmons sortait de la maison et madame Ryan se tenait dans l'encadrement de la porte. Folle d'angoisse, elle s'élança. Le médecin lui prit la main et l'accompagna à l'intérieur.

Elle lâcha sa main et courut à la chambre de sa Mamie. Une forme était étendue sur le lit, recouverte d'un drap blanc. Poussant un cri de détresse, elle l'arracha. Étendue de travers, Mamie semblait dormir. Elle s'agenouilla et posa sa tête sur sa poitrine en sanglotant. Les larmes coulaient, coulaient.

— Mamie ! Mamie ! Non ! Tu ne peux pas me laisser seule. Chère Mamie, tu m'as tout donné et tu m'as tout appris. Je t'aime tant. Pourquoi, mon Dieu ? J'ai déjà tout perdu et toi, ma Mamie d'amour… partie aussi !

Sa détresse faisait peine à voir. Madame Ryan l'aida à se relever, elle la serra dans ses bras pendant que le docteur Fitzsimmons s'essuyait les yeux. Veuf depuis plus de vingt ans, il avait toujours aimé madame Dever ; celle-ci avait refusé ses avances, elle n'avait jamais voulu se remarier. Alors, à l'occasion, il se consolait dans les bras de jeunes filles, lors de quelques aventures discrètes. Des curieux près de la porte essayaient de regarder à l'intérieur. Le docteur les chassa. Aidé de madame Ryan, il fit asseoir Tara au salon. Des larmes de douleur inondaient son visage. C'était pire que ce qu'elle avait vécu lors du départ de sa mère. Seule au

monde! La mort dans l'âme, un sentiment de finitude, de vacuité la submergea. Profondément attristée, Grace lui tendit les bras.

— Tara, je n'essayerai pas de comprendre ta douleur, je sais à quel point tu aimais cette femme, ta Mamie. Elle t'a montré à surmonter tous les obstacles, à être forte dans l'adversité. Ton cœur est brisé, mais ta Mamie est ici dans cette chambre et tu dois voir à ce qu'elle soit traitée avec respect dans la mort comme elle l'a été de son vivant.

Tara se redressa.

— Je comprends, je veux que tout se passe dans la dignité.

Madame Ryan lui offrit de se rendre au presbytère afin de régler les détails pour les funérailles, mais, sur ces entrefaites, le père Walsh arriva. Tara le connaissait, elle l'aimait bien. Il alla dans la chambre, bénit le corps, récita la prière des défunts, puis il fit une croix sur le front de Tara. Tous retournèrent au salon.

— Tara, madame Dever a tout prévu depuis plus de cinq ans. Elle était venue me voir, elle ne voulait pas que tu aies de problèmes si quelque chose lui arrivait. Tout est réglé. Tout est payé. Elle a choisi son cercueil, le genre de funérailles qu'elle désirait, tout doit se faire dans la simplicité.

Dans quelques minutes, on viendrait chercher le corps. Le cercueil serait transporté à l'avant de l'église. Le soir même, les gens pourraient venir prier. Les funérailles seraient célébrées le lendemain à onze heures. C'était ce qu'elle désirait, et il avait accédé à sa demande. Il se garda bien d'ajouter qu'il avait été grassement payé pour déroger aux règles établies.

Tara se ressaisit. Elle était au courant des dispositions de Mamie. Cette dernière lui avait tout expliqué à l'occasion d'une visite chez l'avocat à Dublin.

— Je veux régler mon testament et tout mettre en ordre. Tara, tu es comme ma fille, je ne veux pas que tu sois dans le besoin. Tu m'as apporté tant de bonheur.

— Chère Mamie, je vous dois tout. Ce que je suis devenue, je vous le dois. Et vous n'êtes pas prête de mourir.

— Tut! Tut! Tut! Je n'ai pas tout le mérite. Tu as travaillé très fort, je suis fière de toi. Mettre ses affaires en ordre ne devance pas la mort.

À peine un mois plus tôt, un soir, quand elle était venue dans la chambre de Tara pour la border, ce qu'elle faisait toujours, elle s'était assise près d'elle.

— Tara, s'il m'arrive un accident ou que je meure subitement…

— Mamie, ne parlez pas comme ça, vous n'allez pas mourir.

— Écoute-moi, Tara. Je ne cherche pas à mourir, mais si cela devait arriver, je ne veux pas que tu sois triste, que tu te morfondes.

— Mamie, c'est impossible, je serai triste à mourir.

Tendrement, patiemment, Mamie lui avait expliqué qu'elle aurait le droit d'être triste, mais qu'elle devrait se prendre en main, poursuivre ses études, vivre une vie de jeune fille normale. Plus tard, elle se marierait et aurait des enfants.

— Mamie, je ne sais pas… j'essayerai… Mais je vous en supplie, reposez-vous, je ne veux pas envisager la vie sans vous. Vous êtes plus que ma Mamie, vous êtes ma mère.

— Tara, tu es comme ma fille, mais je serais très déçue si tu te laissais aller. J'ai élevé une jeune fille, une femme autonome, responsable, une femme forte, une femme de cœur qui ira loin. Tu as beaucoup à offrir à la société. Je veux que tu me promettes d'être courageuse. Tu n'auras qu'à penser à moi. D'ici, ou d'en haut, je veillerai sur toi.

Tara revoyait cette scène; Mamie savait qu'elle allait mourir… Elle se tourna vers le docteur Fitzsimmons.

— De quoi est-elle morte?

— Son cœur, ma fille, son cœur était malade, mais elle ne voulait pas en parler, surtout pas à toi. Elle ne voulait pas que tu sois triste et que tu abandonnes tes études.

Tara se remit à pleurer. Comment allait-elle vivre sans elle? Pourquoi un si grand vide dans son cœur? Pourquoi tant de souffrance?

Elle vécut les jours suivants comme dans un brouillard. Maggie était venue la rejoindre. Heureusement! Elle avait été à ses côtés le soir, à l'église et aux funérailles. L'église *Saint Mary's* était remplie. Mamie avait été aimée et respectée de tous. Elle n'avait pas de parenté et Tara était sa seule survivante. Dans son homélie, le curé avait parlé de cette grande dame qui avait tant fait pour la paroisse et pour les pauvres. Puis, il avait mentionné son amour

pour Tara, qu'elle considérait comme sa fille et qui le lui rendait bien. Les Ryan avaient ramené Tara chez eux, mais dans la soirée elle avait insisté pour retourner chez elle.

La maison était vide. L'âme et la chaleur avaient quitté cette maison où elle avait été aimée et choyée par cette femme, sa Mamie, qui lui avait ouvert sa porte et son cœur. Maggie arriva et mit l'eau à chauffer. Elles ne parlaient pas. Maggie prit les tasses, la boîte de mouchoirs en papier et lui fit signe. Elles sortirent dans la cour arrière et s'installèrent dans la balançoire. Tara pleurait, des larmes silencieuses inondaient son visage. Quelques minutes passèrent, puis Maggie regarda son amie dans les yeux.

— Tara, quand une personne meurt, la plupart du temps les gens n'osent pas parler, parce qu'ils ne savent pas quoi dire. On ne mentionne pas son nom, on fait comme si cette personne n'avait pas existé... pour ne pas raviver la douleur. Ma grand-mère m'a dit qu'il n'y a rien de pire.

Tara l'écoutait avec attention. Maggie lui exposa la philosophie de sa grand-mère. Selon elle, au contraire, il faut parler de la défunte ; l'être aimé a existé, il a fait partie de notre vie pendant dix, quinze, vingt ans et parfois plus. Il fait partie de nous ; c'est un peu comme si on perdait une partie de notre corps, de notre âme. Si on rencontre la personne endeuillée un ou deux mois plus tard et qu'on lui demande : « Comment vas-tu ? », bien entendu, elle répondra : « Je vais bien ! » On se dit : elle va bien, elle s'en sort ! Non, elle ne va pas bien, elle a de la peine, elle *essaie* de s'en sortir. Les peines, comme les joies, il faut les vivre. Les peines sont plus difficiles à traverser, mais on y arrive avec le temps et l'amour de ceux qui nous aiment.

— Ta grand-mère est une personne sage.

— C'est ce que je pense. Alors, ma chère amie, si tu permets, on va parler de ta Mamie, de ton arrivée ici, de ma première visite, où Mamie m'avait dit qu'elle espérait que je ne me servirais pas de mon lance-pierre sur elle.

Malgré elle, Tara se mit à rire. Sur ce, Maggie, qui n'avait rien perdu de sa verve ni de sa façon de mimer un incident, commença à lui rappeler leurs souvenirs d'enfance, les confidences et les goûters échangés dans leur *cubby house*, et... le thé. Mamie avait

acheté un service à thé pour enfants. Elles en préparaient et, de temps en temps, elles en offraient à Mamie. Tara riait et pleurait en même temps.

— L'an dernier, Mamie m'a dit que ce thé goûtait la rinçure de vieilles chaussettes. Elle aimait nous entendre rire, nous amuser, mais elle avait été bien soulagée quand nous avons dépassé le stade du thé.

Maggie se tordait de rire et Tara ne pouvait que l'imiter. Fidèle à l'enfant espiègle, vibrante, qu'elle avait été, Maggie était devenue une jeune femme qui mordait dans la vie. Elle voulait goûter à tout, elle voulait... Son amitié pour Tara ne s'était jamais démentie ; elle souffrait avec elle.

— Tara, tu te rappelles, il y a tellement de choses qu'on voulait faire, partir en voyage, aller en Angleterre, en France, au Canada...

— Au Canada ? On gèle dans ce pays, la neige, la glace...

— Mais non, la sœur de ma mère, Jen Murphy, demeure à Montréal. Elle dit qu'on y vit très bien, même en hiver. Les maisons sont bien chauffées ainsi que les écoles, les magasins... Qu'en dis-tu, Tara ?

— J'ai lu que beaucoup d'Irlandais y ont immigré, mais les igloos et les grizzlys, très peu pour moi !

— Voyons, les grizzlys ne se promènent pas dans les villes, c'est juste dans le Grand Nord. Et puis, j'aimerais bien voir la neige.

— Puis les tempêtes, les blizzards, la glace, brrr... Mais aller en Angleterre ? Oui. Je pense... Dès que mon cours d'infirmière sera terminé, nous partirons, je te le promets. Ce sera ma première folie.

— Mais quelle douce folie ! Je m'exerce à parler à l'anglaise et à tenir ma tasse de thé en levant le petit doigt... comme les dames anglaises.

— Je me demande d'où vient cette coutume.

— Facile ma chère, lors d'un banquet, après avoir servi le thé, une princesse fut surprise à se gratter le nez. Choquée de cette inconvenance et tentant de faire oublier cet impair, la reine prit sa tasse, la porta à sa bouche en relevant le petit doigt très haut. Tous les invités firent de même... Et voilà !

— Maggie, tu es folle à lier, mais ne change surtout pas.

Elles causèrent longtemps. Tara lui raconta la vie de Mamie, ses parents morts dans un accident alors qu'elle n'avait que vingt ans, la naissance, la maladie et le décès d'Esther, suivi de celui de son Thomas.

— Elle avait surmonté toutes ses épreuves et tu es arrivée dans sa vie. Tu l'as rendue tellement heureuse.

— Je ne sais pas ce que je vais faire. La maison ? Mamie m'a avertie que si elle décédait, je devais immédiatement prendre rendez-vous avec son avocat à Dublin.

— Tu dois le faire. Mon père se fera un plaisir d'aller avec toi. Tu sais, mes parents t'aiment comme leur fille... Tu dois... continuer tes études.

— J'y verrai. On vient d'enterrer celle qui a été ma mère pendant près de quatorze ans. Je ne pensais pas tant souffrir... je me sens perdue.

Elles retournèrent à l'intérieur.

Tara n'avait jamais de secrets pour Maggie. Elle lui annonça qu'elle avait rencontré un homme...

— Oui, Sean Hilliard, je sais.

— Comment tu sais ? Tu nous as vus ?

— Tara, tout se sait. On t'a vue avec lui... attention, tu joues avec le feu. Il n'est pas de notre monde.

— Ah ! Maggie, il n'est pas comme ça, il m'aime... et je l'aime aussi.

— J'ai peur pour toi. Les Hilliard ne blaguent pas quand il s'agit de Sean, surtout son père. D'ailleurs, Sean n'était pas aux funérailles... il t'aime ?

— Maggie, je vais réfléchir, je te le promets... ce n'est pas facile.

Maggie l'embrassa et retourna chez elle.

Même en fermant la porte de la chambre de Mamie, Tara la voyait partout ; elle vaquait aux menus travaux comme une automate. John Ryan lui avait proposé de l'accompagner chez l'avocat.

— Ne tarde pas. D'abord, tu dois savoir si cette maison est la tienne, et tu as besoin d'argent pour vivre.

— J'ai des économies, je peux m'arranger.

— Il te faudra plus que ça. Les études coûtent cher. Ta Mamie t'a appris à être financièrement autonome, tu dois suivre ses conseils.

Trois jours plus tard, elle se trouvait dans le bureau de Me O'Hearn. Ce qu'elle apprit la laissa sans voix. À part quelques dons à des œuvres de bienfaisance, Mamie lui léguait tout : sa maison, sa voiture, ses bijoux et... son argent : environ 70 000 livres (175 000 dollars CAN). Incrédule, Tara regarda John. Il était stupéfait. Mamie était riche et maintenant... Tara...

— Mademoiselle Tara, madame Dever vous considérait comme sa fille, c'est normal que vous héritiez de ses avoirs. La maison est déjà transférée à votre nom, son auto aussi. L'argent est à votre disposition. Puis-je vous conseiller de prendre un peu de temps ? Réfléchissez à ce que vous voulez en faire.

John Ryan la regarda.

— Tara, je pense que c'est une bonne idée et qu'il vaut mieux que le tout soit gardé secret. Ce sera beaucoup plus facile pour toi.

— Je suis d'accord avec monsieur, mais c'est à vous de décider.

Sur le chemin du retour, il fut convenu que Tara tairait son héritage. John Ryan n'en parlerait qu'à sa femme, pas même à Maggie. Tara se devait d'être très discrète. Malgré les protestations des Ryan, la voiture de Mamie irait à Maggie. Elle était en bonne condition, malgré ses cinq ans d'usure, et Maggie rêvait tellement d'en avoir une. En cas de nécessité, elle conduisait la voiture de sa mère. Quand Tara la lui offrit, elle fut tellement stupéfaite qu'elle resta bouche bée. Tara pouffa et Maggie sauta dans ses bras en pleurant. Puis, elle redevint elle-même :

— Tu me la donnes, pour vrai ? Comme tu es gentille ! J'ai donc bien fait de rester ton amie !

À Navan, les langues allaient bon train. Pipelette salivait. Le nez en l'air, elle avait passé devant la maison de Mamie à plusieurs reprises. Madame Dever avait trop de jugement pour laisser sa maison à la fille de Molly. Tout de même ! John Ryan était à peine rentré chez lui et Tara chez elle qu'elle se présenta. Tara n'était pas disposée à faire la conversation.

— Oui, madame Finnigan. Vous désirez ?
— Vous offrir mes sympathies et…
— Vous me les avez offertes il y a quatre jours, alors je vous en prie…
— Tara O'Brien, je viens en bonne voisine, en chrétienne, ne faites pas la difficile ! Après tout, vous n'êtes que…
— Madame Finnigan, je connais votre amour pour moi et votre grande charité. Mamie m'a prévenue à votre sujet. Votre fils pervers devrait être en prison, elle m'a montré certains papiers compromettants… qui sont en lieu sûr, vous comprenez. Alors, je vous conseille de ne pas essayer de m'intimider. Ne venez plus me déranger. Ne remettez plus jamais les pieds ici. Comparée à vous, ma mère, Molly, était une sainte.

Tara lui claqua la porte au nez. Le caquet rabattu, Pipelette partit en marmonnant.

Il ne restait qu'un semestre de cours. Tara avait décidé de ne prendre aucune décision hâtive avant ses vacances. Elle venait de manquer une semaine de classe. Heureusement, ses notes étaient excellentes et sœur Mary, la supérieure, savait que sa bienfaitrice était morte.

— Ma chère enfant, vous vivez des moments pénibles. Vous êtes notre meilleure étudiante, si vous avez quelque difficulté que ce soit, n'hésitez pas à venir me voir, je trouverai quelqu'un pour vous aider.

Tara en fut touchée, elle avait beaucoup d'estime pour cette femme dynamique et charitable. Elle se remit au boulot et prit les bouchées doubles.

23

Fourberie héréditaire

Pendant toute cette période, Sean n'avait pas donné signe de vie. Ses parents avaient assisté aux funérailles, mais lui brillait par son absence. L'étonnement et la déception avaient laissé chez Tara un goût amer. Heureusement qu'elle avait eu tant à faire! Elle s'était refusée à penser à lui. Le cœur lourd, elle avait repris ses cours. Mamie était décédée, mais Tara n'avait pas changé ses habitudes, elle retournait à Navan le mercredi. Malgré le vide causé par son départ et la blessure qui lui taraudait le cœur, elle avait hâte de revenir chez elle, son oasis. En quittant le collège, elle aperçut Sean. Feignant de se concentrer sur son cartable, elle l'ignora.

— Tara, je t'en prie, je n'ai pas pu être près de toi, j'avais des examens et mon père n'aurait pas toléré que j'en manque un seul.

— C'est très bien, c'est ton choix. Excuse-moi, j'ai à faire.

— Tara, je n'ai presque pas fermé l'œil depuis une semaine, je pense même avoir échoué un examen. Je te voyais partout. Je suis désolé. Tu as toute ma sympathie et… mon amour. Tara, s'il te plaît, regarde-moi, tu dois savoir que je ne mens pas.

Il s'approcha et la prit dans ses bras. Sa vulnérabilité suite aux événements des derniers jours, l'amour qu'elle voyait dans ses yeux, son besoin de tendresse et d'amour… elle se laissa aller.

— Mon amour, viens, allons ailleurs où nous serons seuls.

Habilement, la tenant par la taille, il l'amena dans sa voiture et démarra. Son bras entourant ses épaules, ils roulèrent en silence. Déjà, le cœur de Tara était moins lourd. Quinze minutes plus tard, ils s'arrêtaient dans un coin tranquille. Sortant rapidement de l'auto, il vint lui ouvrir la porte, la serrant contre lui. Il l'em-

brassa et cette bouche chaude, ce baiser doux lui firent oublier tout le reste. Son corps irradiait de chaleur. Le loup avait retrouvé sa brebis ; elle le croyait inoffensif. À cet instant, il l'était, elle occupait toutes ses pensées, il était plus près d'aimer qu'il ne le fut jamais.

Munis d'une serviette de plage, trouvée par hasard sur le siège arrière, ils s'installèrent sous un arbre, à l'écart. Habilement, il la questionna et la digue s'ouvrit… pleurs, confidences… Il l'écouta en silence, l'encourageant à se confier. Elle n'était pas seule, il était là, il allait l'aider à surmonter cette épreuve. Rien ni personne ne l'empêcherait d'être à ses côtés.

— Tara, je t'aime comme un fou, je veux que tu sois ma femme.

Lui prenant le visage entre ses mains, il embrassa son front, ses yeux, passa la langue sur ses lèvres, bécota son cou. La tenant collée contre lui, il avait glissé dans une position mi-assise, mi-allongée. Elle fut surprise par la réaction de son propre corps.

— M'aimes-tu un peu, Tara ? Tu dois me le dire, parce que je deviens fou. Tu occupes chaque seconde de mes pensées.

— Oui, Sean, je t'aime, mais… n'allons pas trop vite.

— Trop vite ? Je t'attends depuis cent ans.

Elle sourit, bien malgré elle.

— Embrasse-moi, ma belle rousse, j'ai faim de toi.

Timidement, elle posa ses lèvres sur les siennes. Il s'en empara. Sa tête se mit à tourner, elle perdit la notion du temps. Il glissa sa main sous sa robe. Surprise, se réveillant, elle le repoussa brusquement.

— Tara, je t'aime tant, je te veux.

— Pas ça, Sean, notre amour ne sera pas galvaudé ainsi.

— Excuse-moi, tu es tellement belle et désirable et tu m'as tellement manqué, j'ai perdu la raison. Pardonne-moi.

— D'accord, maintenant, je dois partir.

— On se reverra ? Tu ne vas pas me laisser tomber ?

— Non, Sean, mais nous devons faire attention, nous avons nos études, et je ne suis pas certaine que tes parents sanctionnent cette relation.

— Quand ils te connaîtront, ils ne pourront s'empêcher de t'aimer.

Ils revinrent à l'école et se séparèrent avec la promesse de se revoir le vendredi soir prochain. Tara se dirigea vers Navan. Elle se sentait mieux, non qu'elle ait oublié sa Mamie, mais elle n'était plus seule. Sean l'aimait, il la protégerait.

Tara avait raison de se méfier des parents de Sean. Elizabeth aussi avait eu vent que son fils avait été vu avec Tara. Son fils avec Tara, la fille de Molly ? Quelle déchéance ! Sans hésitation, elle se précipita dans le bureau de son mari, ce qui lui était strictement interdit, à moins qu'il ne l'y invite. Elle le craignait, il régnait en Jupiter tonnant, mais il y avait urgence. Sous son regard désapprobateur, elle tremblait, mais se redressa et alla droit au but.

— Tu sais que ton fils se promène avec Tara, la fille de Molly. Une traînée !

— Je te ferai remarquer que Tara est loin d'être une traînée… quoique, avec la fille de Molly… on ne sait jamais. Elle est diablement jolie, intelligente, et un corps à faire damner un saint. Sean est un homme en pleine santé. Tu comprends, il tient de son père.

Se passant la langue sur les lèvres, il ajouta :

— Il aime la viande fraîche. Je le comprends, il a bien le droit de prendre son plaisir, c'est normal.

— Si jamais il tombe amoureux, de quoi aurons-nous l'air ? Vois-tu la fille de Molly comme bru ? Nous serions la risée de tous nos amis !

— Ne grimpe pas dans les rideaux, ça n'arrivera pas.

— On ne sait jamais, ils sont sortis ensemble plusieurs fois.

— Elizabeth, ouste, veux-tu ? J'y verrai ! J'ai à faire !

Elle allait ouvrir la bouche, mais son regard assassin la fit déguerpir.

24

Un âne qui se croit un taureau

Oscar Hilliard connaissait chaque mouvement de son fils. Il savait qu'il avait rencontré Tara. Des amis charitables l'avaient taquiné, il en avait ri, mais personne ne le tournerait en ridicule. Connaissant bien l'attrait qu'une femme comme Tara pourrait avoir chez son fils, il réfléchit. Lui-même avait ressenti un tressaillement chaque fois qu'il l'avait vue, il aurait bien aimé l'avoir dans son lit, ne fût-ce que pour un soir. Le vendredi, il devait discuter affaires avec un ami à Dublin, il en profiterait pour rencontrer son fils. Une rencontre entre hommes ! À l'heure du dîner, il rejoignit son fils. Ce dernier fut surpris de le voir, mais très heureux d'aller casser la croûte dans un pub. Après une bonne Guinness, ils se restaurèrent, puis monsieur Hilliard alla droit au but.

— J'ai entendu dire que tu avais une petite amie. J'en suis bien heureux. Un homme a des besoins. Elle est bien, Tara ?

Sean se raidit, les yeux d'acier de son père ne le quittaient pas.

— Oui, papa, Tara est une fille bien et je l'aime… je pense que…

— Écoute-moi bien, mon garçon. La fille de Molly, c'est bien pour s'envoyer en l'air… se soulager… tu comprends, prendre du plaisir. Mais jamais elle ne fera partie de la famille des Hilliard. Tu comprends. JAMAIS !

— Papa, elle ne veut même pas… s'envoyer en l'air… comme tu dis.

— C'est que tu ne sais pas t'y prendre. Je devrais te donner quelques trucs, ton vieux père n'est pas mort. Aucune femme ne m'a jamais refusé.

— Sauf que tu n'irais pas loin avec Tara.

— C'est ce que tu crois? On gage? Je suis prêt à mettre 50 livres.

Sean se mit à rire. Il riait de plus belle. Irrité, son père le regardait.

— Papa, j'ai gagé 50 livres avec Grant que je l'aurais dans mon lit, et j'ai bien peur d'avoir perdu ma gageure et... de plus... je l'aime.

Monsieur Hilliard éclata d'un rire sonore. Donnant une bonne claque sur l'épaule de son fils :

— Tu es le digne fils de ton père, je suis fier de toi. Je comprends que tu aies un faible pour elle, elle n'est pas mal du tout. Mais tu sais bien qu'elle et toi, ce n'est pas possible. Cependant, n'abandonne pas trop vite. Tu peux encore gagner ton pari et, au cas où tu ne serais pas à la hauteur, voici 50 livres. Tu les mérites ! Va t'amuser !

— Merci, papa, je vais faire mon possible et... je comprends.

— Je savais que tu étais un homme de tête, tu iras loin.

Ils se séparèrent. Sean était un peu peiné pour Tara, mais il avait toujours su qu'elle ne ferait jamais partie de leur famille. Monsieur Hilliard, satisfait et fier d'avoir engendré un tel fils, alla rencontrer son ami. Il passa la journée à Dublin et ne reprit la route que vers dix-sept heures. En roulant vers sa maison, il réfléchissait. Le visage de Tara s'insinuait dans son esprit. Il l'avait bien regardée aux funérailles de madame Dever. Incomparable. Son pantalon rétrécissait rien qu'à y penser. Peut-être devrait-il lui faire une petite visite de courtoisie? Homme de décision, sitôt pensé, sitôt décidé. Avant d'avoir eu le temps de se calmer les sangs, il était chez Tara. Jetant un coup d'œil aux alentours, il repéra John Ryan près de son camion avec deux autres hommes. Et puis? John l'aperçut. Il était au courant qu'elle avait été vue avec Sean et n'était pas du tout rassuré. Cette visite ne lui disait rien de bon.

Tara fut très surprise de le voir arriver. Elle n'avait pas eu le temps de se changer. Elle le fit passer au salon et resta debout.

— Monsieur Hilliard, que puis-je faire pour vous ?

— D'abord, je veux vous offrir mes sympathies.

— Mais vous l'avez déjà fait… aux funérailles.

— Ah ! chère demoiselle, vous savez, aux funérailles, il y a tellement de monde qu'on ne voit personne.

Se trouvant très drôle, il se mit à rire. Tara ne riait pas, elle n'était pas rassurée.

— J'ai vu mon fils, hier… il vous aime bien.

— C'est réciproque.

— Je le comprends, vous êtes drôlement jolie et… bien tournée.

Ses yeux la déshabillaient. Un sourire niais au coin des yeux, il ne doutait pas de son charme.

— Vous comprenez, mademoiselle Tara, que vous et mon fils, c'est un peu… vous comprenez ce que je veux dire.

— Je dois être obtuse, parce que je ne vous suis pas du tout.

— Mademoiselle, on dit que vous êtes brillante, ne faites pas mentir les gens. Mon fils et la fille de Molly O'Brien, voyons, c'est un peu ridicule !

— C'est lui qui vous a dit ça ?

— Non, mais on s'est parlé. Il m'a raconté qu'il avait gagé 50 livres avec son ami Grant qu'il arriverait à coucher avec vous. Il n'a pas encore réussi, mais je lui ai dit de ne pas abandonner.

— Vous mentez et vous êtes ignoble, sortez d'ici !

— Je ne mens jamais, mademoiselle, et ne montez pas sur vos grands chevaux, ne faites pas la difficile.

Avant qu'elle ait eu le temps de réagir, il l'avait attrapée par la taille et étendue par terre. Un regard égrillard, des éclairs de feu le parcouraient. Qu'elle était belle ! Il bavait d'anticipation. Elle se débattit, mais avant qu'elle ait pu lâcher un cri, il lui plaqua la main gauche sur la bouche et de l'autre déchira sa blouse. Elle se débattait avec la force du désespoir, mais il était comme une pieuvre affamée. Bouillonnant, il déchira sa petite culotte, baissa sa fermeture et s'apprêtait à la pénétrer quand, dans un ultime effort, elle remonta son genou droit et le lui enfonça de toutes ses forces entre les jambes. Pendant qu'il se tordait de douleur, elle en profita pour se relever. Frémissante d'effroi, elle saisit une statuette en bronze sur le piano et lui en asséna un bon coup à la tête. Le sang jaillit. Terrifiée, elle sortit de la maison en courant. John

Ryan l'aperçut. En deux enjambées, il était près d'elle, suivi de son fils et de Patrick.

Il ne fallut qu'une seconde à John, Paul et Patrick pour comprendre la situation. Tara avait une ecchymose à la joue droite et à l'épaule, sa blouse était déchirée ; à moitié vêtue, l'œil hagard, elle tremblait de tous ses membres.

— Patrick ! Amène-la chez nous et veille sur elle.

Le jeune homme s'élança à l'intérieur, prit une couverture et ressortit. Il enveloppa Tara. Hébétée, celle-ci ne semblait pas comprendre ce qui lui arrivait. Il la prit dans ses bras et la transporta chez les Ryan. Grace faillit s'évanouir en la voyant. En bonne mère, elle prit la situation en main et l'installa dans la chambre de Maggie.

— Patrick, veille bien sur elle, je vais lui préparer quelque chose et je reviens.

À l'intérieur, rouge de colère, Paul souleva Oscar et le saisit à la gorge. L'animal se débattait. Paul l'aurait tué si son père ne s'était pas interposé. John repoussa son fils, saisit monsieur Hilliard par le collet et le plaqua contre le divan. L'homme avait une entaille à la joue droite, une belle entaille. Il guérirait, mais en garderait une cicatrice. John fulminait.

— Maudit animal, maudit cochon, espèce de fumier ! S'attaquer à une jeune fille seule, une bonne fille comme Tara.

— C'est rien que la fille de Molly.

John leva le poing pendant que l'homme essayait de remonter son pantalon.

Paul s'interposa :

— Papa, ne te salis pas les mains sur cette ordure.

— Vous allez me payer ça, vous allez…

John le saisit à la gorge. Blême, le salaud gigotait.

— Papa, lâche-le ! Il ne mérite pas que tu te mettes dans le pétrin. Ça se pense au-dessus de nous, c'est rien que des lâches et des pourris.

— Je vous ferai payer ça !

John s'approcha du goujat.

— Vous ne ferez rien du tout, vous m'entendez ? Rien du tout ! Vous pouvez faire trembler certaines personnes, pas nous. Un âne

qui se croit un taureau ! Nous sommes trois à vous avoir vu ce soir, la culotte baissée et cette pitoyable petite chose sortie, et surtout, trois à avoir vu ce que vous avez fait à Tara. D'ici quinze minutes, tout Navan sera au courant de ce que vous avez essayé de faire. Et vous osez me menacer, maudite charogne ! Du parvis de l'église, je crierai à toute la paroisse quel ignoble individu vous êtes ! Et si jamais vous essayez de toucher un cheveu de Tara, on vous tue ! Vous et votre fils, un autre salaud de votre espèce qui se vante de pouvoir coucher avec elle. Oui, monsieur, tout se sait. Vous vous vantez de vos exploits sexuels. Pauvre idiot ! Sans votre argent, aucune fille ne vous regarderait. Celles qui ont besoin d'argent font les gorges chaudes dans votre dos. Maudit dégoûtant ! Père ignoble, fils pourri ! Tel père, tel fils !

Monsieur Hilliard pâlit. Il n'était pas fou. S'il devait être la risée de Navan, de ses amis, il ne s'en remettrait jamais.

— Monsieur Ryan, j'ai très mal agi et j'ai honte, mais ne me détruisez pas, je vous en supplie ! Dites-moi ce que je dois faire et je le ferai, je vous en supplie.

John le toisa. Cet homme lui donnait la nausée. Il avait une folle envie de le flanquer dehors et de le dénoncer, mais il savait que ce serait peu avantageux. Apercevant le cartable de Tara, il l'ouvrit, en tira deux feuilles et commença à écrire. « Moi, Oscar Hilliard, par la présente reconnais avoir tenté de violer Tara O'Brien à son domicile, le 4 juin 1965, vers dix-sept heures trente. Aucun geste de sa part n'est survenu pour m'inciter à le faire. »

Il en fit deux copies, les fit signer par monsieur Hilliard. Lui-même et son fils signèrent également.

— Paul, va chercher Patrick, il a tout vu, je veux qu'il signe aussi.

— Ce n'est pas nécessaire, vous avez ma signature.

— Je ne vous fais pas confiance ! De plus, je vais faire des copies de ces écrits et les mettre en lieu sûr. Si jamais vous tentez quoi que ce soit pour vous venger de nous ou de Tara, nous serons sans pitié. Pour vous et votre fils, Tara n'existe plus. Vous me comprenez ?

— Monsieur Ryan, je vous jure que je vais oublier cette journée.

— Tara ne l'oubliera pas. Vous, oui, vous n'avez pas de conscience ! Maintenant, fichez le camp d'ici. Vous déshonorez cette maison.

Oscar Hilliard se releva péniblement, s'essuya le visage, sortit, monta dans sa voiture et démarra. Ses testicules encore douloureux, il tremblait de honte et de colère. Comment avait-il fait pour se mettre dans un tel bourbier ? La fille de Molly avait failli le tuer. La garce ! Et eux ! Oser prétendre… une « pitoyable petite chose » ! S'ils étaient apparus dans son champ de vision, il les aurait écrasés. Il écumait de colère. Il avait eu de nombreuses aventures avec des filles ravies qu'il les choisisse. Ses prouesses sexuelles étaient légendaires. Il ne réalisait pas que c'était plutôt les femmes qui contribuaient à ses « succès ». Encore là, elles se moquaient de lui dans son dos. Il payait bien, alors elles flattaient son ego démesuré et sa « verge bourgeon ». Aucune femme distinguée n'acceptait ses avances.

C'est dans un état d'esprit meurtrier qu'il pénétra chez lui. Comme à l'accoutumée, le sourire aux lèvres, Elizabeth accourut à sa rencontre.

— Mon Dieu ! Qu'est-ce qui t'arrive ? Tu es…

D'une gifle retentissante, il l'envoya valser à l'autre bout du corridor.

— Ton fils est arrivé ? Va me le chercher et prépare ma valise.

Terrifiée, elle fit signe que oui de la tête. Il était dans un de ses mauvais jours, elle en avait peur. Elle le connaissait suffisamment pour savoir que quelque chose de très grave s'était produit. Passant dans sa chambre, il se regarda dans le miroir, prit sa douche, lava sa plaie qui saignait encore un peu, appliqua une crème avec précaution et mit un pansement. Il fulminait. Il aurait une cicatrice. Son « beau » visage… abîmé ! S'habillant avec soin, il choisit un pantalon ample, ses bijoux de famille étaient encore sensibles.

Entrant dans son bureau sans jeter le moindre coup d'œil à son fils, il se versa une généreuse rasade de Glenlivet, puis le fixa. Ses yeux étaient de glace. Sean respirait à peine.

— Écoute-moi bien. Si jamais tu revois Tara, si jamais tu lui parles ou que tu t'approches d'elle, je te tue, tu m'entends ? Mainte-

nant, sors de mon bureau, retourne à Dublin et restes-y pour les deux prochains week-ends… disparais avant que j'oublie que tu es mon fils. Tu ne m'as pas vu aujourd'hui. Tu as bien compris ?

— Oui, papa.

— Va-t'en immédiatement !

Il se cala dans sa chaise, avala une autre lampée de scotch, sortit un miroir du premier tiroir et observa sa blessure. Elle lui donnait un air de gangster. Avec un peu d'imagination, il réussirait à concocter une histoire tout à fait plausible… à son avantage. Cette Tara, tout de même ! Il avait essayé d'avoir Molly, lui avait offert une somme appréciable, sans succès, elle l'avait envoyé paître. Quelles femmes ! Quand il sortit du bureau, sa valise l'attendait. La mine basse, Elizabeth se tenait en retrait. D'un air de pitié, il la regarda.

— Je pars pour deux semaines. Tu ne m'as pas vu depuis hier matin, tu m'entends ? Pas vu hier, pas vu aujourd'hui. Si on me demande, dis que je serai de retour le 18 ou le 19. Tu comprends ? Pauvre idiote !

Il claqua la porte et disparut dans un crissement de pneus.

De la fenêtre, Elizabeth le regarda partir, s'assit au bureau de son « maître » et décida qu'un grand verre de scotch s'imposait. Une fois n'est pas coutume ! Cette fois était digne d'être célébrée. Elle sirota lentement la boisson. Quelle sensation de chaleur et de bonheur ! Souriante, elle leva son verre : « À la santé de la merveilleuse femme qui a décoré ta sale gueule ! »

Quand les Ryan et Patrick revinrent à la maison, Maggie et sa mère étaient avec Tara. Celle-ci s'était lavée, elle avait presque réussi à faire disparaître l'odeur du vaurien, mais la honte et l'humiliation ne s'effaceraient pas. Elle portait un pyjama de Maggie et était blottie sous les couvertures. À la demande de Grace, le docteur Fitzsimmons était venu. Il s'était entretenu privément avec Tara. Horrifié de ce que cet homme avait tenté de faire à une si bonne fille, mais lié par le secret professionnel, il lui avait recommandé quelques jours de repos et prescrit quelques calmants, juste pour trois ou quatre jours.

Les hommes entrèrent la voir. Elle les remercia profusément.

— Heureusement que vous étiez là, vous m'avez sauvé la vie. Je pense que je l'aurais tué… j'aurais dû.

— Disons que tu l'as drôlement bien décoré ! Il a de la difficulté à marcher et une jolie balafre sur la joue droite, qui part de l'oreille et descend vers la bouche. Tu l'as marqué pour la vie.

— J'aurais dû le tuer ! Je crois que je vais m'acheter un fusil. Si je le revois, je le descends comme un chien.

25

Oublier ?

John avait fait sortir les autres. Contemplant Tara, il lui prit les mains. Lentement, avec douceur et fermeté, il lui expliqua ce qui s'était passé après son départ.

— Tara, tu viens de vivre la chose la plus horrible, la plus traumatisante qu'une femme puisse connaître. Cet homme ne doit pas ruiner ta vie. Ne lui donne pas ce pouvoir. Crois-moi, tous les hommes ne sont pas des salauds. Tu es une femme exceptionnelle, tu as de belles qualités de cœur et d'âme. Mamie était fière de toi. Tu étais et tu es sa fille, tu as un but. Ne laisse jamais rien ni personne te détourner de ce but.

Tara pleurait doucement. Avec toute la persuasion et l'amitié qu'il avait pour cette jeune femme, qu'il avait vue se débattre pour survivre et fleurir en une rose épanouie, une femme accomplie, il essaya de lui faire comprendre que la haine et la vengeance étaient autodestructrices. En cherchant à se venger, elle ne ferait que se détruire.

— Ne lui donne jamais cette satisfaction ! Ne lui donne jamais ce pouvoir ! À partir de maintenant, cet homme n'existe plus pour toi. Tu n'y penses plus, et s'il effleure ton esprit, tu t'occupes à autre chose. Il est mort pour nous tous et, crois-moi, il fera le mort. Sinon, nous le détruirons. Les hommes de son espèce sont trop lâches pour courir le risque.

— Je n'oublierai jamais cet après-midi. J'ai eu tellement peur, j'ai bien cru…

— Mais tu as réagi et réagi énergiquement, je suis fier de toi. Tu as connu des débuts difficiles, mais tu as vécu de nombreuses années de bonheur. Grace et moi te considérons un peu comme

notre fille. Tu n'es pas seule et tu ne le seras jamais, tu pourras toujours compter sur nous.

Tara le remercia, ferma les yeux et s'assoupit.

Prétendre que cette journée n'avait pas existé était utopique, d'autant plus qu'elle survenait peu de temps après le décès de Mamie. Si elle avait été encore vivante, Mamie aurait tué cet homme. Pauvre Mamie ! Elle l'avait mise en garde contre les Hilliard et… contre Sean. Tara n'avait été pour lui que l'objet d'une gageure. Comme elle avait été stupide ! Il l'avait bernée ! Quelle hypocrisie ! Quel être vil ! Eileen et lui se méritaient. Comment pouvait-on être aussi méchant et passer pour des gens respectables aux yeux de la population ? Ils avaient de l'argent. Mamie lui avait bien expliqué que la richesse, c'est le pouvoir. Quand tu en as, tu n'as pas à avoir raison, les gens *pensent* que tu as raison, et même si tu es un crétin, tu auras toujours raison et tu auras toujours des amis. On se range du côté de l'argent et du pouvoir.

— Mais lorsque, pour une raison quelconque, ces gens perdent leurs richesses, ils se retrouvent seuls. L'amitié qu'on leur témoigne est proportionnelle à l'épaisseur de leur portefeuille et à leurs relations.

— Mamie, jamais je ne voudrais fréquenter de telles personnes.

— Chère Tara, parfois, on n'a pas le choix. Ils font partie de notre environnement, on les rencontre, on leur parle, juste assez pour ne pas faire preuve d'impolitesse.

— Drôle de monde. Heureusement qu'ils ne sont pas en majorité, je désespérerais de l'humanité.

— Bien raisonné. Il y a beaucoup plus de bons que de méchants, ces derniers ne sont qu'une infime minorité. Et leur comportement dépend souvent de leur éducation ; enfants, certains ont subi des sévices, d'autres ont été laissés à eux-mêmes. Il ne faut pas juger les gens quand on n'a pas marché dans leurs souliers. Malgré leurs avoirs, ils sont souvent plus malheureux et plus à plaindre que nous.

Brave Mamie, qui lui avait inculqué la notion du bien et du mal, le comment et le pourquoi des comportements humains.

Le départ et le silence prolongé de sa mère, le décès de son père, le départ de son frère dont elle était sans nouvelles, la douleur de la perte de sa Mamie qu'elle adorait et l'agression dont elle avait été victime auraient découragé à jamais certaines personnes, mais pas Tara. Non pas qu'elle fût imperméable à la souffrance ; au contraire, chaque épreuve avait laissé sa marque. À chaque nouvelle peine, la souffrance qu'elle croyait à jamais oubliée ressurgissait, mais elle possédait la force de la jeunesse pour qui le moindre petit bonheur, l'éclat de rire spontané renvoyaient aux oubliettes la douleur du moment. Les douze années avec Mamie, ces années de bonheur où elle avait grandi, entourée d'amour et de tendresse, ses succès scolaires, le piano qui l'entraînait dans son univers intérieur, l'amitié, la complicité qui l'unissait à son amie Maggie, les plaisirs quotidiens, leurs jeux, leurs projets, leurs rêves, l'énergie de sa jeunesse, tout cela avait fait d'elle une jeune femme capable d'affronter la vie.

Maggie voulut passer la fin de semaine chez Tara. Celle-ci accepta, mais le dimanche matin, elle lui conseilla de partir.

— Tu as ta vie, viens faire un tour plus tard, mais pas pour rester.

Tara s'installa dans la balançoire. John lui avait dit que monsieur Hilliard et son fils étaient partis ; le premier, en voyage d'affaires ; le second, à Dublin. Plus détendue, elle sentit la présence invisible de Mamie. Fermant les yeux, elle les ouvrit presque aussitôt. Mal à l'aise, Patrick se tenait un peu en retrait de la balançoire.

— Je m'excuse, Tara, j'étais inquiet. Je venais voir si tu étais… Je ne veux pas te déranger.

— Patrick, tu ne me déranges pas. Et merci pour hier.

— Ah ! ce n'est rien. Si monsieur Ryan n'avait pas été là, je tuais ce monstre. J'ai encore très envie de le faire.

— Patrick, ne fais pas ça, tu ruinerais ta vie pour lui, il n'en vaut pas la peine. Et merci encore. Veux-tu t'asseoir ?

Il s'avança, replia ses longues jambes et s'installa en face d'elle.

Il ne pipa mot. Le fait d'être là, près d'elle, dans ce jardin, lui suffisait. Elle lui sut gré de sa délicatesse. Son regard embrassait la

cour, il n'avait jamais vu de fleurs aussi belles. Le silence était apaisant. Une demi-heure plus tard, il se hasarda:

— Ce jardin te ressemble, il reflète l'harmonie, la pureté... Excuse-moi.

— Patrick, je t'en prie, ne t'excuse pas. Je sais que tu es sincère.

— Merci, je vais y aller. Si tu permets, j'aimerais venir te saluer de temps à autre, surveiller les environs, je serai discret. Surtout, ne vois aucune mauvaise intention de ma part.

— Jamais je ne te prêterai de mauvaises intentions. Merci, je me sentirai rassurée. Tu seras mon ange gardien.

Il partit. Soudain, il avait des ailes.

Les semaines suivant l'agression furent difficiles. Le souvenir de sa mère refaisait surface. Comme sa présence lui aurait été salutaire! Il restait un mois de cours avant la fin de sa troisième année d'études en sciences infirmières. Elle n'avait pas eu le temps de faire son deuil du décès de Mamie que monsieur Hilliard avait essayé de la violer et son fils, Sean, avait conquis son cœur pour indirectement la violer aussi. Heureusement que les Ryan étaient à ses côtés. Les mercredis et les fins de semaine, malgré ses réticences, ils insistaient pour qu'elle soupe avec eux. Cette maison débordante d'amour et de joie de vivre était ce dont elle avait besoin.

Maggie ne lâchait pas Tara d'une semelle, elle faisait tout pour lui changer les idées. L'enfant espiègle, vibrante était devenue une jeune fille qui mordait dans la vie. Elle entraînait son amie dans ses rêves, ses projets. Elle voulait goûter à tout, elle voulait...

— Tara, tu te rappelles, on avait parlé d'un voyage... au Canada.

— Oui, et le Canada est toujours aussi froid.

— Ma tante Jen écrit toujours que c'est un beau pays, très beau même.

Patrick venait la voir régulièrement, son amour pour elle ne s'atténuait pas, au contraire. Mieux il la connaissait, plus il l'aimait. Il ne restait jamais longtemps, elle appréciait sa discrétion. Quel homme bon et généreux!

Le 5 septembre avait lieu le mariage de Paul, le frère de Maggie, avec son amie d'enfance, Shauna Sullivan. Patrick était son témoin

et il avait demandé à Tara de l'accompagner. Elle n'avait pas le cœur à la noce, mais les Ryan étaient sa deuxième famille, elle tenait à leur être agréable. Alors, elle accepta.

Maggie et elle avaient acheté leurs robes à Dublin. Comme toujours, Tara avait opté pour la simplicité et, comme toujours, elle dégageait une séduction particulière. Svelte comme une panthère, elle dégageait un amalgame inconscient de toutes les séductions ; en la voyant, un léger frémissement avait parcouru Patrick, son cœur avait été frappé d'arythmie. Quand elle s'avança à son bras, tous retinrent leur souffle. Un vrai Adonis, élégant, Patrick avançait fièrement à ses côtés. Il n'avait d'yeux que pour elle ; les autres filles n'existaient tout simplement pas. Tara, qui avait appris à le connaître et à l'aimer, un amour tendre, sans étincelles, fut un peu troublée en le voyant. C'était bien le plus bel homme de la ville et un des meilleurs, le compagnon de vie idéal.

Tout Navan était présent, sauf monsieur et madame Hilliard, la tante de Shauna. Malgré une réticence viscérale d'Eileen, Sean avait insisté pour assister au mariage. Il voulait revoir Tara, son souvenir le hantait, ses pensées le taraudaient. Eileen et lui se tenaient un peu à l'écart. Malgré une robe sortie de l'atelier d'un grand couturier, son étoile pâlissait devant Tara. On l'ignorait. Sean avait aperçu Tara dès son arrivée. Au fond, il la cherchait des yeux. Son corps eut un choc en la voyant, il fut la proie de ses sens, en extase devant l'objet de ses désirs. Il soupira de regrets. Quelle déesse ! La robe moulait ses rondeurs, elle était encore plus belle qu'à leur dernière rencontre. Il la regarda comme s'il la voyait pour la première fois. Eileen lui serra la main. Il n'aimait pas cette jeune femme, il ne l'aimerait jamais, mais allait l'épouser. Le père d'Eileen était avocat. Assez jolie, élégante, femme du monde, elle serait un atout pour sa carrière, mais il n'éprouvait pour elle aucune passion. Elle était habile, calculatrice, elle savait lui faire plaisir. Trop habile ! Trop calculatrice ! Trop superficielle !

Tara ne l'avait pas vu, mais elle l'avait deviné. Elle se raidit. Patrick appliqua une légère pression sur son bras et murmura :

— Tara, ne crains rien, je suis avec toi, c'est une belle journée.

Reconnaissante, elle lui sourit. Sean n'avait rien manqué de cet échange affectueux ; sans entendre, il avait compris et son cœur

se serra. Tara ne le regarderait plus jamais de cette façon, il ne connaîtrait jamais plus la douceur de son amour. Dans la soirée, elle dansa à deux reprises avec Patrick ; leur couple attirait l'attention. Il la buvait des yeux.

Quand enfin les yeux de Sean croisèrent ceux de Tara, le regard de celle-ci, froid comme une lame de poignard, l'écrasa de son mépris. Il baissa les yeux. Comme elle le détestait ! Pourtant, il ne lui avait rien fait… son père… Il avait entendu des rumeurs… son père aurait tenté de la séduire… Les yeux de la jeune femme ne mentaient pas. Il la dégoûtait. D'un coup, il se leva et se précipita vers la sortie. Eileen le suivit. En tentant de le rattraper, son pied rencontra le pied d'une chaise et elle s'étendit de tout son long. Des rires étouffés et un silence ! Humiliée, le visage inondé de pourpre, chancelante, elle se releva sans un regard et quitta la salle. Tous avaient été témoins de la scène.

Maggie, l'ineffable Maggie, avait le fou rire, elle faisait des efforts surhumains pour ne pas rire aux éclats. Peine perdue. Elle riait de toutes ses dents ! Sa mère lui lança un regard assassin, mais elle n'y pouvait rien. C'était la Maggie de toujours, celle des dix-huit dernières années. Mamie disait que ces deux-là riaient tellement qu'elle était surprise qu'elles puissent être sages au couvent. Tara ne put résister longtemps, une hilarité générale s'empara de la table. On toussa, essayant de masquer le bruit des rires, mais rien n'y fit. Maggie avait ce qu'elle appelait souvent *a giggle attack*, une attaque de fou rire ! Finalement, elle se tourna vers Tara et, avec le plus grand sérieux, déclara :

— Je n'ai jamais assisté à une si belle noce ! Non seulement mon frère et Shauna forment un couple formidable, mais on a eu droit à une danse solo, un vol plané de la belle Eileen. Tara, il y a un bon Dieu !

On se remit à rire de plus belle. Tara essayait de reprendre son sérieux.

— Arrête, Maggie, c'est assez ! On va avoir des ennuis.

— Des ennuis ? On connaît ça ! Et je viens d'inventer un nouveau mot pour cette sorte de danse, le *glide and slide*, c'est génial.

Les gens se remirent à danser, sauf Tara et Patrick. Tara se sentait bien, elle ne se désolerait certainement pas de voir son ancienne tortionnaire humiliée en public, elle ne pleurerait pas sur son sort. Sean et Eileen ? Ils se méritaient. « Qui se ressemble s'assemble. »

Patrick la raccompagna, elle lui demanda de rester. Ils s'installèrent côte à côte dans la balançoire. Patrick était ivre de bonheur et Tara se sentait bien. Un peu plus tard, elle mit sa main sur la sienne puis ils entrèrent. Il était temps de partir, mais quand il s'approcha pour lui souhaiter bonne nuit, elle le regarda dans les yeux. L'amour qu'elle y lisait la bouleversa ; jamais elle ne rencontrerait un homme plus généreux, plus noble et plus aimant. Cette journée de célébration, la douceur de Patrick, le manque d'affection, tout cela la poussa dans ses bras. Lentement, elle approcha ses lèvres de sa bouche et l'embrassa. Doucement, tendrement, il l'enlaça. Son corps était en feu. Le désir les consuma, elle le guida vers son lit. Il hésitait.

— Tara, tu sais comme je t'aime, je donnerais ma vie pour toi, mais je ne veux pas profiter de...

— Patrick, il n'y a au monde aucun autre homme avec qui je veux faire l'amour. Si tu me veux, je suis à toi, j'ai besoin de toi.

Il la déshabilla, sans jamais la brusquer, osant à peine regarder ce corps qui s'offrait à lui. Le désir le submergeait. Quand elle le toucha, il crut mourir. Ses yeux qui ne la quittaient jamais exprimaient ce qu'il ressentait. Elle était vierge, il lui fit l'amour en douceur, son corps répondit à sa passion. Quand ils se séparèrent, il la regarda avec vénération.

— Tara, tu m'as donné le plus beau cadeau de toute ma vie. Jamais, jamais, je ne revivrai pareil bonheur, et je sais que cela ne t'engage en rien envers moi. Tu sais que je t'aime et je vais continuer à veiller sur toi. Si tu décides que tu veux de moi, j'en serais très heureux.

Sur ces mots, il se leva, se rhabilla, lui posa un baiser sur le front et partit.

Tara se leva, verrouilla la porte, prit sa douche, se rendit à la cuisine, se prépara une tasse de thé, l'apporta dans son lit et réfléchit. Elle se sentait bien, mieux qu'elle ne s'était sentie durant les

six derniers mois. L'amour avait été bon, même très agréable, peut-être pas passionné. Elle avait conjuré ses démons. Jeune encore, son corps avait des besoins et elle avait été comblée. Elle ne doutait pas de son amour, mais elle n'était pas prête à s'engager définitivement. Ils se reverraient, sortiraient ensemble et plus tard, qui sait? Elle ne voulait surtout pas se marier avant cinq, six ans et elle ne voulait pas prendre le risque de tomber enceinte. Il n'y avait aucun danger pour cette fois, elle n'était pas dans sa période d'ovulation. Après cette soirée mémorable, Tara reprit ses études.

Presque chaque fin de semaine, Patrick venait la voir. Ils n'avaient pas reparlé de cette soirée, mais une certaine tendresse s'était établie entre eux. Patrick l'embrassait en arrivant et avant de repartir, mais ils en restaient là. Il la désirait toujours et l'aimait plus que jamais. Phase prémonitoire! À la fin septembre, Tara constata qu'elle n'avait pas eu ses menstruations. Au début, elle ne s'en fit pas, tant de choses étaient survenues. Cependant, deux semaines plus tard, l'inquiétude fit place à la panique. Mi-octobre! Elle ne pouvait nier l'évidence.

26

La fatalité

Tara était enceinte. Les signes parlaient d'eux-mêmes ; ses seins étaient plus gros, elle avait souvent sommeil et mangeait plus qu'à l'ordinaire. Le destin s'acharnait sur elle. Quand Patrick vint la voir le vendredi soir, elle était au salon. Frappé par le drame qu'il lisait dans ses yeux, effrayé, il vint vers elle et se prosterna à ses pieds.

— Tara, qu'est-ce qui se passe ? Tu es souffrante ?

— Patrick, assieds-toi à mes côtés. Nous avons un gros problème. Je n'irai pas par quatre chemins. Je suis enceinte de six semaines… Je regrette. J'étais certaine que je n'étais pas dans mon cycle d'ovulation. Je suis infirmière, j'aurais dû savoir que parfois…

— Chut ! Chut ! Je suis désolé, pas parce que tu portes mon enfant. Cela me comblerait de joie si tu en étais heureuse, mais tu as de la peine. Ça change tes projets, ta vie… et tu ne m'aimes pas… C'est ma faute…

— Ah ! Patrick, je t'aime. Peut-être pas à la folie, mais je t'aime. Tu es l'homme que je voudrais comme père pour mes enfants, mais c'est trop tôt.

Il la prit dans ses bras et la berça longuement. Depuis qu'elle avait eu la certitude d'être enceinte, elle avait beaucoup réfléchi, mais…

— Tara, que désires-tu ? Je suis prêt à t'épouser tout de suite, demain si tu le veux. Ce ne sera pas un problème et, crois-moi, ce ne sera pas un sacrifice. J'aimerais que notre enfant ait un père et une mère. Si tu as autre chose à me proposer, je ferai tout ce que tu voudras. Dis-moi…

— Je ne veux pas que tu sois obligé de m'épouser, je ne veux pas…

— Obligé ? Tu veux rire ? J'ai vingt-quatre ans, je suis un homme bon, je le pense, mais personne ne me fait faire ce que je ne veux pas faire. Je t'aime depuis toujours et je n'aimerai jamais une autre femme.

Tara le regarda, ils avaient peu d'options. Comment avait-elle pu être aussi insouciante ? Une vie s'éveillait en elle et elle ne voulait pas que cet enfant vienne au monde sans père.

— Que vont penser tes parents ? Tu t'imagines, la fille de Molly, comme on m'appelait quand j'étais petite ! Telle mère, telle fille !

— Non, tu ne seras pas la fille de Molly, mais la femme de Patrick Delaney et on te respectera, sinon on aura affaire à moi.

Il mit un genou à terre et, la regardant dans les yeux :

— Mademoiselle Tara O'Brien, me feriez-vous le grand honneur de m'épouser ?

Les larmes aux yeux, elle répondit :

— L'honneur est pour moi, monsieur Delaney !

Rassérénée, elle alla préparer du thé et ils s'installèrent dans la cuisine. Il fut convenu qu'ils iraient rencontrer le père Walsh, dès le lendemain. Tara lui confia qu'elle souhaitait continuer son cours pendant quelques mois et peut-être demeurer dans sa maison pendant un mois ou deux, afin de laisser à sa famille le temps de se faire à l'idée qu'ils étaient mariés.

— Il vaut mieux y aller en douceur, ce serait peut-être préférable de ne pas en parler. Pas tout de suite.

— Se cacher ? Tara, jamais ! J'aurais honte de me montrer avec toi ? Tara, je ferai tout pour toi, mais je veux me promener et… le soir, j'aimerais bien coucher avec ma femme.

Elle le regarda, il était un homme de conviction, un homme qu'elle pourrait respecter. Un petit sourire se dessinait au coin de ses lèvres.

— Tu veux exercer tes droits…

— Ah Tara ! ne t'inquiète pas, je ne te forcerai jamais.

Elle le taquinait et il se sentit soulagé. Elle lui parla de son héritage.

— Je vais épouser une femme riche ! C'est ton argent qui m'attire.

Patrick insista pour qu'ils aillent chez son notaire le lundi suivant. Il signerait un document établissant que l'argent dont Tara disposait avant son mariage lui appartiendrait après le mariage. Lui ne pourrait jamais y toucher sans son consentement. De plus, il ferait son testament, il voulait qu'elle et leur enfant soient protégés, si jamais il lui arrivait quelque chose.

— Mais je refuse ! Tu n'es pas à l'article de la mort, que je sache…

— Et je n'ai pas l'intention de mourir, mais ceci n'est pas négociable, Tara. Tu vas être ma femme, nous aurons une ribambelle d'enfants (elle le regarda, horrifiée). Je t'aimerai toujours comme un fou… et…

— Et… quoi encore ?

— Commence par embrasser ton futur époux.

— Patrick, demain nous irons chez le père Walsh, et je sais comment faire taire ses scrupules. Une enveloppe bien garnie fait toujours des merveilles, non pas qu'il soit vénal… Je vais la préparer ce soir.

— Ma future femme, qui veut soudoyer un prêtre !

— Tu sais, le père Walsh est un bon prêtre. Mamie disait qu'il est le premier à s'être vraiment rapproché des gens. Il est humain, il aide sa sœur malade. Qu'il lui achète de la nourriture, des vêtements, qu'il paie ses médicaments ou même s'il se permettrait quelques petites douceurs, ça ne me dérange pas.

Le lendemain, ils s'étaient rendus au presbytère. Dès qu'il s'était approché pour leur serrer la main, Tara lui avait glissé une enveloppe. D'abord surpris de les voir arriver ensemble, puis étonné de leur désir de se marier au plus tôt, il avait compris leur dilemme.

— Le mariage sera célébré samedi prochain à sept heures, dans la petite chapelle. Vous êtes deux bonnes personnes, il arrive parfois des « accidents », mais je connais Tara depuis plus de quinze ans et vous aussi Patrick. Je serai toujours à votre disposition si vous avez besoin de moi.

Les bruits couraient que Tara avait hérité une grosse somme d'argent. Les gens spéculaient et on faisait attention à ne pas la froisser.

27
La famille Delaney

Patrick était le fils de Wayne Delaney, un propriétaire terrien prospère, soixante hectares, éleveur de bœufs et cultivateur. Il avait subi un accident vasculaire cérébral l'année précédente et ne s'était pas rétabli. Son cœur ne tenait qu'à un fil. Père de trois enfants, deux filles déjà mariées et un seul garçon, Patrick. Après son AVC, son père avait fait son testament. Ayant assuré la sécurité financière de sa femme, Myra, il avait laissé une somme d'argent « appréciable » à chacune de ses filles, Shannon et Sandra. Patrick héritait de la terre, du cheptel bovin et de toutes les dépendances. Il n'y avait pas meilleur fils : débrouillard, respectueux, gros travailleur. Après son secondaire, il avait étudié en agriculture et pris les rênes de la propriété, entrepris certaines innovations, augmentant ainsi la productivité. Secondé d'un bon régisseur et de quelques occasionnels, Patrick veillait à tout. Moins rigide que son père, mais tout aussi rigoureux, il ne tolérait aucune bêtise.

Madame Delaney, bonne mère et excellente ménagère, adorait ses enfants et son mari. Celui-ci était exigeant ; il n'avait pas toujours été un mari facile, mais il avait toujours été juste. Sa maladie la peinait beaucoup. Shannon ne demeurait pas très loin ; madame Delaney la voyait régulièrement et avait très hâte d'être grand-mère. Sandra, moins malléable, plus contestataire, était allée travailler en Angleterre, y avait rencontré un garçon, Acton Smith, qu'elle avait épousé. Monsieur Delaney aimait ses enfants. Toutefois, Patrick avait une place de choix dans son cœur. Ce fils lui faisait honneur et il en était fier.

La mère de sa femme, madame Coughlan, était venue habiter avec eux. Très croyante, un peu fanatique même, sur les conseils

de monsieur Delaney, elle gardait ses bondieuseries pour elle, faisait ses dévotions dans sa chambre. Elle sortait peu, sauf pour aller voir madame Ladyluck. Elle croyait fermement tout ce que cette femme lui disait et elle la consultait au moins deux fois par mois. Madame Delaney avait essayé de la raisonner, mais sans succès. Toujours prête à se rendre utile, elle ne se mêlait jamais des affaires familiales. Elle idolâtrait Patrick, elle ne reculerait devant aucun sacrifice pour lui.

C'est grâce à elle que Mark Miles était devenu homme à tout faire ; lui se disait régisseur. Un jour, en revenant de l'église, madame Coughlan l'avait découvert à moitié mort dans un fossé. Son âme de missionnaire avait tressailli de pitié. Insistant pour le soigner, elle avait payé le médecin et les médicaments, et l'avait installé dans un minable cagibi à côté d'un hangar. Un lit, une commode, une vieille berçante ; avec zèle, elle l'avait soigné. On l'avait tabassé, son visage était tuméfié, méconnaissable. Il avait subi deux fractures, le tibia et l'os de la joue, en plus de multiples contusions. Il était demeuré entre la vie et la mort pendant plus d'une semaine. Madame Coughlan avait rarement laissé son chevet. C'était son devoir de chrétienne ; son chapelet ne la quittait jamais et on l'entendait souvent murmurer des *Ave*. Quand Mark avait repris connaissance, elle l'avait nourri à la cuillère d'abord, puis aidé à s'asseoir. Patrick était venu lui rendre visite ; quand il avait été en mesure de se lever et de parler, Mark lui avait raconté sa vie. Enfant victime d'abus, il avait dû se battre pour survivre. Oui, il avait pris de la drogue, mais il n'avait jamais volé ou tué personne. Dès qu'il serait rétabli, il pourrait travailler pour leur rendre ce qu'il leur devait.

— Vous ne me devez rien, c'est ma grand-mère qui a pris soin de vous. Elle vous a soigné jour et nuit pendant que vous étiez sans connaissance. Elle a payé pour tout, c'est elle que vous devrez remercier, pas moi.

— Alors, c'est un ange. Mais vous êtes le propriétaire, alors je vous remercie aussi.

À partir de ce jour, il voua une reconnaissance sans borne à sa bienfaitrice. Elle était une sainte !

— Vous êtes la première personne à me traiter comme un être humain. Vous êtes un ange, c'est certain.

— Vous êtes un brave homme, vous n'avez pas eu de chance, mais je vais vous aider à vous remettre sur pied. Si vous voulez travailler ici, je vais essayer d'arranger ça. Vous saurez vous rendre utile. Ceci n'est qu'une petite remise, ce n'est pas très grand.

— Madame, c'est un château et vous êtes une reine.

Madame Coughlan ne pouvait rester insensible à tant d'admiration.

Dès qu'il avait pu marcher, Mark avait su se rendre utile. Pas très grand, une taille allongée et épaisse, un front large, le visage en galoche, nez écrasé, il ne payait certainement pas de mine ; pas un Einstein non plus. Il fallait tout lui expliquer dans les moindres détails. Il souffrait d'un tic nerveux : quand il était inquiet ou fatigué, son œil gauche clignait. Patrick affirmait que Dieu faisait des heures supplémentaires juste pour lui. Doté d'une force herculéenne, il était dévoué corps et âme à madame « Kâkline ». Il voulait tellement plaire à sa bienfaitrice et rester chez elle qu'il s'appliquait à la tâche et ne monnayait pas son temps. Il apprit à faire ce qu'on lui demandait et il le faisait bien. Debout à l'aube. Patrick dut le semoncer pour qu'il se repose un peu et exigea qu'il vienne manger à table avec eux, mais il refusa. Il s'était fabriqué une petite table, allait chercher son assiette, son thé et mangeait seul.

Deux jours plus tard, Patrick revint avec un petit chien, il était plutôt mal en point, il boitait, une hanche n'avait plus aucun poil et il était très agité.

— Mark, j'ai pensé que tu aimerais avoir un compagnon. Il n'est pas très beau, il a besoin de soins, mais si tu le veux, il est à toi.

Mark se jeta au pied de Patrick et pleura.

— Merci ! Merci ! Il est comme moi, un peu abîmé, mais je vais le soigner. Pour la première fois de ma vie, j'ai un chez-moi, des gens qui sont bons pour moi, je suis heureux. Que le bon Dieu vous bénisse à jamais. Viens, Sunshine !

Patrick s'éloigna en souriant. Mark commençait à employer les expressions de sa grand-mère. Pourvu qu'il ne décide pas de faire

un prêtre, une éclipse complète et permanente du soleil était possible. Sunshine ? Même le soleil serait insulté !

Après la visite au père Walsh, Patrick avait tenu une réunion de famille pour annoncer son mariage très prochain. Il avait d'abord parlé à son père. Même s'il était paralysé, son cerveau n'était pas affecté et il voulait le bien de son fils.

— On dit que c'est une bonne fille, mais c'est la fille de Molly. Tu as du foin plein les bottes. C'est peut-être ça qu'elle veut ? Tes biens ?

— Pauvre papa, madame Dever lui a laissé une petite fortune, elle n'a pas besoin de mon argent.

Sa mère lui tint le même langage. Elle l'aimait tellement, elle craignait qu'il soit malheureux. Cette fille ?

— Maman, je l'aime depuis l'âge de sept ans, je n'aimerai jamais une autre femme, je suis heureux qu'elle veuille de moi.

Sa grand-mère s'était écriée :

— Qu'elle veuille de toi ? La fille de Molly O'Brien ?

Patrick s'était levé et, la fixant dans les yeux :

— Grand-mère, je vous aime beaucoup, mais ne répétez plus jamais ça dans ma maison. Vous aimez vivre avec nous ? Vous comprenez ? Vous me faites de la peine. Tara me fait l'honneur de m'accepter comme époux et je veux qu'elle soit traitée avec respect. J'espère que je me suis bien fait comprendre. Je ne le répéterai pas.

Il se leva et sortit. Elle s'éloigna en maugréant. Son petit-fils et cette fille ! Quel déshonneur ! Elle l'avait ensorcelée, c'est tout.

Madame Coughlan se réfugia dans sa chambre. Elle était dans tous ses états. La fille de Molly O'Brien ? Épouser son petit-fils ? Des petits-enfants de cette fille ? Les gens allaient faire des gorges chaudes. Non ! Impossible ! Elle enfila un chandail et sortit. Elle devait consulter madame Ladyluck. Elle seule pouvait l'aider. Elle se dépêcha et arriva tout essoufflée. Cette dernière la reçut à bras ouverts.

— Pauvre madame ! Que vous arrive-t-il ? Vous n'êtes pas malade ?

— Ah ! madame ! c'est bien pire que ça, je suis au désespoir.

— Racontez-moi tout, ne me cachez rien. Je vais vous faire une bonne tasse de thé et après, j'essaierai de vous aider.

— Merci ! Merci ! Je savais que je pouvais compter sur vous.

Sur ce, elle fit chauffer le thé et s'appliqua à soutirer à madame Coughlan tous les renseignements qu'elle voulait. Quand celle-ci se taisait, elle l'encourageait à continuer. Elle portait toujours la même robe noire et sa tête disparaissait sous le vieux foulard rouge. L'intérieur n'était pas plus propre que le jour où elle avait reçu Tara et sa Mamie. Madame Coughlan était inconsciente de l'incongruité du lieu. Cette dame si propre était complètement obnubilée par la vendeuse de mensonges. Enfin, le thé chaud fut versé et madame Ladyluck s'installa devant sa table branlante. Allumant deux bougies, elle se ferma les yeux et, pendant que madame Coughlan buvait avidement son thé, elle se lança dans une sorte de mélopée lugubre, sa voix rocailleuse montait et descendait pour s'éteindre dans un souffle comateux. C'était tellement inhabituel que madame Coughlan faillit se brûler. La voyante devait percevoir des choses étranges ! S'étouffant presque en buvant le reste de son thé, elle déposa la tasse devant sa voyante.

Avec une lenteur calculée, madame Ladyluck prit la tasse et la tourna en tous sens. Cette situation exigeait du doigté, il fallait que le poisson sente un besoin impérieux de revenir, de mordre à l'hameçon. D'un ton monocorde, elle se lança.

— Madame Coughlan, cette situation est très grave, je vois des choses, des choses, pas très…

— Oui ? Oui ? Que voyez-vous ?

— Chuuuuut ! Des événements graves ! Une jeune femme ! Je la vois ! Elle va vous nuire !

— Une jeune femme rousse ?

— Des cheveux de feu. Elle est puissante… Attention, elle veut vous… C'est horrible… Je crains pour vous…

Elle continua ainsi pendant une vingtaine de minutes, prononçant des mots mais ne disant rien de concret, puis elle s'effondra sur la table, qui faillit ne pas survivre.

Mi-assise, mi-debout, la bouche ouverte, les traits tirés, les yeux exorbités, la respiration saccadée, madame Coughlan était pendue à ses lèvres.

— Je ne peux plus continuer, vous reviendrez la semaine prochaine.

Quand madame Coughlan arriva à la maison, elle était tellement bouleversée qu'elle entra en collision avec son protégé. Le visage de Mark s'éclaira en la voyant, puis constatant sa mine défaite, il la prit par le bras, la conduisit à son « château » et la fit asseoir.

— Ma bonne madame, êtes-vous malade ?

— Non, mais j'ai appris une bien mauvaise nouvelle.

Et à cet homme gagné d'avance à sa cause, elle raconta ce qui arrivait à son Patrick. Une femme dangereuse, une femme de mauvaise vie avait mis le grappin sur lui et il allait l'épouser. Cette fille ne voulait que le nom et l'argent des Delaney. Elle était découragée. Patrick avait même menacé de la mettre à la porte si elle parlait contre celle qui voulait devenir sa femme.

Mark ne saisissait pas tout ce qu'elle disait. Pas très malin, il comprenait que cette Tara voulait du mal à son ange gardien et à Patrick. Ça, il ne le permettrait pas.

— Ma chère madame Kâkline. Ne vous tracassez plus, je ne la laisserai pas vous chasser. Faites-moi confiance, je serai là pour vous.

Tara ? Il n'en ferait qu'une bouchée. Madame Coughlan se sentit comprise et appuyée, elle avait un allié. Elle retourna à la maison, s'enferma dans sa chambre et alluma trois lampions.

28

Dénouement inévitable

Le mariage de Tara et Patrick fut célébré le 19 octobre devant les familles Delaney et Ryan. Seul le père de Patrick était absent. Les Ryan étaient un peu déçus, mais aussi très heureux qu'elle épouse un homme tel que Patrick. Elle avait dix-neuf ans, se sentait mal à l'aise, mais Patrick ne l'avait pas lâchée d'une semelle, il était au septième ciel. Les Delaney avaient préparé un déjeuner et, pour la première fois, Tara entra dans ce qui allait devenir sa maison. Monsieur Delaney demanda à la voir. Il était très faible, mais tenait à rencontrer la femme de son fils. Il la regarda longtemps et elle soutint son regard. Lui souriant, elle s'avança tout près de lui. Faisant signe à Patrick de partir, elle tira une chaise, s'approcha, elle lui toucha les mains, lui raconta sa vie. Elle lui parla de Mamie, de ses années au couvent, de son amour du piano, de ses études d'infirmière et de monsieur Hilliard, puis elle se tut.

— Êtes-vous enceinte, madame Delaney?

— Oui, et je n'ai jamais couché avec un autre homme. J'ai peut-être une excuse, la mort de la seule femme qui m'ait traitée comme sa fille, la vacherie de ce monstre, la peine, le besoin d'affection, l'amour que votre fils me porte depuis que je suis enfant, mais c'est ma faute. Je suis en troisième année d'études comme infirmière, je suis financièrement à l'aise, je suis une fille respectable. Je n'ai besoin ni de titre ni d'argent.

— Aimez-vous mon fils?

— Pas aussi passionnément que lui m'aime, mais je l'aime aussi. C'est un homme bon et honnête, et je vais essayer de le rendre heureux.

Sur ces mots, elle le salua et se leva.

— Bienvenue chez vous ! Et revenez me voir, madame Delaney.

La mère de Patrick la reçut à bras ouverts ; Shannon aussi. Elle adorait son frère et connaissait son amour pour Tara. Son bonheur lui suffisait. Sandra était plus sceptique, elle avait des réserves, elle aussi aimait son frère, il l'avait tirée de mauvais pas à quelques reprises, mais elle gardait les yeux ouverts. La grand-mère fut très réservée. Elle s'arrangea pour ne pas lui adresser la parole. Tara ne fut pas dupe et, prenant le bras de Patrick, elle s'avança vers elle. Madame Coughlan fit mine de ne pas la voir, mais Patrick l'interpella.

— Grand-maman, tu viens saluer ma femme ? Je sais que tu meurs d'envie de la connaître, n'est-ce pas ?

Les yeux fixés sur elle, Patrick entoura Tara de son bras droit et s'approcha.

— Tara, je te présente ma grand-mère, elle demeure avec nous depuis de nombreuses années, je pense qu'elle se trouve bien ici.

La menace était à peine voilée et elle eut peur.

— Bonjour, mademoiselle Tara,

— Madame Delaney, grand-maman.

— Excusez-moi, je n'ai pas l'habitude.

— Ne vous en faites pas, je devrai m'y habituer moi aussi.

Il était presque midi quand ils repartirent. Ils avaient décidé d'aller faire un tour à Dublin, de se promener en ville puis de souper dans un bon restaurant. À vingt heures, ils étaient de retour à la maison de Tara. Elle soupira d'aise et il se sentit bien lui aussi. Déballant sa petite valise, elle la mit dans la chambre de Mamie, qui était maintenant la sienne. Après le décès de cette dernière, elle n'avait pas voulu garder le lit dans lequel celle-ci était décédée et en avait acheté un neuf. Madame Ryan lui avait offert de ramasser les vêtements et tous les effets personnels de sa Mamie. Tout avait été donné aux pauvres. Aidée de Maggie, elle avait acheté une nouvelle literie complète.

— Enfin seuls. Je suis content d'être chez toi.

— Chez nous ! Je suis ta femme et moi aussi, je suis contente que nous ayons cette oasis pour nous. Nous sommes seuls et plus

à l'aise pour nous adapter à notre nouvelle vie, nous parler… et…

Elle se leva pour préparer un thé, mais il la serra dans ses bras et la porta dans la chambre. Il lui enleva ses souliers, remonta les oreillers, lui donna un petit bec sur le front et la força à s'allonger.

— Madame Delaney, vous devez être fatiguée, alors votre mari va vous faire un bon thé pendant que vous vous reposez.

En moins de deux, il revenait avec une tasse de thé, quelques biscuits et une petite fleur dans un petit verre, le tout sur un plateau. Elle se mit à rire.

— Tu vas me gâter, je ne voudrai plus me lever.

— Ce n'est qu'un début, tu vas voir ! Je vais te rendre heureuse.

Il alla se chercher une tasse, s'assit au pied du lit. Ils se sentaient bien.

Tara entendit un grattement à la fenêtre, suivi de rires. Patrick sursauta.

— Ne t'en fais pas, c'est Maggie. Va répondre.

Quand il ouvrit la porte, Maggie, Jack, Paul, Shauna et un autre couple, des amis de Patrick, entrèrent. Ils apportaient de la bière, ils avaient déjà commencé à fêter.

— C'est un mariage ou quoi ici ? Un mariage ? On fête ! Tara, lève-toi, paresseuse, tu dormiras demain.

Tara vint s'asseoir au salon et la fête commença. Maggie conduisit Tara au piano, elle se mit à danser une gigue irlandaise, on tapait des mains et des pieds, puis d'une voix forte, elle annonça :

— Maintenant, un *glide and slide* à la Eileen !

Elle se laissa glisser sur le plancher et, d'un air de dignité offensée, se releva, secoua son postérieur, passa sa main dans ses cheveux, ajusta sa robe, jeta un regard méprisant à la ronde et, les fesses serrées, se dirigea vers la porte. Tous les autres étaient suspendus à ses gestes. Cette mimique, cette réplique parfaite de l'incident Eileen déclenchèrent un éclat de rire général. S'ensuivit une suite d'anecdotes, d'histoires ; le temps filait, on s'amusait ferme. Patrick et Tara étaient heureux, ils célébraient leur mariage en compagnie de leurs amis. Jamais ils n'oublieraient cette journée. Un peu avant minuit, Patrick se dit que sa Tara devait être fourbue, elle était enceinte et…

— Les amis, vous avez été formidables, mais je dois vous demander de partir. Il est tard, ma femme a besoin de se reposer et je veux...

— Oui, oui, on sait ce que tu veux, on va y aller... Il faut...

Sitôt la porte fermée, Tara et Patrick se regardèrent en souriant. La maison était vivante, vibrante de plaisir. Tara se laissa guider vers leur chambre. La douche fut expédiée en vitesse. Ils se glissèrent sous les draps.

— Tara, dors mon amour, tu es fatiguée, nous avons toute la vie...

Il s'éloigna, mais elle se serra contre lui. Il la prit dans ses bras. Son corps était en feu, fou de désir.

— Tara, je ne pourrai jamais me retenir, si tu te colles contre moi.

— Patrick, c'est notre nuit de noces et tu vas me faire l'amour.

Il ne se fit pas prier. Il l'aimait tellement, il pensait que son cœur allait éclater. Il lui fit l'amour tendrement, passionnément. Jamais il n'aurait pu imaginer pareil bonheur. Tara était heureuse, ils allaient avoir cet enfant, la vie s'annonçait bien, mieux qu'elle n'avait osé espérer.

Le lendemain, dimanche, ils se rendirent à l'église, puis dînèrent chez les Delaney. Tara alla saluer son beau-père, il n'allait pas très bien, mais il lui sourit. Elle proposa de prendre son pouls, puis alla chercher son tensiomètre, mesura sa tension artérielle, écouta son cœur.

— Je pense que vous devriez vous reposer, rester au lit pendant un jour ou deux, mais je ne suis pas médecin.

— Vous vous débrouillez bien, j'aurai donc une infirmière privée...

Il s'allongea sur le lit. Elle était bien, cette femme.

Patrick aurait préféré que Tara ne poursuive pas ses études, elle pourrait toujours les reprendre plus tard, mais elle voulait continuer. Il n'insista pas. Elle ne changerait rien à sa routine durant ce dernier semestre. Elle n'avait pas de nausées.

— Je verrai comment ça ira, mais je ne pense pas qu'on veuille d'un gros ventre dans mon cours, alors j'arrêterai aux fêtes. Je reviendrai mercredi.

— Je veux que tu fasses attention. Tu portes notre enfant et tu dois te reposer, je vais m'inquiéter.

Lui aussi avait besoin de temps libre pour voir à la ferme. Le travail ne manquait pas ; il ne pouvait s'absenter.

Pendant ce temps, sa mère lui avait parlé. Après mûre réflexion, son père et elle avaient décidé qu'ils aimeraient bien faire rénover la vieille maison abandonnée depuis une douzaine d'années.

— Elle date de plus de cinquante ans et n'est qu'à un demi-kilomètre d'ici.

— Mais maman, Tara et moi ne voulons pas que vous partiez. Voyons, nous allons vivre ensemble, vous vous entendrez très bien. Tara a un cœur d'or, vous l'aimerez.

— Je n'en doute pas, mais vous êtes de jeunes mariés, vous avez besoin d'intimité, et j'ai toujours aimé cette maison. J'y suis arrivée jeune épouse, vous y êtes nés, et je vais la faire rénover à mon goût, mais en gardant son cachet d'antan. J'y avais pensé avant que tu rencontres Tara. Ton père et moi en avions parlé. Il est entièrement d'accord.

Patrick était complètement abasourdi.

— C'est à cause de Tara, je le sais…

— Pas du tout, je te le jure. Puisque je te dis que ton père et moi en avions parlé il y a plus d'un an ! Tara, ta femme, je vais l'aimer comme ma fille et, quand vous aurez des enfants, je serai là pour la seconder. Et puis la maison ne sera pas prête avant cinq ou six mois, nous ne sommes pas encore partis.

Il prit sa mère dans ses bras et l'embrassa. Il était ému et tout retourné. Tout allait trop vite.

29

Le démon veille

Le lundi matin, debout avant l'aube, Patrick retourna chez lui et Tara prit la route de Dublin. Il n'était pas chaud à l'idée de la voir partir, mais il la comprenait. Tara lui avait promis qu'elle ferait attention et se coucherait tôt. Dès son arrivée, sœur Mary, la supérieure, demanda à la voir. Le père Walsh avait communiqué avec elle, il était important d'établir un plan d'action qui lui conviendrait.

— Tara, vous êtes notre meilleure élève et nous sommes fières de vous. Les derniers mois ont été particulièrement difficiles. De plus, vous venez de vous marier. Alors, voici ce que j'ai décidé.

Tara la regardait avec appréhension. Pourvu qu'elle ne la mette pas à la porte.

— Si vous êtes capable, j'aimerais que vous terminiez ce semestre, mais que vous ne reveniez pas après les fêtes. Votre condition susciterait trop de commentaires. Pour le dernier semestre, après Noël, j'ai pensé vous remettre le programme. Vous étudierez chez vous et, si vous le désirez, je ferai en sorte que vous puissiez avoir votre diplôme d'infirmière. Vous êtes assez intelligente pour suivre ce programme à distance.

Touchée par une telle générosité, une telle compréhension, elle sortit un mouchoir de sa poche et essuya rapidement les larmes qu'elle s'efforçait en vain de retenir. Elle remercia la religieuse.

— Je n'oublierai jamais ce que vous faites pour moi. À mon tour! Peut-être le savez-vous déjà, je suis financièrement à l'aise. Je saurai vous montrer ma reconnaissance.

— Je l'ignorais! Je contreviens aux règlements, mais je vous observe depuis le tout début, vous méritez cette faveur. Côté

financier, nos bienfaiteurs aident au bon fonctionnement de cette institution. Bonne chance, madame Delaney.

Devant le regard surpris de Tara, elle ajouta :

— Votre nom de femme mariée est maintenant sur toutes nos fiches.

Soulagée et un peu déçue de devoir partir à Noël, en réfléchissant, elle dut se rendre à l'évidence. Sa grossesse serait certainement visible. Qu'elle puisse obtenir son diplôme d'infirmière en étudiant chez elle, que la supérieure évalue personnellement ses compétences, elle n'aurait pu espérer mieux. Patrick serait heureux. Le mercredi, elle se hâta de rentrer. Patrick lui avait dit qu'il finissait parfois tard. Quand elle ne vit pas son camion devant la maison, elle décida d'aller le rejoindre. Il lui avait manqué. Son mariage soudain ne faisait certainement pas l'unanimité.

Sa belle-mère, qui constatait le bonheur de son fils, était très heureuse de la voir. Elle lui indiqua le chemin à suivre pour rejoindre son Patrick.

— Prenez le petit chemin battu à côté de la remise, il descend pendant quelques minutes pour ensuite remonter abruptement. Vous verrez, il y a la grange et sur une porte un écriteau indiquant : « Office. »

Tara la remercia et partit. Elle aperçut la grand-maman dans le jardin à côté de la maison ; cette dernière l'ignora. Elle semblait en grande conversation avec un homme accompagné d'un chien. Ce devait être Mark, l'homme à tout faire. Elle s'avança pour les saluer, mais ils lui tournèrent le dos. Ce n'était pas l'effet du hasard, elle en était certaine, car madame Coughlan avait fait un signe dans sa direction ; l'homme avait jeté un bref coup d'œil puis s'était retourné. Elle se promit d'éclaircir la situation puis continua sa route.

La plupart des bâtiments n'étaient pas très éloignés. Une grosse grange, à droite, où son mari avait aménagé un bureau dans un coin.

Quand Patrick l'aperçut, son visage s'illumina, il courut à sa rencontre et l'embrassa. Deux employés présents applaudirent. Il fit les présentations, lui demanda de s'asseoir pendant quelques minutes. Difficile de se concentrer. Il s'arrêta et regarda sa femme,

Tara, l'amour de sa vie. Il l'étreignit et elle lui raconta sa conversation avec la supérieure et la solution à son dilemme.

— Comme je suis content! Tu pourras terminer tes études et recevoir ton diplôme, c'est merveilleux... et tu pourras te reposer... J'espère que tu n'es pas trop déçue.

Non, elle se trouvait même chanceuse et il fallait bien qu'elle se soigne, leur fils devait être en santé.

— Notre fils, notre fille, ça m'est égal, ce sera notre enfant.

À son tour, il lui raconta ce que sa mère projetait de faire.

— C'est à cause de moi, je le sais, ta grand-mère me déteste, même ton régisseur.

— Que veux-tu dire? Mon régisseur? Mark? Il se croit le régisseur, il travaille ici, c'est tout. Il ne peut additionner deux et deux...

Elle lui raconta qu'elle avait vu sa grand-mère et Mark et qu'ils lui avaient carrément tourné le dos. Il se promit de tirer ça au clair. Il en avait encore pour quelques heures, alors il la raccompagna. Mark se dirigeait vers la grange. Quand il les aperçut, il baissa la tête.

— Mark, je suis content de te voir. Je veux te présenter ma femme, Tara. Je l'aime beaucoup.

Mark enleva sa casquette et lui fit un bref salut.

— Mark, c'est ma femme, Tara, celle que j'aime. Quand tu la verras, je voudrais que tu fasses tout ce qui est en ton pouvoir pour lui rendre la vie agréable. Tu comprends?

Il fit signe que oui et continua son chemin. Tara alla saluer sa belle-mère et retourna chez elle.

Deux heures plus tard, Patrick s'apprêtait à partir. Comme il embrayait, il aperçut sa grand-mère; il coupa le contact et sauta à terre. Surprise, elle s'immobilisa.

— Grand-maman, vous savez à quel point j'aime Tara. Alors, je vous prierais de ne pas médire ou manigancer sur elle avec mon employé.

— Elle est allée se plaindre, elle ne perd pas de temps!

— Pourquoi se plaindre? Aurait-elle eu des raisons de se plaindre? Écoutez-moi bien. Si votre petit manège mesquin se continue, je vous chasse, et ne pensez pas que, parce que vous habitez

avec ma mère, je ne le ferai pas. Détrompez-vous ! Toutes ces terres m'appartiennent, à moi et... à Tara. C'est votre dernier avertissement. Vous, une grand-mère que j'adorais ! Vous me décevez.

D'un pas ferme, il se dirigea vers son camion. Elle resta clouée sur place. Elle avait vu de la colère dans les yeux de son petit-fils, qu'elle aimait plus que tout au monde.

— Tara O'Brien, tu me le paieras !

Le lendemain, elle retournait chez madame Ladyluck. Elle était encore plus bouleversée que la fois précédente. Cette dernière en profita, surtout qu'elle avait doublé ses honoraires sans que la pauvre vieille fasse la moindre objection. Après avoir écouté ses lamentations, la pseudo-voyante passa dans son état second et débita son hocus pocus habituel :

— Je vois des choses graves, on vous veut du... il faudra peut-être... je sens une tragédie... Attention !

Même si madame Ladyluck n'avait rien dit, madame Coughlan se sentait comprise. Des choses graves... on allait la chasser, elle devrait... Naturellement, son protégé saurait la prémunir du danger. La haine la consumait, et ce qui avait débuté par une simple animosité s'était envenimé en une tragédie en devenir.

Madame Coughlan était atterrée. Patrick et Tara s'étaient mariés, et sa fille voulait leur laisser la maison. Sa maison à la fille de Molly ! Tout ça, c'était des manigances de cette tarée. D'ici peu, si elle ne faisait pas la courbette devant cette gar... Patrick la mettrait à la porte comme une vulgaire servante, parce que jamais elle n'accepterait cette imbécile. Pire encore, cette fille était enceinte, elle attendait un enfant. Un enfant ! La petite-fille de Molly dans la famille des Delaney et des Coughlan ! Elle dormait peu, mangeait peu, arpentait le jardin. Sa fille s'inquiétait. Mark la voyait et lui parlait souvent, il était tout bouleversé. Il n'avait pas touché à l'alcool depuis son accident, mais la soif commençait à le tirailler. Sa chère madame Kâkline était venue se réfugier chez lui et se vider le cœur.

— Ils sont mariés, mon ami, c'est encore pire que je pensais. Elle chasse ma pauvre fille de sa maison et bientôt ce sera mon tour et, qui sait, peut-être le vôtre.

— Qu'est-ce que vous dites ? Elle va me chasser ? Où est-ce que je vais aller ? Ah ! Mon Dieu ! Je suis perdu !

— Non ! Non ! Pas tout de suite, mais tout peut arriver ! Cette Tara, c'est le diable en personne.

— Je vais la tuer ! Elle ne nous fera plus souffrir et nous serons sauvés.

— Non, Mark, on ne peut faire ça, mais j'ai tellement de peine ! Patrick m'a menacée, je dois me montrer gentille avec elle. Je pense que j'en mourrai.

— Ah non ! Ne mourez pas ! Qu'est-ce que je vais faire ? Moi, je ne la connais pas, je… ne serai pas gentil, je la hais.

— Merci, Mark, au moins vous me comprenez, vous êtes plus intelligent qu'on ne le pense.

Madame Coughlan partit. Les murs de son cagibi se refermaient sur lui, il étouffait. Il sortit et marcha pendant plus de deux heures. Toutes les gammes d'émotions se succédaient dans sa tête. Le désarroi, la peine mais surtout la colère, tout tourbillonnait. Il voyait Tara le chasser et sa pauvre madame « Kâkline » aussi. Il ne pouvait la laisser détruire son ange, chasser madame Delaney, blesser Patrick. Il devait faire quelque chose, mais quoi ? Il fallait trouver.

Inconscients de la folie de la grand-mère, Patrick et Tara étaient habités par la plus grande sérénité. Ils vivaient toujours chez elle et Patrick aimait bien s'y retrouver. Une atmosphère de paix et de tendresse régnait dans cette maison. Bonne cuisinière, Tara préparait de bons petits plats et, malgré ses protestations, Patrick insistait pour faire la vaisselle. La première fois qu'elle s'était installée au piano et avait commencé à jouer, il s'était arrêté puis, sur la pointe des pieds, pour ne pas briser son émerveillement, il s'était approché et l'avait écoutée religieusement. Cette musique le toucha profondément. Cet ange, cette femme qui jouait si divinement, était sa femme, elle portait leur enfant. C'était presque trop de bonheur. Elle l'aperçut, il pleurait.

— Patrick, tu as de la peine, tu n'aimes pas cette musique ! Excuse-moi, je ne jouerai plus.

— Non, non, c'est tellement beau, je pleure de joie. Ah Tara ! tu ne réaliseras jamais la profondeur de mon amour.

Elle le réalisait, et cela lui faisait un peu peur. Elle aimait Patrick, mais pas avec la passion qu'elle aurait souhaité éprouver. C'était plutôt de la tendresse. Elle s'en voulait et espérait que la venue de leur enfant lui transmettrait un amour égal à celui qu'il ressentait pour elle.

La vie suivait son cours. Souvent, le mercredi soir, elle allait rejoindre Patrick. Il leur arrivait de souper avec sa famille, mais elle se sentait plus à l'aise chez elle. Le domaine n'avait plus de secrets pour elle ; avec Patrick, elle en avait visité chaque recoin. Les nombreux instruments aratoires l'avaient étonnée, surtout la faucheuse qui coupait et roulait le foin en grosses balles. Il y avait aussi la majestueuse ramasseuse-chargeuse. Impressionnante ! Tara s'était convaincue qu'elle serait heureuse de vivre là avec Patrick. Son beau-père était décédé deux semaines plus tôt. Sa belle-mère avait toujours l'intention d'habiter la vieille maison rénovée. Elle était très gentille, mais Tara se sentirait mieux s'ils étaient seuls.

Les semaines se succédaient à un rythme accéléré. Mary et Fiona, ses deux amies infirmières, savaient qu'elle était mariée, elles la bombardaient de questions.

— Comment est-il ? Beau ? Grand ? Il fait l'amour… comme un dieu ?

Tara ne pouvait s'empêcher de rire, elles n'avaient pas une once de méchanceté et elles étaient discrètes.

Novembre arriva, puis décembre. Tara prenait du poids ; elle faisait très attention pour ne rien laisser paraître. Patrick faisait tout pour lui alléger la tâche, mais il était lui-même très occupé. Ils parlaient du bébé et Tara pensait de plus en plus à cette vie qu'elle portait. Serait-elle une bonne mère ? Elle pensait plus souvent à sa propre mère depuis qu'elle était enceinte…

On était au début de décembre. Ils avaient décidé de passer Noël chez les Delaney. Toute la famille serait réunie, même Sandra et son mari viendraient d'Angleterre. Ce serait leur premier Noël comme mari et femme. Patrick avait fait des folies ; malgré les protestations de Tara, plusieurs jouets s'accumulaient déjà dans la petite chambre.

Voyant que Tara prenait du poids, madame Coughlan fulminait. Elle prolongeait ses visites chez le pauvre Mark. Celui-ci était sous son emprise et en était rendu à ne penser qu'à la terrible femme qui voulait les chasser. Quelle sorte de personne pouvait faire souffrir de la sorte son ange gardien ainsi que Patrick, qu'il aimait bien ? Chaque mercredi, quand il la voyait arriver et prendre le petit chemin pour aller retrouver Patrick, Mark ressentait une envie folle de l'étouffer de ses propres mains. Madame Coughlan continuait de rendre visite à la voyante.

Un matin, Patrick l'avait regardée partir ; elle avait un drôle d'air. Cheveux en désordre, elle avançait la tête basse, d'un pas saccadé. Était-elle en train de perdre la boule ? Il savait qu'elle consultait *Ladyluck,* cette femme qui profitait de la vulnérabilité des personnes qui la consultaient. Il en avait parlé à Tara. Quand celle-ci lui avait raconté de la visite qu'elle-même avait faite chez ce charlatan avec sa Mamie — la maison, la malpropreté, l'ambiance néfaste qu'elle avait ressentie —, il se promit d'en parler à sa mère.

Mark essayait tant bien que mal de consoler son ange gardien. Il se sentait investi d'une mission : la protéger. Il ne comprenait pas trop pourquoi Tara était une menace pour elle, mais si Patrick avait menacé de la chasser, c'était que cette femme avait beaucoup de pouvoir. Il y réfléchissait sans arrêt, pensait comment il ferait pour la faire disparaître afin que tout redevienne comme avant. Ils seraient enfin heureux. Il avait appris à faire fonctionner la faucheuse et l'autre grosse machine avec une cabine, la moissonneuse-chargeuse, avec « son long bras » auquel était attaché un baquet, qu'il appelait le « dentier ». Au début, quand Patrick lui en avait expliqué le fonctionnement, il avait eu très peur de la faire chavirer, mais avec beaucoup de patience, d'encouragement et de pratique, il en était venu à bout. Il en était aussi fier qu'un coureur de marathon.

Quand Tara arriva le mercredi suivant, elle alla saluer sa belle-mère et, quelques minutes plus tard, alla rejoindre Patrick. Mark la vit et resta dehors jusqu'à ce qu'elle revienne. Une idée germait dans sa tête. Le lendemain matin, il vaqua à ses occupations puis alla voir la moissonneuse-chargeuse, Il s'installa dans la cabine et

fit fonctionner le levier. Il s'exerçait à faire monter et redescendre le baquet géant. Il frappa la terre avec fracas. Il sortit, courut chercher un petit morceau de planche et le posa à l'endroit même. Il recommença. Tout était parfait. Se frottant les mains, il sortit de sa cabine, personne ne l'avait remarqué. Le jour suivant, quand il sut que Patrick n'était pas dans les environs, il perfectionna sa tactique. Il ne manqua jamais la cible. Pleinement satisfait, il retourna à son cagibi. Son ange gardien allait être heureux. Il se coucha tôt et dormit comme un loir. Ne restait qu'à patienter! Madame « Kâkline » lui avait dit que Tara attendait un bébé; ce n'était peut-être pas le bébé de Patrick, lui avait-elle dit. Ce n'était peut-être pas un vrai bébé.

— Tout va rentrer dans l'ordre, ne vous tracassez plus, je suis là pour vous. On va s'en débarrasser. Allons, souriez!

30

Machination diabolique

Le mercredi arriva, Tara tardait, Mark trépignait. Enfin, il la vit arriver et se diriger vers le bureau. Un sentiment euphorique s'empara de lui. Quand elle fut hors de sa vue, il suivit le même chemin, monta dans sa cabine, fit démarrer le moteur et attendit. Plus tôt, il s'était assuré que personne n'avait bougé la machine. Il faisait un peu sombre. Quand il la vit revenir, il courba le dos en penchant la tête, il ne voulait pas qu'elle le voie. Elle avançait lentement. Quand elle se retourna, il relâcha le baquet, le remonta et s'éloigna en courant. Sunshine se mit à japper. Il l'attrapa et reprit sa course. Il n'avait pas fait plus de vingt pas qu'il entendit un cri d'horreur :

— Patrick ! Oh ! mon Dieu, Patrick !

Étendu au sol, une profonde entaille du côté droit de la tête, Patrick saignait abondamment. Horrifiée, Tara se pencha sur lui.

— Patrick ! Patrick ! Je t'en supplie, parle-moi !

Il ne l'entendait pas ! Il était mort. Quelqu'un l'avait tué, elle en eut la certitude. Mark ne comprit rien à ses cris, il fila vers son cagibi pendant que Tara, folle d'angoisse, s'élança vers la maison, trébucha, se releva et entra. Hors d'elle-même, elle cria :

— Vite, appelez le médecin, Patrick est blessé, un accident… quelqu'un l'a tué.

La grand-mère de Patrick pâlit et partit à la course.

Horrifiée, les yeux exorbités, sa belle-mère la regarda.

— Tara, ma fille, qu'est-ce qui arrive ? Ce n'est pas vrai !

Se prenant la tête à deux mains, elle se mit à gémir. Prête à perdre connaissance, Tara s'empara du téléphone et appela le docteur Fitzsimmons.

— C'est Tara, venez vite, Patrick, je pense qu'il est mort, venez avec la police.

Ne sachant où donner de la tête, elle appela Shannon, puis monsieur Ryan. Abasourdi, il dut la faire répéter.

— J'arrive, reste à l'intérieur, Tara, ne bouge pas!

Sa belle-mère se tordait les mains, elle étouffait. Folle d'angoisse, Tara voulait retourner vers Patrick, mais sa belle-mère s'évanouit. Elle détacha sa blouse, courut chercher une serviette d'eau froide, lui essuya le visage, s'assit par terre et mit sa tête sur ses genoux. Dix minutes plus tard, qui lui parurent deux heures, le docteur arriva, suivi du chef de police, de John Ryan et de sa femme. Le docteur jeta un coup d'œil à madame Delaney puis demanda à voir le blessé.

Armés de lampes de poche, les trois hommes partirent. Les cris de désespoir de la grand-maman les guidèrent. Couverte de sang, elle tenait Patrick dans ses bras et le berçait. Ils durent la supplier de les laisser soigner Patrick, même s'ils savaient que c'était trop tard. Il avait reçu un coup sur la tête, un coup fatal. Elle murmurait des mots: « Mon Patrick, c'est pas toi qui devais mourir, c'est pas toi, mon enfant, c'est elle, la fille de Molly, la putain, c'est elle. Patrick, réveille-toi! »

Horrifiés, les trois hommes se regardaient. Le chef Starr, policier à Navan depuis plus de quinze ans, connaissait tout le monde. C'était une ville tranquille, il y avait bien des chicanes de famille, quelques voleurs, de menus larcins, des batailles d'ivrognes... Oui, certaines personnes malhonnêtes, mais ce qu'il voyait et surtout ce qu'il entendait lui donna froid dans le dos. Homme d'une grande probité, il regarda ses deux amis.

— On n'a rien entendu! Docteur, vous allez lui donner quelque chose pour la calmer, la faire taire.

Monsieur Ryan se redressa. Il tremblait de rage.

— Chef Starr, je comprends, mais j'ai tout entendu. On a voulu tuer Tara, la nuit approchait, il y a eu erreur sur la personne. Tara est encore en danger. Le tueur... ce n'est pas cette vieille dame... mais elle a trempé...

— Je connais mon devoir et je vous comprends, je connais très bien Tara, c'est une fille remarquable. J'aimerais seulement qu'on

garde le silence… pour le moment. Il ne faut pas que le tueur sache ce qu'elle dit, je ne crois pas qu'il soit si loin.

— Je comprends, chef. Vous savez, Tara, c'est un peu ma fille.

Patrick était mort sur le coup. Un drame épouvantable ! Tremblant, le docteur Fitzsimmons sortit une seringue et administra un calmant à madame Coughlan. Deux hommes arrivèrent en courant, deux employés, ils avaient vu la voiture de police. Le premier faillit perdre connaissance, l'autre se signa.

— Qui a pu faire une chose pareille ? C'est horrible !

— Docteur, faites venir l'ambulance pour elle et Patrick et allez jeter un coup d'œil à Tara. Elle doit être dans tous ses états. Son mari vient d'être assassiné ! Puis occupez-vous de madame Delaney. Elle a perdu son mari il y a peu de temps, et maintenant son unique fils. Vous, monsieur Ryan, ramenez Tara chez vous. Qu'elle y reste jusqu'à ce que j'aille la voir. Il faut faire vite, si on ne veut pas que le tueur frappe de nouveau.

Le cœur serré, le chef entra chez les Delaney. En peu de mots, il expliqua ce qui s'était passé. Madame Delaney était au désespoir. Shannon arriva. Incrédule, folle de douleur, elle regardait sa mère, elle ne comprenait rien.

— Patrick est mort ! Non, ce n'est pas vrai !

Madame Ryan lui expliqua qu'on avait voulu tuer Tara, qu'on s'était trompé de victime. Elle ne comprenait pas plus. L'ambulance arriva, le chef sortit et les dirigea vers l'endroit où Patrick gisait sans vie ; ils le placèrent sur une civière. Le son strident de la sirène envahit la cuisine ; les sanglots redoublèrent.

Revenu sur la scène du crime, le chef prit sa lampe de poche et braqua le faisceau lumineux à l'endroit où Patrick était tombé. Perspicace, son regard ne manqua rien. Lentement, méticuleusement, il balaya du regard les alentours, vit la moissonneuse-chargeuse, scruta le lieu du crime… il comprit. Pas futé, le tueur ! Il avait peut-être été surpris… Le constable Connelly le rejoignit. Ils formaient une équipe du tonnerre. À nouveau, ils observèrent attentivement la scène du meurtre.

— Mais avec quoi a-t-il été tué ? Il a reçu un coup terrible.

Le chef pointa la moissonneuse-chargeuse ; incrédule, le constable avança vers le monstre métallique, entra dans la cabine ; la clef

était encore dans le contact. Faisant tourner le moteur, il alluma les lumières. La scène du crime était illuminée. Pointant un des employés, il demanda :

— Qui fait fonctionner cette machine ?

— Mark, la plupart du temps, mais parfois d'autres employés, ils sont tous capables, mais le plus souvent c'est lui. Je peux le faire aussi.

— Vas-y, fais descendre le baquet, ne change pas la position, fais juste descendre ce machin. Tassez-vous !

Ainsi fut fait, le baquet descendit et toucha la terre à l'endroit précis où la victime avait été frappée. Stupéfait, le chef jeta un coup d'œil à son assistant, les hommes se regardèrent. Il ne faisait aucun doute qu'ils avaient affaire à un amateur.

Le chef Starr les regarda à tour de rôle.

— Il n'y a pas eu de meurtre à Navan depuis plus de quinze ans. Je ne veux pas ébruiter cette affaire avant que mon collègue et moi ayons débusqué le coupable. Vous n'avez rien vu de suspect et rien entendu, c'est bien clair ? Pas un mot à vos épouses, vos enfants ou vos amis. Quand nous l'aurons trouvé, je vous ferai venir au bureau et vous serez les premiers informés. Je me suis bien fait comprendre ? Je peux compter sur votre discrétion ?

Le plus âgé s'avança :

— Oui, chef. Un homme honnête a été tué, un homme remarquable. Patrick était un gros employeur, il faisait vivre bien des familles. Le père mort et maintenant son seul fils ; il vient d'épouser une bonne personne. Pas facile, la vie de cette jeune fille, mais elle s'en est sortie et va devenir infirmière. Le monstre qui a fait ça doit être puni. Oui, nous garderons silence... bonne chance.

Il connaissait assez le chef Starr pour savoir qu'il tiendrait parole. Très serviable, estimé de tous, il ne badinait pas avec la justice.

Le chef et le constable Connelly menèrent les choses rondement. Ils se rendirent à la cabine de Mark. Nerveux mais souriant, il refusa d'abord de leur ouvrir. Toutefois, quand ils menacèrent d'enfoncer la porte, il céda.

— Qu'est-ce que vous venez faire ici ? J'ai rien fait moi, rien du tout, j'ai même pas sorti de ma maison.

— On ne t'accuse pas, mais on a quelques questions à te poser. Ça fait longtemps que tu habites ici?

— Oui, longtemps. C'est ma maison, c'est mon ange qui me l'a donnée.

— Ton ange? Qui est ton ange? On le connaît?

— Ben oui, voyons! C'est madame «Kâkline»! Vous la connaissez pas? Vous êtes drôles.

Il se mit à rire, regardant son chien: «Ils ne connaissent pas notre ange.»

— Tu l'aimes beaucoup, ton… ange?

— Ah oui, je ferais tout pour elle, j'aime pas quand elle a de la peine.

— Est-ce qu'elle a de la peine?

— Plus maintenant… non, plus maintenant… plus jamais.

Il souriait d'un air niais.

— Tu connais Patrick? Ton patron?

— Oui certain, lui aussi, il est bon pour moi.

— Est-ce qu'il te laisse conduire les grosses machines?

— Ben oui, voyons. Il m'a appris et je sais comment faire, je peux vous montrer, si vous voulez.

— Tu sais qu'il est arrivé quelque chose de terrible à Patrick.

— Non, non, pas à Patrick

— Oui, Mark! À Patrick, il est mort.

— Ça, c'est pas vrai, Patrick est pas mort! Pas lui! Vous essayez de me faire peur, c'est pas drôle. Mon ange sera pas contente.

— Oui, Patrick est mort! On l'a tué avec le baquet de la grosse moissonneuse-chargeuse.

— Non, c'est pas vrai, j'vous crois pas.

— O.K. Mark, viens avec nous, viens à la maison.

Il les suivit en répétant: «Patrick est pas mort. C'est pas lui!»

Le chef pénétra dans la maison, suivi de Mark et du constable Connelly. Il regarda autour de lui. Shannon était à côté de sa mère, elles pleuraient. Il vit madame Ryan, mais l'ange n'était pas là.

— Je veux voir madame «Kâkline», j'veux la voir tout de suite.

— Elle est malade, la mort de Patrick…

— Patrick n'est pas mort… vous mentez!

Madame Ryan hocha tristement la tête :

— Oui, Mark, Patrick est mort, on l'a tué.

Les yeux exorbités de terreur, Mark s'élança hors de la maison, les deux policiers à ses trousses. Ils essayèrent de l'arrêter et de le maîtriser et n'y seraient pas parvenus sans l'aide de deux voisins. Ils lui passèrent les menottes et l'amenèrent au poste.

Le cœur chamboulé, Tara s'était laissé guider par John. Elle devait rêver. Elle venait à peine de s'affranchir à demi de la perte de sa chère Mamie, et maintenant Patrick était mort ! Son mari, le père de l'enfant qu'elle portait ! Elle ne pleurait pas, son cœur était comme dans un étau. Un morceau de ciel s'était brisé. Pourquoi, mon Dieu ? Pourquoi le malheur s'acharnait-il sur elle ? Même Maggie ne parlait pas, elle était désemparée. Assise sur le divan, elle lui offrit une tasse de thé. Le chef Starr arriva quelque temps plus tard. Tara le regarda sans le voir.

— Tara, je vous offre mes sympathies, je suis sincèrement désolé pour vous.

Elle ne répondit pas, elle semblait ailleurs.

— Tara, je pense savoir qui a tué Patrick, mais j'ai besoin de votre aide.

Elle secoua la tête, les larmes sillonnaient son visage.

— Qui a pu faire une chose pareille ?

— Je regrette, je sais que vous n'êtes pas bien, mais je dois savoir certaines choses. Pensez-vous pouvoir répondre à quelques questions ? Ce ne sera pas long. Maggie, je prendrais bien une tasse de thé.

Maggie la lui servit et se retira. Il en but quelques gorgées. Il aimait son travail, mais aurait préféré se voir à mille lieues de là.

— D'abord, comment étaient vos relations avec votre belle-famille ?

— Mon beau-père m'a très bien accueillie, j'ai été franche avec lui, il l'a apprécié. Ma belle-mère me recevait chaleureusement, les sœurs de Patrick aussi. Juste la grand-mère...

Elle hésitait. Il l'encouragea à continuer.

— Tout est important, même les petites choses.

Elle commença par la première rencontre, où la grand-mère avait tout fait pour ne pas lui adresser la parole, et son attitude ne

s'était guère améliorée ; elle semblait la détester et Tara en ignorait la cause. Patrick lui avait parlé à deux reprises, il lui avait fait savoir qu'il ne supporterait pas sa conduite.

— Je lui avais dit de ne pas s'en faire, mais il n'était pas content. Elle allait souvent parler avec Mark ; lui aussi semblait me détester, et Patrick lui avait tenu le même langage. Je ne m'en faisais pas, je suis habituée à être détestée.

— Avez-vous remarqué d'autres choses ?

— Non, juste qu'elle allait consulter la faiseuse d'almanachs, Ladyluck.

— Et aujourd'hui, parlez-moi de ce qui s'est passé.

Un voile couvrit son regard. Il s'approcha, lui prit les mains. Comme chaque mercredi, elle était allée rejoindre Patrick après ses cours, une coutume qu'elle avait établie dès la première semaine de leur mariage. Elle entrait embrasser sa belle-mère puis prenait le petit chemin qui conduit à la grosse grange, au bureau où Patrick se trouvait souvent en fin d'après-midi. Ils avaient parlé. Parfois, il ne revenait pas avec elle, mais il aimait beaucoup la voir dès son arrivée.

— Aujourd'hui, il était prêt à revenir avec moi. Je marchais en avant, mais le jour commençait à descendre, alors il est passé devant moi. Je le suivais, mais j'avais un petit caillou dans mon soulier. Je me suis arrêtée pour l'enlever. Il a continué, pensant que j'étais derrière lui. J'ai entendu un bang et un chien japper. Quand j'ai relevé la tête, je ne le voyais plus. J'ai couru et…

Elle se mit à pleurer de plus belle. Le chef lui expliqua que ce caillou lui avait peut-être sauvé la vie.

— Il faisait sombre et le tueur a pensé que c'était vous. Il s'est trompé de cible. C'est vous qu'il voulait tuer.

— Moi ? Mais pourquoi ? Qui m'en veut à ce point ?

Le chef prit une profonde inspiration et, pendant un instant, il détesta son travail. Cette femme ne méritait pas ce qui lui arrivait.

— C'est Mark qui a tué votre mari, mais c'est madame Coughlan qui l'y a poussé.

— Elle a fait tuer son propre petit-fils qu'elle adorait ?

— C'est vous qu'elle voulait faire tuer, elle ne voulait pas de la fille…

— … la fille de Molly ! Ça me suivra toute ma vie. Mais je suis en danger !

— Non, quand la grand-mère a vu son petit-fils, elle a perdu la tête. Le docteur lui a donné un calmant et, demain, on va la transférer dans un endroit approprié. Elle n'en sortira jamais. Mark est déjà sous les verrous, il n'est pas apte à subir un procès. Il est coupable. Je vais voir à ce qu'il finisse sa vie en prison. Je vais m'occuper de tout ça.

— Ce n'est pas aussi simple, mon mari est décédé et deux personnes seront enfermées parce que je suis la fille de Molly.

— Oh, non ! Pas ça, Tara ! C'est à cause de la haine, de la méchanceté que ce drame est arrivé, pas à cause de vous. Reposez-vous, les jours qui viennent vont être pénibles. Quand tout sera fini, j'aimerais vous parler.

Madame Delaney était au désespoir, incapable de mettre un pied devant l'autre. Le décès de son mari, elle s'y était résignée, il ne voulait plus vivre. Mais que sa mère ait tué son unique fils était le summum de l'horreur et qu'elle ait voulu tuer sa bru qui portait son petit-fils était tout aussi monstrueux.

Le lendemain matin, madame Delaney avait tenu à venir demander pardon à Tara. Shannon l'accompagnait. À genoux devant Tara, elle lui avait demandé de trouver dans son cœur le courage de lui pardonner.

— Madame Delaney, je vous en conjure, relevez-vous ! Ce n'est pas non plus votre faute, vous n'êtes pas coupable.

— C'est ma mère, je savais qu'elle ne vous aimait pas, mais de là à ce qu'elle veuille vous tuer… je ne lui pardonnerai jamais.

— Vous n'êtes pas plus responsable de votre mère que je ne le suis de la mienne. Vous êtes de très bonnes personnes.

Tara la serra dans ses bras.

31

Partez !

Les Delaney voulaient savoir comment Tara allait organiser les funérailles.

— Il a été plus longtemps votre fils et votre frère qu'il n'a été mon mari. Vous allez faire ce que vous souhaitez. Malgré la peine que nous avons, il y a une autre chose très importante que je veux régler. L'aspect financier.

Shannon figea. Tara leur expliqua sa situation financière et comment Patrick avait tenu à tout lui léguer, à elle et à l'enfant, s'il venait à mourir.

— Il avait aussi fait son testament. J'ai essayé de l'en dissuader, mais même s'il m'aimait depuis toujours, il n'a rien voulu entendre. Je ne veux ni de son argent, ni des terres, ni de tout ce qui lui appartenait. Je ne veux rien ! Pas un sou ! Deux ou trois jours après les funérailles, j'aimerais qu'on aille chez mon notaire. Je signerai les papiers nécessaires.

Shannon prit la parole. Elle se sentait soulagée, elle craignait… tout de même… Et sa mère ne savait quoi penser.

— Mais vous avez droit à quelque chose, vous attendez un enfant, le fils de Patrick, notre petit-fils, vous devez…

— Non ! L'enfant de Patrick et le mien. Je n'ai rien fait pour mériter cet argent ou vos avoirs. Je n'en veux pas ! Ma décision est irrévocable ! Cet enfant ne manquera de rien.

Consternée, sa belle-mère la regarda.

— Avez-vous l'intention de ne plus nous voir ? Je ne verrai pas mon petit-fils ?

— Oh non ! Jamais je ne ferais une chose pareille. Vous le verrez aussi souvent que vous le voudrez. Une grand-maman, c'est

précieux. On ne sait jamais, je ne veux pas courir le risque. La prochaine fois pourrait m'être fatale. Ce n'est que l'aspect financier que je tiens à régler au plus tôt.

— Rien ne presse, nous pouvons attendre.

— On ne sait jamais.

Madame Delaney n'était plus que l'ombre d'elle-même. Elle secoua la tête et la serra dans ses bras :

— Tara, vous êtes quelqu'un de bien, je suis fière que vous soyez ma bru. Il n'y aura pas de prochaine fois !

— Dieu vous entende, madame.

Les funérailles furent éprouvantes ; les troisièmes en moins de six mois. L'église était pleine à craquer. Les Delaney étaient des gens connus et respectés. Patrick avait des amis. Les Ryan entouraient Tara. Ils étaient dans le premier banc avec elle. Les larmes coulaient à flots. Madame Delaney dut s'asseoir, elle se sentit mal. Sa propre mère avait tué son fils. Quand arriva la communion, elle ne se leva pas. Le père Walsh s'approcha d'elle, elle secoua la tête. Jamais elle ne pardonnerait à sa mère, elle la maudirait jusqu'à son dernier souffle.

Les Delaney avaient voulu que Tara les rejoigne après les funérailles, mais elle se sentait incapable de mettre les pieds sur cette propriété. Elle l'expliqua à Shannon et à Sandra. Elle voulait être seule, se coucher, dormir et dormir encore. Oublier.

Quatre jours plus tard, elles étaient réunies dans l'étude de Me O'Hearn. Ce dernier essaya de dissuader Tara, insista pour qu'elle garde une partie de l'héritage de Patrick, mais elle demeura inflexible.

— De toute ma vie de notaire, je n'ai jamais vu ça, une femme qui renonce à ce qui, légalement, lui appartient.

— Vous avez le mot juste, *légalement* oui, *moralement*, non. Je le fais par acquit de conscience. Dans mon âme à moi, rien de tout cela ne m'appartient. Alors, arrêtons de tergiverser et signons. Ces biens ont exigé du travail, des sacrifices… pas de moi.

— Madame, je suis honoré de vous connaître.

Encore sous le choc de la mort de son fils, madame Delaney n'en était pas moins impressionnée.

— Mon fils n'aurait pas pu mieux choisir, vous avez un sens de la justice et de l'honneur qu'on ne rencontre pas souvent.

Ses filles abondèrent dans le même sens et... étaient soulagées. Très liées l'une à l'autre, elles pensaient continuer à exploiter la ferme. Sandra et son mari, Acton, étaient prêts à revenir d'Angleterre. La mère le souhaitait aussi, elle ne pouvait rester seule ; et la ferme était un très bon investissement. Les employés feraient de leur mieux pour les seconder. Le notaire était bouleversé. Pauvre femme, perdre son fils ! Comment vivre avec une telle douleur... et la honte ? Et cette jeune femme qu'on avait voulu tuer. Incroyable !

Tara passa le reste de la semaine à se reposer. Elle avait accueilli le malheur avec dignité. Le cœur lourd, elle pleurait souvent et Patrick lui manquait... le souvenir de son regard amoureux, sa délicatesse, sa façon de s'insinuer dans ses pensées, son bonheur à l'idée d'être père... Les quelques vêtements qu'il avait laissés chez elle furent remis aux Delaney.

Chaque soir après son travail, Maggie venait la voir, mais le rire n'était pas au rendez-vous. Elles se balançaient en silence. Chaque matin, Tara travaillait dans son jardin, la présence de Mamie flottait dans ce coin de paradis qu'elle aimait tant. Le père Walsh, lui aussi secoué par ce drame, était venu la visiter ; ils avaient pleuré. Il n'avait su trouver les mots.

Un aller-retour à Dublin. La supérieure lui avait remis ses notes et indiqué ce qu'elle devait étudier ; Tara avait coupé court à ses paroles de compassion.

— Voulez-vous continuer ?

— Oui, ma carrière est très importante.

Deux semaines plus tard, un jeudi soir après son travail, le chef Starr arriva. Il savait qu'elle avait tout remis à sa belle-famille et ce geste confirma ce qu'il savait déjà : Tara était une femme exceptionnelle. Elle le pria de s'asseoir, lui offrit la traditionnelle tasse de thé et attendit.

— Vous savez que je suis désolé de ce qui vous arrive. Je ne suis pas du genre à parler de la pluie et du beau temps, mais je dois vous dire toute l'admiration que j'ai pour vous. J'ai beaucoup pensé à vous. J'avais dit que je viendrais vous parler et j'aimerais

que vous m'écoutiez sans m'interrompre. Je le répète, j'ai réfléchi à ce que je vais vous dire.

— Merci, je pense que vous me voulez du bien, je vous écoute.

Ce qu'il lui suggérait la laissa sans voix.

— Je sais tout ce que vous avez eu à subir depuis votre naissance, le départ de votre mère qui, malgré ce qu'elle a fait, n'était pas une mauvaise femme, le fils Hilliard, ce vil personnage, cette pauvre excuse pour un homme, et son salaud de père qui a failli vous violer.

— Comment savez-vous ça ? Personne n'en a parlé.

— Tara, je me fais un devoir de savoir ce qui se passe à Navan, et on a presque dû m'attacher pour que je n'aille pas lui casser la gueule.

L'esquisse d'un sourire se dessina sur le visage de Tara. Malgré les signes de la douleur, elle n'avait jamais été aussi belle, elle possédait ce rayonnement unique qui embellit la femme qui attend son premier bébé.

— On a tué votre mari, on a voulu vous tuer. Malgré vous, malgré tout ce que vous pourrez accomplir, pour quelques rares personnes, deux ou trois commères jalouses, etc., vous serez toujours… la fille de Molly. Ce stigmate vous suivra jusqu'à la mort. Voici ce que je vous suggère. Partez ! Recommencez votre vie ailleurs. Vous avez une profession. Vous êtes libre, indépendante de fortune, votre enfant ne sera pas un handicap. Cet endroit ne représente pour vous que de mauvais souvenirs.

— Mais partir pour aller où ? Où irais-je ? Je ne connais…

— J'ai une sœur qui habite le Canada.

— Tiens, vous aussi, vous voulez que j'aille me faire geler.

Il sourit. Elle lui raconta que Maggie avait une tante qui habitait Montréal, au Canada, elle adorait cette ville. La sœur du chef Starr, Brigid, habitait Pointe-Claire, un site enchanteur pas très loin du centre de Montréal, à quinze minutes en voiture.

— Un très beau coin, un immense lac, des montagnes à quelques kilomètres. On y fait du ski, je vous apporterai des photos.

— Je ne sais pas, vous me donnez à réfléchir…

— Et vous ne serez plus la fille de Molly, vous êtes et serez Tara Delaney. C'est votre nom, vous avez le droit de le garder, je pense

que Patrick en serait très heureux. De plus, votre enfant ne doit pas grandir dans un milieu hostile.

— Il ne mériterait pas ça. Patrick savait que je ne l'aimais pas passionnément… mon enfant naîtra en juin prochain, je ne voudrais pas…

— Je crois que vous devriez tout liquider, le plus tôt possible. Partez d'ici ; louez-vous d'abord un appartement à Dublin. Vous pourrez continuer vos études…

— La supérieure ne voudra…

— Elle fera tout pour vous accommoder…

— Vous ne comprenez pas, elle ne veut pas de gros ventre…

Souriant, il se pencha vers elle.

— Je me suis renseigné…

— Vous êtes allé la voir ?

— Oui, je voulais que vous preniez votre décision avec toutes les cartes en main. Je sais que vous êtes une personne qui réfléchit avant d'agir.

Elle se regarda le ventre et murmura :

— Pas toujours !

— Chère enfant, c'est un moment où vous étiez vulnérable, vous aviez besoin de tendresse ; Patrick vous admirait et il vous aimait depuis longtemps. Vous pourrez consulter une religieuse chaque samedi, vous passerez vos examens. Tara, une carrière, c'est très important.

Se levant brusquement, elle marcha de long en large. Inconsciemment, ses pas la conduisirent au piano ; elle s'assit, ferma les yeux et, malgré elle, se mit à jouer le *Prélude de la goutte d'eau* de Chopin. Ses larmes coulaient, silencieuses. Elle continuait de jouer. Il s'approcha et, comme un bon père, essuya ses larmes. L'émotion l'étreignait. Lui-même était père d'une jeune fille. Cette jeune femme ne méritait pas tout ce qui lui arrivait.

— On m'avait dit que vous aviez du talent, mais je n'ai jamais eu l'occasion de vous écouter. Je vous remercie.

— Je ne devrais pas jouer… mais le piano est ma soupape, quand je joue, je suis ailleurs, et je sentais le besoin de m'évader un peu. Vos suggestions, très judicieuses, je pense, me bouleversent, le piano m'apaise.

Le chef Starr la regarda, l'étreignit, posa un baiser sur son front et se dirigea vers la porte.

— N'oubliez pas, si vous avez besoin de quoi que ce soit, ne vous gênez pas. D'ici quelques jours, je vous apporterai des photos.

— Merci, merci beaucoup. Je sais que vous me voulez du bien.

Elle dormit très peu. Comme un film qu'on visionne, sa vie défilait devant ses yeux. Si elle partait et si sa mère revenait ? Mais voudrait-elle la revoir ? Molly n'était-elle pas responsable de toutes les souffrances qu'elle avait endurées, du malheur qui s'acharnait sur elle ? Et si Ray revenait, les Ryan pourraient le lui dire… elle leur écrirait. Maggie viendrait peut-être… Maggie, son amie de toujours. Tout semblait si difficile ! Navan, l'Irlande ; Mamie lui avait appris à aimer son pays. Chère Mamie, elle semblait si près d'elle. Tôt le lendemain matin, elle était chez les Ryan. John s'apprêtait à partir ; en voyant Tara, il se rassit. Grace lui servit des rôties, des confitures et… du thé.

— Je ne veux pas manger, mais j'ai besoin de vous parler, vous deux, j'ai besoin de vos conseils.

— Mange d'abord, ma fille, tu dois manger pour deux, tu parleras après.

Les rôties étaient bonnes ; elle avait faim, elle en mangea même trois. Ils s'assirent en face d'elle et attendirent.

Tara commença lentement, elle parla du chef Starr le soir de l'accident de Patrick, de sa promesse de venir la voir et de sa visite de la veille. Elle leur répéta tout, ne cacha rien, chaque mot, chaque détail, tout était gravé dans sa mémoire. Quand elle eut terminé, il y eut un long silence. Ryan se leva et se versa une tasse de thé. Il regarda sa femme.

— Ma chère Tara, Grace et moi sommes du même avis. Nous en avons parlé, pas parce que nous serons heureux de te voir partir, au contraire.

— Mais je ne suis pas encore partie, je ne sais même pas…

— Oui, tu vas partir parce que tu as à peine vingt ans, non seulement tu es belle, mais tu es bonne, intelligente et tu as un bon jugement. Tu as eu de durs coups, mais tu vas t'en sortir. Tu es la fille de Molly, elle avait peut-être des défauts, elle s'est mal

conduite, mais elle avait du caractère. Tu es surtout la fille de madame Dever, une grande dame. Elle a fait de toi une femme accomplie, une musicienne, une femme qui a beaucoup de connaissances et un jugement sûr, en plus d'être une femme instruite, une dame. Elle insisterait pour que tu partes, que tu recommences une nouvelle vie ailleurs.

Tara recula sa chaise, ses yeux allaient de l'un à l'autre.

— Que ferais-je sans vous, sans Maggie, mon âme sœur ?

Grace s'approcha d'elle, elle l'entoura de ses bras.

— Ma sœur Jen habite Montréal. C'est une bonne personne, elle a un garçon de seize ans et une fille de quatorze ans. Je vais lui écrire, elle t'accueillera à bras ouverts. Le chef aussi a une sœur pas très loin de Montréal. Je la connais. C'est aussi une personne bien. Elle est venue l'an dernier. Le chef te recommandera, tu auras des anges gardiens. Je pense que tu devrais y réfléchir sérieusement.

John voyait le combat qui se livrait dans son esprit.

— Ce n'est pas tout. Quand tu partiras, l'été prochain, tu auras de la compagnie. Maggie a besoin de sortir un peu avant de s'engager pour la vie ; elle passera un mois chez sa tante et te secondera dans tes démarches. Tu ne peux pas t'installer sans avoir Maggie pour tout commenter, pour se moquer gentiment des coutumes de ces Canadiens !

Bien malgré elle, Tara sourit. Elle les remercia et retourna chez elle.

Malgré les fils d'araignée dans son cerveau, malgré la peine qui la tenaillait, Tara sentit une onde de changement la traverser. Bons ou mauvais, elle avait des choix à faire ; réorienter sa vie, au Canada ou ailleurs, franchir le Rubicon. Le statu quo n'était plus acceptable. Elle se donna un délai de grâce, pas pour Dublin, cette décision s'imposait, mais partir à jamais ne lui semblait pas plus facile que d'assécher la mer avec une éponge. La journée se passa en un peu de repos et une mise au point de ses avoirs. Mamie lui avait appris à dresser un budget, à tenir compte de ses dépenses. Chaque mois, elle faisait son bilan. L'argent n'était pas un problème, pour l'instant, mais elle ne pouvait dépenser sans compter.

Son enfant était sa priorité. Au début, elle n'avait pas ressenti la fibre maternelle, mais maintenant son cœur s'ouvrait peu à peu à cette nouvelle vie qui n'avait pas demandé à voir le jour. Le voyage au Canada, s'acheter une maison, peut-être plusieurs mois sans travail ; elle révisa ses prévisions. Sa maison lui rapporterait au moins 15 000 livres (36 000 dollars CAN). Le piano ? Le piano de Mamie ? Non ! Devrait-elle dépenser 500 livres (1 200 dollars CAN), ce piano la suivrait. C'était une partie de sa chère Mamie. Quand elle jouait, cette dernière fermait les yeux, jouissant pleinement de cette musique. Elle lui avait confié que c'était le ravissement dans l'étonnement, le talent de Tara l'émerveillait.

Elle fit une liste, encore une habitude de Mamie. Avant de prendre une grande décision, prendre une feuille blanche et en haut à gauche écrire POUR et à droite, CONTRE. La plus longue liste gagne. En réfléchissant bien, elle inscrivit la liste des arguments qui militaient pour son départ et ceux qui lui étaient défavorables. C'était d'une simplicité enfantine, mais d'une logique indéniable. Son cerveau passa au peigne fin le pour et le contre. Le résultat était probant. Elle devait partir, mais il y avait loin de la coupe aux lèvres.

Sachant ce qui s'était produit le matin même, Maggie se dépêcha de passer chez son amie. Penser que celle-ci pourrait partir la peinait, elles partageaient tout depuis leur tendre enfance, soudées contre vents et marées. Elle avait un grand cœur, ses rêves se limitaient à se trouver un mari et à avoir des enfants. C'était déjà fait, son mariage était prévu pour l'an prochain, les enfants viendraient. La perspective de partir avec Tara l'enchanta, et elle en oublia presque les tourments de sa meilleure amie.

Elles allèrent marcher le long des Remparts. Les décorations brillaient de tous leurs feux et les chants de Noël claironnaient gaiement, insensibles à la douleur de Tara, pendant que certaines personnes, les bras chargés de cadeaux, se hâtaient vers leur foyer. Tout en se dirigeant vers la maison, l'échange continua.

— Ce devait être notre premier Noël ; Patrick et moi avions décidé de passer un samedi à Dublin, il voulait acheter le trousseau du bébé. Je préférais attendre, si je l'avais écouté, la chambre serait déjà prête. Je n'ai plus le goût à la fête.

— Je comprends. Mais as-tu décidé quoi que ce soit ?

— D'abord, je vais vendre la maison et m'installer à Dublin… le plus tôt possible. Cet endroit me tue.

— As-tu trouvé dans quel coin tu aimerais habiter ?

— Pas encore, mais j'avais pensé y aller bientôt. Je suis déjà enceinte de trois mois ; je ne me fais pas à cette idée ; quelques minutes de plaisir et une vie entière chambardée !

Une heure plus tard, Jack, le fiancé de Maggie, arriva ; il donna l'accolade à Tara et embrassa Maggie. Il l'aimait et avait hâte de se marier. Quand il sut que Tara allait vendre sa maison, ses yeux s'allumèrent.

— Maggie, que dirais-tu de cette maison ? Elle n'est pas très grande, mais c'est suffisant. Elle a une belle douche. Je suis prêt à me déguiser et à vendre mon corps pour la payer.

— Ton corps, mon cher, il est à moi !

— Je n'ai pas beaucoup d'argent, mais mes parents m'aideront.

— Les miens aussi. J'aimerais habiter près de mes parents et j'aime cette maison. Je la connais comme ma main. Tara, je ne sais pas si ça te plairait de nous voir dans ta maison ?

— Rien ne me ferait plus plaisir ! Tu es venue ici si souvent, on a passé tant d'heures à jouer dans notre *cubby house*. Vous deux, vos enfants, vous lui redonnerez vie. La cassure sera moins pénible. Il me semble que Mamie approuverait. Pensez-y et nous en reparlerons.

Tout excitée, Maggie se hâta de partir. Jack la suivit. Dans son exubérance, elle n'avait pas pensé à la douleur de Tara, mais celle-ci, elle en était certaine, comprendrait.

Bonheur ou chagrin, rien n'arrête le temps, la roue continue de tourner, inexorablement. Un peu plus tard, elle vit arriver une voiture de police. Un uniforme et deux enjambées… le chef Starr était à sa porte. Il s'enquit de sa santé.

— Vous m'avez donné à penser.

— Je n'aurais peut-être pas dû m'immiscer dans votre vie, mais j'ai une fille et une grande expérience de la vie. Je termine mon quart de travail. Je vous avais promis des photos du Canada, j'aimerais que nous les regardions ensemble, je pourrai les commenter.

Pendant une vingtaine de minutes, elle fut plongée dans Pointe-Claire. Les gens se baignaient dans le lac Saint-Louis pendant que d'autres se promenaient en canot ou en chaloupe. La maison de sa sœur Brigid: une maison en briques, de grandes fenêtres, une propriété bien entretenue et des fleurs à profusion. Brigid, un sécateur à la main, souriait à l'appareil photo. Elle ressemblait à son frère. Grande, visage bon enfant, elle inspirait la confiance. Les saisons canadiennes défilaient sous ses yeux. Les scènes d'automne lui coupèrent le souffle.

— On dirait un tableau. Est-ce vraiment aussi beau?

— J'y suis allé en automne et en hiver, il faut le voir pour le croire. Pointe-Claire est vraiment un bel endroit, des gens bien, dans votre genre, certains très à l'aise.

Elle écarquilla les yeux

— Comme c'est beau! Tout est blanc.

Les arbres ployaient sous la neige, la nature était recouverte d'un grand manteau blanc. Emmitouflé dans un gros parka, chaussé de bottes lacées jusqu'à mi-jambes, Claude Legault, le mari de sa sœur, enlevait la neige du perron pendant que deux enfants, bras et jambes écartés, étaient couchés dans la neige.

— Mais que font-ils? Ils vont geler!

— Non, non, ils «dessinent» des anges. Regardez, ils étendent leurs bras et leurs jambes, les ferment puis les ouvrent, comme des ailes. Ils s'amusent, ils n'ont pas froid.

— Et le printemps?

— La neige disparaît, la nature se réveille, c'est une résurrection.

32

Soulagement et déchirure

Les photos du chef donnaient le goût de connaître ce beau pays. Il avait aussi quatre cartes postales de Montréal. Une de la rue Sainte-Catherine, une du Vieux-Montréal, une de l'oratoire Saint-Joseph sur la montagne et une dernière de Pointe-Claire.

— Ce n'est pas tout. Le Canada est immense. Pensez, l'Irlande fait un peu moins de soixante-dix mille kilomètres carrés ; le Canada, presque dix millions. C'est le plus grand pays au monde après la Russie. À elle seule, la province de Québec, où vous irez, a une superficie d'un million cinq cent mille kilomètres carrés.

— Enfant, je trouvais l'Irlande immense.

— Je comprends. Tout n'est pas parfait, mais c'est un beau pays, des gens chaleureux et accueillants.

— Difficile de ne pas aimer ce que j'ai vu. J'apprécie vraiment ce que vous faites pour moi et je suis en réflexion. C'est une grosse décision et je veux prendre le temps de bien la peser.

Il fut question de la vente de sa maison, d'un acheteur potentiel, de sa décision de s'installer à Dublin.

— Vous avez raison, mieux vaut m'éloigner, et je ne peux pas partir à l'étranger tout de suite. Mon bébé naîtra en juin. Si je pars, ce sera fin juillet, début août.

— Avez-vous un endroit en particulier à Dublin ?

— Non ! Je vais voir…

— J'y ai de très bons amis, ma belle-sœur y habite aussi. Demain, je dois m'y rendre avec mon épouse et ma fille. Voulez-vous vous joindre à nous ?

— J'ai l'impression d'être poussée au pied du mur…

— Non ! Excusez-moi ! Je suis un homme de décision, je regrette, je suis habitué à commander. Parfois, j'oublie de changer de chapeau quand je quitte le travail. Je suis sincèrement désolé, vous venez de subir…

— Je vous en prie, je devrais vous être reconnaissante et je le suis ! Vous m'empêchez de m'apitoyer sur mon sort, et puis… oui, c'est avec plaisir que j'irai avec vous. J'aurai ainsi la chance de mieux connaître votre femme et votre fille.

— Neuf heures, ce serait trop tôt pour vous ?

— Non, c'est parfait. Puis-je garder vos photos jusqu'à demain ?

— Avec plaisir et encore une fois, vous chasser est la dernière chose que je veux faire, vous protéger, vous aider… si…

— J'apprécie sincèrement votre démarche.

— À demain, madame.

Sur ces mots, il lui serra la main et partit.

Ne plus penser, rêver à autre chose, recommencer ailleurs, Mamie serait d'accord. Elle croyait que sa protégée pouvait venir à bout de toutes les difficultés, mais la peine, la terreur qui vous ronge, la douleur de perdre quelqu'un qu'on aime, qu'on estime, quelqu'un qui nous aime… Cher Patrick, il méritait tellement plus ! Fourbue, elle s'allongea sur son lit et s'endormit. Le soleil la sortit de sa torpeur. Elle regarda autour d'elle, huit heures quinze ! Elle avait dormi tout habillée. En deux temps, trois mouvements, elle prit sa douche et s'habilla avec soin. Son ventre gargouillait, elle avala deux rôties, un grand verre de lait, prit son sac à main, s'assura qu'elle avait suffisamment d'argent et y fourra une pomme. On cogna à la porte. Une grande fille au visage rouillé, grands yeux rieurs, lui fit face.

— Betty Starr à votre service, madame.

— Mademoiselle, mais je t'ai déjà vue !

Elles montèrent. Le chef la salua et lui présenta sa femme.

— Voyons, je connais Tara, Tara, la pupille de madame Delaney, la musicienne, la plus jolie fille de Navan.

— Je vous en prie, vous allez me mettre mal à l'aise.

— C'est vrai, j'aurais aimé vous rencontrer dans d'autres circonstances ; je suis peinée par ce qui vous arrive. Douglas m'a

parlé de vous et je pense que je pourrais vous être utile. Mais ne vous en laissez pas imposer.

— Merci, madame. J'apprécie votre offre, mais en réalité, je ne sais même pas où j'aimerais habiter à Dublin.

— Dans un beau coin, un endroit propre, sécuritaire.

Betty éclata de rire.

— Faites attention ! Mon père aime mener les choses rondement, mais ma mère est dix fois pire... ses intentions sont bonnes... mais je vous avertis, méfiez-vous !

Ils riaient, se taquinaient.

Tara regardait le chef Starr. Douglas ! Ce nom ne lui allait pas du tout. Sans son uniforme, il semblait moins imposant. Dès leur arrivée, ils arrêtèrent dans un casse-croûte. Pendant que son mari donnait la commande, Mary lui parla de sa belle-sœur, Barbara. Elle avait épousé le frère de Douglas. À peine quelques mois après son mariage, ce dernier avait été terrassé par la leucémie. La femme d'un seul homme, elle ne s'était jamais remariée. Sa mère était venue habiter dans une coquette maison à l'arrière de la sienne, une belle demeure du côté nord de la Liffy, un endroit bien, sécuritaire. Elle était décédée l'année précédente. Betty se pencha vers Tara et, plongeant ses yeux dans les siens :

— La petite maison, un bijou ma chère, un vrai bijou...

Douglas regarda sa fille, il voulait la réprimander, mais un petit rire se dessina sur son visage et tous s'esclaffèrent.

Encouragée, elle continua :

— Et croyez-le ou non, cette maison est libre et elle est faite pour vous...

— Assez ! Franchement, Betty, je voulais faire une bonne action et maintenant, je me sens mal à l'aise. On dirait que c'est une manigance. Je vous fais mes excuses, Tara.

Découragée, l'air penaud, madame Starr pencha la tête.

— Ne vous en faites pas, Betty ressemble beaucoup à ma meilleure amie, Maggie, Maggie Ryan.

— Elle est gentille ?

— Très gentille ! Je l'adore. On est amies depuis toujours. Madame Starr, je serais ravie de voir cette maison... faite pour moi. Ça m'enlève une épine du pied.

— Merci, Tara, vous êtes trop aimable.

Douglas se tourna vers Betty :

— Toi, plus un mot.

On voyait bien qu'il aimait trop sa fille pour lui en vouloir.

— De plus, ma belle-sœur parle le français.

Le bijou se révéla être une coquette maison entourée de fleurs et de verdure, nichée au fond d'un grand terrain manucuré.

— Ma sœur passe son temps dans le jardin.

— C'est vraiment très beau, je pense que je l'aime déjà.

Madame Starr, Barbara, était une gentille dame, distinguée, très affable, et certainement financièrement à l'aise. Sa maison était meublée sobrement et avec goût. Ils passèrent au salon. Elle expliqua à Tara qu'elle n'avait pu se résoudre à louer la petite maison après la mort de sa mère.

— Je ne voulais pas d'étrangers sur ma propriété. Mais ma belle-sœur et Douglas m'ont tellement dit du bien de vous... Je suis surprise de ne pas vous voir une auréole.

— Ma tante, elle l'a enlevée avant d'entrer !

— Tous deux exagèrent, l'auréole, ce n'est pas pour demain.

— Ma belle-sœur peut exagérer, mais Douglas ne distribue pas les compliments à la pelle, croyez-moi. C'est grâce à lui si j'accepte de vous la faire visiter.

Tara lui jeta un regard reconnaissant, elle était émue.

— Je tâcherai de ne pas trahir cette confiance.

La petite maison l'enchanta. Tout était blanc. À l'avant, un spacieux salon, un divan et deux fauteuils recouverts de chintz fleuris, une belle cuisine ensoleillée, une table, deux chaises et les appareils électriques, une autre petite pièce, un secrétaire, des étagères, et une salle de bain, pas de douche... À l'arrière, une grande pièce, un grand lit, une commode et un beau miroir sur pied. Encore là, tout était chic, de bon goût et immaculé. Deux belles fenêtres à l'avant et à l'arrière, une porte française donnant sur une pergola agrémentée de paniers de fleurs. Des glycines enlaçaient un banc. Tara s'avança, le banc était si invitant. Elle retint sa respiration. Le tout ? Un bijou !

Après la visite, ils retournèrent à la maison principale et Barbara servit à chacun une belle tranche de gâteau arrosé d'une bonne

tasse de thé. Douglas, sa femme et sa fille sortirent, laissant Barbara seule avec Tara. D'abord, la propriétaire voulut savoir si la petite maison l'intéressait, si elle avait des meubles; elle-même préférait laisser ceux qui étaient déjà là. Tara mentionna son piano; elle lui parla de Mamie. Ce piano, elle y tenait beaucoup. Ses yeux questionnaient madame Starr.

— Le salon est grand, vous placerez le piano dans un coin et on réarrangera les meubles. J'aime beaucoup la musique, je vais souvent au concert. On m'a dit que vous étiez très talentueuse. J'aurai plaisir à vous entendre jouer... quand il vous plaira. Ma belle-sœur m'a parlé de vous; la vie ne vous a pas fait de cadeau. On m'a dit aussi que vous étiez intelligente et courageuse, une très bonne personne. Nous allons bien nous entendre.

— Merci infiniment, madame, je prendrai grand soin de la maison de votre mère. Je comprends qu'elle compte à vos yeux.

Il fut convenu que Tara pourrait emménager quand elle le voudrait et repartirait quand elle le voudrait aussi. Barbara fixa un prix, très raisonnable. Tara voulu acquitter le premier mois, mais elle refusa.

— Vous me paierez quand vous serez installée.

Les Starr rentrèrent saluer Barbara et ils reprirent la route.

C'était presque trop beau pour être vrai! Le scénario d'un film américain à l'eau de rose. La vie n'était pas aussi simple, parfois elle n'avait pas de cœur. Tara croyait qu'elle allait se réveiller et qu'ils iraient se promener dans les quartiers de Dublin à la recherche d'un logement. Perplexe devant son mutisme, la famille Starr se regarda.

— Tara, vous sentez-vous bien? Avez-vous réellement aimé la maison de ma belle-sœur?

Tara sortit de son mutisme et constata qu'elle n'avait pas ouvert la bouche depuis leur départ.

— Excusez-moi, j'étais ailleurs, je me disais...

Elle leur fit part de ses pensées. Elle ne comprenait tout simplement pas cette coïncidence, elle voulait déménager et, tout à coup, ce bijou était libre, à louer.

— Ces choses-là arrivent dans les romans, pas dans la réalité!

— Mais ma chère Tara, elle n'était pas disponible, pas à louer...

— Alors, comment se fait-il ? Vous…

Quand son cher mari lui avait parlé d'elle, quand il lui avait dit ce qu'il avait suggéré à Tara, au début, Mary n'était pas d'accord. L'exil ? Et puis, en pensant à tout ce qui lui était arrivé, à ce que serait sa vie à Navan, elle avait conclu qu'il avait probablement raison.

— Comme vous, ma tendre épouse a pensé que vous ne pourriez pas déménager tout de suite. Il fallait d'abord quitter Navan. Elle a pensé à sa belle-sœur.

— Ma tante avait ce petit bijou, elle ne souhaitait pas le louer. Personne dans la maison de sa mère ! C'est là que ma mère est entrée en action. « Ma chère Barbara, une bonne jeune femme, si bien élevée, si aimable, si belle, si intelligente. Une musicienne, ma chère ! Ça va te faire du bien. Je mettrais ma main à couper que tu ne le regretteras pas. »

Betty parlait tout en faisant semblant de jouer du violon. Tara la regardait en souriant.

— Et voilà ! C'est le résultat qui compte. Ma belle-sœur ne pouvait pas prendre meilleure décision, elle devenait neurasthénique. Vous allez lui faire le plus grand bien, j'en suis certaine.

— Je ne pourrai jamais assez vous remercier.

— Ah si, vous le pouvez, vous le pouvez ! Ne faites pas mentir ma mère. Au fond, c'est une bonne personne, vous savez.

Douglas fit signe à sa fille de se taire, mais là encore, il n'était pas bien convaincant.

— J'ai presque hâte de partir, de me retrouver dans ce petit… bijou.

Le chef et sa femme étaient soulagés, heureux. Tara était si jeune, si seule. S'installer à Dublin, un choix judicieux.

Deux jours plus tard, le chef était arrivé chez elle. Il venait lui offrir ses vœux et lui apporter un petit souvenir. Il lui remit un livre sur le Canada et un plan de la ville de Montréal.

— Je ne sais pas comment vous remercier pour tout ce que vous avez fait pour moi, je vais suivre vos conseils. Je sais que vous ne m'avez pas conseillée à la légère.

À son tour, elle lui présenta une belle plume avec son nom gravé et une belle broche pour sa femme.

— Merci, Tara, Mary sera ravie, et cette plume me servira, elle est trop belle pour rester cachée. Prenez soin de vous et n'oubliez jamais que vous êtes une femme bien, une dame.

— Nous nous reverrons chez votre belle-sœur à Dublin.

Les Ryan étaient à la fois tristes et heureux de la voir partir. Ils se reverraient, mais rien ne serait plus comme avant. Monsieur Ryan l'avait serrée dans ses bras, l'émotion l'empêchait d'articuler le moindre mot, et sa femme n'était guère mieux. Ils lui avaient fait promettre de venir les voir, de ne jamais hésiter si elle avait besoin de quoi que ce soit.

— N'oublie pas, Tara, si tu es malade, tu nous appelles, si tu n'aimes pas ta nouvelle maison, tu nous appelles, nous comptons sur toi.

Maggie était inconsolable et elle dut faire des efforts surhumains pour garder sa bonne humeur. Seul l'espoir de partir au Canada avec Tara la consolait. Jack et elle avaient acheté la maison de Tara. Leurs parents respectifs leur avaient donné un peu d'argent ; Jack avait quelques économies et un bon emploi avec son futur beau-père ; Maggie travaillait dans un salon de coiffure. La banque leur avait consenti un prêt. Le prix était raisonnable. Le jour de la signature du contrat de vente, malgré les protestations de monsieur Ryan, Tara avait diminué le coût de 2 000 livres (3 200 dollars CAN).

— Je vous dois tant, je sais que je pourrai toujours compter sur vous.

— Jusqu'à notre mort… et ce n'est pas pour demain !

Le plus difficile fut d'annoncer la nouvelle aux Delaney. Celles-ci avaient insisté pour qu'elle passe Noël avec eux, mais Tara en était incapable. Cette maison, c'était celle de Patrick, assassiné à moins de quarante mètres de là. Non, elle n'avait pu s'y résoudre. Tara les avait reçues chez elle quatre jours avant Noël. Sa belle-mère comprenait, mais ses belles-sœurs étaient moins accommodantes, surtout Sandra, qui ne s'était pas gênée pour le lui faire sentir.

— Vous pourriez au moins faire un effort pour ma mère !

Tara n'avait pas répliqué. Quand elle leur annonça qu'elle avait vendu sa maison et qu'elle partait pour Dublin, Sandra lui dit clairement ce qu'elle pensait.

— Vous avez décidé ça sans nous en parler?

— Je ne pensais pas que je devais demander votre avis avant de décider ce que je voulais faire de ma vie!

Madame Delaney s'était délicatement interposée, mais quand Tara leur révéla ensuite sa décision de partir à l'étranger après la naissance du bébé, sa belle-mère avait pâli. Incrédule, Shannon l'avait regardée et Sandra avait explosé.

— Mais Tara O'Brien, tu es une sans-cœur, tu es bien la fille de...

Un silence de mort s'ensuivit. L'air se raréfiait, sa belle-mère pleurait, elle fixait Tara sans comprendre. Celle-ci s'était levée et avait toisé Sandra. D'une voix glaciale, elle affirma:

— Je m'appelle Tara. Si je pars, c'est à cause de gens de ton acabit, toi et celles de ton espèce, malgré tout ce que j'ai fait, ma réussite scolaire, ma vie de jeune fille exemplaire, des gens comme toi ne m'ont jamais permis de vivre comme Tara, une fille bien. On a essayé de me violer, ta grand-mère, ta propre grand-mère a essayé de me faire tuer et horreur! elle a tué son propre petit-fils, un homme bon et généreux, ton frère. Tu es bien la petite-fille de madame Coughlan! Maintenant, sors de ma maison!

Madame Delaney essaya de s'interposer, mais Sandra se leva et lui prit le bras.

— Viens, maman, partons. Ne pleure pas pour ton petit-fils, tu vas en avoir un, je suis enceinte.

Étonnée, Shannon la dévisagea sans comprendre.

— Mais tu n'es pas enceinte, je le sais! C'est quoi cette comédie?

Sandra embrassa sa mère:

— Viens, maman, je suis enceinte, tu vas avoir un petit-fils.

Madame Delaney considéra Tara. Elle ne comprenait plus rien. Un regard d'une grande tristesse voilait ses yeux. Elle l'embrassa et suivit ses filles. Tara se jeta sur le divan et pleura toutes les larmes de son corps.

Pauvre madame Delaney! Elle souffrait, et Tara en était sincèrement peinée.

Sa décision de partir au Canada n'était pas encore fixée, mais la sortie de Sandra l'avait convaincue que c'était la bonne solution.

Madame Ryan, qui avait vu les Delaney arriver, fut surprise de les voir partir si soudainement. Il était un peu tôt... Une des filles, celle qui demeurait à Londres, semblait en colère. Inquiète, n'écoutant que son cœur, elle se pressa chez Tara. La porte était un peu entrouverte, elle appela et entra. Tara pleurait étendue sur le divan. Sans dire un mot, elle l'aida à s'asseoir, la prit dans ses bras et la berça. Longtemps, elle la laissa pleurer, puis d'une voix douce:

— Tara, il s'est passé quelque chose. Je ne veux pas savoir quoi, mais tu portes un enfant, le tien et celui de Patrick, tu ne dois pas te rendre malade. Je vais te faire un chocolat chaud.

Hoquetant, reniflant, Tara lui raconta la scène qui venait de se dérouler avec sa belle-famille et, surtout, la sortie de Sandra.

— Pauvre madame! Tu sais, ses deux filles vont reprendre la ferme, elles vont vivre ensemble. Elle va en voir de toutes les couleurs avec Sandra. Et pourquoi a-t-elle dit qu'elle était enceinte, si sa sœur affirme qu'elle ne l'est pas?

— Je ne sais pas, mais Shannon a soutenu qu'elle savait que sa sœur n'était pas enceinte. Je ne comprends pas.

— Je pense que l'attitude de Sandra confirme que les relations auraient été difficiles entre elle et toi. La cassure était inévitable.

— Pauvre madame! Je ne sais pas si elle s'en remettra.

— Ses filles seront avec elle, Shannon et son mari vont vivre chez elle. C'est un bon couple. Sandra va reprendre le projet de sa mère, moderniser l'ancienne maison. Son mari, Acton Smith, est un bon travailleur, il va tout faire pour que la ferme prospère.

— J'aurais aimé que ça ne se termine pas ainsi, ça me brise le cœur.

— Je comprends, mais tu dois prendre soin de toi, tu le dois à cet enfant qui n'a pas demandé à naître.

Les jours suivants, Grace avait passé quelques heures avec elle. Tara ne savait pas quoi apporter à Dublin. Elle avait demandé conseil à Mary Starr, celle-ci lui avait expliqué ce dont elle aurait besoin.

— Je suis allée chez ma belle-sœur avant-hier. Nous avons vidé les meubles et les garde-robes, et nous avons tout donné aux

pauvres. Il était temps! Barbara a enfin tourné la page. Elle a hâte que vous arriviez.

Tara aussi avait hâte de partir.

Pipelette ne tenait plus en place. Maggie soutenait que la commère allait sortir de sa peau si Tara ne lui disait rien. La mort de Patrick? C'est ce qui arrive quand on fraye avec la fille de Molly. Pipelette était allée voir le père Walsh. Quand celui-ci l'entendit prononcer le nom de Molly, il l'avait mise à la porte sans même écouter la suite.

— L'évêque va le savoir!

Le père Walsh haussa les épaules. Beaucoup d'eau avait coulé sous le pont depuis ses débuts à Navan; cette femme lui faisait horreur.

— Faites comme il vous plaira. Vous êtes une commère de la pire espèce, votre mauvaise langue vous conduira en enfer.

Elle frémit. Elle, en enfer? Le curé était cinglé. La maison de madame Dever avait été vendue sans même qu'elle ait eu vent qu'elle était à vendre.

La mégère passait et repassait devant la maison. Maggie, qui l'observait, avait dit à sa mère de ne pas manquer le spectacle. Se précipitant chez Tara:

— Pipelette est décontenancée. Tu ne lui dis rien! Elle va perdre la boule, par ta faute. Regarde bien, je t'offre une avant-première du *Pipelette walkabout* (aller marcher seul).

Sur ces mots, Maggie s'enfonça un vieux chapeau jusqu'aux oreilles, sortit et se mit à marcher à petits pas, puis à s'arrêter, à allonger le cou, à humer l'air, à droite, à gauche, puis s'avança vers la maison de Tara, encore à petits pas. Un vrai pluvier en action, tête penchée vers le sol, petits coups de tête saccadés couvrant un demi-cercle. Elle releva la tête, s'approcha dangereusement de la maison, allongea le cou, lissa sa robe et recommença son manège. Incrédules, Tara et Grace, chacune sur le seuil de leur porte, la regardaient. Maggie fit semblant de ne pas les voir. Les deux riaient tellement qu'elles en pleuraient. Elle remonta la rue. Sa mère avait rejoint Tara, mais Maggie passa devant elles, leva le nez et les snoba. Se redressant, elle enleva son chapeau et, le plus naturellement du monde, alla les retrouver.

Les deux femmes essayaient de se contrôler, mais en vain.

— Qu'est-ce que vous pensez du *Pipelette walkabout*?

— Il est parfait, ma chère folle. Comme tu vas me manquer!

— Mais ma chère, tu me verras, je vais devenir célèbre.

Deux autres femmes avaient vu le spectacle et avaient ri tout autant. C'était madame Finnigan! Ce soir-là, ce fut le sujet de conversation chez les Ryan. John avait tenté de réprimander sa fille, mais on riait trop. Pauvre Pipelette, tout lui échappait! Mais elle se consolait. Enfin, elle serait débarrassée de la fille de Molly; toute la famille, partie! Elle soupirait d'aise. Bon débarras! Mais en était-elle vraiment débarrassée?

Tara avait passé la veille de Noël chez les Ryan. Toute la famille était allée à la messe de minuit. Elle avait eu de la difficulté à retenir ses larmes. Tant de souvenirs refaisaient surface. N'écoutant que son cœur, madame Delaney était venue lui serrer la main et l'embrasser, ainsi que Shannon. Sandra l'avait ignorée. Sa belle-mère lui avait demandé de lui donner signe de vie, quand le bébé... Elle avait promis de le faire.

Puis ce fut le réveillon. On s'amusait, on riait.

La famille lui avait fait cadeau d'un beau livre sur l'Irlande, intitulé *Magnificent Ireland*, ainsi qu'un coffret contenant des cartes postales de chaque site historique d'Irlande. Maggie et Jack lui avaient offert un guide illustré, *Discovering Dublin*, avec un plan détaillé de la ville.

— Merci! Vous n'auriez pu trouver mieux. Jamais je ne me départirai de ces livres, ils me suivront jusqu'au Canada.

— Et je ne pourrai t'accompagner, tu sais que je serai madame Jack Kearne. Tu auras certainement de la compagnie. J'ai mille choses à faire. J'ai hâte. Au moins, tu vas pouvoir venir à mon mariage. Ma meilleure amie!

Maintenant qu'ils avaient leur maison, Maggie et Jack avaient devancé la date de leur mariage. Ils se marieraient le 9 avril.

— Je ne manquerais pas ton mariage pour tout l'or du monde.

— Tu es plus que mon amie, tu es comme ma sœur.

33
Dublin

Quelques semaines plus tard un camion de déménagement arrivait à Dublin avec le piano de Tara. Le reste de ses effets se limitait à ses vêtements, la literie, un peu de vaisselle, la verrerie et un certain nombre de belles pièces que Mamie lui avait léguées : des photos, des albums, des bijoux, des livres et quelques souvenirs de sa première année chez Mamie. Le départ avait été à la fois un soulagement et une déchirure. Elle était passée devant la maison de ses parents, son premier foyer, où elle avait connu un certain bonheur, avant l'arrivée de Pédopimp. Elle revit Ray courant vers elle, et son cœur fit mal. Au fond, elle savait maintenant que son père avait été sur une pente descendante avant même l'arrivée de cet énergumène. Sa mère ne serait pas restée avec lui, mais elle ne les aurait peut-être pas abandonnés. Où était Ray ? Et sa mère ? En partant, ne mettait-elle pas une distance infranchissable entre elle et son passé, entre elle et ceux qu'elle avait aimés et qu'elle aimait toujours ? Cependant, rester n'était plus possible. Mamie la suivait, elle sentait sa présence, son amour, son approbation constante.

Tara était émue. Maggie était son unique amie. Comme elle allait lui manquer ! On ne construit pas une amitié en quelques semaines. Elle avait des connaissances à Dublin, mais de vraies amies ?

Elle se leva tôt, alla dans la cour arrière, s'assit dans la balançoire, embrassa le jardin d'un regard attendri... chère Mamie. J'ai été si heureuse ici, treize années de bonheur. Merci, veille sur moi.

À sept heures, Maggie était à la porte avec sa voiture.

— N'oublie pas, Tara, que je suis là pour t'aider, comme la première fois, mais ne déménage pas de nouveau dans un mois !

Paul et son père mirent les boîtes dans les deux voitures. Elle avait fait ses adieux la veille. John la serra dans ses bras, lui souhaita bonne chance et avertit Maggie de faire très attention.

— Tu suivras Tara, elle connaît la ville. Prends ton temps pour revenir demain après-midi.

Grace les salua de la fenêtre. Avant de monter, Maggie regarda Tara et fit quelques pas : le *Pipelette walkabout*. Tara se mit à rire et lui fit signe de se dépêcher. Sa mère et son père l'avaient aperçue. Chère Maggie ! Si tu pouvais venir avec moi !

À peine installée dans son petit bijou, Tara se sentit libérée d'un poids qui l'oppressait. Cette maison immaculée l'enveloppait d'un sentiment de bien-être. Chaque matin, même s'il faisait un peu frisquet, elle s'installait sur le banc et se laissait bercer par la brise et le chant des oiseaux. Anonyme ! Personne ne la remarquait, personne ne se souciait de ce qu'elle faisait. Madame Starr était la discrétion même. Chaque jour, Tara allait la saluer, celle-ci en était ravie. Le soir, quand Tara se mettait au piano, elle entrait sur la pointe des pieds, s'installait sur le divan, fermait les yeux et se laissait porter par cette musique céleste.

Parfois, Tara aussi fermait les yeux et laissait courir ses doigts. Les souvenirs refaisaient surface et le visage de sa mère lui apparaissait tel qu'elle l'avait vu, la veille de son départ. Le visage inondé de larmes, elle continuait de jouer... une torture et un baume, les notes finissaient par l'apaiser. Son père et surtout son frère, Ray, étaient plus présents que jamais dans ses pensées. Où était Ray ? Qu'étaient-ils tous devenus ? Disparus de la surface de la terre ? Impossible. Ils étaient quelque part, elle avait l'absolue certitude qu'un jour elle les retrouverait. Madame Starr comprenait son désarroi. Quel dommage !

Le docteur Fitzsimmons l'avait dirigée vers un collègue, le docteur Connors, lui disant qu'elle était veuve. Ce dernier, poli, efficace, moins chaleureux que le docteur Fitzsimmons, avait d'abord été interloqué par la grâce et la beauté de Tara. Cette fille racée avait de la classe. Immobile, il l'avait fixée, mais devant son regard froid, il s'était repris, l'avait examinée et avait fait ses

recommandations, sans manquer de l'avertir de le contacter si quelque chose n'allait pas : « Vous pouvez communiquer avec moi en tout temps. »

Durant les premières semaines, elle quittait son nid et partait à l'aventure, découvrant Dublin, se laissant guider par le hasard, sans but précis, allant vers le nord, revenant sur ses pas, quadrillant chaque section de la ville, ses yeux voguant au gré du paysage. Quelle ville immense ! La solitude dans la multitude ! Elle s'y sentait seule et bien, même si Maggie lui manquait ; elles se parlaient souvent. Bien que ce fût presque impensable, la grossesse l'avait embellie, son visage auréolé de boucles rousses irradiait. Très souvent, les gens qui hâtaient le pas, sans regarder à droite ou à gauche, ralentissaient un moment en la croisant. Une apparition ! Ils freinaient leur élan et repartaient, la vision de cette déesse gravée dans leur cerveau, ils en parleraient à leurs copains. Il arrivait que certains indiscrets essaient de se rapprocher d'elle, mais son regard désapprobateur paralysait leur impulsion.

Barbara Starr avait offert de l'accompagner.

— Je connais bien la ville et j'aimerais vous la faire découvrir plus à fond.

— Vous avez certainement mieux à faire, je ne voudrais pas abuser de votre bonté, vous fatiguer.

— Abuser de ma bonté ? Je vous vois partir et j'ai le goût de courir après vous. Mais peut-être préférez-vous être seule ?

Elle aurait effectivement préféré la solitude, mais cette dame lui avait ouvert si généreusement sa porte ; elle aurait été bien ingrate de refuser.

C'est ainsi que Barbara Starr lui fit découvrir Dublin, cette ville qui la fascinait. Mamie lui avait transmis son amour de la nature, des plantes, des fleurs. Le premier choix de Tara fut le National Botanical Garden. Fondé en 1795 par la Royal Dublin Society, cet immense jardin, ayant appartenu au poète Thomas Tickell, couvrait plus de cinquante acres. À l'entrée, elle resta longtemps debout immobile, totalement captivée par cette folie de couleurs, son âme transportée dans un enchantement qu'elle aurait voulu éternel. Madame Starr était silencieuse, elle la com-

prenait. Arbustes, arbres locaux et exotiques, fleurs toutes plus belles les unes que les autres, tout cela la ramena à sa chère Mamie. Des larmes glissèrent doucement sur ses joues. Les deux femmes marchèrent aussi longtemps que leurs jambes voulurent les porter. Tara quitta à regret ce lieu enchanteur, en emportant l'image de Mamie assise sur un banc parmi les fleurs.

— Tara, nous devons nous restaurer. J'ai l'estomac qui gargouille et vous devez avoir faim ! Venez, je connais un bon petit restaurant tout près.

Madame Starr était connue et on les servit promptement. Elle avait un bon sens de l'humour et Tara se détendit. Cette femme cultivée était d'agréable compagnie. Coïncidence, elle avait deux billets pour le *National Concert Hall* et proposa à Tara de l'accompagner. Ce splendide auditorium était immense, à couper le souffle, et Barbara Starr y avait sa loge. Émerveillée, Tara la regardait saluer les gens, la présenter comme l'amie de sa belle-sœur. Elle tâcha de faire bonne figure, mais elle ne se sentait pas tout à fait à l'aise. Madame Starr devina son trouble, l'entoura de son bras droit et sourit.

— Oui, Tara, vous êtes à votre place, ici. Votre amour et votre connaissance de la musique vous feront apprécier cette soirée mieux que quiconque.

Quand l'orchestre attaqua la première pièce, un frisson la parcourut, elle était conquise. Un sourire béat accroché au visage, elle se laissa envoûter. Ne bougeant pas, respirant à peine, les yeux rivés sur les musiciens, elle était ailleurs, et cet ailleurs était magique. Madame Starr avait dû la secouer un peu pour qu'elles aillent se dégourdir les jambes durant l'entracte.

— Ah ! madame Starr, merci de m'avoir invitée ! Vous êtes un ange et nous sommes au paradis.

— Chère Tara, je suis loin d'être un ange. J'aime aussi la musique et je viens ici au moins quatre fois l'an, parfois plus. Je suis contente que vous aimiez cela autant que moi. Nous reviendrons.

— C'est cher ? Je peux payer et j'aimerais le faire.

— Laissez-moi vous combler un peu, ça me fait tellement plaisir ! Si vous n'étiez pas là, je n'apprécierais pas autant le concert.

— Vous me faites penser à ma Mamie.

Tara lui parlait parfois de sa Mamie, cette dame qui l'avait élevée et aimée comme sa fille.

— Je considère cela comme un compliment et je vous en remercie.

À peine rentrée, le sommeil l'enveloppa dans sa toile et elle ne se réveilla que tard le lendemain. Elle s'étendit au soleil et se reposa. Quand elle rouvrit les yeux, madame Starr arrivait avec un plateau de fruits et de fromage, des petits pains frais et deux tranches de gâteau.

— Vous voulez bien partager avec moi? Je n'ai pas envie de manger seule. Vous permettez? Il est midi.

Tara ne se fit pas prier et dévora tout avec appétit.

— Vous me gâtez, mais je ne vais pas me plaindre, c'est trop bon!

Pendant qu'elle se régalait, elle fut prise d'un fou rire.

— Qu'y a-t-il de drôle?

Maggie, son amie Maggie, semblait tout près. Tara raconta son enfance, leurs rencontres quotidiennes, leurs folies, surtout les folies de Maggie. Madame Starr riait aux éclats.

— Votre amie semble être assez particulière, j'ai hâte de la revoir.

Tara était sereine. Sa grossesse se déroulait normalement, elle prenait du poids, le bébé avait commencé à faire sentir sa présence. Quel miracle de la nature! Enfin, elle se sentait proche de son enfant, mais elle n'avait encore rien acheté, rien préparé. Patrick occupait ses pensées. Il était tellement heureux d'être son mari, il débordait de bonheur! Cet homme, qui n'avait pas un seul brin de méchanceté, assassiné par sa grand-mère, ou plutôt, par la méchanceté, la calomnie. Quelle terrible injustice! Il méritait tellement mieux. Elle se promit que son enfant connaîtrait tout de lui et serait fier d'être son fils ou sa fille. Mamie habitait ses pensées aussi; son souvenir, une douceur.

À madame Starr qui s'étonnait qu'elle n'ait encore rien acheté pour son bébé, elle confia:

— Je sors, j'étudie chaque jour, je veux recevoir mon diplôme d'infirmière. C'est très important pour moi, je dois pouvoir gagner

ma vie. Tout de suite après le mariage de mon amie, nous irons magasiner. J'aurai deux mois pour tout préparer.

Trois semaines après son arrivée, elle retourna à Navan. Comme cette ville lui sembla petite ! Maggie avait emménagé chez elle. La maison lui parut différente, étrangère, mais la balançoire avait toujours le même attrait. Les deux amies s'y installèrent et Maggie, toute aux préparatifs de son mariage, était encore plus volubile. Les Ryan l'accueillirent avec joie et le chef Starr, qui l'avait vue passer, était venu la saluer. Il la trouva calme, resplendissante.

— Je suis bien content de vous revoir. Vous rendez ma belle-sœur tellement heureuse ! C'est excellent pour vous deux.

Bien entendu, la voiture de Tara n'avait pas échappé à l'œil de lynx de Pipelette. Le regard en coin, elle passa à deux reprises devant la maison. Maggie bigla la commère et fit mine de se lever.

— J'ai bien envie d'aller lui dire que tu reviens ici.

— Maggie ! Tu veux la faire mourir ? Laisse ! Que serait Navan sans elle !

Elle repartit tôt, satisfaite d'être venue, mais bien heureuse de rentrer à Dublin.

Avide lectrice, la semaine suivante, elle s'abonna à la National Library of Ireland. Établie en 1890, renommée pour fournir la documentation nécessaire aux visiteurs qui recherchent leurs ancêtres, on y trouve une collection des premières éditions des œuvres d'auteurs irlandais, hébraïques, grecs et bien d'autres. Tara se familiarisa avec cette grande bibliothèque et décida qu'elle irait refaire sa ration de lecture. Parfois, elle y passait quelques heures. La Marsh's Library l'attirait aussi, fondée par Narcissus Marsh, archevêque de Dublin, et dont le célèbre écrivain, poète et pamphlétaire Jonathan Swift (*Les voyages de Gulliver*) fut le gouverneur. Cette bibliothèque possède un ensemble impressionnant de livres savants sur la théologie, la médecine, la littérature française, hébraïque, grecque, etc. Tara aimait admirer ces livres, les prendre dans ses mains, les humer, les toucher ; elle avait l'impression d'absorber quelques minces particules du savoir de ces érudits.

Un jour qu'elle rentrait chez elle, l'esprit ailleurs, elle releva la tête. Au loin, des boucles rousses valsaient au soleil. Interloquée,

elle contempla cette vision, hâta le pas; son pouls s'accéléra. Sa mère! Au même moment, la rouquine tourna la tête et deux yeux inquisiteurs rencontrèrent ceux de Tara. Confuse, déçue, elle se détourna et reprit le chemin de la maison. Sa mère ne serait-elle jamais qu'une espérance? Plus elle sentait vibrer cette nouvelle vie en elle, plus le souvenir de Molly revenait la hanter.

Peu de temps après son arrivée chez madame Starr, elle avait repris son journal, celui commencé dès sa première année chez Mamie. Ses pensées, ses joies, ses peines, tout y était consigné, c'était une catharsis bienfaisante.

Dès que sa décision de quitter l'Irlande pour aller habiter à Montréal fut bien arrêtée, elle lut plusieurs livres sur le Canada. Comme le français était la langue parlée de la majorité des Québécois, elle voulait pouvoir communiquer avec eux, comprendre leur culture. S'intégrer aux francophones était pour elle primordial. Elle ne pouvait concevoir s'établir dans un pays sans en parler la langue. Début janvier, elle s'était donc inscrite à un cours accéléré de français. Malgré des débuts difficiles, avec l'appui inconditionnel de madame Starr, elle avait persévéré.

— Tara, le français est une langue de sexe, tout y est toujours masculin ou féminin: le, la, un, une; un vrai quiproquo, même les francophones se trompent parfois! J'adore tout de même cette langue si variée et colorée.

Malgré un accent irlandais évident, avec beaucoup de patience, de rires et de détermination, quatre mois plus tard, elle le comprenait et pouvait le parler... un peu. Barbara y était pour quelque chose. Elle ne ratait jamais une occasion de lui parler dans la langue de Molière. Elle avait même acheté quelques disques de Charles Aznavour, Jacques Brel, Maurice Chevalier et autres.

34
Le malheur est voisin du bonheur

Le samedi 9 avril 1966, jour du mariage de Maggie, le soleil se leva du bon pied. Bien déterminée à partager la joie de son amie d'enfance, Tara se leva tôt, s'habilla avec soin. Debout avant l'aube, madame Starr lui avait préparé un copieux déjeuner. Le cœur léger, Tara prit le volant. Chère Maggie, sans elle, Tara n'était pas certaine qu'elle aurait survécu. Son amie l'avait défendue farouchement quand on avait voulu lui faire du mal, elle avait marché à ses côtés dans les pires moments, elle l'avait encouragée. Elle pouvait si bien faire le pitre ; elle savait aussi se taire, parfois sa seule présence suffisait. Les liens qui les unissaient seraient éternels. Comme elle allait lui manquer... dans ce lointain Canada ! Trêve de mélancolie ! Le temps était à la fête.

La journée fut un enchantement. Maggie était ravissante, son Jack la couvait des yeux. Après la cérémonie, quand elle descendit l'allée centrale et arriva devant Tara, elle fit un petit pas de danse et continua à regarder la foule avec son plus beau sourire. Les yeux remplis de larmes, Tara se ressaisit et se joignit aux Ryan. Ils avaient insisté pour qu'elle s'assoie avec eux. Monsieur Ryan la surveillait d'un air protecteur. Malheur à qui oserait lui faire la moindre remarque ! Ce fut une belle célébration. On n'avait pas lésiné sur les coûts, plus de cent invités se délectèrent de bonne chère, de bon vin et de l'irremplaçable Guinness. Quand l'orchestre attaqua la première valse, la fête commença.

Les sœurs de Patrick étaient présentes, mais pas sa mère. Pauvre madame Delaney ! Elle ne se remettrait jamais de la perte de son fils, dont sa propre mère était responsable. Shannon était venue s'asseoir près de Tara ; elles se débrouillaient bien avec la ferme,

s'occupaient de leur mère. Ce n'était pas facile. Elle questionna Tara sur sa grossesse et celle-ci promit de venir leur montrer son bébé... celui de Patrick. Sandra la salua, elle avait pris un peu de poids, mais ne « semblait » pas enceinte. Ce qui frappa Tara fut la discussion animée entre elle et le docteur Fitzsimmons. Pendant que Sandra déblatérait, celui-ci regardait autour de lui, visiblement mal à l'aise, comme s'il craignait d'être entendu. Finalement, il hocha la tête en signe d'acquiescement, tourna les talons et alla retrouver des amis. D'un air satisfait, Sandra rejoignit son mari. Tara décida d'oublier l'incident.

Fatiguée des douleurs au ventre qui l'incommodaient depuis le matin, des douleurs en tranchées qui ne faisaient qu'empirer, n'y tenant plus, elle se dirigea vers le docteur Fitzsimmons. Il comprit en la voyant. Lui prenant la main, il la dirigea vers la sortie, la fit monter dans sa voiture et fila vers l'hôpital. À part Sandra, peu d'invités s'aperçurent de leur départ.

Le docteur Fitzsimmons suait à grosses gouttes et Tara, accablée de douleur, n'était pas du tout rassurée.

— Vous n'êtes pas malade, docteur ? Je peux compter sur vous ?

— Oui, oui, je suis un peu inquiet, faites-moi confiance.

Il lui tapota les mains. Ces paroles la rassurèrent. Tara se tordait de douleur, elle en savait assez pour se rendre compte que quelque chose clochait ; elle était au bord de la crise de nerfs.

Dès son arrivée à l'hôpital, on l'installa sur une civière et on la conduisit en salle d'opération. Le docteur Fitzsimmons fit diligence et fut prêt en moins de deux. Il donna des ordres à l'infirmière et avant qu'elle articule une seule parole, il administra du chloroforme à Tara. Une heure plus tard, celle-ci se réveilla. Désorientée, un peu perdue, elle regarda autour d'elle, aperçut madame Ryan debout près d'elle, les larmes aux yeux.

— Où suis-je ? Qu'est-ce qui s'est passé ? Mon bébé ?

Elle se toucha le ventre, il était presque plat. L'air hagard, elle se redressa.

— Où est mon bébé ? Je veux le voir !

Elle criait. Madame Ryan l'entoura de ses bras.

— Ma chère Tara, ton bébé est avec les anges, il était décédé depuis quelques jours. Je suis désolée.

Incrédule, hébétée, elle se laissa retomber sur son oreiller. On lui mentait. Le matin même, son bébé était vivant, elle avait reçu quelques coups bien sentis. Elle exigea de voir le docteur Fitzsimmons.

Le visage défait, il entra dans la chambre, comme à regret.

En le regardant, Tara sut qu'elle ne serait pas mère. Elle se tourna contre le mur et pleura amèrement. « Mamie, si seulement tu avais été auprès de moi, tout cela ne serait pas arrivé ! Le bonheur n'est pas pour moi. »

Quelques instants plus tard, Maggie entrait dans la chambre. Elle portait encore sa robe de mariée, mais les larmes inondaient son visage. Sans un mot, elle prit Tara dans ses bras et la berça. Les deux amies mêlèrent leurs larmes. Même Maggie, que rien ne pouvait abattre, était atterrée par la mort de ce bébé.

Une demi-heure plus tard, Maggie quitta la chambre en promettant de revenir le lendemain. Tara protesta.

— C'est ton mariage, le plus beau jour de ta vie ! Tu dois rester avec Jack.

— Ne te tracasse pas, il ne perd rien pour attendre et toi, ne lâche pas. Sinon, je t'envoie Pipelette et ça, c'est une promesse !

L'infirmière revint avec un somnifère. Tara s'assoupit.

La nouvelle se répandit dans tout Navan, comme une traînée de poudre. Les Ryan étaient sous le choc. Pauvre Tara ! Madame Delaney ne comprenait plus rien. Les épreuves se succédaient. Tara avait perdu son bébé, elle allait d'une catastrophe à l'autre. Sa fille Sandra avait accouché d'un petit garçon le même soir. Très peinée pour sa bru, mais ravie d'avoir un petit-fils, elle pleurait et riait tout à la fois.

Le chef Starr fila vers Dublin et revint avec sa belle-sœur. Femme d'action, madame Starr prit les choses en main. Quand Tara se réveilla, elle la vit près d'elle. Un gros bouquet de fleurs embaumait la pièce. Perplexe, Tara la regarda.

— Mon beau-frère est venu me chercher, je ne pouvais vous laisser seule.

— Mais il n'aurait pas…

— Tut ! tut ! tut ! Vous venez de subir un choc terrible ; je ne serai jamais votre Mamie, mais je suis votre amie. Je ne peux

ramener à la vie votre bébé et je suis sincèrement peinée, alors laissez-moi m'occuper de vous. Vous me manquez beaucoup, nous avons besoin l'une de l'autre. Je vous en prie, ne me dites pas de partir.

Tara poussa un long soupir. Elle sentait un grand vide dans son corps et dans son cœur, mais elle était reconnaissante d'avoir cette brave dame près d'elle. Elle n'était pas seule.

— Merci, madame Starr, merci ! Vous êtes aussi bonne que ma chère Mamie. Est-ce que je pourrais vous appeler tante Barbara au lieu de madame Starr ? Tante Barbara, c'est très gentil, moins distant...

Madame Starr toussa pour masquer son émotion.

— Avec grand plaisir !

Quand le docteur Fitzsimmons revint, elle l'avisa de ne plus donner de calmant à sa protégée.

— Elle n'a besoin d'aucune drogue ; elle a besoin d'amour et de soins, et moi... sa tante, je vais les lui donner.

Mal à l'aise, il marmonna quelque chose et sortit. Quand Maggie revint, madame Starr dorlotait Tara. Cette dernière la chassa poliment.

— Merci pour hier, mais ne reviens plus. Va retrouver ton mari.

Maggie l'embrassa longuement et repartit. Les Ryan vinrent la voir, soulagés de voir madame Starr avec Tara.

Aussitôt après, méconnaissable, madame Delaney entra, serra Tara dans ses bras et repartit sans avoir prononcé une parole

Trois jours plus tard, grâce à tante Barbara qui veillait à ce que Tara ne manque de rien, le chef Starr se pointa à sa chambre. Sa belle-sœur aida Tara à s'habiller et, malgré ses protestations, il la souleva dans ses bras et la transporta dans sa voiture. L'enveloppant dans une couverture, il la regarda d'un air sévère.

— *Anois, óoggbbean, ist !* (Maintenant, jeune fille, pas un mot !) Ordre du chef. Détendez-vous, nous retournons dans votre maison, vous vous rappelez, le « petit bijou ». Si vous rouspétez, je vous mets les menottes. Compris ?

Bien malgré elle, elle esquissa un petit sourire.

— Voilà qui est mieux. Filons !

Le chef parcourait les kilomètres à toute vitesse ; Tara songea qu'il mériterait bien une contravention. Heureuse de se retrouver chez elle, elle soupira d'aise. Tante Barbara avait tout prévu. Tout reluisait, un plateau de fruits et des sandwiches ornaient la table. Elle prépara du thé et Tara découvrit qu'elle avait faim. Le chef dévora quelques sandwiches. Comme la dernière fois, il lui donna un chaste baiser sur le front.

— Courage, Tara, une nouvelle vie vous attend. J'ai confiance en vous. Vous allez vous en sortir. Tenez bon !

Quel homme merveilleux ! Avec honnêteté et beaucoup d'estime, il l'avait conseillée, guidée. La confiance qu'il avait en elle lui avait donné le courage de trouver la sérénité et l'espoir dans le changement.

Avec les petites attentions de sa tante, du repos, une bonne nourriture, Tara reprit des forces rapidement. Pour le cœur, ce serait plus long, une pénible impression d'échec l'atteignait dans sa chair. Elle se sentait responsable. Au début, n'ayant pas désiré cet enfant, aucun sentiment maternel ne s'était manifesté avant les trois derniers mois. Punition ? Jamais elle ne se marierait, jamais elle n'aurait d'enfant.

35

La vie reprend ses droits

Tante Barbara ne lui laissa pas le loisir de se morfondre. Les concerts, les sorties instructives, magasinage, le français, les repas dans les bons restaurants… Tara s'épanouissait. Sa tante retrouvait une deuxième jeunesse. Malgré les protestations de Tara, elle réglait toujours la note. Elle savait aussi se montrer discrète, la laisser seule, sentant qu'elle avait aussi besoin d'espace.

Un matin de mai, assise dans la cour arrière, sa tante s'approcha.

— Ma chère Tara, je pense qu'il est temps de penser au Canada. J'y réfléchis depuis quelques semaines… Je me demande si vous m'accepteriez comme compagne de voyage. Je n'ai que cinquante-trois ans, je ne suis pas encore une vieille dame, je suis en excellente santé, et je n'ai jamais visité ce pays.

Elle regardait Tara sans vraiment vouloir insister, elle espérait… Tara lui sauta au cou.

— Vous voulez m'accompagner ? Ah ! merci, merci ! Je me sentirais moins seule. Quel soulagement ! Merci ! Merci ! Ce n'est pas facile de quitter mon pays, un pays que j'aime, malgré tout ce qui m'est arrivé. J'y ai connu des années de grands bonheurs, Mamie, les Ryan, Patrick, ma chère Maggie et vous.

— Vous allez recommencer à neuf, je vais vous aider. Je ne m'incrusterai pas, j'y resterai trois mois. Ce n'est pas trop ?

— Chère tante Barbara, trois ou six mois, aussi longtemps que vous le voudrez. Vous m'enlevez un bien gros souci. Alors, c'est décidé ! J'y songe depuis quelque temps, votre décision me donne la force d'aller de l'avant. Que pensez-vous du début juin, c'est le début de l'été à Montréal. Nous pourrons rencontrer Brigid, votre

belle-sœur, et Jen, la sœur de madame Ryan. Ils seront de précieux conseil. Dès mon arrivée, ou dès que possible, je veux m'acheter une maison. Ce sera un nouveau départ! J'ai besoin de racines! Naturellement, vous aurez votre chambre. Vous viendrez passer quelques mois chaque année, plus, si ça vous chante. Votre expérience et vos connaissances me seront très utiles. Qu'en pensez-vous?

— Je pense que c'est le bon Dieu qui vous a mise sur mon chemin.

Tante Barbara se leva et lui donna un gros bizou sonore sur chaque joue.

Les dernières semaines avaient filé. Il y avait tant à faire en si peu de temps. Sœur Mary, la supérieure de l'école de nursing, lui avait fait subir les examens et, malgré quelques oublis, facilement remédiables, elle lui avait décerné son diplôme d'infirmière, accompagné d'une lettre de recommandation. Tara avait été touchée de tant de sollicitude.

— Vous êtes une bonne personne, vous avez surmonté bien des embûches, vous vous êtes relevée avec courage et dignité, allez vers l'avenir, je prierai pour vous.

Lors d'une visite à la banque, accompagnée de Barbara, le directeur lui avait suggéré d'ouvrir un compte dès son arrivée à Montréal. Il pourrait alors lui transférer de l'argent à sa demande. Les 70 000 livres (168 000 dollars CAN) laissées par sa Mamie, plus les 13 000 livres (31 200 dollars CAN) de la vente de sa maison représentaient un magot substantiel. Sa voiture? Quand le chef avait su qu'elle la vendait, il en avait demandé le prix. Pour lui, une aubaine, 1000 livres (2 400 dollars CAN). Il avait insisté pour lui en donner plus, mais Tara n'avait pas cédé. Le regardant d'un air taquin, elle avait renchéri:

— Même un chef de police ne peut tout décider.

Ses économies personnelles s'élevaient à 4 460 livres (10 704 dollars CAN). Une jolie somme de 88 460 livres assurait sa situation financière. Comme la livre anglaise valait 2,40 dollars CAN, elle possédait la rondelette somme de 212 304 dollars CAN. Sitôt installée, elle irait travailler.

Le plus pénible fut sa dernière visite à Navan. Elle alla se recueillir sur la tombe de Mamie, lui confia ses projets, sa peine de la quitter à jamais. Celle-ci lui avait procuré tant d'années de bonheur ! Ensuite, sur celle de Patrick ; il avait payé de sa vie son amour pour elle. Le cœur gros, elle se rendit saluer le curé Walsh, qui ne l'avait jamais jugée, l'avait toujours secondée. Il la bénit. Elle se dirigea vers la maison où elle était née. Ce n'était plus qu'une habitation parmi les autres. Son père, sa mère et Ray, tous disparus... à jamais ? Ils n'avaient jamais quitté ses pensées. Ni les années ni la distance ne les lui feraient oublier. Elle était seule, terriblement seule. Même la maison de Mamie, vendue à Maggie, n'était plus la même. Le jardin, l'oasis de Mamie, était négligé. Son cœur se serra.

— Chère Mamie, ton cœur et ton âme étaient dans ce jardin. Quel enchantement que ce coin paradisiaque, chaque instant passé ici avec toi était un bonheur renouvelé.

La *cubby house* de son enfance n'était plus qu'un bric-à-brac. Elle avait tout quitté précipitamment et s'était rendue prendre une collation au *Hudson Bistrot*. Elle voulait se ressaisir avant un dernier arrêt, chez les Ryan, ses amis, ses protecteurs. Toute la famille était réunie pour un dernier repas. Maggie resplendissait et débordait de bonheur, mais malgré la bonne volonté de chacun, le souper baigna dans une atmosphère de tristesse. Ce départ était définitif, il était peu probable qu'elle revoie l'un d'eux. Elle faisait partie de cette famille, ils l'aimaient, et les adieux furent douloureux. Tous avaient les larmes aux yeux, même John Ryan. Cette fille était un peu la leur. Maggie pleurait à chaudes larmes. Le cœur en lambeaux, Tara s'arracha à leur étreinte et partit.

En tournant sur la rue principale, elle croisa la voiture du chef. Il lui fit signe d'arrêter, la regarda et comprit. Il la prit dans ses bras et la laissa pleurer. Il était soulagé et heureux que sa belle-sœur l'accompagne ; Tara se sentirait moins seule. Il se redressa et le chef prit le dessus sur l'homme.

— Vous avez le numéro et l'heure de votre vol ? Je vais appeler ma sœur à Pointe-Claire, elle ira vous chercher à l'aéroport.

— Inutile de la déranger, ce n'est pas nécessaire...

— Tara, écoutez, quand on arrive dans un nouveau pays, il est important d'être reçu par des gens qui pourront vous aider, vous guider.

Inutile de discuter avec cet homme ! Elle le regarda en souriant bien malgré elle. Il comprit.

— Faites-moi confiance, Tara, vous savez que je ne veux que votre bien. Ma sœur sera ravie de rencontrer une compatriote et ma belle-sœur.

— Vous avez raison, j'apprécie beaucoup tout le mal que vous vous êtes donné pour moi.

— Ma chère Tara, vous m'avez largement remercié, ma fille est emballée par votre voiture. *Slàn leat !* (Au revoir !)

Ils se séparèrent. Il la regarda s'éloigner.

36

L'exil

« *Ladies and gentlemen, your attention please, British Airways, Flight 207, leaving for Montreal, Canada, is now ready for boarding.* Mesdames et Messieurs, votre attention s'il vous plaît ! Le vol 207, de British Airways, à destination de Montréal, Canada, est maintenant prêt pour l'embarquement. » Tante Barbara regarda Tara.

— En avant, le Canada ! En avant, le Québec ! À tout à l'heure, Pointe-Claire !

Le mercredi 3 juin 1966, à neuf heures quinze, accompagnée de madame Barbara Karr, Tara s'envolait vers Montréal. Sa « tante » avait insisté pour qu'elles voyagent en première classe.

— C'est ton baptême de l'air, nous voulons qu'il soit agréable et confortable.

Tara était tellement soulagée de l'avoir à ses côtés qu'elle n'avait pas trop protesté. Quinze minutes plus tard, volant dans cet oiseau métallique qui faisait fondre les distances, les yeux rivés au hublot, elle se laissa emporter par la magie. Les nuages, cirrus et cumulus pleins d'encens étaient si proches que le ciel semblait à sa portée, certains apparaissaient, disparaissaient. Entremêlés dans son cerveau, des sentiments de chagrin, de deuil et d'allégresse. Elle ferma les yeux. Barbara la laissa à ses pensées, à ses souvenirs. Depuis le jour où elle avait décidé de partir, sa tante s'était montrée discrète, tout en étant d'un apport inestimable. Elle avait mis de l'huile dans l'engrenage, tout allait pour le mieux. Elle l'avait aidée à renouveler sa garde-robe ; elle possédait un goût sûr, un peu coûteux selon Tara, mais ses conseils étaient des plus judicieux.

— Je vais me permettre quelques suggestions. Je te sais économe, bonne ministre des Finances, mais je crois qu'il vaut mieux

avoir moins de vêtements, mais de bonne qualité. Notre façon de nous habiller, de nous coiffer, de parler dénote qui nous sommes. Tu es jolie, bien élevée, digne, tu as de la classe, c'est inné chez toi. Tu arrives dans un nouveau pays, tu commences une nouvelle vie, je pense que tu devrais être toujours bien mise. Fais-le au quotidien. Tu ne le regretteras jamais. Tara Delaney est une dame. Ta Mamie l'aurait voulu ainsi, ton mari aussi ; ils seraient fiers de toi.

Ces paroles, elle les avait longuement méditées, Mamie aurait certainement été d'accord, Patrick aussi. Malgré quelques pincements au porte-monnaie, elle s'était habillée avec goût. Les deux femmes respiraient l'élégance et la distinction.

Le cœur gros, elle quittait son pays, l'Irlande, sa ville natale, Navan, la maison qui l'avait vue naître, celle de sa Mamie bien-aimée, Maggie, son amie de toujours, ses souvenirs et ses peines. Si sa mère ou son frère revenaient, elle n'y serait pas ; les Ryan l'avertiraient. Ils l'avaient juré ! Le cœur gros, elle jeta un dernier coup d'œil à ce pays qu'elle aimait tant et qu'elle n'oublierait jamais. C'était un peu comme déraciner un arbre centenaire ; coupé de ses racines, il meurt. Une partie d'elle s'éteignait.

Après un arrêt à Londres, mercredi à dix-huit heures, par un ciel sans nuage, l'avion amorçait sa descente vers Montréal. Sa tante, sensible à sa bataille intérieure, avait respecté ses grands silences.

37
Nouvelle patrie

« *Ladies and gentlemen, your attention please. We are now landing in Montreal, Canada.* Mesdames et messieurs, nous atterrissons à Montréal, Canada. »

Tara ouvrit les yeux, sa tante lui sourit.

— Allons-y, ma grande ! Une merveilleuse aventure nous attend, elle commence à l'instant même et nous allons profiter de chaque seconde.

— Oui, mais ce départ est une cassure, l'inconnu semble si étrange, si différent.

— Oui, Tara, il est tout cela. Des obstacles à surmonter, de grandes joies. Avancer, vivre de nouvelles expériences, c'est grandir.

Quelques instants plus tard, Tara et sa tante posaient les pieds en sol québécois. La sœur du chef et belle-sœur de Barbara Starr, Brigid, et son mari, Claude Legault, les attendaient. Bras ouverts, sourire aux lèvres, ils les accueillirent chaleureusement.

— Bienvenue au Québec ! Ma chère Barbara, vous nous amenez la plus belle fille d'Irlande ! Nous sommes très heureux de vous recevoir, madame Delaney.

— Merci beaucoup !

Interloqués, ils la regardèrent.

— Mais vous parlez français ? Quelle belle surprise !

Voyant leur visage réjoui, toutes les difficultés éprouvées pour tenter d'apprendre la langue de Molière furent oubliées. Claude se hâta d'aller chercher la voiture et Tara eut son premier coup d'œil à la ville de Montréal. Filant à vive allure, en moins de vingt minutes, ils longeaient le lac Saint-Louis. Bientôt, elle aperçut une

enseigne avec la photo d'un moulin à vent, l'emblème de Pointe-Claire, et en grosses lettres : POINTE-CLAIRE. Quelques voiliers bercés par un léger frisson se balançaient paresseusement. C'était encore plus beau que sur les cartes postales ! Tara et tante Barbara étaient sous le charme, Brigid, ravie de leurs réactions.

— Barbara et Tara, soyez les bienvenues à Pointe-Claire ! Claude est né ici. Je suis tombée amoureuse de l'homme et de l'endroit presque simultanément ; je ne voudrais pas vivre ailleurs. Pointe-Claire est unique, tout est à portée de la main, nous sommes à vingt minutes du centre-ville de Montréal, tout en profitant d'un paysage exceptionnel. Voici notre rue, Killarny. Très approprié, n'est-ce pas ?

Une maison blanche à deux étages entourée d'une véranda les attendait, ainsi que deux adolescents, suivis d'une jeune fille. Un gros chien se tenait au garde-à-vous. Claude fit les présentations :

— Voici notre fille Kathleen, dix-huit ans. Madame Delaney, elle se meurt d'envie de vous connaître. Et voici David et Daniel, la terreur de Pointe-Claire, et notre chien, Rusty.

— Nous, on est très contents, madame. Kathleen arrêtera peut-être de nous donner des corvées ! Mais pourquoi « madame Delaney » ? Vous êtes mariée ?

— Veuve… appelez… moi… Tara.

Étonnés, Kathleen et les garçons la regardaient. Elle parlait français.

— Ma belle Kathleen, Tara est très gentille. Je suis certaine que vous allez bien vous entendre.

Tara regarda Kathleen, cette dernière avait rougi.

Avec son accent irlandais, elle s'approcha de la jeune fille.

— Très heureuse de connaître vous.

Les yeux grands comme des soucoupes, David et Daniel l'observaient. Qu'elle était drôle ! Elle vouvoyait Kathleen, assez pour qu'elle s'enfle la tête. Ils prirent les valises et les portèrent à l'intérieur. Un salon sobre, suivi d'une grande cuisine ensoleillée, accueillante.

— Barbara et Tara, ce soir, vous partagerez la grande chambre en haut à droite, deux bons lits vous attendent. La salle de bain

est à votre droite. Prenez le temps de vous rafraîchir et venez nous rejoindre sur la véranda.

On ne pouvait s'y méprendre, c'était la chambre des garçons. Debout depuis presque vingt heures, elles prirent le temps de se laver et d'enfiler des vêtements confortables, puis rejoignirent leurs hôtes à l'extérieur sur un grand patio, entouré d'une moustiquaire. Assise devant une table ronde, Tara jeta un coup d'œil à la cour arrière pendant que Brigid et Kathleen déposaient des rafraîchissements, des crudités et des hors-d'œuvre sur la table. Le temps était particulièrement clément en ce début de juin.

La cour était celle d'une famille avec deux adolescents. Un panier de basket sur le côté sud ; le ballon reposait près d'un support à bicyclette et deux bicyclettes étaient appuyées sur la véranda. À droite, une remise et en avant, un potager en devenir. Au fond, deux pommiers, un gros prunier et trois magnifiques lilas en fleurs. Ils embaumaient. Une balançoire défraîchie pendait d'une grosse branche. Une haie bien fournie assurait l'intimité des propriétaires.

Claude offrit de la bière et du vin à ses invitées, mais celles-ci refusèrent. Brigid s'enquit de leur voyage, de son frère Douglas et de sa famille. Tara parla peu, on ne la questionna pas, on comprenait, elle venait d'arriver.

Kathleen secondait sa mère qui faisait le service, tout en jetant des coups d'œil à la dérobée à leurs invitées.

— Maman, ce qu'elles sont chics ! Ma tante est certainement à l'aise et Tara va faire tourner les têtes.

— Elles sont habillées avec goût, les deux ont le maintien et l'élégance des gens aisés.

— Je pensais me faire une amie, je ne sais plus.

— Selon ton oncle Douglas, elle est bonne, très aimable, tout comme toi, ma grande. Selon moi, vous allez bien vous entendre.

Une demi-heure plus tard, ils passaient à table.

— J'ai pensé que vous seriez trop fatiguées pour un repas copieux, alors je n'ai préparé que quelques salades, des viandes froides, du bon pain, et Kathleen a fait deux tartes aux pommes.

— Merci, c'est parfait ! Merci Kathleen, nous goûterons avec plaisir.

Elles mangèrent peu, les garçons dévorèrent et le reste de la famille mangea avec appétit. Elles firent honneur aux tartes aux pommes.

— Kathleen, votre tarte mérite une mention, vraiment délectable.

— J'aimerais *recipe*, Kathleen. Comment faire ?

Kathleen rougit de plaisir :

— Merci, Tara, je vous la copierai.

Quelques instants plus tard, les deux voyageuses se retirèrent. En moins d'une demi-heure, elles dormaient du sommeil du juste.

Tara se réveilla tôt, regarda autour d'elle, rien ne lui était familier. Il lui fallut quelques instants pour se rappeler qu'elle se trouvait au Canada, pays des grizzlys, au Québec, à Pointe-Claire. Navan était loin. Refusant de s'aventurer dans ses souvenirs, elle fit sa toilette et se faufila au premier étage. Une bonne odeur de café flottait dans la cuisine, mais elle ne vit personne. La porte qui donnait sur le patio était ouverte, Brigid et Kathleen sirotaient un café. Elle hésita un instant, puis sortit les rejoindre.

— Bonjour, Tara, venez, venez nous rejoindre.

Souriantes, les deux la regardaient.

— Vous avez bien dormi ? Vous désirez un café ?

— Merci, merci. Dormi ? Oui ! Café ? Merci !

Pendant que Kathleen s'éloignait, Brigid lui expliqua, en anglais, qu'ils mangeaient à l'extérieur quand il faisait beau.

— Nous aimons la nature. Confinés à l'intérieur durant l'hiver, dès qu'il fait assez chaud, nous profitons de chaque belle journée. Ce patio nous protège des maringouins, ils sont cruels.

Tara se sentait à l'aise avec sa compatriote, elle se détendit. Kathleen revint avec un plateau : rôties, œufs, jambon, café, crème et confitures.

— Votre déjeuner, Tara.

— Oh ! merci, Kathleen, trop faire pour moi.

— *Eat up, Tara, Kathleen is happy to do it.* (Mange Tara, ça fait plaisir à Kathleen.)

Elle avait faim, tout était délicieux. Ces gens savaient faire la cuisine.

Quand elle eut terminé, Kathleen lui proposa d'aller voir le lac de plus près, juste une quinzaine de minutes. Tante Barbara descendit comme elles partaient. Brigid la mit au courant et les deux jeunes filles s'en allèrent.

Elles se déplaçaient en silence. À peine avaient-elles marché deux minutes que le lac apparut. Tara s'arrêta, retint son souffle pour ne pas briser la magie. C'était une belle journée de juin, une légère brise faisait à peine frissonner la surface de l'eau. Des voiliers voguaient allégrement. Un sentiment de paix, de plénitude envahissante la pénétra tout entière. Kathleen se taisait et Tara apprécia sa délicatesse.

— Très belle... beau! Vivre ici. Oui!

— J'en suis très contente! Pointe-Claire est une belle ville, non seulement à cause du lac Saint-Louis, mais depuis l'an dernier, nous avons une piscine olympique de cinquante mètres et d'autres grandes piscines.

— C'est bien! Vous et moi, amies? Parlez très vite!

— Oui, merci, Tara.

— Travaillez ou l'école?

— Je commence l'université en septembre. Je veux être médecin, mais je travaille chez un dentiste pour aider à payer mes études.

— Bien... oui, médecin, belle profession, vous intelligente, bonne jugement.

— J'étudie, ça va demander beaucoup de travail, mais j'y arriverai.

Elle parlait plus lentement et Tara comprenait.

— Je infirmière, chercher *hospital*, travailler... mais *first* acheter maison... Pointe-Claire et... *car*... voiture.

— J'ai une voiture, si vous voulez, je pourrais vous aider à chercher.

— Yes, yes! D'accord, très contente.

Elles retournèrent à la maison. Barbara terminait son déjeuner, elle fut heureuse de voir Tara et Kathleen ensemble.

Claude les rejoignit. Sa famille, les Legault, était l'une des familles souches de Pointe-Claire. Il leur en fit un bref historique. C'était son dada. Il se lança en français, mais il parlait trop vite. Tara ne pouvant suivre, il passa à l'anglais.

38

Pointe-Claire

Pointe-Claire peut s'enorgueillir d'une richesse historique, culturelle et architecturale. Embrassant les berges du lac Saint-Louis, cette pointe s'avance au cœur du lac et se termine en forme d'aile d'oiseau vers le sud-ouest. L'histoire de cette terre de légendes et d'abondance remonte aux années 1600. Au début de la colonie, des explorateurs français et des Iroquois s'affrontèrent, souvent de façon féroce, pour sa possession.

— Il faudra lire le récit captivant du massacre de Lachine en 1687, l'arrivée des Sulpiciens, des seigneurs français... même Samuel de Champlain. C'était un site de prédilection pour la chasse et la pêche, un lieu de rencontre, une terre d'abondance. Une histoire passionnante.

— Lu un petit peu histoire, aimer connaître plus. Parle pas bien française, appris français de France, différent.

— Vous parlez bien et c'est charmant. Écoute, chéri, peut-être devrions-nous continuer une autre fois. Barbara restera trois mois avec nous, et Tara est ici pour de bon. Nous avons des choses plus importantes à leur dire.

— Tu as raison, Brigid, vas-y.

Elle commença par leur rappeler qu'ils étaient très contents de les recevoir, de connaître enfin leur belle-sœur et cette jeune femme dont Douglas leur avait dit le plus grand bien. Pointe-Claire est un endroit de villégiature très recherché des gens de Montréal et d'ailleurs. Plusieurs familles louent des chambres et des petits chalets durant l'été.

— Douglas — vous le connaissez, il aime bien tout organiser — a suggéré que nous gardions l'œil ouvert pour vous. Vous aimez

être autonomes. Nous avons pensé que vous aimeriez être à votre aise le plus tôt possible. Me Beauchamp possède une petite maison, à l'arrière de la sienne; nous l'appelons « la maison de poupée ». Elle a dix pieds de large sur trente de long, très fonctionnelle, deux petites chambres, de bons lits, salon-cuisine et salle de bain; même la literie et la vaisselle sont incluses. C'est à dix minutes d'ici. Sachez tout de même que nous sommes prêts à vous héberger le temps qu'il faudra.

Barbara était enchantée; Tara n'avait pas tout compris. Ils parlaient tellement vite! Elle avait suivi ses cours d'un professeur de français de France, certains mots et l'accent étaient différents. Quand elle comprit, elle fut ravie; un petit bijou et une maison de poupée! Très mal à l'aise de devoir rester chez les Legault, elle voulut savoir quand elles pourraient emménager.

— Vous voulez déjà nous quitter?

— Non, non, *I'm sorry*, vous gentils, pas aimer déranger vous...

Barbara vint à sa rescousse.

— Nous viendrons très souvent, nous allons avoir besoin de vos conseils. Tara est ici pour y rester, elle va s'établir ici, elle va s'acheter une maison, une voiture, vous voyez.

Brigid téléphona à Me Beauchamp. Il les attendait et elles s'y rendirent sur-le-champ. Il fut impressionné par l'allure distinguée et sophistiquée de ces deux femmes et fort aise que la maison soit immaculée, mais encore...

Barbara regarda Tara. Elle s'adressa à elle en anglais, elles étaient d'accord. Elles louèrent la maisonnette pour une durée de trois mois. Tara aurait peut-être trouvé une maison d'ici là.

— Vous désirez acheter, madame? Ici, à Pointe-Claire?

— Pas moi, mais cette jeune femme.

— Eh bien! Je suis avocat, je connais presque tout ce qui est sur le marché. Je ne suis pas agent d'immeuble, mais je pourrais vous suggérer quelque chose. Oui, oui...

— *Appreciate*, mais d'abord régler pour cette maison.

— Avec plaisir et surtout, je ne veux pas vous brusquer. Mes excuses!

— Je vous en prie! Quand *move*? emménager ici?

— Voici les clefs. Venez quand vous voulez. S'il manque quelque chose, n'hésitez pas à m'en parler. J'essaierai de vous être agréable.

Malgré les protestations de Brigid et de Claude, et la déception évidente de Kathleen, il fut convenu qu'elles iraient s'installer le jour même, mais reviendraient souper avec eux. Claude s'excusa et partit aussitôt. Brigid et Barbara se mirent à causer ; Kathleen regarda Tara.

— Voulez-vous faire un petit tour de Pointe-Claire ?

— Plaisir, j'aimer beaucoup.

Kathleen prit les clefs de la voiture et elles partirent.

Elle roula lentement. Elles allèrent d'abord à gauche, s'arrêtèrent devant Stewart Hall. Tara fut impressionnée.

— L'histoire de Stewart Hall débute en 1916 par sa construction pour Charles Wesley Maclean et sa très riche épouse, Doris Thorton Aldous. Après 1958, la résidence passa aux mains de Walter Stewart. Les Stewart étaient très généreux. Ils l'ont achetée et donnée à la ville de Pointe-Claire pour un dollar. Ils ont même payé la restauration. Il faudra venir la visiter. Ils organisent des concerts, des activités culturelles et une douzaine d'expositions chaque année. C'est très beau !

Tara était impressionnée, elle se promit de visiter ce « château », surtout quand Kathleen lui parla de la serre intérieure. Elles poursuivirent leur randonnée.

— Je ne te décrirai pas chaque endroit, contentons-nous de regarder pour cette fois, mais demande-moi ce que tu veux. Ça te va ? Je n'emploie pas le vous quand je parle à des gens de mon âge, des amis, mais j'utilise le vous avec les gens que je ne connais pas, aux gens plus âgés.

— Parfait ! Essayer de faire différence. Pas facile !

Elles revinrent vers le village. Tara regardait attentivement.

— Où… les pubs ? Pas pubs ?

— Il n'y en a pas.

— Impossible !

— Si ! Ici, à Pointe-Claire, les coutumes sont différentes. Il n'y a pas de pubs, mais une taverne et deux hôtels. Ils sont fréquentés, mais beaucoup de gens achètent leurs boissons et prennent un

verre chez eux. S'ils ont des invités, ils leur en offrent ou ils prennent un verre quand ça leur tente. Je connais beaucoup d'hommes qui ne boivent qu'à la maison. Mon père ne va jamais à la taverne et il n'est pas le seul.

— Pourquoi ? Pas bien, cette taverne ?

— La taverne de monsieur Édouard Dagenais ? C'est un homme d'affaires. Elle est très bien tenue, il ne tolère aucun désordre dans son commerce.

— Irlande, beaucoup de pubs, beaucoup. Navan, *three thousand five hundred* personnes, *thirty-two* pubs !

Elles revinrent lentement. Tara voulut savoir où Kathleen avait acheté sa voiture ; elle avait besoin d'un véhicule le plus tôt possible. Une adaptation s'imposait toutefois ; en Irlande, le volant était du côté droit ; ici, la conduite était à gauche. Kathleen proposa de l'emmener s'exercer dans le grand stationnement du Centre commercial Fairview, ouvert l'année précédente. Sa tante aimerait peut-être y faire du lèche-vitrine.

— Mon père est adjoint au gérant dans une grande quincaillerie. Il s'y connaît un peu en voitures, il se fera un plaisir de te conseiller. Avec lui, tu seras certaine de ne pas te faire rouler.

Les dieux semblaient s'être concertés. Le matin même, Me Beauchamp laissait sous-entendre qu'il était au courant d'une maison qui était à vendre. Kathleen était songeuse, elle se demandait…

— Il y en a une, pas très loin d'ici. Les gens retournent en Angleterre. Un acheteur avait fait une offre, ma mère a entendu dire qu'il n'était pas solvable. La maison est située sur une pente, face au lac, une vue idyllique. Je pense…

Elle ne termina pas sa phrase. Tara la questionna du regard.

— Je pense que cette maison… t'est destinée.

— Pourquoi ?

— Elle a de la classe… une âme… je m'excuse, je me suis laissée aller. Ce n'est pas mon genre.

— Pas connaître vous, semble… bien logique…

Kathleen sourit, elle avait peu d'amies et se concentrait sur ses études.

Barbara suggéra qu'elles aillent s'installer dans leur nouvelle maison temporaire. Les garçons étaient à la piscine ; Claude étant

revenu, il était à leur disposition. Il ne fallut que cinq minutes pour se rendre à la « maison de poupée », rue Saint-Joachim. Il porta leurs valises à l'intérieur. Les deux femmes se demandaient où se procurer un peu d'épicerie, l'essentiel. Barbara ouvrit le réfrigérateur. Surprise ! Il était déjà bien garni : lait, fruits, légumes, pain, beurre, fromages, viandes froides ; quelques steaks et des morceaux de poulet dans le compartiment congélateur. Dans l'armoire, du thé, café, sucre, etc., tout ce dont elles auraient besoin pour débuter.

— Mais qu'est-ce que... ? C'est vous ?

— Brigid et moi avons pensé que vous préféreriez ne pas aller faire l'épicerie aujourd'hui. J'y suis allé pendant que vous parliez avec Kathleen.

Les deux femmes étaient bouche bée.

— Quelle gentillesse ! Combien ?

— Rien du tout, je vous en prie ! C'est la moindre des choses.

Sa belle-sœur insistait, Tara avait sorti son porte-monnaie.

— Nous serons insultés si vous insistez. Considérez cela comme notre petit cadeau de bienvenue. Je dois y aller, je reviendrai vous chercher.

Elles se confondirent en remerciements.

Le divan était confortable. Heureuses de se retrouver chez elles et d'avoir leurs chambres respectives, elles prirent un thé. Après une bonne douche, Barbara fit un somme pendant que Tara vidait ses valises. La garde-robe n'était pas très grande, mais une commode lui permit de tout placer, sauf ses souvenirs. Elle attendrait d'être dans sa maison. Elle s'étendit sur son lit. Sa tante la réveilla à seize heures trente. Rafraîchie, dispose, en pleine forme, une femme bien dans sa peau. Tara la regarda, le roc de Gibraltar, une présence sécurisante. Elle pouvait compter sur son appui inconditionnel. Elle se sentait déjà plus à l'aise.

39
Chers compatriotes

La famille Legault au grand complet les attendait. Fraîchement débarbouillés, le visage brillant, les garçons jouaient aux échecs. La table était mise dans la salle à manger, des chandelles jetaient des reflets sur les verres en cristal et sur l'argenterie. Le souper fut bientôt servi. D'abord, une crème de brocoli, suivie d'un rôti de bœuf juteux et savoureux, des légumes, des pommes de terre, des petits pains français tout chauds et une petite salade verte. Le souper se déroula dans la bonne humeur. On causa de l'Irlande, de Pointe-Claire, de tout et de rien. Tout était délicieux, et elles y firent honneur. Kathleen avait fait une autre tarte aux pommes. Elles complimentèrent les deux cordons-bleus et Tara se promit d'apprendre de nouvelles recettes. Claude et les garçons aidèrent Brigid et Kathleen à desservir, à placer la vaisselle dans le lave-vaisselle, et les trois jeunes finirent de tout ranger pendant qu'on servait le thé au salon. Les garçons partirent rejoindre des amis. Brigid et Claude s'informèrent des projets de Barbara et Tara. Brigid travaillait à la banque trois jours par semaine et Claude avait ses fins de semaine libres. Ils se feraient un plaisir de les aider. Tara avait besoin d'une voiture, mais avant de faire quoi que ce soit, elle devait aussi rencontrer le directeur de la banque, ouvrir un compte, y déposer sa traite bancaire et y transférer une partie de son argent. Brigid prendrait rendez-vous pour elle avec le directeur de la Banque Royale du Canada dès lundi matin.

Claude et Tara parlèrent voitures. Celle-ci voulait une bonne voiture, pas une limousine, mais un modèle confortable, de bonne qualité. Elle n'avait pas l'intention de changer de modèle chaque année.

— Je suis entièrement d'accord avec toi. Achète une bonne voiture, tu ne voudrais pas être en panne, surtout pas durant l'hiver. Je pense savoir ce qu'il te faut. Je viendrai te chercher lundi, vers la fin de l'après-midi ; tu examineras les modèles et tu choisiras celui que tu préfères. Tu as un permis de conduire international ?

Elle en avait un. Il fut convenu qu'elle irait avec Kathleen le lendemain afin de se familiariser avec la conduite à droite, mais le volant à gauche.

— Ce ne sera pas un problème. Il s'agit d'une simple adaptation. D'ici quelques mois, tu prendras ton permis de conduire du Québec.

Il fut aussi question d'une maison. Tara ne voulait pas un château, mais une bonne maison. Le plus tôt serait le mieux. Brigid et Claude lui expliquèrent que le délai pourrait varier ; si elle avait besoin d'un gros emprunt, il faudrait plusieurs semaines. Ils furent surpris, mais n'en laissèrent rien paraître, quand Tara leur affirma qu'elle paierait comptant pour tout ce qu'elle achèterait. Cette jeune femme venait d'une famille riche ou elle avait hérité. Elle était trop jeune pour disposer d'autant d'argent ! Ils la considérèrent avec des yeux nouveaux.

— Je ne suis pas riche, j'ai hérité de ma Mamie.

Barbara regarda Tara avec affection.

— Tara est une jeune femme sérieuse, elle possède un bon jugement ; c'est le genre de fille que tout parent serait heureux d'avoir.

— *Please, aunt Barbara, not too much incense.*

— Le vedettariat n'est pas pour elle ! Me Beauchamp a mentionné une maison.

— Voilà qui simplifie tout. Me Beauchamp est un homme à qui vous pouvez faire confiance. Je crois savoir de quelle maison il s'agit. En donnant un coup de fil, je saurai si elle est toujours sur le marché. Vous pourrez alors la visiter cette semaine. Si ce n'est pas celle-là, nous en trouverons une autre.

Tout allait très vite, trop vite. Entourée de tous ces gens, Tara aspirait à quelques instants de solitude. Les journées à venir ne lui en laisseraient que très peu. S'acheter une voiture, se trouver une

maison, prendre racine au plus tôt, en espérant pouvoir s'installer pendant que tante Barbara était avec elle. Totalement dépaysée, Tara se sentait comme un parachutiste dont le parachute refuse de s'ouvrir. Soudain, elle réalisa qu'elle n'avait pensé ni à Maggie, ni à Navan, durant les quarante-huit dernières heures. Un sentiment de culpabilité s'insinua dans son cœur. Il ne fallait pas.

Elle était perdue dans ses pensées; Claude dut s'y prendre à deux fois pour attirer son attention.

— Avant de téléphoner au sujet de cette maison, je pense que tu devrais jeter un coup d'œil à l'extérieur, voir si c'est le genre de maison qui pourrait te plaire. Qu'en penses-tu?

Barbara devina son état d'âme; elle se leva.

— Allons voir, Tara, ça ne t'engage en rien. Qui sait? C'est peut-être ta future maison.

Elles suivirent Claude. La maison était à trois minutes. Construite sur une élévation, face au lac, elle avait fière allure.

— Une très grosse maison.

Claude s'engagea dans une petite allée près du lac, tourna la voiture et les invita à sortir. La maison semblait plus grosse qu'elle ne l'était en réalité, à cause des vérandas le long du côté gauche, aux deux étages; au deuxième, les chambres à coucher se trouvaient sous les combles.

— Regarde la fenestration du haut et du bas, tu as une vue imprenable sur le lac. En arrière, le terrain est à faire rêver. Assez! Je ne veux pas en faire l'apologie. Si elle est disponible, la personne qui l'achètera… Excuse-moi, Tara, je me suis laissé emporter, toi seule choisiras ta maison.

Tara et sa tante la contemplèrent un long moment. S'il n'en tenait qu'à cette dernière, elles iraient la visiter au plus tôt, mais elle ne voulait pas influencer sa protégée. La guider, oui. De retour à la maison, elles saluèrent Brigid et Kathleen. Claude alla les reconduire. Le lendemain, dimanche matin, elles iraient ensemble à la messe de onze heures.

Il y a la ville de Pointe-Claire à proprement parler et ce que les gens appellent «Le village», la rue Bord-du-Lac, *Lakeshore Road*, une petite section où se côtoient petits magasins, restaurants, casse-croûte et autres boutiques. Le téléphone arabe fonctionnant

très bien, la plupart des gens savaient que deux Irlandaises, deux femmes bien nanties, venaient d'arriver et que l'une d'entre elles souhaitait s'établir à Pointe-Claire. On mourait d'envie de les voir. Quand les Legault entrèrent dans l'église Saint-Joachim, accompagnés de deux dames, toutes les têtes se retournèrent. Vêtue d'un tailleur beige, les revers du veston orné de broderie beige foncé, sac à main et souliers dans les mêmes teintes, un camée sur le côté gauche, boucles d'oreilles assorties, Barbara Starr possédait cette élégance et cette assurance qui siéent à une dame. Entre elle et Kathleen, Tara aussi était vêtue d'une robe droite vert foncé, très simple mais d'un chic indéniable, qui mettait sa taille en valeur. Sa chevelure rousse était légèrement remontée de chaque côté et maintenue en place par deux barrettes en or. Une beauté naturelle! En la voyant, Kathleen lui avait chuchoté: « Tu vas leur donner un torticolis. » Tara se tourna vers elle. L'esquisse d'un sourire se dessina sur ses lèvres, elle se ressaisit et s'avança. Un peu trop belles et trop chics, ces dames, mais Pointe-Claire en avait vu d'autres! Cependant, tous étaient impressionnés, tant les hommes que les femmes. Les moins jeunes, avec un regain d'espoir, les hommes mariés, en soupirant, les jeunes célibataires, dans l'expectative; tous étaient plus ou moins étonnés.

Quelle belle église! Tara admira les lignes verticales parfaites, les pinacles pendentifs en bois sculpté, la tour asymétrique, les fenêtres nichées; tout blanc, tout doré! Après la célébration, le curé, l'abbé Fecteau, homme affable, serviable, aimé de tous, s'empressa d'aller leur souhaiter la bienvenue dans sa paroisse, le vicaire Huot aussi. Les gens entouraient Claude et Brigid, surtout ceux qui les connaissaient, et ils étaient légion en ce dimanche. Barbara et Tara durent serrer bien des mains, y compris celles de Me Beauchamp et de son épouse. Barbara le faisait avec une grâce naturelle mais avec retenue, Tara, aussi. Toutefois, elles ne s'attardèrent pas. Elles auraient été bien en peine de se rappeler le nom de cinq de ces personnes!

Enfin dans la voiture! À Navan, Tara se sentait bien dans l'église, elle éprouvait une grande paix. Dans cette église, elle s'était sentie perdue. Un peu comme une aveugle, elle avait effectué les mouvements; une impression irréelle, un malaise s'était

emparé d'elle ; elle n'avait aucun point de repère. C'est donc cette impression que les immigrants ressentaient en arrivant dans un nouveau pays ! Pour ceux qui ne comprennent pas la langue, le dépaysement doit être doublement pénible. Tante Barbara avait semblé parfaitement à son aise, comme un poisson dans l'eau ; observant Tara, elle avait deviné son désarroi : « *Chin up, girl, you'll be just fine!* (Du cran, ma fille, ça va aller !) » Tara s'était redressée et, furtivement, lui avait serré la main.

Le destin avait mis cette femme sur son chemin ; son calme, son aplomb lui redonnaient courage. Entre elles, elles parlaient anglais. Écouter, essayer de suivre une conversation en français et trouver les mots justes pour répondre était épuisant. Tara se promit de redoubler d'efforts.

Après un léger dîner, tante Barbara lui suggéra d'aller à la banque le lendemain, puis d'acheter sa voiture. Elle serait ainsi plus autonome. Ensuite, elle pourrait s'informer si cette maison était vraiment à vendre. Si c'était le cas, elles iraient la visiter.

— C'est beaucoup de choses importantes en même temps et je me sens perdue, un peu nerveuse.

— Je comprends, mais voici ce à quoi j'ai pensé : la banque et la voiture, ce n'est pas trop stressant, et je serai à tes côtés, si tu le désires. Je ne veux surtout pas m'imposer ni te dicter quoi faire.

— Je vous en prie, je serais très heureuse de vous avoir près de moi.

— Merci. Pour la maison, il est évident que même si elle te plaît et que tu décides de l'acheter, tu ne pourrais l'habiter avant un mois... au moins. Ça nous donnera quelques semaines pour découvrir Pointe-Claire, les environs, visiter Montréal, les magasins, regarder les meubles, ce dont tu auras besoin. Tu sais, ce sera ta première maison. La meubler, choisir chaque meuble, ce sera une merveilleuse aventure, passionnante, stimulante. Je serai avec toi pendant au moins cinq ou six semaines, ne t'inquiète pas. Chaque morceau du casse-tête trouvera sa place, et sans trop d'effort. Tu dormiras chez toi bien avant mon départ, fais-moi confiance.

Tara se leva et l'embrassa. Son enthousiasme était communicatif.

— Vous avez raison. C'est ainsi que nous allons procéder.

— Il va de soi que toi seule décideras de ce que tu veux acheter. Je te donnerai mon opinion, mais n'accepte rien que tu pourrais regretter.

Tara ressentit le besoin d'épancher son cœur, de partager ses états d'âme avec Barbara. Quitter l'Irlande, ce n'était pas seulement quitter un pays qu'elle aimait, mais aussi l'impossibilité de revoir sa mère, une douloureuse finitude. C'était un peu délaisser sa Mamie, qui dormait dans son village natal, ainsi que Patrick. Elle lui parla de leur enfant, lui confia sa déception initiale ; cet enfant qu'elle avait fini par désirer, elle n'aurait jamais le bonheur de le prendre dans ses bras, de le voir grandir. Grâce au chef Starr, elle avait cette tante Barbara, sa boussole, qui avait si généreusement assuré la continuité de Mamie. Les blessures de son cœur n'étaient pas cicatrisées, certaines ne le seraient peut-être jamais... Immigrer dans un autre pays, vivre parmi des gens de milieu et de culture différents, parler une langue qu'elle était loin de maîtriser, apprendre une autre façon de vivre, tout cela nécessitait une force de caractère, une détermination hors du commun. Mais c'était le prix à payer pour s'affranchir d'un lourd passé, se redéfinir. N'ayant aucune prescience de l'avenir, elle pouvait se permettre d'espérer.

— Le nombre et l'importance de tes épreuves auraient eu raison de bien des filles, mais pas de toi. Mamie t'a donné des principes, une éducation, elle t'a fait découvrir cette force de caractère qui te permettra non seulement d'espérer, mais surtout d'être heureuse. Tu sais, dans la vie, il y a des mauvais jours et des bons jours, mais beaucoup plus de bons jours. Tant de belles choses sont un baume pour le cœur : un coucher de soleil, le chant des oiseaux, le parfum des fleurs, des amies très chères. Oui, le bonheur existe ! À chaque réveil, je me dis : « Quelle belle journée ! Je suis vivante, je mange à ma faim ; j'ai des personnes sur qui je puis compter. » Il faut regarder la beauté des choses, n'abandonne jamais tes rêves de bonheur, d'une vie meilleure. Les peines et les souffrances finissent toujours par s'estomper. Le temps et l'amour modifient presque tout. Tu n'oublieras peut-être pas, mais tu recolleras ensemble les morceaux de ce gigantesque casse-tête qui

s'appelle avant-hier, hier, et tu continueras. Pourquoi ? Parce que c'est ça, la vie ! Tu es promise à un brillant avenir. Tara, elle est belle, cette ville ! Tu as une famille d'accueil, Kathleen est une fille sérieuse, une bonne amie en devenir. Une nouvelle vie s'offre à toi. Il faut fleurir là où l'on est transplanté. N'oublie pas le passé, mais envisage l'avenir avec joie et sérénité.

Tara croyait entendre la voix de Mamie. Ces mots pleins de sagesse étaient précisément ceux qu'elle lui aurait dits.

— Chère tante Barbara, que ferais-je sans vous ?

Après cette conversation, elles décidèrent de faire une sieste. Moins d'une heure plus tard, elles entendirent frapper à la porte. Kathleen entra. La sœur de Grace Ryan, Jen Murphy, avait téléphoné ; elle voulait parler à Tara. Et sa mère les invitait à casser la croûte ; une simple salade au jambon, baguette et fromages.

— On y va, Tara ? Je salive déjà !

Arrivée chez les Legault, Tara appela Jen Murphy. Cette dernière avait très hâte de la rencontrer. Il fut entendu qu'elle rappellerait cette dame dans quelques jours et prendrait rendez-vous pour une première rencontre. Jen tenait à les recevoir à souper. Sa nièce Maggie attendait impatiemment de ses nouvelles ; elle avait un message de sa part.

— Je ne comprends pas, mais elle a dit ceci : « Si tu ne donnes pas bientôt signe de vie, je t'envoie Pipelette. »

Tara éclata de rire. Madame Legault lui montra comment téléphoner en Irlande et presque aussitôt, la fille si calme et si sérieuse riait aux éclats. Tara la mit au courant des derniers événements et Maggie lui assura que si Jack ne faisait pas ses quatre volontés, elle prendrait le premier avion et viendrait la rejoindre. Elles durent se faire violence pour mettre fin à la conversation. Tara lui promit de la rappeler quand elle serait dans sa maison. Maggie lui confia que ses parents songeaient à une visite à Montréal d'ici deux ans.

— Je serai du voyage… si tu veux encore me voir. Et si jamais quelqu'un te fait des misères, du genre Eileen… tu m'appelles. L'Irlande n'est pas au bout du monde.

À la suite de cet échange avec sa meilleure amie et de la conversation avec tante Barbara, elle se sentit prête à affronter tous les obstacles. Assise sur la véranda, devant une table recouverte d'une

belle nappe ornée de tournesols, une salade de fruits suivie d'un gâteau à la cannelle ; un excellent souper, sans prétention. Le ciel bleu était d'une beauté infinie, un soupçon de bonheur flottait dans l'air. Tara se sentait mieux, plus détendue. Tante Barbara avait raison, cette ville offrait de grandes possibilités. Personne ne connaissait son passé, elle se sentait renaître.

Brigid s'offrit pour les conduire à la banque le lendemain matin. Elles iraient ensuite magasiner une voiture. Claude la conseillerait.

Kathleen proposa une balade à Tara ; elles se rendirent au Centre commercial Fairview. Tara fut surprise par le nombre de boutiques.

— Ce centre commercial est l'un des trois plus grands au Canada. Tu veux bien conduire ? C'est facile.

Tara prit le volant ; l'immense stationnement vide facilitait son apprentissage, mais elle ne se sentait pas en sécurité. Le calme de Kathleen la rassura, elle la guidait en douceur.

— Vas-y lentement. Tu sais conduire, avance entre les lignes, juste pour te familiariser avec la conduite à droite. Après, nous irons dans une petite rue tranquille.

Une vingtaine de minutes plus tard, Tara roulait sur le boulevard Saint-Jean ; sans même s'en rendre compte, elle se retrouva devant la maison de Kathleen. Étonnée, elle la regarda en souriant.

— Tu es une *excellent professor.*

— Ce n'est que le premier essai. Une ou deux autres fois, tu ne penseras même plus que le volant est à gauche. Au village, on conduit lentement ; la limite de vitesse est de trente milles à l'heure.

Rassurée, Tara réalisa que conduire ne serait pas plus difficile à Pointe-Claire qu'en Irlande, quelques séances d'entraînement et elle serait autonome. Les jeunes femmes causèrent ; elles étaient toutes deux sur la même longueur d'onde, heureuses d'être ensemble. Des zébrures orange se reflétaient sur la surface à peine tremblotante du lac, il faisait bon vivre.

À vingt heures, de retour à la maison de poupée, dégustant une dernière tasse de thé, Tara sortit son inséparable livre de comptes. Tante Barbara la regarda en souriant.

— Est-ce qu'il y a un crédit depuis Dublin ?

— Non ! Il va plutôt y avoir des débits, beaucoup de débits ! Ça me tracasse un peu.

— Je comprends. L'argent, ça sécurise, mais tu as besoin d'une voiture pour te déplacer, pour être parfaitement autonome, et l'hiver, ce sera plus pratique que de geler en attendant l'autobus. Il te faut une bonne voiture, fiable, il ne faut pas que tu te retrouves en panne sur le bord de la route !

— Certainement pas et je veux une voiture durable.

— Et la maison ? Il te faut bien choisir, une construction solide, confortable. Et pourquoi pas une belle demeure ?

— Pas trop, tout de même.

— Tara, une maison, c'est un placement sûr, de l'argent en banque. Si elle est bien entretenue, elle prend de la valeur, c'est de l'intérêt composé.

— Je ne l'avais pas envisagé sous cet angle. Votre expérience et vos conseils me font reconsidérer cet achat.

Dès dix heures, le lendemain matin, Brigid les présentait à monsieur Paul Benson, le directeur de la succursale de la Banque Royale du Canada. Elle le connaissait bien. Charmé par la présence de ces dames, il fut très heureux de recevoir cette nouvelle cliente financièrement à l'aise et jolie. La tante, madame Starr, attira son attention. Des vêtements griffés, la prestance et l'aisance d'une femme du monde, aimable, le regard direct. Lui-même veuf, il espérait qu'elle serait célibataire. Un bref appel à Me O'Hearn, en Irlande, lui assura que la traite serait honorée sur-le-champ. Tara ouvrit un compte et moins d'une demi-heure plus tard, 35 000 livres (84 000 dollars CAN) y étaient déposées. Elle sortit du bureau avec 5 000 dollars et un carnet de chèques. Dès qu'elle serait installée dans sa nouvelle demeure, elle pourrait revenir et décider comment elle souhaitait placer son argent. Tante Barbara avait apprécié le professionnalisme et la galanterie de monsieur Benson.

— Et vous, chère madame, resterez-vous à Pointe-Claire ou avez-vous laissé une famille en Irlande ?

— Je suis veuve et sans enfant. Tara m'est très chère, je l'accompagne. Je retournerai en Irlande à la mi-octobre, mais j'ai l'intention de revenir.

Monsieur Benson les escorta jusqu'à la sortie et exprima le plaisir qu'il aurait de les revoir.

— Quel gentil monsieur, Brigid ! Bel homme, chic, la chemise en soie, l'habit…

— Pas mal du tout, en effet, je pense que vous lui êtes tombée dans l'œil. Il est veuf depuis trois ans. Tara, tu ferais bien de la surveiller, qui sait ?

Tara scruta le visage de Barbara. Se pouvait-il… Cette dernière n'était pas immunisée contre les attentions du sexe masculin, surtout d'un gentleman, mais de là… tout de même !

— Ma chère Brigid, je suis veuve depuis trop longtemps. Le coup de foudre, je n'y crois pas. Tara, maintenant que ton problème financier est réglé, allons prendre un thé à la maison.

— Claude va venir te chercher à treize heures. Bientôt, tu pourras te balader à ta guise. Ce n'est pas tout, Me Beauchamp a organisé un rendez-vous mercredi à dix heures avec les Dyer, les propriétaires de la maison que vous êtes allées regarder avec Claude.

— Déjà ? Tout va très vite.

— Il faut battre le fer quand il est chaud. Si cette maison te plaît, il faut se dépêcher, elle est bien située, c'est une occasion que l'on retrouve rarement. Elle ne restera pas longtemps sur le marché. Il est possible que ce ne soit pas ce que tu cherches, mais au moins, tu l'auras visitée.

— Vous avez raison, je ne peux me permettre d'atermoyer. Je veux avoir ma maison, et le plus tôt sera le mieux. J'ai l'impression de flotter hors de mon corps, mes pieds ne touchent plus à terre.

Prises d'un fou rire, elles montèrent dans la voiture. Tante Barbara insista pour qu'elles prennent le thé à la maison de poupée ; elle prépara des sandwiches, un incontournable en Irlande. Claude vint chercher Tara. Tante Barbara préféra s'abstenir.

— Claude s'y connaît en voitures ; il saura te conseiller.

40

Autonome

Ils se rendirent chez un concessionnaire Chevrolet, firent le tour des voitures neuves susceptibles de l'intéresser. Le vendeur, un monsieur Weinstein, qui connaissait très bien Claude, lui montra une décapotable.

— C'est une bonne voiture, le genre pour une jeune fille.

— Un peu…

— Olé ? Olé ? Écoutez, vous n'êtes pas centenaire…

— Non ! Pas pour moi, pas du tout.

— Non ! Ce n'est pas pour elle.

— Je comprends. J'ai ce qu'il vous faut, une Chevy Nova. Une excellente voiture ! Transmission manuelle ou automatique, six ou huit cylindres. J'en ai deux, une six cylindres, automatique, couleur bleu acier. Venez, elle est au bout de cette rangée…

Dès que Tara l'aperçut, elle sut que c'était celle qu'elle voulait.

— Allez, assoyez-vous, elle est confortable.

Elle regarda Claude, il approuva son choix.

— Tara, c'est un excellent choix, une bonne voiture, une belle voiture.

— Je vous l'offre à 4 250 dollars, c'est un bon prix.

— Un peu trop *expensive*, un peu, oui.

— Nous pouvons vous faire crédit, mademoiselle.

— Pas question, *cash only*, comptant.

Tara regarda Claude.

— Tu paies comptant, monsieur Weinstein peut faire mieux. Au fond, c'est le premier concessionnaire que l'on visite, on peut aller voir ailleurs et comparer.

— Écoutez, je peux déduire 150 dollars…

— Disons 250 dollars et la radio incluse. Il lui faudra des pneus d'hiver.

— Pourquoi ?

— Oui, Tara ! Pour nos hivers, il faut des pneus avec une traction mordante afin que la voiture ne dérape pas sur la neige.

— Vous êtes d'accord pour 4 000 dollars ? Elle ne paiera pas plus.

— D'accord, mais vous allez revenir acheter vos pneus d'hiver ?

— Si voiture bonne, revenir moi.

— Mademoiselle, votre voiture roulera comme un charme.

Monsieur Weinstein était tout sourire. Ils entrèrent dans son bureau. Comme c'était sa première voiture au Canada, il avait besoin d'un peu plus d'information. Tara fit le chèque, Claude s'en porta garant.

— N'ayez aucune crainte, vous pouvez vérifier avec la banque.

— La voiture sera prête mercredi, je vous appellerai. Vous n'aurez qu'à venir la chercher. Je suis certain que vous serez satisfaite.

Il la remercia chaleureusement ainsi que Claude.

Heureuse, le cœur content et le sourire aux lèvres, le dépliant descriptif de sa voiture, avec photos, en main, Tara rejoignit Barbara et Brigid. Les mots sortaient en rafale.

— J'ai une bonne voiture et… une belle voiture, une Chevy Nova bleu acier. Le prix est très abordable. Je suis contente ! Merci, Claude, pour vos conseils judicieux ; vous m'avez fait économiser 250 dollars et même obtenu une radio. Un bon début de semaine.

— C'est un plaisir, Tara. Maintenant, je dois filer, ma journée n'est pas terminée.

Tante Barbara demanda des précisions, elle était ravie. Tara prenait racines, chérissait son autonomie.

— On va bientôt partir à l'aventure.

Quand elles retournèrent chez elles, Me Beauchamp était dehors, il voulait leur rappeler la rencontre de mercredi avec les Dyer. Il s'offrit même à aller les conduire.

— Vous savez, vous ne serez qu'à deux minutes de chez votre belle-sœur.

Le lendemain, elles étaient libres ; elles décidèrent d'aller explorer les environs. Brigid s'offrit pour leur faire visiter le Village.

D'abord, elle les conduisit au cœur du Village : l'église, le couvent et le moulin. Elles furent agréablement surprises par le grand nombre de boutiques et de magasins dans ce demi-kilomètre. Deux épiceries, un Métro, propriété de madame Legault et de ses fils, et un IGA, appartenant à monsieur Déry.

— Voici la cordonnerie Boisvert, tenue par les trois frères Boisvert, des gens honnêtes qui offrent un excellent service. On y trouve plusieurs centaines de paires de souliers, il y en a pour tous les goûts.

Ensuite, la Ferronnerie Cousineau, monsieur Pierre Roy le coiffeur, le Dépanneur Perrette et le Black Cat, ainsi que la Pâtisserie Émile Vendette, le salon de coiffure…

— Madame Gisèle Chamberlan est ma coiffeuse. Excellente ! Voici la Taverne Dagenais, on y mange très bien.

— Une taverne ? Non, merci.

— Oh ! cette taverne est très bien tenue. Monsieur Édouard Dagenais est un homme bien, il a un restaurant au-dessus de la taverne, il a engagé un excellent chef et les gens viennent de partout pour y manger.

— Eh bien ! Tara et Brigid, nous irons prendre un repas dans un de ces endroits avant mon départ.

— Il y a aussi le petit restaurant de monsieur Miro, à l'arrêt des autocars Voyageur. C'est pratique, l'autocar, si vous voulez vous rendre au centre-ville de Montréal, près des grands magasins : Dupuis Frères, Eaton, Simpsons-Sears, Morgan, Fraser et beaucoup d'autres. Vraiment pratique. Vous trouverez de tout : de beaux meubles, la literie, la vaisselle, en plus des vêtements et autres… vous serez comblées.

— Tara, nous irons au centre-ville de Montréal très bientôt.

La visite se termina par un dîner au Pointe-Claire BBQ qui, selon Brigid, justifiait au moins une visite, non seulement parce qu'on y servait un excellent poulet, mais aussi parce que le propriétaire, Pasquale Santori, homme accueillant, représentait la chaleur et l'amabilité italiennes. D'ailleurs, l'heure du dîner approchait.

— Brigid, Tara, je vous invite à dîner. Allons rencontrer ce monsieur Santori.

Elles ne furent pas déçues. M. Santori ne déroula pas le tapis rouge, mais ce fut tout comme. La beauté de Tara ne le laissa pas indifférent ; après tout, du sang italien coulait dans ses veines. Il ne ménagea pas les courbettes ni ne lésina sur l'encens ; mais le tout avec une telle sincérité et un tel empressement que les trois femmes furent conquises. D'ailleurs, il était aussi prévenant avec les autres clients. Elles se régalèrent, au grand bonheur de madame Santori qui était aux fourneaux.

— Brigid, tu avais raison, ce poulet est excellent. Tara, quand tu travailleras et que tu n'auras pas le goût de cuisiner, tu pourras venir te restaurer ici.

Elle y reviendrait certainement à l'occasion.

41

Monsieur et madame Dyer

Le lendemain, dix heures, sous un soleil radieux, Tara et tante Barbara se présentaient chez les Dyer. Un beau berger allemand les accueillit. Le sourire aux lèvres, monsieur et madame Dyer les firent entrer.

— Soyez les bienvenues ! N'ayez pas peur, Rusty est un bon chien de garde, très obéissant.

Comme s'il comprenait, celui-ci s'allongea, le museau entre les pattes.

Elles pénétrèrent dans la maison à la suite des propriétaires. Chaleureux, ces derniers étaient heureux de rencontrer ces acheteurs potentiels. De toute évidence, mesdames Starr et Tara, dames élégantes, semblaient venir d'un milieu aisé, elles n'étaient pas dans le besoin. D'abord, madame Starr précisa qu'elle était la belle-sœur de Brigid et Claude Legault ; elle accompagnait Tara Delaney, qui cherchait une maison. Surpris, ils regardèrent cette splendide fille au regard altier.

De nombreuses fenêtres laissaient libre cours à l'astre du jour ; un poudroiement de soleil filtrait au travers des rideaux de dentelle, une grande luminosité enveloppait la maison. Le regard de Tara se posa sur le piano, au fond de la pièce. Un sentiment d'appartenance la submergea, elle se sentit envoûtée et dut faire un effort pour se ressaisir. Les propriétaires parlaient l'anglais.

— Je désire m'installer au Québec, plus précisément à Pointe-Claire.

Monsieur Dyer commença la visite.

— Visitons d'abord. Ensuite, si notre maison vous plaît, nous vous raconterons un peu son histoire et parlerons affaires. Ça vous

va ? Tous les planchers sont en bois franc verni, c'est tellement plus propre et facile d'entretien. Mon épouse y a ajouté quelques tapis, ça donne une touche de distinction. Tu continues, chérie ?

Tout en commentant, madame Dyer fit le tour du propriétaire. L'entrée principale, d'abord : un vestibule avec des portes françaises donnant sur un corridor. Au centre, un bel escalier courbe en chêne menant au deuxième ; à droite, le salon, et au fond, la salle à manger, une pièce immense occupant presque la moitié de la maison.

— C'est la fenestration qui nous a séduits, toutes les pièces débordent de lumière ; dans chaque pièce, il y a un bow-window, en plus d'une autre fenêtre au salon. Revenez jeter un coup d'œil à celle du salon.

Hésitante, Tara s'avança. Une vue spectaculaire sur le lac, un panorama au-delà des mots ! Des voiliers en vestes blanches, bateaux ivres de liberté chancelant nonchalamment. Barbara et Tara contemplèrent cette reproduction authentique de Daniel Payet, se regardèrent, les mots étaient superflus. Le bow-window de la salle à manger donnait sur la cour arrière. Profonde, bordée de géants verts formant une palissade impénétrable, à l'abri des regards indiscrets ; seuls des écureuils s'y courtisaient. « Il ne manque que des fleurs, des mangeoires et une balançoire », pensa Tara. Elle se ressaisit aussitôt… elle n'avait pas tout vu, cette maison et elle semblaient liées par un invisible courant. Madame Dyer poursuivit.

— Nous aimons bien cette propriété, notre intimité. Nous sommes peinés de devoir partir.

Au salon, un divan, deux chaises et une table ; sur le mur extérieur, un foyer. « Soirées d'hiver en amoureux », songea Tara. Un beau mobilier de salle à manger, un long vaisselier et un piano meublaient la pièce adjacente. Un piano ! Cette maison l'hypnotisait ! Des images imprévisibles s'enchevêtraient dans son cerveau. Tante Barbara la regarda avec insistance ; elle comprenait son désarroi. Faisant un effort, Tara se reprit.

— Il y a une véranda identique au deuxième, il fait bon s'y reposer. Venez, la cuisine est au fond, elle est assez grande pour une table et quatre chaises. Il y a suffisamment d'armoires, et l'îlot

est très pratique pour préparer les légumes, les salades, les tartes. Vous voyez?

Tante Barbara et Tara n'avaient jamais vu un îlot. Très pratique, en effet. À gauche, une toilette, un lavabo, un lave-linge et une sécheuse; au-dessus, des armoires pour le rangement. La porte extérieure s'ouvrait sur un grand patio couvert entouré d'une moustiquaire. La cour arrière avait près de soixante et quinze pieds de profond. Tara admira les arbres majestueux. Monsieur Dyer, qui s'était éclipsé, s'approcha.

— Ah! ces preux chevaliers, sentinelles gigantesques, sont peuplés d'oiseaux. Dès l'aube, leurs trilles frénétiques nous offrent leurs partitions, une belle journée s'annonce. Chaque fois que le temps le permet, nous aimons prendre notre petit déjeuner ici.

Au deuxième, même si les murs étaient en pente en raison du toit mansardé, les chambres étaient spacieuses. Les deux à l'avant bénéficiaient d'une vue tout aussi impressionnante sur le lac; celle d'en arrière donnait sur la cour. Chaque chambre disposait d'une grande garde-robe. Accueillantes, meublées avec goût, elles invitaient à la détente, au repos. L'escalier occupait la majeure partie du large passage, mais à l'extrémité, côté lac, une berceuse, une petite table ronde recouverte d'une belle nappe frôlant le plancher sur laquelle reposaient une lampe et quelques bouquins.

— La vue est encore plus reposante d'ici. J'aime y venir pour lire ou simplement méditer. À l'autre bout, vous avez une salle de bain complète, avec une douche.

Tara repassa dans chaque chambre, ainsi que dans la salle de bain, puis tous redescendirent.

À droite de l'escalier, une autre pièce tenait lieu de bureau; des livres débordaient d'une série d'étagères mur à mur, du plafond au plancher. Un seul meuble, un secrétaire en chêne sur lequel trônaient une lampe de bureau, une machine à écrire Underwood, un serre-livres, un fichier rotatif; au centre, un sous-main sur lequel était déposés un stylo, un coupe-papier et un agenda. Un fauteuil pivotant complétait l'aménagement. La lumière entrait à flots. Monsieur Dyer intervint.

— C'est mon royaume, je m'y réfugie pour travailler.

Oh surprise ! À gauche, en sortant du bureau, une porte française s'ouvrait sur une grande véranda aussi entourée d'une moustiquaire.

— Venez au salon. Il est dix heures trente, vous prendrez bien une tasse de thé.

Elles ne se firent pas prier. Monsieur et madame Dyer regardèrent les deux femmes, puis se tournèrent vers Tara, attendant...

— Avant de parler affaires, il est très important de savoir le prix et quand cette maison peut être libérée.

Monsieur Dyer prit la parole. Il ne croyait pas que cette jeune fille puisse acheter la propriété, mais en gentleman, n'en laissa rien paraître.

— Nous sommes le 8 juin, nous aimerions partir dans vingt-trois jours. Certains meubles ont trouvé preneurs et deux personnes sont déjà intéressées à la maison. Je ne sais pas ce que vous vous attendez à payer, mais nous demandons 52 000 dollars. Nous pensons que cette maison les vaut. L'électricité et le chauffage s'élèvent à 350 dollars et les assurances, à 158 dollars par année. Je ne sais pas si vous pourrez avoir une hypothèque dans un si court délai.

— Monsieur, c'est un peu plus que je pensais, mais si nous en venons à une entente, je paierai comptant.

Les Dyer se regardèrent, la considérant sous un angle nouveau. Ils étaient sans voix. Cette jeune femme pouvait se permettre un tel achat !

— Dans ce cas, ça facilite tout. Nous n'aurons pas à attendre. Si la maison vous plaît...

— D'abord, j'aimerais m'entretenir avec tante Barbara ; j'ai confiance en son jugement. Après, nous pourrons discuter. Vous permettez que nous allions nous asseoir sur le patio ?

— Avec plaisir ! Et nous aussi, nous avons à parler.

Elles sortirent. Pendant de longues minutes, Tara ne souffla mot et Barbara respecta son silence. Puis elle se promena dans la cour, s'immobilisa devant les arbres ; un sentiment d'euphorie entremêlé d'inquiétude l'agitait. Elle pourrait être heureuse ici. Une décision importante ! Une grosse somme ! Finalement, tante Barbara lui demanda :

— D'abord, est-ce que tu aimes cette maison ?

— Sauf pour le toit mansardé, elle me plaît beaucoup ; un peu grande pour une personne seule. Les chambres sont spacieuses ; le salon et la salle à manger, magnifiques. Le prix est élevé. Qu'en pensez-vous ?

— Tu me demandes mon avis ? C'est une belle maison, très belle même, un vrai petit palais ! C'est une bonne maison, pleine de soleil, de lumière. Je ne crois pas au hasard, mais cette demeure t'est destinée. Les chambres sont vastes.

Avec un sourire, elle ajouta :

— Je te préviens, je réserve celle de droite.

Tara éclata de rire.

— C'est un excellent placement, si jamais tu veux la revendre, tu n'y perdras pas au change. Tu peux te le permettre.

— Mais il me faut des meubles, des rideaux et bien d'autres choses…

— Oui, tu vas avoir du plaisir à meubler ta maison et je vais partager ta joie. Penses-y Tara, ta maison ! Tu vas lui offrir 48 000 dollars, mais avant, il faudra la faire inspecter par monsieur Hormidas Vincent, c'est le menuisier que Claude recommande. Tu vois, on t'ouvre toutes les portes.

Quand elles rentrèrent, les Dyer étaient tout sourire. Ils devinaient que la maison plaisait à cette jeune madame Delaney. Tara offrit 48 000 dollars. Monsieur Dyer lui fit une contre-proposition.

— Madame Delaney, j'ai quelque chose à vous proposer. Si nous disions 50 000 dollars et que nous vous laissions le lave-linge et la sécheuse ainsi que le lave-vaisselle ? Ces appareils ne sont pas neufs, mais ils sont en excellente condition. Nous laissons également cette table, les quatre chaises, le barbecue ainsi que la tondeuse et la souffleuse, les pelles, bêches, etc. Les rideaux, bien sûr, et les décorations de Noël. Vous en ferez ce que vous voudrez. J'oubliais ! À part certains livres que j'apporterai, je laisse tout ce qu'il y a dans mon bureau.

Tara regarda Barbara, cette dernière fit un signe affirmatif. Madame Dyer prit la parole.

— Ah, madame Delaney, j'ai une chose très importante à vous demander. Pourriez-vous garder notre chien, Rusty ? Nous l'aimons beaucoup, mais nous avons pensé qu'il serait bien avec vous. Comme vous êtes seule, il vous tiendra compagnie. C'est un bon gardien, il est propre, il a son coin au fond de la cour à gauche. Nous avions pensé l'amener, mais c'est un peu compliqué. Si…

— Ah oui ! Je serais très heureuse de le garder. Enfant, j'avais un chien, j'en prendrai grand soin.

Le thé aidant, la discussion s'anima. D'abord, elle voulait faire inspecter la maison par monsieur Hormidas. Le lendemain, si c'était possible.

— S'il n'y a aucune réparation majeure, je donnerai un acompte de 5 000 dollars et le reste lors de la signature de l'acte de vente chez le notaire. Est-ce que ça vous va ?

— Vous êtes une jeune femme très sage. Nous attendrons la visite de monsieur Vincent, mais nous n'avons aucune crainte. La maison est en excellent état. Les titres sont clairs et nets ; le notaire les a dans son étude.

Les deux femmes se levèrent. Tara allait chercher sa voiture en après-midi. Ils convinrent donc de se revoir le lendemain. Tara suivit tante Barbara. La réalité et la fiction se disputaient la préséance dans sa tête. Quatre mille dollars s'étaient envolés pour sa voiture et elle venait d'en engager cinquante mille autres. Tante Barbara comprenait son désarroi.

— Loin de moi l'idée de te voir sans le sou, mais la valeur de la livre anglaise joue à ton avantage. Tu as plus de 210 000 dollars. Tu peux facilement te permettre d'en retirer 75 000. Tu en auras suffisamment pour faire peinturer l'intérieur de la maison, la décorer, la meubler à ton goût, et tu seras encore financièrement à l'aise. Combien de filles de ton âge possèdent autant d'argent ?

— Je sais, mais c'est tout de même angoissant.

Puis elle se mit à rire, elle ne pouvait s'arrêter, elle essayait de parler, mais reprenait de plus belle.

— Ah ! si Maggie était ici… elle me manque beaucoup !

Elle lui raconta le départ de la maison paternelle, comment Maggie l'avait suivie, portant sa valise, et accompagnée chez sa Mamie.

— On se connaît depuis toujours. Sans elle, je pense que je serais morte. C'est un vrai clown avec un cœur d'or. Chez vous, j'ai habité un petit bijou, ici j'en aurai un second.

Elle n'allait pas faire une crise pour chaque meuble et chaque débarbouillette qu'elle devrait acheter. L'enthousiasme de tante Barbara était encore plus contagieux que celui de Maggie. Deux mois pour faire de cette maison un havre accueillant, un endroit où l'on a hâte de revenir. Pas un petit bijou, mais un petit château ! Tante Barbara voulait meubler sa chambre. Pointe-Claire lui plaisait, déjà elle avait la ferme intention d'y revenir.

— Je veux connaître le Québec, le Canada, et te revoir. Tu vas terriblement me manquer ! Tu ne pourras plus te débarrasser de moi. Tu es la fille que j'aurais aimé avoir.

Très touchée par cette déclaration, Tara l'assura qu'elle était prête à l'héberger, à la garder jusqu'à la fin de ses jours.

— Ma maison sera un peu la vôtre. Et je me remets à l'étude du français, je ne le parle pas très bien. Avec vous et Brigid, c'est facile, mais avec les francophones...

Brigid fut agréablement surprise de les voir revenir de si bonne humeur. Barbara se mit à valser et Tara se lança dans une gigue irlandaise. Les pieds légers, le cœur gai, elle laissa exploser sa joie. Ébahies, Brigid et tante Barbara la regardaient. Embarrassée, elle s'immobilisa. Les yeux humides, Brigid la serra dans ses bras.

— Merci, ma belle *Saoirse* de *Riverdance*, quel beau cadeau ! Tu as fait vibrer mon cœur irlandais, et c'était bon. Comme tu danses bien !

Tante Barbara acquiesça. Cette Tara, quels talents ! Elle s'était laissée aller. Claude vint aux nouvelles. Barbara ne souffla mot. Tara devina leur impatience.

— Moi, voisine de vous... en juillet. D'accord ?

— Wow ! On serait ravis, ma chère Tara, et Kathleen va être folle de joie.

— *First* inspecter ; monsieur Hormidas Vincent.

— Midas ? Je m'en occupe tout de suite.

Il téléphona et discuta avec Midas. Ce dernier ferait une inspection approfondie : fondation, toiture, fenêtres, tuyauterie,

chaudière, etc. S'il y avait des réparations à faire, Claude voulait en savoir le coût.

— Peux-tu y aller aujourd'hui ou demain avant-midi ?

Midas savait que deux Irlandaises étaient à Pointe-Claire et que la plus jeune voulait s'y établir. Il avait plusieurs hommes à son service, mais en homme d'affaires avisé, il l'assura qu'il irait lui-même chez les Dyer le lendemain matin. Ensuite, il se rendrait rencontrer la jeune dame chez elle, à la maison de poupée. Tous étaient contents. La conversation fut très animée. Tara, secondée de tante Barbara, pensait qu'il serait préférable de faire faire les réparations et de peinturer tout l'intérieur avant d'emménager.

— Oune condition, pas beaucoup réparations, pas milliers de dollars de plus.

— Midas est un homme de parole, il s'y connaît en construction. Tu pourras te fier à son jugement, et tu as raison de faire peinturer avant d'emménager. Ses employés peuvent peinturer tout l'intérieur en trois ou quatre jours. Vous devrez aussi consulter Me Beauchamp, son bureau est au Village. C'est lui que les gens choisissent, il est efficace.

Tara téléphona aux Dyer. Monsieur Vincent serait chez eux le lendemain matin. Quelle veine ! Aucune manœuvre dilatoire, la maison serait payée comptant. Ils pourraient enfin finaliser les préparatifs de leur départ.

À quinze heures, Tara revenait chez elle avec sa Chevy Nova. Heureusement, Claude la précédait. La conduite à gauche, une ville inconnue, une voiture neuve, son cœur battait la chamade. Tante Barbara apprécia la coupe, la couleur. Tara était comme une enfant devant un cornet de crème glacée.

La journée passa en coup de vent. Revenue à la maison de poupée, assise, reprenant son souffle, buvant un bon Earl Grey, Tara se demanda si elle rêvait éveillée ou si tout cela était vrai.

— Tu as bien les pieds sur terre, ma belle. Toutefois, ils avancent vite.

— Les événements se succèdent à un tel rythme que mes pieds ont peine à suivre. Imaginez, la fille de Molly qui s'achète une maison !

C'était la première fois qu'elle pouvait prononcer le nom de sa mère sans en ressentir une grande douleur.

— Même si elle a mal agi, ta mère était une femme forte ; elle a surmonté bien des obstacles, elle t'aimait beaucoup, Douglas me l'a dit. Mamie aussi était une femme de caractère, de convictions, elle t'adorait. Mais toi ? Tu es en acier trempé.

— Et vous aussi, ma chère tante Barbara, vous êtes exceptionnelle, comme Mamie. Je constate que j'ai eu beaucoup de chance de vous rencontrer.

Tara ne tenait plus en place ! Elle voulait cette maison. Le salon et la salle à manger seraient très sobres ; la cuisine, vivante ; le bureau était très masculin, mais elle y mettrait des couleurs ; sa chambre, elle ne savait trop… mais tante Barbara s'y connaissait en décoration. À l'extérieur, des fleurs ! Oui, il fallait des fleurs et un jour, si elle pouvait rester à l'intérieur de son budget, elle aurait une petite serre. Elle voulait des fleurs à l'extérieur et à l'intérieur ; l'hiver, les fleurs seraient rares. Tante Barbara lui fit remarquer qu'elle n'avait pas à s'acheter de gros appareils électriques, ni aucun outil extérieur, elle avait même un barbecue et une souffleuse à neige.

— Ça souffle la neige. Comment ? Je n'en ai pas la moindre idée. Les grands froids, la neige, les tempêtes, les blizzards ? *A Dhia dhílis !* Mon Dieu ! Ici, non ! Non ! Je dois me calmer. Mon piano ! Je dois faire venir mon piano ! Il me manque ! Je dois jouer !

Tante Barbara ne l'avait jamais vue ainsi, elle avait peine à ne pas éclater de rire. Les yeux brillants, Tara allait et venait, la regardait, lui parlait, se parlait à elle-même. Elle éclata de rire !

— Je pense que je perds le nord ! Mais vous savez ? J'aime ça !

Dès dix-neuf heures, Kathleen arriva, les bras chargés de magazines de décoration. Elle souriait de bonheur. Tara allait demeurer à deux pas de chez elle ! Elle pourrait la visiter, échanger avec elle… elle aimait cette Irlandaise.

— Quand j'ai su que tu allais acheter la maison, j'étais tellement contente ! Mon amie Céline est fanatique de décoration, elle a beaucoup de revues. J'ai pensé que vous aimeriez peut-être jeter un coup d'œil à ces revues canadiennes…

Tara se jeta sur les magazines, tante Barbara s'approcha, très curieuse de voir l'agencement des maisons, les couleurs et les meubles d'ici. Kathleen et Tara décidèrent de la laisser seule. Tara lui fit part des derniers événements, Kathleen jubilait. Elle avait des amies, mais Tara était plus mature, plus calme ; sans prétention, elles avaient des atomes crochus. Elles se dirigèrent vers la pointe. Celle-ci l'attirait, dégageant une sensation de sérénité, d'infinité, d'apaisement. Deux bâtiments, un couvent et un moulin, y régnaient en sentinelles, construites sur le terrain privé des Sœurs de la congrégation Notre-Dame. Ces deux édifices et l'église Saint-Joachim adjacente formaient le cœur du Village.

— Ce couvent fut construit en 1867, en pierre calcaire dolomitique venant de la rue Cartier, juste à côté. D'autres pierres venaient de la carrière de Sainte-Geneviève.

— Immense. J'aime bien, architecture.

— Oui, il mesure plus de soixante-cinq pieds sur quarante-cinq. Il est de style anglais. Sa construction ne s'est pas faite sans heurts. L'entrepreneur était insolvable, il a pris la poudre d'escampette, je pense qu'il s'est réfugié en Californie.

Une religieuse s'avança vers elles. Reconnaissant Kathleen, elle lui sourit, tout en demandant qui était cette jeune femme rousse.

— Sœur Beloin, je vous présente Tara Delaney, tout juste arrivée d'Irlande.

— Je l'aurais facilement deviné. Vos cheveux et votre teint ne trompent pas. Heureuse de vous rencontrer. Vous êtes en visite ?

— Non, rester ici. Moi acheter la maison Dyer, bord du lac.

— Madame ? Vous êtes bien jeune. Êtes-vous seule ?

Une lueur de douleur traversa son regard.

— Veuve.

Sœur Beloin en fut peinée. Elle détourna la conversation.

— Ce lac est un élargissement du fleuve Saint-Laurent. Nous aimons beaucoup ce site. Il a un effet apaisant, vous ne trouvez pas ? Vous savez, les gens qui vivent près de l'eau sont plus pacifiques, plus sereins, ils ont une attirance pour les grands espaces, la liberté. Ce terrain est privé, nous voulons éviter qu'il soit envahi par les promeneurs, mais vous pourrez y venir quand il vous plaira.

Sœur Beloin s'excusa et se retira. Longtemps, les deux amies restèrent silencieuses. Sur le chemin du retour, elles rencontrèrent monsieur Déry, le propriétaire de l'épicerie IGA. Il sortait de son magasin. Kathleen lui présenta Tara.

— C'est un plaisir de vous connaître, madame Delaney ; je serai ravi de vous voir à mon épicerie. Je ferai mon possible pour vous donner satisfaction.

Ces mots, elles les entendirent à quelques reprises pendant qu'elles déambulaient dans le Village. Au retour, elles retrouvèrent tante Barbara où elles l'avaient quittée, la tête dans les revues de décoration. Elle avait annoté certaines pages qu'elle voulait montrer à Tara. Kathleen s'éclipsa pendant que les deux complices discutaient couleurs, meubles, tentures.

Tara sortit son livre de comptes. Le moment était venu de faire le point. Tante Barbara ne souffla mot, elle avait donné ses suggestions. Concentrée, la tête penchée, Tara calcula que l'auto, la maison, quelques réparations, la peinture engageraient moins de 60 000 dollars, un montant de 15 000 dollars devrait suffire pour les meubles. Oui, elle pouvait se le permettre. Un investissement à long terme, comme disait sa « conseillère ». Vu sous cet angle, c'était moins douloureux. Une expression lui revint : « L'argent, c'est le pouvoir ! » Pas tout à fait faux.

Jeudi, onze heures quinze, monsieur Vincent arrivait chez les deux dames. En termes clairs et précis, il assura Tara que la maison était en excellente condition, la toiture pouvait durer au moins dix ans. Il n'y avait que quelques réparations mineures. Il pourrait s'en charger si elle le désirait. Si elle voulait faire peinturer avant d'emménager, ses hommes pouvaient aussi le faire, de même que poncer et vernir les planchers. Quatre à cinq jours suffiraient.

— Une fois installée, vous n'aurez rien à toucher pendant plusieurs années, à moins que vous changiez de couleur chaque année, dit-il avec un sourire en coin.

Il n'en était pas question. Impressionné par le jugement et la lucidité de cette jeune femme, il convint de la somme de 375 dollars pour réaliser tout le travail, mais elle achèterait les matériaux ou il le ferait pour elle.

— Si vous achetez, monsieur et madame Dyer seront même prêts à partir le 25 juin. Je vous suggère une peinture de qualité, la Sherwin-Williams est excellente ; étant entrepreneur, je peux vous l'avoir à meilleur prix. Le 30, j'aurai terminé, vous pourrez entrer dans votre maison.

Sa maison ! Ces mots étaient doux à ses oreilles. Elle était aux anges. Tante Barbara avait de la peine à retenir son enthousiasme. *Tempus fugit !* Ah le temps ! il leur filait entre les doigts.

L'après-midi même, elles se retrouvaient de nouveau chez les Dyer. Tara signa l'offre d'achat et leur remit un chèque de 5 000 dollars. On était presque entre amis. On ouvrit une bouteille de vin. Les Dyer, en parfaits hôtes, proposèrent un toast pour célébrer cette occasion. On fit plus ample connaissance. Madame Dyer lui remit les plans de la maison.

— Ils vous seront très utiles quand vous choisirez les meubles, les draperies et peut-être les tapis. Je vais contacter Me Beauchamp. Ici au Québec, les honoraires du notaire sont aux frais de l'acheteur.

Tara parla peu. Elle espérait pratiquer sa profession d'infirmière dès septembre. Madame Dyer l'assura qu'elle n'aurait aucune difficulté à trouver un emploi à moins de cinq kilomètres de là, à l'hôpital Lakeshore, un bel établissement ouvert en 1965. Tante Barbara les assura que sa protégée avait une excellente lettre de recommandation.

— Le docteur Daoust se fera certainement un plaisir de vous recommander. C'est un homme très estimé de toute la région, certains l'appellent le bon Dieu. Mais lui n'a pas une once de suffisance. Il est toujours disponible. Il y a aussi le docteur Poitras ; il habite Beaconsfield, mais les gens de Pointe-Claire vont également le consulter. Lui aussi est un médecin très dévoué, aimable, un bon sens de l'humour et musicien à ses heures. Il joue très bien du piano.

— Eh bien ! Tara, vous avez quelque chose en commun.

— Vous jouez aussi ?

— Je pianote, c'est tout.

— Elle joue divinement. D'ailleurs, elle fait venir son piano de Dublin.

— Ça va être assez onéreux.

— Je sais, mais j'y tiens. Il a une valeur sentimentale.

Monsieur et madame Dyer se consultèrent du regard. Monsieur Dyer hésita…

— Madame Delaney, je n'ai pas l'habitude d'insister, mais notre maison sera bientôt la vôtre, faites-nous le plaisir de nous faire entendre la musique qui résonnera ici après notre départ.

Comment refuser une demande ainsi formulée ? Elle s'avança, s'assit au piano, ferma les yeux, les rouvrit, contempla le lac et fit glisser ses doigts sur les touches : le *Canon en ré* de Johan Pachelbel s'éleva tout en douceur, suivi des *Quatre Saisons* de Vivaldi. Amateurs de musique classique, monsieur et madame Dyer l'embrassèrent.

— Notre maison a une âme, elle en aura toujours une avec vous. Nous n'aurions pu trouver meilleur acheteur. Quand nous penserons à Pointe-Claire, nous penserons à vous jouant du piano. Nous nous reverrons chez le notaire.

Aussitôt revenue à la maison, Tara entreprit les démarches pour l'expédition de son piano. Le coût : 379,95 dollars ; elle accepta sans sourciller. Il lui manquait tellement !

42

Havre de paix

Les journées filaient trop vite au dire de tante Barbara. Le mardi 21 juin, à treize heures trente, monsieur et madame Dyer, Barbara et Tara se retrouvèrent devant Me Beauchamp. Ce dernier fit la lecture de l'acte de vente qui comprenait, en plus des clauses juridiques, le montant de la vente et le total des taxes payées à cette date. À la fois heureux et tristes, les Dyer signèrent les documents. Tara leur remit un chèque certifié; elle était désormais propriétaire d'une maison en sol canadien.

— La maison est à vous, mais j'espère que nous pouvons l'habiter jusqu'à samedi matin, le 25 juin, jour de notre départ.

— Avec plaisir! Je suis très heureuse de vous avoir rencontrés et de pouvoir habiter votre demeure. Le destin fait bien les choses.

Le samedi, à quatorze heures, Tara pénétrait dans sa maison suivie de Barbara. Sans le soutien de cette dernière, elle n'aurait pas eu le courage de franchir cette étape. La maison était propre, mais... bien vide et très grande; elle examina chaque pièce, chaque recoin.

— C'est bien grand pour une femme seule, il me faudra beaucoup de meubles.

— Ne t'inquiète pas. Tu vas voir, tout va bien aller. C'est une très belle maison, un bon investissement! Retournons à la maison de poupée.

Dès leur arrivée, tante Barbara alla chercher une bouteille de champagne.

— Où et quand l'avez-vous achetée?

— Pendant que tu te promenais avec Kathleen, j'ai demandé à Claude de m'en acheter deux. Sa famille nous attend à dix-huit

heures pour célébrer, mais rien ne nous empêche d'en prendre une coupe.

— La vie me comble! Brigid et sa famille sont tous très gentils, ils m'ont accueillie et depuis, ils multiplient les gestes de bonté. Je devrai leur offrir quelque chose.

— Ma chère, assieds-toi et trinquons. À ta nouvelle maison, à ta nouvelle vie! Nous avons du pain sur la planche, mais avant de commencer à magasiner nous allons prendre quelques jours pour nous détendre, aller à Montréal, parcourir les rues, fouiner, faire bonne chère. Pas d'achat ou de négociation pendant ces jours de plaisir. Tu veux bien, ma belle rouquine?

— Bien sûr! Un immense nuage vient de se dissiper. Nous ne sommes qu'à la troisième semaine de juin, une pause est vraiment bienvenue! Nous n'avons pas été oisives depuis notre arrivée.

Brigid les attendait avec impatience. Comme la plupart des Irlandais, elle aimait le plaisir, et avoir une compatriote si près de chez elle la comblait de bonheur. Ce fut une soirée mémorable. Les trois quarts restants de la première bouteille de champagne et la deuxième ne firent pas long feu. On parla décoration, maison, peinture, meubles. Même les garçons, David et Daniel, ajoutaient leur grain de sel. Ils se portaient volontaires pour tondre le gazon, déblayer son entrée et passer la souffleuse durant l'hiver. Tara ne demandait pas mieux; elle se sentait bien entourée par cette famille, encore inconnue d'elle trois semaines auparavant. Brigid avait pris deux semaines de vacances de la banque, elle proposa de leur faire visiter la grande métropole.

— Si vous voulez, je serais heureuse de vous servir de guide durant les deux prochains jours. Après, vous pourrez facilement y aller seules.

Lui imposer une autre obligation? Pas question!

Claude s'esclaffa:

— Une obligation? Elle adore se promener dans Montréal et magasiner.

Tante Barbara était emballée, elle aimait bien sa belle-sœur.

— Tu vas devoir te sacrifier! Nous ne devons pas oublier que nous soupons chez les Murphy.

Le lundi et mardi furent des journées de grandes découvertes. D'abord, Brigid leur fit visiter l'oratoire Saint-Joseph. Impressionnées par cette basilique nichée au sommet du mont Royal, par le recueillement des visiteurs, les intercessions écrites déposées dans le tronc, le cœur du frère André. Ce fut surtout la salle des milliers de lampions, où sont accrochés les bottes, béquilles, corsets, fauteuils roulants, qui les subjugua. Brigid jeta un regard à Tara.

— *Faith can move mountains*! (La foi peut déplacer les montagnes!)

Montréal vue de l'oratoire éveilla leur curiosité. Cette ville était maintenant la sienne. Navan? Un passé, un éclair de chagrin; le tout, si proche et si loin. Tante Barbara la devina, elle lui prit la main.

— Magnifique! Cet oratoire et la vue de Montréal sont à faire rêver. Viens! Notre guide nous attend.

Elles contournèrent la montagne. Brigid leur parla des différents quartiers de Montréal, et des villes sur l'île. Elle longea les boutiques sans s'arrêter, pour ensuite stationner la voiture sur la rue Sainte-Catherine, près des gros magasins: Simpsons-Sears, Morgan, Eaton, Dupuis Frères, Birks, Fraser, Holt Renfrew, etc.

— Ma belle Tara, on va certainement trouver des meubles pour ta maison dans ces gros magasins. Mais d'abord, je meurs de faim.

— Il y a un restaurant au huitième étage, chez Eaton. Ce n'est pas un cinq étoiles, mais c'est très bien.

— Allons-y, on va s'asseoir. J'ai besoin de me détendre et de bien manger. Nous ne sommes pas pressées.

Une heure plus tard, reposées et repues, elles jetaient un coup d'œil à la vaisselle et à la literie, avant de s'attarder au rayon des meubles. Tara s'arrêta devant un ensemble de salle à manger pendant que Barbara et Brigid examinaient le mobilier de salon, appréciaient le style, effleuraient le bois. Un grand guindé, habillé à la British, avec nœud papillon, glissa jusqu'à elles.

— Je vois que mesdames sont des connaisseuses, elles apprécient le beau! Le divan, les deux chaises ainsi que la table du centre et celles de bout, le mobilier de salle à manger, les six chaises et le

vaisselier, le tout vaut 2 795 dollars. Admirez ce bois, c'est de l'acajou. Vous ne pouvez trouver mieux.

— En effet, c'est de la bonne qualité, mais c'est la jolie jeune dame qui est juste à votre droite qui désire meubler sa maison.

Il la regarda ; elle semblait bien jeune, mais il ne se départit pas de son flegme. Un sourire étudié sur le visage, il s'avança vers elle.

— Madame désire meubler sa maison. Nous avons ce qu'il vous faut.

Tara le regarda, il avait ce qu'il lui fallait, mais voulait-elle ce qu'il avait ?

— Monsieur, j'ai acheté une maison, acheter meubles, *choose* bien demande que je prenne le temps de bien choisir. Aujourd'hui, regarder, *come back,* quelques jours.

Il lui indiqua le prix de chaque pièce, de l'ensemble complet ainsi que celui du salon. Barbara et Brigid la rejoignirent. Tara sortit son calepin, elle nota tout. Il la guida vers d'autres mobiliers et lui remit sa carte.

Elles parcoururent les autres étages, puis allèrent voir chez Morgan et Simpsons-Sears. À quinze heures, elles prirent le thé dans un petit restaurant et décidèrent qu'elles en avaient assez. Repos.

Le mercredi 30 juin, elles firent une visite chez l'antiquaire au Village, monsieur Cardinal. Selon Brigid, il y avait parfois de belles pièces. Il fut ravi de les voir arriver. On jasait beaucoup au Village. La jeune femme roulait déjà en voiture neuve, s'était acheté une maison. Il flairait une bonne affaire. Le coup d'œil initial dans la boutique les déçut, une centaine de chaises suspendues au plafond créaient une atmosphère oppressante. Monsieur Cardinal se présenta et les guida à travers les dédales d'armoires, de commodes, de chaises berçantes, de bureaux, etc.

— Que cherchez-vous ? Des meubles ? Des accessoires ? Quelque chose en particulier ? J'ai de nouveaux meubles chaque semaine.

Elles voulaient d'abord regarder un peu, Barbara avait l'œil américain. Une très belle patère, composée d'un banc d'environ trente-deux pouces et surmontée d'un miroir ovale, l'avait séduite.

— Regarde Tara, ce serait très bien pour le vestibule : le dessus du banc s'ouvre, tu peux y mettre des gants, mitaines, bottes d'hiver…

— Peut-être… C'est beau, mais ce n'est pas une nécessité, je pourrai mettre ces choses au… au… Enfin ! Tout dépendra.

Elles virent quelques beaux meubles québécois… quelques pièces d'argenterie. Monsieur Cardinal, homme avisé et discret, leur laissa le champ libre. Finalement, n'y tenant plus, il s'approcha.

— Excusez-moi, mais j'ai entendu dire que vous aviez acheté la maison des Dyer. Ici, les nouvelles ont des ailes. Avez-vous besoin de meubles de cuisine, salon, salle à manger, chambre à coucher ?

Dans l'affirmative, il les invita dans son bureau, leur offrit un café.

— Vous ne me connaissez pas ; je suis un homme d'affaires, mais je n'abuse jamais des gens. Je me permets une suggestion. Je connais une dame âgée, très à l'aise ; cette bourgeoise fortunée est seule, sans famille, souffrante, et s'en va dans une résidence pour personnes âgées. Ne voulant pas se tracasser avec un va-et-vient de différentes personnes qui veulent voir soit un divan ou une chaise, elle m'a donné le mandat de vendre tous ses meubles.

— De quel genre de meubles parlez-vous ?

Il hésita un instant, les fouillant du regard.

— Le salon, la salle à manger et le mobilier de la chambre principale sont du Duncan Phyfe, impeccables ; le nec plus ultra. Le mobilier de la deuxième chambre est provincial français et celui de la troisième, en merisier, de même que l'ensemble de cuisine. Naturellement, elle a un service de couverts William Rogers, une verrerie en cristal, de la vaisselle et beaucoup d'autres choses. Tout ce qu'il faut pour meubler une belle maison.

Tara regarda sa tante. Cette dernière semblait plutôt sceptique.

— *How much* ? Combien ?

— Avant de faire un prix, je pense que vous devriez voir. C'est à Beaconsfield, tout près. La dame est chez sa vieille amie, j'ai la clef. Si vous le désirez, je peux vous y conduire dès maintenant. Après, nous discuterons et si on peut s'entendre…

Les deux femmes se regardèrent. Tara était abasourdie, les roues toupillaient dans sa tête.

— Écoute, Tara, monsieur Cardinal s'y connaît en meubles, allons-y. Nous n'avons rien à perdre.

Monsieur Cardinal donna des directives à son employé ; une demi-heure plus tard, elles admiraient des meubles à faire saliver bien des gens aisés. Pas une égratignure, pas une tache, tout était impeccable. Non seulement les meubles, mais aussi les accessoires : tables, desserte, tables gigognes, verrerie, argenterie, etc. Monsieur Cardinal les observait du coin de l'œil. Il n'avait aucune crainte, elles appréciaient ce qu'elles voyaient.

— Eh bien ! qu'en dites-vous ?

— Il n'y a rien à redire, nous mentirions si nous disions que nous n'aimons pas tout ce que nous voyons. Tara, tu veux qu'on prenne quelques instants pour en parler ? C'est ta décision.

Monsieur Cardinal se retira à l'extérieur. Elles firent le tour de la maison, lentement, examinant chaque meuble, chaque objet.

— Tante Barbara, ça doit coûter une fortune et c'est beaucoup trop beau pour moi. Je ne suis qu'une infirmière.

— Ma chérie, tu es jeune, ces meubles dureront ta vie durant, ce n'est pas trop beau pour toi. Hier, chez Eaton, deux ensembles, salon et salle à manger, coûtaient presque 3 000 dollars. Ici, tu as absolument tout pour meubler ta maison sans même magasiner ! Attendons de voir ce qu'il demande. Crois-moi, ces meubles sont d'une qualité supérieure.

— D'accord, disons-lui d'entrer.

Il les regarda attentivement, elles ne laissaient rien paraître. D'un ton détaché, Tara lui demanda combien le tout lui coûterait.

— 10 000 dollars, madame.

Un peu étonnée, elle le regarda.

— Superbes, mais beaucoup argent. *Just visit* une magasin, penser avant dépenser tout argent. Merci voir meubles. *Appreciate.*

Le ton était poli, mais sans réplique. Monsieur Cardinal était un peu surpris. Elle avait de l'argent, puisqu'elle venait d'acheter une voiture et une maison. Elle savait ce qu'elle voulait et ne manquait pas de jugement. Il regarda Barbara, celle-ci n'insista pas. Le chemin du retour fut agréable, on jasa de tout et de rien. Les deux dames ne retournèrent pas à l'intérieur, elles partirent.

Monsieur Cardinal entra dans son bureau et ferma la porte. Il avait acheté le tout à un bon prix, mais il devait compenser toutes les fois où il faisait très peu de profit. Conscient que peu de gens seraient intéressés ou auraient les moyens de payer 10 000 dollars dans les prochains jours, il se dit que madame Delaney le pouvait, mais… elle ne le ferait pas. Il connaissait les gens, faisait affaires avec eux depuis longtemps. Elle ne changerait pas d'idée, il devrait négocier, il leur rendrait visite après dîner.

De retour à la maison, les deux femmes se firent un sandwich.

— Vous n'êtes pas d'accord avec ma décision ?

— Au contraire, Tara, tu as été parfaite. Il y en a au moins pour plus de 15 000 dollars, mais il pourrait baisser un peu.

— Ouf! Merci. Je serais prête à tout acheter, mais pas à ce prix.

— Ne t'en fais pas, il va venir te voir. C'est un homme d'affaires, on le dit honnête. S'il revient, offre-lui 8 500 dollars. Ensuite, je pense que tu pourrais aller jusqu'à 9 000 dollars, tout inclus. À ce prix, c'est une aubaine. Tu n'auras qu'à acheter des draperies ; encore là, elle en a de bien belles. Si tu les aimes, demande-lui de les ajouter. C'est une chance qui ne se représentera jamais. Imagine tout le travail que tu évites et ces meubles, ma chérie, sont d'une élégance…

Tante Barbara ne pouvait mieux dire. Elles prenaient le thé quand monsieur Cardinal frappa à la porte. Il ne perdit pas de temps à palabrer inutilement, mais alla droit au but. Ces dames connaissaient la valeur de ces meubles et de tout le reste. Si madame Delaney était vraiment intéressée, ils pourraient peut-être arriver à un terrain d'entente.

— Tout très beau, trop beau pour moi, prendre moins.

— Madame, je ne veux pas être impolie, mais *rien* ne sera jamais trop beau pour vous. Combien m'offrez-vous ?

— 8 500 dollars.

— Si nous parlions un peu. Je laisse absolument tout ce qu'il y a dans cette maison, vous savez, l'argenterie, la vaisselle en porcelaine et l'autre vaisselle, la verrerie, TOUT… pour 9 000 dollars mais… pas un sou de moins. Vous ne trouverez jamais pareille aubaine.

Tara respira profondément. Elle regarda sa tante, cette dernière haussa les épaules.

— *Agreed!* D'accord! Je accepte tout, tout, aussi *drapes.*

Monsieur Cardinal sourit. Cette jeune femme irait loin. Elle aurait aussi les draperies. Il leur proposa d'aller l'après-midi même faire une liste de tout ce qu'il y avait dans la maison. Il signerait la liste et elle lui remettrait un chèque de 5 000 dollars, le reste à la livraison. Quand pouvait-elle en prendre possession? Il s'engagea à lui livrer le tout.

— Vous savez, j'ai un camion, et ce n'est pas loin. Il vous faudra tout emballer, sauf les meubles. Je vous laisse la clef de la maison, je vous fais confiance, tout comme vous pouvez me faire confiance. Les gens d'ici vous diront que je ne reviens jamais sur ma parole. J'aimerais que vous m'avertissiez quand vous irez, je dirai aux voisins que vous avez le droit d'être là, au moins quelques jours pour tout empaqueter.

Il lui serra la main et repartit. Tara se prit la tête à deux mains, elle croyait rêver. Son cerveau oscillait entre le rêve et la réalité. Une série de malchances s'étaient abattues sur elle, et maintenant la bonne fortune était son quotidien. Fatalement, celle-ci allait s'enfuir. Quand elle fit part de ses pensées à Barbara, interdite, elle s'écria:

— *Seafóid!* (Absurde!) Mais voyons, elle va s'éterniser. Elle est bien, ici avec toi. Tu ne dois pas entretenir de telles idées. Pense que tout va bien aller, et tout ira bien. Un jour, ton étoile va briller. Tu vas ancrer tes racines ici, à Pointe-Claire, et tu vas être heureuse. Ne laisse jamais personne te faire croire le contraire ou t'abaisser. Tu connais l'expression *Walk tall*? Elle signifie se tenir debout, ne pas prendre la place des autres, mais prendre sa place. *Walk tall,* Tara! La tête haute! Fleuris là où tu es plantée.

— Quelle leçon d'optimiste! Que vais-je faire sans vous?

— Ma chère, j'ai fermement l'intention de revenir chaque année. Si tu as besoin de moi, je viendrai aussitôt et... j'aime bien le mobilier provincial français, genre madame de Pompadour. Je pourrai?

Un peu plus tard, elles se rendirent chez les Legault. Stupéfaits, ceux-ci se réjouirent de la bonne fortune de Tara. Elle était bénite

des dieux. Claude se rendit à l'épicerie chercher des boîtes vides et, songeant à l'emballage, il trouva dans son garage un demi-rouleau de papier kraft, des ciseaux et un gros rouleau de ruban adhésif. Tara donna un coup de fil à monsieur Cardinal, lui disant qu'elles allaient faire l'inventaire de la maison ; elle lui demanda s'il ne voyait pas d'objections à ce que les Legault les accompagnent. Il acquiesça gracieusement.

Quand Claude et Brigid pénétrèrent à l'intérieur, la vue de l'ameublement les laissa muets. Ébahis, ils avançaient en silence, marchant presque sur la pointe des pieds. Ils n'avaient jamais rien vu de si beau. Quand ils se mirent à faire la liste de ce qu'il y avait dans chaque pièce, Brigid secoua la tête.

— Il y a une fortune dans cette maison. Juste ce grand vaisselier, ce service de couverts, l'argenterie… Tara, vous n'aurez aucune gêne à recevoir les grands de ce monde.

— Les grands, tante Barbara et votre famille. Premier, apprendre recettes. *First*, liste de tout et *pack*.

Claude et Brigid choisirent les chambres et la lingerie, une literie complète : couvertures en laine, certaines veloutées, d'autres en finette ; de beaux draps immaculés avec bordures en dentelle, les taies d'oreillers assorties ; des ensembles de serviettes de toutes grandeurs. Tara était aux anges, anticipant le plaisir de se glisser dans ces draps soyeux. Tara et Barbara répertoriaient le salon et la cuisine. Trois heures plus tard, éreintées, elles se laissaient choir sur un divan. Tara savait où trouver du thé, ils en burent une tasse en grignotant quelques bons biscuits. Personne ne parlait. Une fois de plus, elle se mit à rire.

— Si Maggie ici, elle grands airs… elle *unbeatable*, imbattable.

Maggie revenait constamment dans ses pensées. Comme elle lui manquait !

— Tu dois l'appeler pour lui donner les dernières nouvelles. Elle sera tellement contente pour toi !

Il restait encore à faire, mais ils décidèrent qu'ils avaient bien travaillé. Dès son retour chez les Legault, Tara appela Maggie. Quand elle apprit que Tara avait déjà acheté sa maison et qu'elle lui parla des meubles Duncan Phyfe, Maggie s'exclama.

— *Ducan who ? A piteog ?* Une poule ?

Tara éclata de rire. Et quand elle mentionna l'argenterie William Rogers, Maggie s'écria :

— *Bejesus! Bheith/dul ar?* (As-tu perdu la boule ?) L'hiver n'est pas encore arrivé, ton cerveau n'est pas gelé ! Peut-on manger avec ce William-là ? Tu ne me laisses pas le choix, je vais devoir aller consulter Pipelette. Elle va être contente de ta bonne fortune.

Ah ! la magie de cette voix lointaine, la Maggie de toujours.

— Tu sais, même si tu vas boire ton thé en levant le petit doigt, je m'ennuie de toi. Et je suis contente pour toi.

Tara riait et pleurait. Comme c'était bon d'entendre cette voix de Navan ! Une partie de son cœur était encore là. Tara promit de la rappeler dès qu'elle aurait emménagé dans sa maison. Kathleen revint du travail. Les yeux ronds, elle écoutait sa mère lui décrire tout ce que Tara avait acheté. Cette dernière promit de lui montrer le tout le lendemain.

Terminer l'inventaire et empaqueter tout ce qu'il y avait dans cette maison s'avéra une tâche ardue. Barbara tenait la barre, elle dirigeait les opérations. Un autre rouleau de papier d'emballage, pas de vieux journaux. Trop salissant. Tout fut emballé, de façon ordonnée, chaque boîte étiquetée.

Malgré le refus de Tara, Kathleen prit deux journées de congé, à ses frais, pour les seconder. À la fin de cette deuxième journée, le contenu de la maison, y compris la dépense et tous les petits appareils électriques, se trouvait dans des boîtes. Les très élégantes lampes et les belles toiles du salon avaient été délicatement enveloppées. À Tara qui se demandait si elles lui appartenaient, Barbara avait répliqué :

— Regarde ton contrat : « Tout ce qu'il y a dans la maison ! »

Voyant le lave-linge et la sécheuse, elle se demanda ce qu'elle allait en faire. Elle en avait déjà. Les appareils de Brigid ayant vu des jours meilleurs, elle les lui offrit. Claude et Brigid voulurent la payer, mais elle refusa net.

— Écoutez, nous ne sommes pas parents, vous êtes tellement bons pour moi, vous en avez déjà fait beaucoup.

— Ma chère Tara, tu n'es pas notre parente, mais nous souhaitons ardemment que tu fasses partie de notre famille. Kathleen t'aime déjà, tu seras peut-être la sœur qu'elle a toujours voulue.

— Je l'aime bien aussi, je suis sincèrement très heureuse de l'avoir dans ma vie. J'ai l'impression que nous allons passer de bons moments ensemble dans ma nouvelle maison.

Tara était à la fois heureuse et inquiète. Tante Barbara travaillait trop fort. Malgré les protestations de cette dernière, Tara décréta qu'une journée de repos s'imposait. Le lendemain matin, quand Barbara se leva, la table était mise et Tara lui prépara un bon déjeuner. Elles passèrent l'avant-midi à parler de tout et de rien, à peine quelques mots sur la maison, les meubles. Quand arriva l'heure du dîner, Tara décida qu'elles iraient manger à l'extérieur. Elle prit le volant et se dirigea vers Beaconsfield. Kathleen lui avait recommandé un bon restaurant, et elles ne furent pas déçues. Le service était impeccable et la nourriture valait le déplacement. Barbara voulut régler l'addition, mais Tara s'y opposa. C'était son tour.

— Aujourd'hui, je décide et vous vous laissez gâter. La journée n'est pas finie. Ce soir, nous soupons chez les Legault. Ils ne le savent pas, mais je me charge du souper. J'ai parlé à David, il m'a dit d'apporter un poulet et des frites, des hot dogs et une pizza *extra large*, toute garnie. D'ailleurs, il vient me retrouver à seize heures, il sait où acheter toutes ces choses et… il préfère être avec moi. Je pourrais me tromper!

Tara s'amusait et Barbara rigolait. Ces jeunes apportaient un vent de fraîcheur dans son existence ordonnée. Ce fut un souper réussi. Brigid s'affaissa sur une chaise et se laissa servir. Claude fit de même. Kathleen rayonnait. La vie était pleine de surprises depuis l'arrivée des deux Irlandaises. David et Daniel étaient du même avis. Ils ne demandaient pas mieux que de manger des hot dogs et de la pizza. Tara était dans le vent!

Le samedi matin, tante Barbara invita toute la famille à déjeuner dans un bon restaurant. Même les deux fils, David et Daniel, qui passaient leur journée dans une piscine municipale, étaient contents d'être avec eux. Le rire était à table et il n'était pas muet. Brigid était tellement contente de voir sa belle-sœur et cette jeune Irlandaise, sa nouvelle voisine! Elle veillerait sur elle comme sur sa propre fille.

Après le déjeuner, Kathleen et Tara décidèrent de faire une tournée au centre-ville de Montréal. Elles marchèrent au gré de leurs fantaisies, s'installèrent dans un café et causèrent. Tara lui parla de son amie et de sa Mamie, celle qui l'avait élevée, sans toutefois lui dévoiler que ce n'était pas sa grand-mère. Elle était heureuse de recommencer une nouvelle vie à Pointe-Claire, mais c'était un peu angoissant. Elle se sentait comme une aveugle dans un monde inconnu. Kathleen la rassura.

— Tara, tu n'es pas seule, mes parents sont très heureux que tu sois ici. Quand ma mère te regarde, parfait spécimen de son Irlande natale, c'est un peu la brise, la poésie, et en rêvant, les farfadets, l'odeur de son pays, qu'elle voit. Et j'aimerais bien aller te visiter, de temps à autre, si tu penses que ça ne te dérangera pas.

— Mais oui! Déranger moi! Souvent, avoir toi assir, non, *sit*, asse... oir sur véranda, *in front*, devant, *fireplace*, thé, vin *occasionnaly*, verre en cristal.

Sur ce, elles pouffèrent de rire.

— *I swear*, je te jure, assure que je n'aurais jamais pensé acheter si beaux meubles et je sais pas si moi *get use*, habituée, ce luxe.

Tante Barbara devait passer le samedi après-midi chez sa belle-sœur, mais avant, elle avait une chose importante à régler. Dès le départ des Dyer, monsieur Midas et ses hommes commenceraient les réparations et la peinture. Elles avaient choisi des couleurs pastel. La cuisine jaune pâle, toutes les autres pièces du rez-de-chaussée, y compris le passage et le bureau, beige pâle. Elles avaient tenu compte des tentures achetées avec les meubles. Sa chambre serait rose très pâle, celle de Barbara, lilas pâle, la troisième, d'un vert tendre. Les deux salles de bain, blanches. Monsieur Midas supervisait les travaux. Les éraflures, les trous des clous, des tentures, tout serait à point avant d'étendre une seule couche de peinture.

43

De surprise en surprise

Barbara caressait un projet. Sitôt Tara partie avec Kathleen, elle s'empressa de téléphoner à monsieur Midas. On était samedi, mais pourrait-il venir la voir le jour même ? Elle lui en serait très reconnaissante. Il lui assura qu'il arrivait. Quand elle lui parla de son projet, impressionné, il la regarda sans bouger un cil.

— Vous voulez que j'ajoute une serre à la maison que la jeune dame vient d'acheter ? Ça va vous coûter cher ! Où voulez-vous la mettre ? Quand ?

— Monsieur Vincent, il y a une véranda au premier, la partie avant n'est pas entourée de moustiquaire.

— Mais vous n'aurez pas beaucoup de soleil, il y a un mur de trois pieds tout autour.

Il lui rappela qu'une serre demande beaucoup de soleil. La seule solution serait d'allonger la véranda de six à dix pieds, il y aurait du soleil sur trois côtés. Ce serait bien suffisant.

— Il faut aussi fermer cette partie, une bonne aération s'impose, une porte pour pénétrer de la véranda à la serre. Voulez-vous qu'elle soit chauffée ?

— Certainement ! Je ne connais rien à la construction et je ne veux pas m'embêter avec les détails. Pouvez-vous tout terminer avant qu'elle emménage ?

Monsieur Midas se gratta la joue gauche. Il était songeur.

— Je suppose que la jeune dame n'est pas au courant ?

— Non, c'est un rêve qu'elle souhaite réaliser plus tard. Je lui réserve la surprise. Pouvez-vous et voulez-vous construire cette serre ?

— Je vais rencontrer des gens qui s'y connaissent, je pense pouvoir accéder à votre demande et je vais tâcher de faire diligence. Vous affectionnez cette jeune femme. Elle est chanceuse de vous avoir.

— Monsieur, c'est plutôt moi qui le suis. Tara est une femme exceptionnelle, honnête, dévouée, généreuse, c'est une perle.

— Eh bien! c'est notre bonne fortune qu'elle s'installe chez nous. Je vais aller voir des serres, étudier le coût des matériaux, et je vous soumettrai un devis. Et si la jeune femme s'informe de ce que nous faisons?

— Vous lui direz qu'il était impératif de solidifier la véranda! Ou quelque chose du genre.

— Madame, c'est un défi qu'il me plaît de relever.

Barbara jubilait. Elle ne déliait pas les cordons de sa bourse sans considérer la dépense; elle se sentait comme une petite cachottière, un peu délinquante. Elle n'avait pas éprouvé pareil bonheur depuis longtemps. Le pied léger, elle marcha chez sa belle-sœur.

Le dimanche après-midi, Jen et son mari, Bill Murphy, vinrent les chercher. La mère de Maggie, sœur de Jen, lui en avait dit le plus grand bien et Tara avait hâte de la voir, Barbara aussi. En les voyant, Jen et Bill furent un peu intimidés, mais la gentillesse de Tara et la bonne humeur de Barbara les mirent rapidement à l'aise. Bill ne pouvait détacher ses yeux du visage de Tara.

— Madame, je n'ai jamais vu plus belle Irlandaise.

Jen le regarda d'un air amusé.

— Sauf mon épouse, bien entendu.

Quand ils passèrent sur la rue Saint-Denis, Tara et Barbara se regardèrent, n'osant exprimer leur questionnement. Le plus naturellement du monde, Jen leur expliqua l'unicité de cette rue.

— La plupart des gens qui habitent ces logements sont locataires. La majorité des intérieurs est très bien. Nous avons habité ce coin en arrivant à Montréal. C'est bien situé, animé. J'ai aimé l'expérience. Mais nous avons préféré nous acheter un duplex pas loin d'ici, à Rosemont. Un couple vit au deuxième étage et nous occupons le rez-de-chaussée et le sous-sol. Mon Bill est camionneur et je travaille dans une épicerie. Nous ne sommes pas riches, mais nous vivons bien. Parfois, on a le mal du pays, mais nous n'y

retournerions pas. En visite, oui, mais désormais notre vie est ici. Nos enfants sont nés ici, ils sont Québécois.

Quelques instants plus tard, ils s'arrêtaient devant leur duplex dans le quartier Rosemont. L'intérieur était relativement propre. Jen leur expliqua qu'elle n'avait pas le temps d'aseptiser la maison et Bill renchérit, affirmant qu'il se sentait bien chez lui. Berth, seize ans, arriva. Fier de son fils, Bill le leur présenta.

— Ces dames sont de l'Irlande; elle, c'est l'amie de ta cousine Maggie, et la dame vient de Dublin.

Il n'attendit pas la fin de la présentation pour se diriger vers le réfrigérateur. Sa mère lui demanda d'attendre, il ne l'entendit pas. Un morceau de jambon dans une main, deux petits pains dans l'autre, il se préparait à sortir quand son père l'attrapa par le bras et, doucement mais fermement, l'envoya remettre la nourriture dans le réfrigérateur et lui fit signe de s'asseoir.

Une jeune adolescente, jolie, les cheveux ébouriffés, entra, regarda les deux étrangères, s'avança et tendit la main.

— Je m'appelle Marleen.

Tara se leva et lui serra la main. Tante Barbara fit de même. Marleen voulait savoir si elles allaient demeurer au Québec. Quand elle apprit que Tara était propriétaire, les questions suivirent en rafale. Son père l'envoya aider sa mère, elle acquiesça à reculons. Le souper fut excellent, sans ostentation. Ils causèrent de l'Irlande, de Pointe-Claire, même Berth prit part à la conversation. Ces enfants avaient le droit de s'exprimer et ils en profitaient, tout en restant polis, même drôles. Malgré une première impression étrange, les Murphy se révélèrent des gens chaleureux, accueillants, avec un sens de l'humour typiquement irlandais. Les heures filèrent, il était presque vingt-deux heures trente quand elles revinrent à Pointe-Claire. Jen insista pour que Tara vienne les visiter durant les fêtes ou à sa convenance.

— Nous avons plusieurs amis irlandais qui seraient très contents de vous rencontrer, et nous avons toujours beaucoup de plaisir.

Tara promit de les revoir et Barbara les remercia chaleureusement.

44
L'Hôpital Lakeshore

Tara et Barbara continuaient d'explorer Pointe-Claire et les environs. Elles se rendirent à l'Hôpital Lakeshore et entrèrent pour fouiner un peu.

Un médecin, l'œil attentif, les regarda.

— Vous cherchez quelqu'un ? Ah ! Ce sont les belles Irlandaises de Pointe-Claire. Le docteur Poitras pour vous servir, mesdames.

Son air rieur et avenant encouragea Tara.

— Je souis infirmière, je acheter une maison et j'aime travailler, je demande...

— Si vous trouveriez du travail ici ? Nommez-moi trois choses que vous savez bien faire... Allons... je n'ai pas tout l'après-midi !

Elle bafouilla :

— *On time,* ponctouel, bien soigner malades et... et...

Elle hésitait.

— *and* et jouer du piano !

— Vous jouez du piano ?

— Oui.

— Vous aimez jouer du piano ?

— Beaucoup !

— Vous jouez bien ?

Perplexe, elle le jaugea du regard. Sa tante prit la parole.

— Elle joue divinement !

— Mademoiselle ?

— Madame Delaney !

— Vous êtes mariée ?

— Veuve, docteur Poitras.

— Madame Delaney, vous jouez du piano ! Moi aussi ! J'adore jouer. Vous êtes infirmière ; prête à commencer tout de suite ? Je vais vous recommander.

— J'aimerais début octobre. Je installer... moi et la merveilleuse personne, ma tante, madame Barbara Starr, avec moi jusqu'au... quinze.

— Je comprends. Quand vous serez prête, revenez et demandez à me voir. Si je n'y suis pas, venez à mon bureau, 24, boulevard Beaconsfield, c'est à peine à dix minutes de Pointe-Claire.

Il tourna les talons et partit en sifflotant. Tara et Barbara se regardèrent. Le fou rire les gagnait.

— Quel charmant médecin ! Savoir jouer du piano t'ouvre la porte de l'hôpital. Ce pays est plein de surprises.

— Je n'ai plus à m'inquiéter. Je vais travailler ici. Merci, Mamie, de m'avoir fait prendre des leçons de piano. Quel endroit, ce Québec !

Un arrêt au Village. Déambulant tout en causant, elles approchaient de la Pharmacie Lahaie, monsieur Paul Benson en sortait. Enchanté de les revoir, il s'enquit de leur santé et leur demanda ce qu'elles avaient fait depuis leur rencontre à la banque.

— Mais pourquoi parler dans la rue ? Permettez-moi de vous offrir un thé ou un café. J'ai besoin d'une pause et ça me ferait plaisir.

Barbara regarda Tara.

Pourquoi pas ? Un bon thé ne serait pas de refus.

— Mais nous n'irons pas ici. Allons au centre Fairview. Il y a un beau café et nous serons plus à l'aise. Ça vous va ?

Tara se doutait bien que le cher monsieur s'intéressait à sa tante.

— Mais oui, monsieur Benson. Parfait. Merci de nous inviter.

En homme galant, il leur ouvrit la porte et les fit monter dans sa Buick. Ce fut une pause très agréable. Paul Benson était un homme cultivé, doté d'un bon sens de l'humour. Il fut très heureux d'apprendre que Tara était déjà propriétaire d'une maison et d'une voiture. Il leur parla de son travail, relata quelques anecdotes et les fit rire. Il aimait beaucoup faire de la voile, aller à

l'opéra, voir des spectacles, écouter des concerts à la Place des Arts. Barbara partageait les mêmes goûts pour la culture.

— Peut-être accepteriez-vous de m'accompagner un soir, vous et madame Delaney. J'ai une loge, j'aime y aller, même seul, mais c'est tellement plus agréable quand on peut apprécier une musique ou un spectacle en charmante compagnie. Vous ne partez qu'en septembre, d'ici là... peut-être que...

Voyant que tante Barbara était tentée par l'invitation, Tara s'empressa d'accepter.

— Oui, certainement, grande plaisir. Ma tante ?

— Je vous remercie, oui, je serai heureuse d'y aller.

Ils causèrent encore un peu et Paul Benson les reconduisit. Quand il fut parti, Tara regarda Barbara :

— Très intéressant.

Les yeux rieurs, Tara taquinait sa tante, celle-ci souriait.

— Possible, et ça fait bien des lunes qu'un homme aussi charmant ne m'a pas fait la cour. Ce n'est pas désagréable.

Le lendemain, le fleuriste livrait un gros bouquet de fleurs de ce monsieur Paul Benson, accompagné d'une petite carte : « Pour célébrer votre nouveau pays, madame Delaney, et pour égayer votre séjour, madame Starr. »

45

Droit au cœur

Le vendredi 8 juillet 1966, monsieur Midas appela Tara. Sa maison était prête. Le cœur battant, elle accourut avec tante Barbara ; les planchers brillaient comme des miroirs ; les rayons du soleil irradiaient dans les pièces. Retenant son souffle, elle entra sur la pointe des pieds. Elle s'avança vers la fenêtre du salon. À lui seul, le paysage était un enchantement : les bateaux à voiles voguaient plus allégrement, une folie de couleurs, un plaisir pour les yeux, l'élixir de l'âme. Silencieuse, émue, les larmes au bout des cils, elle avait de la peine à croire que cette maison lui appartenait. Sa tante suivait, en retrait ; cet instant unique ne lui appartenait pas. Du rez-de-chaussée au deuxième, chaque pièce, absolument ravissante. Quand enfin elle sortit sur la véranda du rez-de-chaussée, elle s'arrêta, interdite. Mais, mais… ce n'était pas fait comme ça ! Elle ouvrit la porte vitrée, avança puis recula…

— *A Dhia dhílis !* Oh mon Dieu !

Une serre ! Des pots suspendus au plafond débordant de fleurs, sur des étagères, certains remplis de terre, d'autres vides. Sur un petit établi, des paquets de graines et un livre d'horticulture attendaient la main experte. Par terre, un sceau avec des accessoires de fleuriste. Les yeux ronds, Tara regardait autour d'elle, faisant l'inventaire. Elle toucha les vitres, scruta chaque pouce, chaque pot, chaque article, tantôt arrêtant son regard sur une fleur, tantôt frôlant une plante, humant la terre, feuilletant le livre. Incrédule, du regard elle embrassa sa tante et comprit. Se prenant le visage entre les mains, elle se mit à pleurer, les larmes ruisselaient sur ses joues. Sa tante prit peur. Comment avait-elle

osé ajouter cette serre sans lui en parler ? Navrée, elle s'approcha de Tara.

— Tu as de la peine et c'est ma faute. Je suis désolée ! Je te demande pardon, je voulais te faire plaisir... au lieu de cela...

Tara se jeta dans ses bras.

— Chère tante Barbara, je ne suis pas déçue, je suis émerveillée, je pleure de joie ! Je n'arrive pas à croire que vous m'avez fait construire cette serre. Vous êtes... vous êtes barjo... Doux Jésus, ça a dû vous coûter une fortune !

Soulagée, Barbara la couva des yeux.

— Le coût n'est rien en comparaison du bonheur que cette serre va te procurer. C'est mon cadeau pour ta nouvelle maison. C'est monsieur Midas qui l'a construite et il a très bien réussi.

Encore sous le choc, Tara admira la serre. Douze pieds de longueur sur huit de largeur, suffisamment grande pour satisfaire ses besoins. Elle fleurirait sa maison à longueur d'année.

— Vous vous êtes rappelé ce que je vous avais confié : « Un jour, j'aurai une serre. » Je ne sais que dire, aucun mot ne pourrait décrire ma gratitude. Jamais je n'oublierai ce que vous faites pour moi. J'espère qu'un jour, je pourrai vous rendre la pareille.

Moins d'une heure plus tard, le camion de monsieur Midas arrivait avec les meubles. Les deux femmes veillèrent à ce que chaque meuble et chaque boîte soient mis au bon endroit. Monsieur Cardinal lui-même vint diriger les opérations. Tara lui remis les 4 000 dollars restants.

Tante Barbara lui glissa discrètement 20 dollars afin que les hommes montent les lits et installent la cuisinière et le réfrigérateur.

— Madame, je vais leur dire de placer les meubles où vous voulez.

En moins de deux heures, il ne restait qu'à faire les lits. Les meubles du salon étaient placés, même les deux tapis ovales en velours — l'un dans la salle à manger, l'autre dans le salon — avaient aussitôt ajouté une touche princière. Tara disposerait elle-même les autres petites carpettes. Moins d'une heure plus tard, une auto-patrouille remontait l'allée. L'agent Ouellette cognait à la porte. Il savait les Dyer partis et voulait vérifier si c'était bien la

nouvelle propriétaire qui emménageait. Tara l'en assura et lui présenta sa tante, madame Starr.

— Vous devriez changer les serrures au plus tôt et toujours fermer les portes à clef. Le soir, verrouillez bien vos fenêtres du rez-de-chaussée. Vous savez, l'hôtel, le Bridgewater, est très achalandé le samedi soir, c'est bruyant...

Le chien, Rusty, tournaillait autour de lui.

— Je ne veux pas vous inquiéter, mais il vaut mieux faire attention. Vous avez un chien, tant mieux! C'est un bon gardien.

Tara le remercia, elle se sentait rassurée, un peu comme avec le chef de police Starr en Irlande. L'agent Ouellette connaissait tout le monde à Pointe-Claire et tous le connaissait. Tante Barbara apprécia aussi la visite.

— Un policier à son affaire, cet agent Ouellette.

Dès le camion parti, elles se mirent à vider les boîtes de la cuisine.

Le midi, un sandwich, un thé et une tranche de gâteau les rassasièrent; une pause et Tara en profita pour aller dans sa serre. Elle y viendrait chaque jour, l'odeur de la terre et des fleurs la ramenait à Navan.

Après le souper, Brigid et Kathleen arrivèrent. Elles firent les lits, lavèrent la salle de bain, vidèrent les boîtes du vaisselier et mirent le tout sur la table. Tara saurait où elle voulait placer chaque pièce. Debout dans le salon, elle admirait les meubles.

— On dirait une maison neuve, elle a l'air habité, il ne manque que mon piano et à placer les draperies. Elles devront peut-être être ajustées.

— Je m'en charge, j'ai une amie qui coud très bien. On prendra les mesures et elle te fera ça en un rien de temps.

Tara ne voulait pas la déranger, mais Brigid insista.

— C'est la moindre des choses, j'adore mon nouveau lave-linge et ma sécheuse, n'oublie pas.

À peine avait-elle terminé sa phrase que le téléphone sonna. Tara sursauta. Elle regarda autour d'elle puis s'élança vers la cuisine.

— *Hello, hello! Mrs. Duncan Phyfe here!*

Tara éclata de rire. C'était Maggie, l'ineffable Maggie. Elle voulait lui souhaiter la bienvenue dans sa nouvelle maison, ses parents aussi.

— Ils ont bien hâte de rencontrer Phyfe et Rogers!

Elles causèrent quelques minutes. Tara lui parla de la serre.

— Vas-tu commencer à vendre des choux et des carottes?

Comme c'était bon d'entendre sa voix! C'était un peu comme si son amie était avec elle. Elle revint et raconta à ses amis les commentaires de Maggie, puis les Legault se retirèrent.

Samedi soir, vingt et une heures, la musique battait son plein. Le Bridgewater était un club assez bruyant, et à moins de trois cents mètres de la maison! C'était désagréable!

— Tara, tu peux choisir de l'entendre ou pas.

— Difficile de faire autrement.

— Je comprends, mais tu peux t'impatienter, t'en faire un problème ou te dire: «Je n'y peux rien et je m'en désintéresse.» Tu n'as qu'à fermer les fenêtres, mettre de la musique ou jouer du piano, tu entendras moins la cacophonie. Tu as le choix, tu écoutes ou tu ignores. Je choisis de l'ignorer. De plus, il n'y a pas que le samedi soir.

Le Bridgewater ne la dérangea plus. Chaque matin, elle posait son regard sur le lac; cette étendue argentée apaisante berçait ses espoirs. Parfois, en scrutant l'horizon, un désir de partance submergeait ses pensées, Patrick, l'Irlande avec ses paysages champêtres, les Remparts, la maison de Mamie apparaissaient. Elle n'avait rien oublié, mais les couchers de soleil, les voiliers ballottés par la brise insouciante atténuaient le souvenir du passé.

Le plus bel endroit pour admirer le lac était encore à la pointe, au couvent. Elle aimait y dessiner au fusain, elle apportait son carnet et ses crayons. Sœur Beloin reconnaissait cette chevelure rousse. Un samedi, à la fin juillet, alors qu'elle dessinait, Sœur Beloin s'approcha, jeta un coup d'œil au dessin. Tara préférait la solitude, mais cette religieuse était gentille.

— Vous avez du talent! Vous aimez le lac?

— Beaucoup! *Feeling,* sentiment, *liberty, infinity,* changeant, comme vies à nous, tantôt calme, tantôt *turbulent.* Vous, sœur Beloin, le lac, vous aimez?

— Le lac offre des eaux claires, limpides et lisses, et parfois, comme vous dites, il devient agressif et même déchaîné. Quand arrive le printemps et le dégel, les glaces s'accumulent et forment des sculptures d'une beauté et d'une transparence indescriptibles, surtout quand le soleil se met de la partie. Le lac est entouré d'arbres variés qui offrent leurs branches à de multiples espèces d'oiseaux.

— Connaître peu oiseaux ici. En Irlande, oui.

— Nous avons la mésange, le moineau, la sittelle et le vacher. Aussi la tourterelle triste.

— Pourquoi triste?

— Je ne sais pas, elle est toujours perchée au même endroit pour se faire entendre de celui qui attend la nuit pour retourner sa réponse. Je dois y aller. Continuez ce petit chef-d'œuvre.

Tara demeura songeuse. Cette religieuse, une vraie poétesse. Elle la revit à quelques reprises, elles échangeaient quelques mots, chacune respectant l'intimité de l'autre.

Ces mois de juillet et août furent des mois des plus agréables, autant pour Tara que pour tante Barbara. Chaque fois que Tara entrait dans sa maison, elle se demandait si elle était bien chez elle. La richesse des meubles qui se miraient dans les planchers, les carpettes, les lampes, les toiles savamment disposées, sans oublier le piano qui dominait la pièce, tout l'enchantait. Chaque jour, et souvent le soir, Tara jouait, son âme exultait, le bonheur électrisait ses doigts. Elle s'accompagnait parfois de sa voix. Barbara ne l'avait jamais entendue chanter. Était-ce possible? Cette fille était une artiste accomplie, elle goûtait son bonheur avec avidité.

Des vases débordant de fleurs ornaient les tables du salon et de la salle à manger, ainsi que sa commode, devant les photos de son père et de sa mère, de Patrick, de Mamie et de tante Barbara. Chaque soir, elle ne se couchait jamais sans une prière pour sa mère et son frère. Un jour, peut-être?

C'était une maison chaleureuse et accueillante. Tante Barbara en ressentait une pointe d'orgueil, elle s'y sentait chez elle. Tara avait acheté la belle patère de monsieur Cardinal. Il la lui avait laissée pour une chanson. Elle était heureuse.

Les Legault avaient été les premiers à étrenner la salle à manger. Quand ils étaient arrivés, la table était mise, le cristal lançait des éclairs, l'argenterie étincelait. Ils osaient à peine s'asseoir. Barbara servit l'apéritif, même les garçons eurent droit à une larme de vin. Tara voulait qu'ils se sentent à l'aise. Elle s'installa au piano et entonna *Danny Boy*. En un éclair, Brigid fut debout à côté d'elle, elle chanta avec son cœur et ses tripes. Puis Tara lui joua une polka. Brigid se mit à danser, suivie de tante Barbara. Même Kathleen, David et Daniel dansaient, sautillaient, l'Irlande entrait dans la maison. Hors d'haleine, riant, ils s'effondrèrent sur le divan et les chaises, à part David et Daniel qui s'assirent par terre. Toute la famille était ébahie. Brigid, émue.

— Tara, comme tu joues bien ! Et cette voix ! Merci. Merci ! Je vais venir te demander de me jouer quelques pièces de temps à autre. Peux-tu nous jouer un dernier morceau avant le repas ?

— *My pleasure,* Brigid.

Tara ferma les yeux, se concentra et se mit à faire courir ses doigts sur le clavier. Quand elle attaqua la *Polonaise* de Chopin, ce fut dans un silence religieux que la famille goûta sa prestation. Les yeux fermés, Claude avait apprécié chaque note de musique.

— Nous sommes tous très heureux que tu sois des nôtres.

Daniel s'impatientait.

— J'ai faim. Est-ce qu'on peut manger ? Je peux t'aider ! David aussi !

Ce fut un éclat de rire général. Tara avait préparé un rôti d'agneau, des pommes de terre (aucun repas irlandais n'étant complet sans pommes de terre), des légumes braisés, une sauce, du pain frais... et même une pizza pour les gars !

— Youpi ! Tara, on t'adore.

Le repas fut excellent et la soirée, des plus enjouées. Kathleen, secondée de David et de Daniel, aida Tara à mettre la vaisselle dans le lave-vaisselle pendant que Barbara faisait visiter la maison à Claude. Celui-ci avait déjà vu les meubles, mais de les admirer installés dans la maison de Tara lui faisait chaud au cœur. Le temps de partir arriva.

Quelle belle soirée ! Barbara vint s'asseoir à côté de Tara. Elle la prit dans ses bras.

— Je suis tellement heureuse pour toi et pour moi ! Je me sens bien ici. Tu vas tellement me manquer.

— Et vous allez me manquer aussi. Ma belle maison va être bien vide sans vous. Heureusement que je vais travailler et apprendre le français, je dois absolument le parler mieux, comprendre ce que les gens disent, cette langue est belle.

Paul Benson avait tenu parole. À la fin juillet, ils avaient assisté à un concert à la Place des Arts. Paul rayonnait. Quand il monta l'escalier avec Tara et madame Starr, toutes les têtes se tournèrent pour les observer. Madame Starr était ravissante dans un deux-pièces bourgogne, Tara avait choisi une robe droite, beige pâle. Ses cheveux fauves étaient remontés de chaque côté et tombaient en cascade sur ses épaules. Toutes deux portaient un collier de perles. Paul Benson était connu. À l'entracte, plusieurs se pressèrent pour le saluer et savoir qui étaient ces dames. Il souriait.

— Mesdames, je fais des jaloux. Je suis avec les deux plus belles dames de la Place des Arts, et les plus gentilles. Je crains qu'on attente à ma vie.

Madame Starr le rassura.

— N'ayez crainte, nous vous défendrons.

Elle aimait la musique et le théâtre ; Tara adorait la musique. Paul Benson les reconduisit et elles lui offrirent d'entrer prendre un thé. Il ne se fit pas prier. Quand il pénétra dans la maison et que Tara alluma, il s'arrêta, étonné par la richesse de la maison. Cette jeune femme avait de la classe, tout comme madame Starr. Il se demanda s'il ne visait pas trop haut. Tara prépara le thé, sortit une belle théière, les accessoires assortis, quelques pâtisseries et deux tasses. Elle se versa un grand verre de jus et s'excusa. Elle avait sommeil.

— Merci, madame Delaney, pour cette agréable soirée. Et félicitations pour votre maison ! À une autre fois, peut-être ?

Tara le remercia et monta se coucher. Les deux restèrent à table. Barbara lui parla de sa vie en Irlande, de ses activités, de sa joie d'avoir Tara et du bonheur qu'elle lui apportait.

— C'est une jeune femme exceptionnelle.

Il lui parla de sa femme, qu'il avait beaucoup aimée. Ils avaient été heureux. Son décès subit lui avait causé une grande peine.

Elle aurait toujours une place dans son cœur. Son fils unique vivait en Angleterre avec sa femme et son fils. Ils lui manquaient beaucoup.

Il revint à quelques reprises durant l'été. Toujours charmant, attentionné, il n'arrivait jamais les mains vides: des chocolats, des fleurs, une liqueur. Il devenait chaque fois un peu plus familier.

— Je suis toujours très franc. Je suis heureux de vous avoir rencontrée. Je ne vous demande pas de m'aimer, mais j'aimerais que nous soyons amis. Aller à la Place des Arts, au cinéma, manger au restaurant, aller à mon chalet dans les Laurentides, échanger nos idées, comme nous le faisons. Ça me plairait beaucoup.

— Je pars pour l'Irlande à la mi-septembre.

— Allez-vous revenir? Et... j'aimerais bien connaître l'Irlande. Faites-moi le plaisir d'y penser et, en attendant, pouvons-nous nous revoir?

— J'aimerais bien. J'apprécie votre compagnie, comme ami, mais je ne veux pas m'engager. J'aime mon indépendance.

Un vendredi soir, au début de septembre, il se présenta chez Tara.

— Barbara, voulez-vous venir à mon chalet à Saint-Sauveur demain? Je ne vous laisse pas respirer, mais il ne reste que deux semaines avant votre départ et j'aimerais vous faire découvrir les Laurentides. Ce n'est que le début de l'automne, mais le paysage est déjà spectaculaire, à faire rêver. Des lacs, des montagnes, une palette de couleurs! Vous devez voir cela avant de partir.

— Eh bien! si je le dois, j'irai. Je vais demander à Tara et à ma nièce Kathleen de nous accompagner.

Il aurait préféré être seul avec elle, mais n'en laissa rien paraître.

— Certainement, Tara va adorer et vous aussi.

Tara avait vu ces paysages sur les photos du chef Starr et elle avait hâte de voir si elles correspondaient à la réalité. Ce fut bien au-delà de tout ce qu'elle avait pu imaginer. D'abord, la route qui serpente entre les villages, la forêt habillée de toutes les teintes de vert, de rouge, de jaune, d'orange. On aurait juré que, pendant la nuit, un lutin avait sorti ses tubes de peinture et, pris d'une hallucination et de folie, s'était amusé à bombarder la forêt entière, optant tantôt pour une couleur, tantôt pour l'autre. Le résultat,

un kaléidoscope éblouissant, abracadabrantesque. La voiture se mouvait, ses occupants demeuraient silencieux, seuls leurs yeux soliloquaient. Finalement, ils arrivèrent au chalet. Accroché à flanc de montagne, face à un lac auréolé d'arbres animés, il guettait ses invités. Tara n'avait pas ouvert la bouche, totalement hypnotisée; Barbara l'était tout autant.

— Jamais je n'ai vu pareil paysage, merci de nous le faire découvrir.

Paul débarra la porte du chalet, qui s'ouvrit sur une immense pièce en pin noueux, une grande table en bois, des bancs et des chaises; à côté des armoires trônait un beau poêle à bois L'Islet; deux berçantes et deux autres grosses chaises confortables étaient disposées autour d'un foyer en pierre des champs. Des fenêtres sur trois murs permettaient de ne rien manquer de la nature environnante. Paul retourna à la voiture et revint avec une glacière. D'un tiroir, il sortit une grande nappe à carreaux, des assiettes, des ustensiles et des verres; il ouvrit la glacière. Un jambon, des saucissons, des cretons, des fromages, un grand plateau de crudités, des confitures, deux baguettes, une tarte aux cerises et une bouteille de vin. Les trois femmes le regardaient, ébahies.

— Mais vous avez tout prévu, un vrai festin!

— Oui et il est près de midi, je meurs de faim.

Elles ne se firent pas prier, le lieu était calme, reposant. Elles se sentaient bien. Plus tard, Paul leur fit visiter le chalet. Magnifique! Meublée et décorée avec goût, cette propriété avait du style et dénotait l'aisance. Tara et Kathleen sortirent se promener pendant que Paul et Barbara restèrent à converser sur le patio.

— Barbara, merci d'être venue. J'aime cet endroit, c'est mon refuge loin des tracas de la banque, du quotidien. Ma femme passait les étés ici, je venais la rejoindre presque chaque soir et les fins de semaine. Après son décès, j'y venais rarement; l'an dernier, j'ai commencé à y revenir. Je prends la chaloupe, je rame pendant une heure, je reviens et je lis. Je crois que vous pouvez me comprendre.

— Oui, mon ami, je comprends. Je ne m'y connais pas en chalets, mais je sais reconnaître une belle propriété, située dans

un site enchanteur. On ne peut rester indifférent devant tant de beauté. C'est un coin de paradis qui accélère la guérison de l'âme.

— L'hiver, c'est différent mais tout aussi beau. J'allume le foyer, le feu crépite dans la cheminée; un bon vin, de bons amis, c'est un peu le paradis. J'y suis en paix avec l'univers.

Barbara le regarda. Il était bel homme, attachant... Toutefois, elle ne voulait pas refaire sa vie. Sa patrie, c'était l'Irlande! Il lui prit les mains, il aimait son beau visage, sa démarche, son maintien royal; il ne voulait pas lutter contre cette attirance. Il la serra dans ses bras, elle lui sourit. Ouf! Il était collant! Ils repartirent deux heures plus tard; Tara était émerveillée par tout ce qu'elle avait vu et Kathleen, heureuse de constater combien son amie aimait un autre coin du Québec.

Paul les reconduisit chez elles et repartit presque aussitôt. Il avait un rendez-vous important le lendemain matin. Il revint par la suite à quelques reprises. Barbara était heureuse de le revoir, mais plus il multipliait les courbettes, moins ses sentiments étaient au diapason de ceux de Barbara. Pour elle, l'amour n'était pas au rendez-vous. Elle trouva la parfaite excuse pour limiter leurs rencontres: Tara avait besoin d'elle.

Tara vaquait à ses occupations et organisait son bureau. De temps à autre, elles retournaient chez l'antiquaire. Monsieur Cardinal savait que toute sa maison était bien meublée, mais quand il dénichait un article qui pourrait plaire à Tara, il le lui proposait, sans jamais insister. Toujours courtois, il avait beaucoup d'estime pour cette jeune dame. Ayant déniché trois belles aquarelles de paysages québécois, il les avait mises de côté pour Tara; elles ornaient désormais un mur de sa salle à manger. Il lui manquait une petite table ronde pour mettre au bout du couloir du haut et peut-être une chaise berçante. Une semaine plus tard, l'antiquaire avait trouvé une table, mais elle était ni ronde ni vraiment carrée, les quatre coins semblaient étirés ainsi qu'une berçante. Les deux morceaux, quarante-cinq dollars. Tara refusa; il accepta trente dollars. Un objet de collection!

Tara et Barbara profitaient de leurs derniers jours ensemble.

Les matins commençaient à être frisquets, l'air était vif, revigorant. Le samedi précédant le départ de Barbara, elles allèrent magasiner avec Brigid et Kathleen. Tara avait besoin de vêtements d'automne et d'hiver. Elles firent les grands magasins et quelques belles boutiques. C'est avec un plaisir fou qu'elle essaya blouses à manches longues, chandails, jupes, pantalons, robes en lainage, tuques, mitaines, gants, chaussettes, bottes pour la marche et bottines de toilette, une veste. Même Barbara s'acheta des chandails et trois jupes.

— Ça suffit, je vais me ruiner!

— Non, Tara, il te faut une jaquette ou des pyjamas en flanelle, des pantoufles chaudes et un manteau d'automne et d'hiver, et même un manteau sport.

— Kathleen a raison, allons chercher tout ça, sauf le manteau d'hiver. J'ai vu une boutique avec de beaux manteaux dans la vitrine.

— Tante Barbara, je devine... beau et cher.

— Si tu achètes un bon morceau...

Tara se mit à rire, Brigid et Kathleen aussi.

— Je sais, il faut que j'achète de bonne qualité, chic et...

Barbara savait qu'elle la taquinait. Elle la prit par le bras et l'entraîna dans la boutique. Les manteaux étaient superbes. Kathleen et Tara en essayèrent plusieurs. Tara jeta son dévolu sur un ravissant manteau d'hiver vert foncé avec un collet de fourrure. Kathleen le trouvait superbe. Barbara insista pour le lui payer. Flairant une bonne affaire, la vendeuse revint avec un aussi beau manteau pour Kathleen.

— Kathleen, il te va à merveille. Un vrai manteau de médecin! Toi, Brigid, je ne t'ai encore rien offert. Choisis, c'est Noël aujourd'hui, je vous les offre.

Brigid refusa, c'était beaucoup trop.

— Écoute, je vis seule, je n'ai pas d'enfant; chez moi, je dépense peu. Tara est comme ma fille, Kathleen est une jeune fille studieuse, c'est ma première visite au Québec, tu es ma belle-sœur et... j'ai les moyens. Claude, David et Daniel ne seront pas oubliés.

Malgré les protestations, la vendeuse se précipita et revint avec une trouvaille. Barbara dut insister pour que Brigid ose l'essayer.

— Ma chère, il te va comme un charme, tu es belle à croquer.

Elle sortit son chéquier et paya le tout. Fatiguées, mais ravies, elles se hâtèrent vers Pointe-Claire.

46
Seule

Le samedi 15 septembre, Barbara rentrait à Dublin. Tara, Brigid, Claude et Paul Benson étaient aussi à l'aéroport. Tara avait peine à retenir ses larmes. Il y avait eu Mamie, les Ryan et Barbara. Cette dernière avait pris une place importante dans son cœur. Réconfortante, sécurisante mais aussi affectueuse. Consciente de sa détresse, Barbara l'avait serrée dans ses bras et, la regardant droit dans les yeux, elle lui avait murmuré :

— Tara, je te jure que je vais revenir, avant un an. Tout va bien aller, les Legault sont à côté, tu es chez toi, profite de ta maison, de ta serre. Tu vas commencer à l'Hôpital Lakeshore. Tu peux voler de tes propres ailes. N'oublie pas, je t'aime et… *Walk tall!* Debout bien droite, ma chérie !

Claude et Brigid lui firent leurs adieux. Paul, qui se tenait en retrait, s'approcha d'elle.

— Ma chère amie, je suis heureux de vous avoir rencontrée, vous allez terriblement me manquer. J'aimerais beaucoup avoir de vos nouvelles et, si vous le permettez, je passerai parfois chez Tara.

— Très bien. J'ai apprécié nos rencontres, notre belle amitié.

Ce n'était pas ce qu'il voulait entendre, mais pour l'instant, il devrait s'en contenter. Elle revint vers Tara, lui donna l'accolade et passa la douane.

Brigid et Claude partirent, mais Tara resta avec Paul Benson. Ils allèrent s'asseoir et attendirent que l'avion décolle et soit hors de vue. Tara se leva à regret, Paul la suivit. Une demi-heure plus tard, ils arrivaient chez elle. Rusty l'accueillit joyeusement. Elle

était contente de l'avoir. Paul hésitait à la quitter; elle l'assura qu'il n'avait pas à s'inquiéter.

— Me permettez-vous de venir vous saluer à l'occasion? Vous savez que j'ai beaucoup d'estime pour Barbara, elle va me manquer. Vous aurez certainement de ses nouvelles avant moi.

Il se tenait debout, comme un petit garçon quêtant une faveur. Malgré elle, un sourire furtif glissa sur son visage.

— Certainement. Je souhaite elle s'ennuie beaucoup, elle revenir...

De retour chez elle, elle fit le tour de la cour avec Rusty et rentra. La maison était silencieuse. Elle erra, entra dans la chambre de Barbara, vide. Les chandails et les jupes d'hiver, toutefois, attendaient dans sa garde-robe. Elle reviendrait. Tara songea à ses dernières paroles: « *Walk tall!* » Vers dix-huit heures, Kathleen frappa à la porte. Deux gros coussins en velours beige et rouille et une boîte avec quatre feuilletés de la Pâtisserie Vendette. Tara regarda les coussins, elle ne comprenait pas.

— Ton divan et tes chaises sont très beaux et chics, mais pour se détendre quand il fait froid dehors, rien de tel que de s'écraser sur un bon coussin, devant le feu, en sirotant un chocolat chaud ou un verre de vin. Si tu ne les veux pas, ne te gêne pas, je peux les retourner.

— *Marvelous idea. I adore.* Essayer *immediately.* Du bois, faire un feu, foyer.

D'un air coquin, Kathleen extirpa une bouteille de vin de son sac. Surprise et ravie, Tara alla chercher l'ouvre-bouteille et deux belles coupes en cristal.

— Merci, Kathleen, merci! Voir personne, toi, *therapeutic.* Vin? Oui! *A glass.*

Deux heures plus tard, recroquevillées sur leurs coussins, elles regardaient les flammes lécher le bois, parfois rompant le silence, comme de vieilles amies. Tara fit entrer Rusty qui s'allongea à ses pieds.

À vingt-deux heures, Kathleen prit congé. Tara lui était reconnaissante de sa visite inattendue et aussi pour les coussins.

— Toujours rester près foyer, servir souvent.

Avant qu'elle parte, Tara voulut lui montrer la table du couloir. Un livre sur l'Irlande y reposait, ouvert. La chaise berçante attendait. En passant devant la chambre de son amie, Kathleen aperçut des visages dans deux cadres dorés sur la grande commode. Elle détourna les yeux. Le plus naturellement du monde, Tara pénétra dans sa chambre, prit les cadres et, se tournant vers elle :

— Mes parents, mon mari, Patrick, décédé dans un accident à peine trois mois après notre mariage. C'était un homme bon. J'étais enceinte. J'ai perdu mon bébé. Cette dame, c'est ma Mamie, elle était tout pour moi. Elle est décédée il y a moins d'un an, et voici ma bonne Barbara, tante Barbara, elle est formidable, comme tu sais. Son départ crée un grand vide. Elle va terriblement me manquer.

Kathleen la regarda, navrée. Elle s'avança et la serra dans ses bras.

— Dire que je suis peinée est tellement cliché, tant de malheur, je ne sais…

— Je comprendre, dis rien, correct. Ceci *private*. Ma vie pas publique, ici nouvelle vie. Comprends ?

— Je vais tâcher de ne pas décevoir ta confiance, et je suis là pour toi, tant que tu le voudras.

— Merci, visite grande bien. Coussins ? Indispensables ! Idée *genius*.

Quelques instants plus tard, Kathleen la quitta. Tara fit le tour de chaque pièce, ferma les portes à double tour, caressa Rusty et monta. Il voulut la suivre, mais il n'en était pas question.

Tôt le lendemain matin, le téléphone sonna. Barbara ! Quand Tara lui parla des coussins et de la bouteille de vin, soulagée, elle se mit à rire ; Tara n'était pas seule. Celle-ci lui promit de l'appeler aussitôt après sa visite à l'hôpital.

47
Tara, infirmière

Tara vivait une nouvelle saison : l'été avait fait place à l'automne. Le coloris et la chute des feuilles, les matins revigorants, le temps des récoltes, les oiseaux qui volaient plus bas, ceux qui partaient, le grand vent qui pique les joues, les vagues déferlantes qui s'agitaient en tous sens… Tout était si différent de l'Irlande, tout, une découverte. Seules quelques feuilles tenaces de son érable s'adonnaient à leur dernière danse. Danse lascive de quelques irréductibles, mouvement lent puis plus rapide, et finalement *rock and roll*. Puis le vent, appelé ailleurs, revenait avec plus de passion, alors elles se déhanchaient, se frôlaient, se caressaient pour enfin se laisser tomber sur le sol dans un élan langoureux. Quelle belle façon de partir ! pensa Tara. Elle n'écoutait que des chanteurs québécois et français : Brel, Fugain, Aznavour, Dubois, Charlebois, Renaud, Leyrac, Léveillée, Lalonde et autres. Elle fredonnait les paroles de leurs chansons pendant que ses pensées s'élevaient vers Dublin. Tante Barbara était seule chez elle.

Le soir, rassérénée, assise dans sa berçante, seule spectatrice de la magie nocturne, ses yeux fouillaient la nuit obscure, mystérieuse. Des faisceaux de phares surprenaient la noirceur, une clameur tumultueuse montait du Bridgewater, mais elle ne l'avait pas entendue de toute la soirée. La nuit était percée d'étoiles, la lune inondait le lac, des milliers de diamants scintillaient de mille feux. Terminées, les vacances ! Lundi matin, elle se présenterait à l'hôpital. Un environnement nouveau. Serait-elle à la hauteur ?

Lundi matin, munie de son diplôme du secondaire, de celui d'infirmière et de la lettre de recommandation de sœur Mary, du *Saint Vincent Nursing School*, Tara se présenta à l'accueil

de l'Hôpital Lakeshore. Elle demanda à voir le docteur Poitras. Une vingtaine de minutes plus tard, le visage souriant, il vint la rejoindre.

— Voici notre infirmière pianiste! Je vais vous présenter au directeur. Laissez-moi faire, ça va bien aller.

Président de l'association des médecins généralistes, il était le lien entre eux et les spécialistes, qui venaient surtout de l'Hôpital Royal Victoria et de l'Hôpital général. Cette tâche exigeait du doigté, de la diplomatie; il ne manquait ni de l'un ni de l'autre.

Il tint parole, la présentant en termes élogieux. Le directeur examina les diplômes, lut la lettre de recommandation. L'arrivée de cette jeune femme semblait un excellent atout pour l'hôpital. Sauf qu'elle était presque trop jolie, une beauté à faire damner les saints! Il la questionna sur ses études, sur sa pratique. Elle débutait, mais Tara l'assura qu'elle ferait son possible pour être à la hauteur de leurs attentes.

— Vous êtes célibataire?

— Veuve, plus de famille, viens juste acheter une maison.

Qu'elle se soit déjà acheté une maison le surprit. Et elle parlait français.

— Madame Delaney, vous êtes hautement recommandée, et le docteur Poitras vous appuie aussi. Nous manquons de personnel. Je pourrais vous offrir un poste dans le département de chirurgie, vous vous occuperez des malades qui viennent d'être opérés. Quand pouvez-vous commencer? Au début, je propose que vous travailliez de minuit à huit heures, c'est un peu plus calme et ça vous permettra de vous familiariser avec nos méthodes de travail et avec le personnel. Ça vous va?

— Très bien! Merci. Je vais pas décevoir vous.

Il appela une infirmière, mademoiselle Levine. Celle-ci lui fit faire un tour de l'hôpital et la présenta à l'infirmière-chef du département de chirurgie, qui se déclara soulagée d'accueillir une nouvelle infirmière. Elle s'adressa à elle en anglais. Ouf!

— Bienvenue chez nous, nous sommes débordées! Votre venue est une bénédiction. Vous commencez ce soir? Arrivez une heure plus tôt, vous pourrez rencontrer les infirmières de service, elles vous informeront sur l'état de leurs patients.

La tournée se continua. Elle rencontra plusieurs infirmières, des infirmiers, des internes et deux médecins. Tous furent frappés par sa beauté et son élégance.

— Madame Delaney, vous allez faire tourner des têtes ; certains sont déjà frappés d'arythmie.

— J'espère qu'ils se rétabliront rapidement, parce que je n'ai pas l'intention de commencer à fréquenter qui que ce soit. Pas maintenant ni plus tard.

Garde Peters soupira d'aise. Voilà une femme qui savait ce qu'elle voulait.

— Ils peuvent être tenaces, certains parfois même crampons.

— Je vous assure qu'ils n'insisteront pas longtemps. Je sais tenir ma place et je les mettrai à leur place.

Garde Peters était soulagée, elle ne leur ravirait pas les bons candidats, le dessus du panier ! Elle se fit plus chaleureuse.

— Je suis contente de vous connaître. Si vous avez besoin de quoi que ce soit, n'hésitez pas à venir me voir. Ah ! voici le docteur Harvey, il est chirurgien orthopédique.

Celui-ci la salua, la regarda sans la voir et entra dans une chambre.

— Le docteur Harvey est un excellent chirurgien, mais sa femme a subi un grave accident il y a cinq mois, elle était enceinte de quatre mois. Le bébé est mort, elle est dans le coma, et son état se détériore. Vous la verrez, elle est sur cet étage.

Tara comprenait sa douleur, elle se rembrunit.

Le soir même, Tara commençait son service en chirurgie à l'Hôpital Lakeshore. La première semaine ne fut pas de tout repos, mais son professionnalisme, sa détermination et son dévouement eurent raison des plus sceptiques, même si sa toison rousse ne passait pas inaperçue. Une infirmière, jalouse de sa beauté et des commentaires élogieux qu'elle entendait à son sujet, avait tenté de la réprimander, mais Tara ne s'était pas laissé intimider. Les paroles de Barbara lui étaient revenues : « *Walk tall!* »

— Garde Levine, je ne suis pas sourde. Si vous avez des commentaires à faire, vous n'avez pas à les faire à tout l'hôpital et d'ailleurs… je m'excuse… mais ceci ne vous regarde même pas.

Deux infirmières souriaient. Enfin, cette envieuse trouvait chaussure à son pied. Insultée, elle tourna les talons. La nouvelle fit le tour du département. Il n'y eut plus d'accrochage. La générosité et la serviabilité de Tara firent en sorte qu'on ne pouvait la détester.

Elle vaquait à ses occupations, inconsciente de l'effet qu'elle produisait. Elle était tellement aimable et serviable que les femmes lui pardonnaient son éclatante beauté. Quelques infirmiers et jeunes médecins, et même un chirurgien, l'avaient invitée à sortir. Tous furent éconduits. Un jeune médecin, le docteur Lambert, avait été particulièrement insistant, mais elle l'avait repoussé sèchement.

— Vous pas comprendre « NON », docteur Lambert ?

Le chirurgien qui l'avait invitée se trouvait à proximité ; il avait souri pendant que l'autre, rouge comme une pivoine, se hâtait de décamper. Le mercredi soir, Kathleen arriva avec un grand bol de *irish stew* encore chaud. Elle le dévora avec appétit.

— Délicieux, un bon *irish stew*, Mamie disait arrange le cœur... et c'est vrai.

La visite de Kathleen fut de courte durée. Elle avait repris ses études en médecine et était débordée. Le dimanche, les Legault invitèrent Tara à souper. Ils avaient du rattrapage à faire. Tara leur raconta sa semaine. Ravis de la savoir heureuse, ils l'encouragèrent à persévérer.

Tara aimait son travail, elle s'adapta assez vite et organisa sa vie en fonction de son emploi. Au début, elle avait de la difficulté à dormir le jour. Alors en arrivant, elle allait promener Rusty. Elle était heureuse de l'avoir ; avec lui, le silence était moins troublant. Elle travaillait dans sa serre. Le livre d'horticulture avait été lu et relu, il était devenu son livre de chevet. Les graines qu'elle avait plantées poussaient, elle les dorlotait. L'été prochain, son parterre serait fleuri. Sa maison était une source de joie. Sa cour aussi ; elle ne se lassait pas d'admirer les magnifiques arbres qui s'élançaient vers les nuages. Maggie et elle échangeaient de longues correspondances ; son amie attendait un bébé, elle débordait de bonheur. En l'apprenant, elle pleura ; elle aussi devrait avoir un enfant à aimer, le fils de Patrick...

Barbara écrivait aussi et appelait tous les quinze jours. À son retour à Dublin, elle avait trouvé sa maison bien vide et n'avait pu se résoudre à pénétrer dans le « petit bijou » que Tara avait occupé. Les concerts, les amis, les sorties au théâtre n'avaient plus le même attrait. Force lui fut d'admettre qu'elle s'ennuyait de Tara, de sa belle-sœur, de Pointe-Claire, des Laurentides, de Montréal, du Québec. La ville de Québec, Ottawa, les chutes du Niagara... Il y avait tant à voir dans cet immense pays! Paul voulait qu'elle vienne passer les fêtes. Il jouait du violon, ne doutant pas un seul instant de son pouvoir de séduction; son amitié lui manquait. Ce serait son premier Noël loin de son pays. Si elle venait, il pourrait retourner avec elle, il avait quinze jours de vacances à partir du 5 janvier. La tentation était forte. Quel plaisir anticipé cela promettait! Tara, sa belle-sœur, leurs enfants... Mais qu'est-ce qui lui prenait? Tout de même, elle avait passé l'âge de l'adolescence. Elle était bien chez elle, il était temps de se ressaisir...

Un mois à tergiverser, à avoir le cafard; un soir pluvieux de novembre, elle succomba à la tentation. Trop pour elle. Malgré son esprit rationnel, elle céda. Le 15 décembre, à dix-neuf heures, le téléphone sonna chez les Legault.

— Brigid, j'arrive à dix-neuf heures trente, le 18 décembre. Tu peux venir à l'aéroport?

— Avec plaisir! Tu nous gâtes. Trois Irlandaises réveillonnant ensemble à Pointe-Claire! Tara sera folle de joie.

— Surtout, ne lui dis rien. Tu peux en parler à Claude, mais à personne d'autre.

Brigid acquiesça. Barbara arriverait le 18 pour rentrer le 7 janvier.

— C'est un dimanche, je serai à l'aéroport.

48

Pure merveille et… cristaux blancs

Le froid se faisait plus mordant. Le 10 novembre, assise dans sa chaise berçante, le nez contre la vitre, scrutant la nuit, Tara sursauta : des milliers de rangées d'aiguilles blanches s'écrasaient sur les carreaux de sa fenêtre ; une couverture blanche recouvrait le sol. Dévalant l'escalier quatre à quatre, elle déverrouilla la porte et s'élança à l'extérieur, Rusty à sa suite. Une belle neige généreuse tombait, tombait, elle avait déjà ourlé la clôture et montait à l'assaut de la véranda. Émerveillée, elle admira la cour, les arbres, formes mythiques enfarinées. Le vent gémissait. Envoûtée, elle osait à peine respirer pour ne pas briser l'émerveillement. Frissonnante, elle s'aperçut qu'elle ne portait que sa chemise de nuit en flanelle et des pantoufles. Courant à l'intérieur, elle enfila son manteau et ses bottes et ressortit. Sa première tempête de neige ! Cette pureté, cette blancheur immaculée avait débarbouillé la cour, les environs, et recouvert le tout d'une couverture ouatée, immaculée. Un soupir de pur plaisir, elle se mit à tourbillonner de bonheur jusqu'à ce que le froid la contraigne à rentrer. Un dernier coup d'œil aux flocons cotonneux et hop ! au lit.

Des années plus tard, elle dira que chaque première neige lui procurait toujours le même ravissement. Elle ne souffrait jamais du froid. D'ailleurs, ses vêtements étaient chauds ; les maisons, les magasins, l'hôpital et même sa voiture étaient chauffés. La chaudière consommait plus de mazout, elle gardait la maison à vingt et un degrés.

Le lendemain, six pouces de neige recouvraient le sol. Elle déneigea sa voiture. Rien n'altéra sa joie, elle arriva à l'hôpital débordante d'allégresse. Quelques infirmières et même des médecins pestaient

contre la neige. Elle? Pas encore... Cette première neige l'avait subjuguée; par la suite, le froid, le blizzard, le verglas qui enrobait les branches d'un glacis étincelant, le craquement des vieux arbres aux jointures arthritiques, le vent en fureur, grand loup hurlant, chaque changement... demeurait un émerveillement pour ses sens.

Elle travaillait maintenant de seize heures à minuit. La tâche était plus lourde le jour. On l'avait jugée trop efficace pour le travail de nuit, elle avait fait sa niche. Le personnel l'aimait. Il y avait bien quelques petites jalousies, mais elle semblait imperméable à toute rivalité. Barbara n'était jamais loin de ses pensées, sa présence absente entretenait sa volonté de réussir. Parfois, elle écorchait le français, on la taquinait un peu, mais sans méchanceté. Joan Bourque, un boute-en-train, un peu comme Maggie, de six ans son aînée, aimait bien l'agacer. Parfois, elle lui jouait des tours. Une nuit, elle lui dit qu'un patient était décédé et qu'elle devait l'emmener à la morgue. Cette tâche n'enchantait guère Tara. Elle prit un drap, entra rapidement dans la chambre, couvrit le mort et sortit le lit. Une fois dans le corridor, le patient se releva brusquement.

— Où m'amenez-vous?

Sidérée, bafouillant une explication, elle recula le lit et aperçut Joan, tordue de rire.

Impassible, elle s'affaira auprès du patient, puis s'élança dans le corridor. Aucun signe de la coupable. Jetant un coup d'œil à la dérobée, elle passa devant le débarras et entendit des rires étouffés. En catimini, elle entra; Joan était là, impénitente. Attrapant une vadrouille, Tara s'élança pour la frapper, mais l'autre fut trop vite pour elle, elle était sortie avant que Tara ait pu esquisser le moindre geste. Ce n'est qu'à la pause qu'elle la retrouva à la cafétéria. Impossible de ne pas rire, elle se bidonna.

— *Beag diabhal!* (Petite diablesse!) Moi faire une crise cardiaque?

— Toi? Une Irlandaise? Une crise cardiaque? T'aurais dû te voir la face. T'étais vraiment drôle!

Ces «folies» humanisaient leurs tâches, parfois pénibles. Les deux jeunes femmes prenaient leurs pauses ensemble. Joan adorait

les Beatles, connaissait les paroles de leurs chansons. Tara chantait des chansons irlandaises, parfois elle lui parlait en gaélique ; elle lui avait révélé son amour pour le piano. Elle fleurissait.

Les patients l'aimaient et Tara le leur rendait bien ; toujours de bonne humeur, elle les écoutait, les chouchoutait un peu, les encourageait. Avec les enfants, elle était toute douceur, les faisait rire. Quand elle était libre, elle les berçait et leur chantait quelques berceuses irlandaises... à voix basse. Il lui arrivait de s'occuper de l'épouse du docteur Harvey. Elle savait qu'il venait la voir chaque fois qu'il pouvait voler quelques instants. Elle lui parlait, même si celle-ci était dans un profond coma. Éjectée de sa voiture lors d'une collision, elle avait subi un trauma majeur au cerveau, de multiples fractures internes et des hémorragies. Le cœur de Tara compatissait à sa souffrance. Quand elle faisait sa toilette, elle lui chantait à voix basse. Un soir, pendant qu'elle chantonnait tout en la frictionnant doucement, le docteur entra dans la chambre, sans qu'elle s'en rende compte. Il l'observa. Elle perçut sa présence. Confuse, elle s'écarta du lit.

— Merci, garde Delaney, pour la bonté que vous témoignez à mon épouse.

— Ah ! je comprends... j'ai...

Elle se mordit les lèvres et baissa les yeux.

— Continuez, je vous prie.

La douleur traversa son regard, elle hésita.

— Vous aussi ?

— Oui, mari décédé accident, trois mois mariage, un homme merveilleux.

— Pas d'enfant ?

— Enceinte... perdu...

— Comme la vie peut être cruelle, parfois ! Vous vous en sortez ?

— Douleur partir lentement, amis pour moi, mais jamais oublier...

Elle referma doucement la porte derrière elle. Cet athlète, une montagne de muscles sans une once de graisse, était un médecin des plus consciencieux. Cette belle tête de praticien aux yeux

perçants, un visage impassible, mais qui s'assombrissait et se crispait de colère devant un acte de négligence, n'était que douceur et compassion envers ses patients.

Trois semaines plus tard, madame Harvey décédait. Tara se rendit au salon funéraire. Plusieurs personnes de l'hôpital étaient présentes. Le docteur Harvey ne revint travailler que deux semaines plus tard. Depuis son retour, il travaillait encore plus, se réfugiait dans le travail. Chaque fois qu'il rencontrait Tara, il la saluait, l'esquisse d'un sourire éclairant parfois son visage. Sa souffrance la touchait.

Noël approchait. Le froid persistait. Un jour de congé, elle s'était habillée chaudement et avait marché jusqu'au Village. Elle s'était arrêtée prendre un café, puis était allée chercher des souliers à talons aiguilles qu'elle avait fait réparer chez les Boisvert. La première fois qu'elle y était allée, elle avait acheté des chaussures de marche ; elle avait eu l'embarras du choix ; ils tenaient toutes les bonnes marques... Normand lui avait suggéré un bon choix. Cette fois, ce fut Jean-Claude qui la servit.

— Madame Delaney, vous avez là une excellente paire de chaussures. Vous voyez la rondeur et la couture à l'arrière, c'est la marque d'un bon soulier. Le cuir est souple, c'est un soulier très élégant.

— Merci, monsieur Boisvert, j'apprends quelque chose.

— Merci. J'en suis ravi. Revenez nous voir, pas de travail bâclé ici ! Nous faisons toujours notre possible pour satisfaire nos clients. Ils viennent de partout.

Il était près de dix-sept heures, le ciel s'assombrissait. Son sac à souliers en velours à la main, elle se hâtait ; elle avait à peine dépassé l'Hôtel Pointe-Claire qu'elle entendit des pas. Quelqu'un la suivait. Elle s'apprêtait à se retourner lorsqu'une main essaya de se glisser entre ses jambes et l'autre la saisit au collet. Vive comme l'éclair, elle frappa au visage avec son sac. La colère et la peur avaient décuplé ses forces, elle frappa fort et juste ; les talons aiguilles étaient des armes redoutables.

— Arrête ! T'es folle ! Je t'ai rien fait.

Titubant, l'individu essaya de se sauver ; elle le poursuivit. Sa joue gauche saignait. Surprise, mais toujours aussi révoltée, elle leva le sac pour continuer, mais l'homme réussit à lui échapper en

sacrant. Ses mots se perdirent dans le sifflement du vent. Elle se précipita chez elle et se prépara un thé bien corsé ; elle tremblait de tous ses membres. Et s'il revenait ? Claude saurait quoi faire, elle l'appela. Il arriva sur-le-champ, suivi de l'agent Ouellette. Devant la surprise de Tara, Claude lui expliqua qu'il valait mieux ne pas prendre de risque. Le policier sourit quand elle lui raconta comment elle s'était défendue.

— Vous l'avez fait fuir, mais ce n'était pas la meilleure décision. Vous avez été chanceuse ! Si vous aviez eu affaire à un vrai dur, il aurait pu vous assommer ou vous tuer. Comme il était ivre, il aurait été préférable de vous sauver.

— Moi sauver ? Jamais ! Touche encore, je tue. Jamais, jamais abuser. Regrette pas beaucoup faire mal à lui...

— Je comprends votre réaction, mais croyez-en mon expérience. Je vais faire ma petite enquête, un homme avec une coupure à la joue, ce n'est pas difficile à trouver. Je le trouverai et le ferai venir au bureau. Quand je lui aurai parlé, je doute fort qu'il récidive.

Il partit et Claude se mit à rire.

— Je sais que ce n'est pas drôle, mais je t'imagine administrer une correction à cet ivrogne avec tes souliers à talons hauts. Ah ! ces Irlandaises ! J'espère ne jamais encourir ta colère... surtout pas avec des souliers à talons aiguilles.

Rassurée, un peu plus détendue, elle se mit à rire et concéda que ce n'était pas la bravoure qui l'avait animée, mais plutôt un réflexe de survivance, une colère instinctive. Le lendemain, l'agent Ouellette lui annonça qu'elle n'avait rien à craindre. Le pauvre type se tiendrait loin de cette « folie rouge en furie ». Heureusement, cet incident ne laissa que peu de séquelles, sauf qu'elle pensait toujours que quelqu'un la suivait.

Le lendemain, en sortant de l'hôpital, le docteur Poitras l'avait arrêtée.

— Nous recevons quelques personnes samedi soir, ma femme et moi. Nous aimerions que vous soyez des nôtres.

— Mais je travaille.

— Pas ce samedi. Ma femme meurt d'envie de vous connaître et de vous faire admirer nos sept enfants.

— Sept enfants ? Impossible !

— Pas possible ? Et vous êtes infirmière ! Vous me décevez ! Nous avons sept enfants et nous en sommes fiers.

— Mes excuses, je pensais que vous plaisanter.

— Alors, vous venez ? Vous pourrez partir vers vingt-deux heures trente, vous aurez amplement le temps de retourner vous changer et d'aller travailler.

Elle aurait vraiment préféré ne pas accepter l'invitation, mais c'était pour elle difficile de refuser ! Le docteur Poitras l'avait recommandée au directeur de l'hôpital.

Tara avait terminé son magasinage des fêtes ; elle avait pensé à chacun des membres de la famille Legault. En guise de remerciement, elle avait aussi préparé un panier pour la famille du docteur Poitras : un ensemble de manucure pour la plus vieille, de belles barrettes pour les jumelles. Elle avait choisi un petit cadeau spécial pour chacun des autres. Un joli poinsettia pour le couple.

Le samedi, dix-neuf heures trente, elle se trouvait au milieu de sept mignons petits lutins bien vivants. Discrètement, elle avait remis le sac de cadeaux à madame Poitras. Après les présentations, le docteur prit trois marmots et alla les mettre au lit. Les autres suivirent son épouse. Tara pensa qu'elle ne ressemblait en rien à une mère de sept enfants, plutôt à une jeune fille. Elle était petite, jolie, la maternité n'avait pas altéré son corps. Ils revinrent rejoindre leurs invités. La bonne avait pris la relève. Quelle belle famille !

La soirée fut très agréable. Deux autres couples avaient aussi été invités, le docteur Roy et son épouse, ainsi qu'un couple d'amis qu'ils fréquentaient depuis plus de dix ans. On s'enquit de l'adaptation de Tara au Québec, à Pointe-Claire. Quand ils apprirent qu'elle s'était acheté une maison, la surprise leur cloua le bec. On parla un peu de l'Irlande, puis le docteur Poitras, voyant qu'elle commençait à être mal à l'aise, prit la parole.

— On est ici pour se détendre, avoir du plaisir ; ce n'est pas l'inquisition.

Il se mit à raconter des anecdotes drôles et chacun y alla de sa petite histoire. Puis on insista pour qu'il joue du piano. Il s'exécuta de bon cœur, il jouait bien. Il commença par des ballades

québécoises, les invités chantèrent. Tara ne connaissait pas ces chansons, mais elle appréciait les paroles et la musique. Une vingtaine de minutes plus tard, il se leva et fit signe à Tara. Tous la regardèrent.

— Vous jouez du piano ? Mademoiselle, nous sommes entre amis et si le docteur Poitras vous a invitée, c'est que vous êtes quelqu'un de bien. Faites-nous plaisir, jouez-nous quelque chose.

Elle hésita, mais elle était prise au piège.

— Pas une professionnelle, je jouer pour mon plaisir, c'est tout.

— Jouez pour le nôtre, s'il vous plaît.

Elle s'installa, prit une profonde inspiration et se mit à jouer *The Entertainer* de Scott Joplin. On aurait pu entendre voler une mouche. Ému par son talent, le docteur, amateur de piano, l'écoutait, ravi ; les autres l'étaient tout autant. Elle joua la *Valse viennoise.* Quand elle eut terminé, le docteur Poitras la secoua gentiment.

— Quel talent, quel cadeau du ciel ! Merci ! Merci ! Encore une autre !

Ce fut une requête unanime. Elle se rassit et les regarda : « La dernière, la toute dernière. » Elle commença *Silent Night,* une minute plus tard elle sourit et changea pour *Jingle Bells.* Tous riaient de bon cœur. On l'entoura, la félicita, la questionna. Où avait-elle appris à jouer ? Avait-elle un piano ? Jouait-elle souvent ? Est-ce qu'elle chantait aussi ?

— Oui, j'ai un piano. De ma Mamie, je fais venir de Dublin.

— Ce n'aurait pas été plus facile d'en acheter un ici ?

— Peut-être, mais celui-là précieux. Je joue tous les jours, un plaisir, une détente, une *therapy.*

Elle chantait, mais pas ce soir. Malgré leur insistance, elle ne céda pas. Madame Poitras l'appuya.

— Vous êtes notre invitée. Vous avez été très aimable de nous jouer quelques morceaux. Nous vous en remercions. Maintenant, un café et quelques douceurs.

Elle l'entraîna dans la cuisine et, le plus naturellement du monde, lui passa un plateau, de la crème, du lait et des tasses, pendant qu'elle versait du café dans une belle cafetière en argent et du thé dans une théière en porcelaine. Une grande assiette de petits gâteaux, des biscuits, des serviettes ; elles apportèrent le tout

sur la table du salon. L'atmosphère était détendue, on parla de tout et de rien, ils étaient très à l'aise avec Tara. Quand elle prit congé, tous la remercièrent. Le docteur se promit de l'inviter à nouveau, il voulait partager sa passion du piano.

— Nous espérons vous revoir, ce fut un plaisir de vous connaître.

Elle sortit, un vent frisquet ébouriffa sa chevelure de feu; la déesse de la nuit enluminait les environs. La soirée n'avait pas été facile, mais ça s'était passé mieux qu'elle ne l'avait prévu. Après tout, il était normal que les invités veuillent la connaître, elle venait d'un autre pays. Jeune, séduisante et talentueuse, une étrangère, avec un accent attachant, elle intriguait, fascinait. Le docteur Poitras avait parlé de son dévouement auprès des malades.

— Elle ne marchande pas sa peine et est toujours disponible.

Le surlendemain, le docteur Poitras et sa femme frappaient à la porte. Elle les fit entrer. Madame Poitras apportait un gâteau aux fruits qu'elle avait fait. L'intérieur de la maison les laissa pantois et, pour une rare fois, le docteur fut sans voix. Cette femme était belle, talentueuse et... riche! À sa naissance, les fées s'étaient penchées sur son berceau. S'ils avaient su... Cette maison, ces meubles, ces draperies... tout était magnifique.

— Votre maison est meublée avec goût.

Tara comprenait leur surprise, leur questionnement.

— D'abord, pas riche, hérité de Mamie et elle bon comptable. La maison Dyer, très bien, propre, aussi. Mes meubles? Un coup de chance. Vieille dame vendre maison, tous meubles à vendre. Moi, tout acheter de monsieur Cardinal.

— Eh bien! ça s'appelle se trouver au bon endroit, au bon moment. Cette maison pourrait figurer dans les revues de décoration.

Tara leur fit visiter, ils jetèrent un coup d'œil aux photos. Curiosité normale. On savait très peu de choses d'elle.

— Vous êtes veuve. Heureusement, vous n'aviez pas d'enfant.

— Mon mari mort dans accident trois mois après mariage. Enceinte, fait une fausse couche... sept mois. Maintenant, venez, verre de vin? Fêter votre visite.

Le docteur et son épouse étaient abasourdis. Le docteur regarda le piano, un Steinway en excellent état. Il demanda la permission et, pendant vingt minutes, il se livra à sa passion. Il jouait d'une façon grandiose et Tara apprécia sa performance. Ensuite, il lui demanda de jouer. Elle s'exécuta volontiers. Comme lui, elle se laissait emporter par la musique, elle jouait avec son âme.

— Nous ferions une bonne équipe, ma chère Tara. Merci pour les cadeaux aux enfants, c'est très gentil à vous.

Tara promit de se délecter de ce gâteau aux fruits.

Le vendredi, il tomba plus de dix pouces de neige. Claude, David et Daniel vinrent déneiger son entrée. Elle sortit les aider. Quand ils eurent fini, David lui lança furtivement une boule de neige, Daniel fit de même ; elle se défendit. Claude se joignit à elle et la bataille s'engagea. Elle n'était pas très habile, mais Claude lançait pour deux. Comme elle ouvrait la bouche pour leur dire qu'elle rentrait, elle reçut une boule de neige en plein front.

— Arrêtez ! elle est blessée. Attendez, je m'en occupe.

Une bonne prune décorait son front. Claude appliqua un peu de neige et ils rentrèrent. David et Daniel étaient désolés, ils n'arrêtaient plus de s'excuser.

— Faire pas peine, juste blessure de guerre.

Elle se regarda dans le miroir et se mit à rire.

— *Sensational!* demain à l'hôpital. Maintenant vous deux, pénitence, prendre un chaudron et faire chauffer lait et sortir boîte de biscuits. Je change vêtements.

Ils partagèrent de bons chocolats chauds et engloutirent les biscuits en quelques bouchées. Dès qu'ils partirent, elle monta prendre sa douche. Elle n'aurait jamais imaginé autant s'amuser dans la neige. L'hiver ? Froid ! Tellement extraordinaire ! Les interurbains étaient coûteux, elle se limitait à un appel par mois, mais elle ne put résister à la tentation et appela Maggie et sa chère Barbara. Maggie était tout excitée d'entendre sa voix. Quand elle lui apprit qu'il y avait plus de dix pouces de neige de tombés et lui raconta la bataille avec les gars, Maggie lui dit que son cerveau devait être figé.

— *Odh! Obh!* (Grand Dieu!) Ma chère, tu me décourages.

Quand j'étais là pour te surveiller, ça allait! Mais là, tu es un cas désespéré.

La conversation se termina dans la bonne humeur. Elle téléphona aussi chez Barbara, aucune réponse.

Paul Benson se pointa le nez. C'était sa deuxième visite. Sachant qu'elle était en congé, il l'amena souper dans un bon restaurant avant de se rendre à la Place des Arts. Fin causeur, taquin, ils avaient passé une agréable soirée. Le nom de Barbara était sur leurs lèvres. Il envisageait d'aller faire un tour en Irlande.

Kathleen venait régulièrement. Sa visite était toujours une récréation. Le mercredi, elle ne faisait que passer, mais le samedi, elle faisait relâche de ses études pendant quelques heures. Tara avait pris l'habitude d'acheter quelques viandes froides et du vin. Les coussins attendaient devant le foyer. Seules, assises devant les flammes qui léchaient les bûches, écoutant le vent hurler, un sentiment de sécurité les enveloppait. Parfois, Kathleen suggérait un film; elles étaient même allées danser à deux reprises.

49
Traditions

Au début décembre, Kathleen avait insisté pour que Tara s'achète un arbre de Noël, un vrai. Elle n'y tenait pas vraiment, elle était seule, personne ne viendrait.

— Et moi, je ne compte pas ? Mes parents ? L'admirateur de ta tante ? Ici, les gens ne vont pas dans les maisons qui n'ont pas d'arbre de Noël.

Incrédule, Tara la regarda. Kathleen souriait.

— C'est ton premier Noël à Pointe-Claire, tout va bien pour toi. Une belle maison comme la tienne, sans décorations ? Il y a deux grosses boîtes de décorations dans la chambre d'ami en haut, allons fouiller, il y a peut-être des trésors.

Tara se laissa gagner par l'enthousiasme de son amie. Les deux boîtes étaient bien remplies : des lumières, une couronne pour la porte extérieure, des boules, des glaçons, un ange pour le faîte de l'arbre, un pied pour celui-ci et quatre bas de Noël, une crèche avec quelques petites maisons, un superbe centre de table, des guirlandes. Tara n'avait jamais eu de bas de Noël.

— Regarde, Tara, il a deux crochets sous la tablette du foyer.

— Acheter d'autres.

— Vas-y, il faut de l'ambiance ! Un arbre, des décorations, de la musique du temps des fêtes et de la bouffe. Couleurs, odeurs et sons. Ici, au Québec, c'est ça, la magie de Noël. La tradition, ma chère !

Si c'était la tradition, elle devait la suivre ! Elles fixèrent la couronne sur la porte, des guirlandes sur la rampe de l'escalier et de magnifiques boules dans un long plateau en argent sur la table du salon. Elles sortirent acheter un arbre.

— Allons au 5-10-15, il y a des décorations peu coûteuses.

Une vendeuse, madame Anita Lachance, s'empressa de lui dénicher trois beaux bas de Noël, d'autres boules, cinq gros rubans rouges avec boucles pour les fenêtres et la serre. Elle lui suggéra un contour ovale, pour placer sous l'arbre, et une branche de gui pour attacher au cadre de porte entre le corridor et la cuisine. Exactement ce qu'il lui fallait.

— *A mistletœ*! Du gui ! Toujours vouloir un.

— Tu veux te faire embrasser !

Éclatant de rire, elle tourna sur elle-même.

— Sais pas ! Peut-être ? Je revivre ! Allons chercher arbre, toi m'as contaminée.

Emmitouflées dans leurs blousons d'hiver, elles se promenèrent parmi les arbres. Tara se sentait toute drôle. Oui, la magie de Noël l'envahissait. C'était son premier arbre de Noël au Canada. Elle choisit un beau sapin bien garni.

— Tout gelé ! Pas pouvoir décorer.

— Il suffit de le laisser dans la cuisine jusqu'à demain.

Le lendemain, Kathleen revint et fut surprise de voir l'arbre, tout décoré, trônant fièrement dans l'entrée à gauche de l'escalier.

— Il est superbe ! Ça sent les fêtes, on a le goût de fêter !

— Oui, on fête ! Sans toi, même pas décorer. Bien heureuse d'avoir arbre. Très bon pour cœur, rentrer et voir toutes belles couleurs.

Elle voulait préparer un repas de Noël, mais son peu d'expérience l'inquiétait. Kathleen prit un papier, un stylo, et elles firent une liste de mets simples, mais savoureux. Tara était rassurée, elle y arriverait.

À l'hôpital, le mois de décembre avait été particulièrement occupé. Chutes, accidents, blessés en tous genres, le personnel ne chômait pas. Pour compliquer la situation, un matin, une infirmière de la salle d'opération s'évanouit. L'infirmière en chef vint chercher Tara.

— Venez, vous allez travailler dans la salle d'opération.

— Je... jamais...

— Vous êtes intelligente et efficace, vous vous débrouillerez. Vite, venez, on vous attend.

Elle se brossa les mains et pénétra dans la salle d'opération. Le docteur Harvey opérait ; il releva la tête ; surpris, il la reconnut et continua. Il travaillait vite et bien. Concentré sur sa patiente, une jeune fille, il grommela quelque chose quand Tara se trompa d'instrument. Nerveuse, elle canalisa son énergie sur son travail. Quand l'opération fut terminée, elle poussa un soupir de soulagement. Pourvu qu'elle ne reste pas dans ce département ! Elle préférait de loin le contact des malades. Plus tard, revenue à son département, c'est en ces termes qu'elle s'adressa au docteur Harvey quand elle le revit à la cafétéria.

— Jamais travaillé salle d'opération, j'aime contact avec patients, j'espère ils trouver remplaçante.

— Pour une première fois, vous vous êtes pas mal débrouillée. C'est une nouvelle expérience, ne jetez pas l'éponge trop vite.

Ils causèrent quelques instants. Il lui demanda ce qui lui était arrivé au front la semaine précédente.

— Ah ! Bataille balles de neige avec jeunes garçons. Ils *shoot* mieux.

Son français le fit sourire. Elle aimait la neige, l'hiver, le froid ?

— J'adore, jamais vu plus beau que maison, cour et lac avec neige dessus. Vous, docteur, ça va bien ?

— Le temps des fêtes est assez difficile…

— Je sais. Mamie disait, malgré malheurs, la vie pleine de petits bonheurs : première neige, coucher de soleil, chocolat chaud devant foyer. Vous savez, comme poème de John Keats : *A thing of beauty is a joy forever…*

Elle baissa les yeux.

— Une vraie Athéna, votre Mamie. Je ne connais pas ce poème.

On l'appela à l'interphone et il partit. Le docteur Daoust le remplaça. Il venait visiter deux de ses malades. Aimé de tous, sans prétention, il était peu loquace quand on ne le connaissait pas, mais pouvait être très drôle et taquin. Le vedettariat, très peu pour lui. Il vivait sa profession, il était médecin jusqu'au bout des ongles. Elle l'avait vu à l'église avec son épouse et leurs deux enfants. Tous le saluaient, il était aimé.

— Vous fatigué, docteur Daoust ?

— Je suis débordé, l'hiver, les grippes, bronchites, pneumonies, fractures… J'ai hâte d'être au printemps pour sortir mon voilier. Là, c'est la détente complète, la sainte paix.

— Vous donnez quoi pour grippe, *pneumonia*?

— Les pneumonies? Des antibiotiques. Une grippe? Un bon coup de gin et du repos. Très efficace!

Incrédule, elle ne savait pas si elle devait commenter une pareille aberration. Il se mit à rire.

— Madame Dalaney, je ne dis pas cela à mes patients, mais les plus âgés savent tous que c'est un excellent « remède ».

Les 16 et 17 décembre furent des journées exténuantes: des accidents à profusion. Le personnel du Lakeshore ne savait où donner la tête. Durant ces deux jours, Tara travailla seize heures d'affilée; elle était partout, essayait de seconder les médecins, de rassurer les adultes, de cajoler les enfants. Un peu avant minuit, assise près d'une petite fille accidentée, lui caressant les cheveux, elle s'était mise à chantonner: « *Caoineadh Cu Chulainn…* » Son cœur fredonnait les mots de cette ballade irlandaise. La petite cessa de pleurer, ces mots en gaélique, qu'elle ne comprenait pas, la voix douce, envoûtante, lui firent oublier sa douleur. Quand Tara arrêta de chanter, la fillette lui pressa la main:

— *Another one, please?* (Une autre, s'il vous plaît?)

Elle entonna une chanson plus rythmée, tapant du pied, puis se leva et se mit à danser sur la pointe des pieds, pour ne pas faire de bruit. La petite ne la quittait pas des yeux. Ce retour dans le passé lui fit oublier où elle était, elle ne s'était même pas rendu compte qu'elle avait un auditoire. Joan, qui la cherchait, était entrée dans la chambre et l'écoutait chanter; elle avait fait signe à l'autre infirmière et au docteur Harvey de s'approcher. Hypnotisés, comme la fillette, ils étaient sous le charme de cet ange en blanc. Tara devina une présence et se retourna. Ils l'applaudirent.

— *Excuse me, excuse me, midnight*, voulais… voulais *console*…

Bafouillant, honteuse, elle tourna les talons et s'enfuit. Enfilant ses bottes, s'emparant de son manteau, elle s'élança à l'extérieur. Les mains tremblantes, elle fouilla dans son sac, trouva ses clefs et tentait d'ouvrir la porte de sa voiture quand une main se posa sur la sienne. Elle sursauta.

— Garde Dalaney, je vous en prie, attendez ! Nous ne voulions pas vous humilier. C'est merveilleux ce que vous faisiez pour cette enfant, et tellement beau !

Les larmes perlaient sur ses cils.

— Vous n'êtes pas en état de conduire. Venez.

Malgré ses protestations, le docteur Harvey l'entraîna vers sa voiture.

— *But*.. ma voiture.

— Ne vous en faites pas, elle ne se sauvera pas.

Avant qu'elle ait pu protester, elle était assise dans la voiture et ils quittaient le stationnement.

— Où demeurez-vous ?

— Au 222, chemin du Bord-du-lac, mais, je vous prie, je peux…

— Vous avez travaillé seize heures depuis hier matin… vous avez terminé la soirée par les plus belles chansons dont nous n'avons pas compris un traître mot, chantées par une fée dotée d'une voix incomparable et, pour couronner le tout, une danse qu'on aurait voulue éternelle.

— *Please*, assez embarrassée. Voilà ma maison, la blanche à gauche.

Il monta dans l'entrée, arrêta le moteur et la regarda.

— Je prendrais bien un café, je suis vidé.

— Mais oui, certainement, excusez-moi, entrez.

Elle se sentait mal à l'aise. Rusty se mit à japper, il n'appréciait pas le visiteur. Tara alluma la lumière, caressa le chien et l'envoya dehors.

— Vous avez un bon gardien. Vous vivez seule ?

— Oui, Rusty avec la maison.

Elle enleva son manteau, prit le sien et le guida vers le salon ; s'excusant, elle monta troquer son uniforme pour un ensemble pantalon et chandail émeraude. Elle lui lança :

— Prenez chaise, divan ou coussin, comme vous… J'allume un feu et préparer un café ou un thé avec un sandwich. Peut-être verre de vin ou désirez-vous un sherry ?

Il abandonna son grand corps au divan.

— Je suis fourbu, je prendrais bien un verre de vin, si vous m'accompagnez.

— Je prends pas souvent, je vous accompagner.

Elle en versa deux coupes, se remémora qu'il l'avait entendue chanter et vue danser. Elle rougit. Il fit semblant de ne rien voir.

— Madame Delaney, vous avez bien un prénom ?

— Tara.

— Tara, quel joli nom ! Eh bien ! pour ce soir, vous êtes Tara et je suis Scott. Je vous en prie, ne soyez pas embarrassée. Ce soir, vous nous avez fait un cadeau, c'est un des plus beaux moments que j'aie vécus depuis très longtemps. On ne s'excuse pas quand on a votre talent. Vous avez soulagé cette enfant et l'homme qui est devant vous. Et maintenant, parlons de ce petit château caché sous la neige. Vous êtes une femme pleine de surprises.

D'abord, elle n'était pas une bourgeoise. Elle devait tout à sa Mamie dont elle était l'unique héritière.

— Elle devait beaucoup vous aimer.

— Et moi l'adorer.

— Vous la visitiez souvent.

— Elle aimée et élevée, fait de moi la femme, moi. Je suis vraiment… née à sept ans, le jour où allée rester chez elle.

— Vos parents ?

Elle regarda au loin…

— Quand Mamie décédée l'an dernier, je loué une petite maison chez madame Starr, grande dame, elle prise moi sous son… l'aile. Chanceuse, elle mon amie.

Elle lui raconta comment elle avait acheté la maison, les meubles, lui parla de la serre, elle s'animait. Elle secoua la tête et une mèche rebelle tomba. Elle se dépêcha de la relever.

— Je vous en prie, vous êtes chez vous, détachez-les, ils sont magnifiques.

— Merci. Je vais préparer les sandwiches. Café, thé ou chocolat chaud ?

— Un chocolat chaud. Ma mère m'en faisait quand j'étais enfant.

Quelques minutes plus tard, elle apporta un plateau avec deux sandwiches au rosbif, des cubes de fromage, des olives et deux tranches de gâteau qu'elle déposa sur la table.

— Nous ne mangeons pas dans ce beau salon.

— *Choose*! Cuisine, table de salle à manger ou coussins, devant le foyer.

Il prit une assiette et s'étala sur le coussin, ses grandes jambes devant lui. Elle prit l'autre; montrant les coussins...

— Mon amie Kathleen, *niece* madame Starr, étudiante médecine, un soir, après mon installation et *decided* il manquait une *touch* de relaxation dans salon. Parfaitement d'accord. J'aime bien.

— Magnifique suggestion!

Ils mangeaient en silence. Il regardait le piano.

— Vous jouez? Ma mère aussi, elle est décédée, il y a trois ans. Quand j'étais enfant, souvent le soir, elle me jouait *Clair de lune* de Debussy. Je m'endormais en l'écoutant. Après ce soir... je n'ose vous demander de jouer, mais j'aimerais...

— Mamie fait apprendre piano, adoré, pour moi grand plaisir, *relax,* oublie.

Elle se leva, rapporta le plateau à la cuisine, revint et se dirigea vers le piano, s'assit, ferma les yeux et se laissa aller. Chopin, Beethoven et Debussy. Il la regardait. Les flammes irradiaient ses longs cheveux roux, elle était totalement inconsciente de sa beauté. Un petit sourire gêné éclaira son visage, elle termina par une musique endiablée des Irish Showbands. Il rit de bon cœur.

— Quelle femme talentueuse! Et pleine de vie! Merci, Tara, ne changez jamais. J'ai adoré cette soirée, une évasion réparatrice. Il est très tard. Couchez-vous. Demain matin, je viens vous chercher à sept heures trente.

— Je peux...

Sourire aux lèvres, il ajouta:

— Ne discutez pas avec votre supérieur.

Il enfila son manteau et partit. Elle prit sa douche et s'endormit en mettant la tête sur l'oreiller. Son réveil la fit sursauter. Elle se hâta, s'habilla à la hâte et l'attendit dehors. Il s'enquit de son sommeil et fila vers l'hôpital. Quelques minutes après son arrivée, l'infirmière en chef l'avisa qu'elle n'aurait pas à faire d'heures supplémentaires ce soir. La journée passa en coup de vent. Elle avait entrevu le docteur Harvey, qui l'avait saluée, sans plus. Elle lui en fut reconnaissante.

50

La vie, c'est une boîte à surprise

À seize heures vingt, elle entrait chez elle, bien décidée à se reposer. Après une bonne douche et un shampoing, elle enfila sa jaquette, mit sa robe de chambre et décida de se faire un bon souper. Elle fit cuire deux pommes de terre — trois jours qu'elle n'en avait pas mangé, un crime pour une Irlandaise —, décongela un steak, prépara la table et mit de la musique. Elle se préparait à souper en paix quand on sonna à la porte. Elle n'y était pour personne. On insistait. Elle se leva, bien décidée à renvoyer l'intrus. Souriant de toutes ses dents, Brigid se tenait dans l'embrasure de la porte… aux côtés de Barbara. Incrédule, Tara les regardait.

— Tu nous fais entrer ou tu nous laisses geler dans cette Sibérie ?

Tara se jeta dans ses bras.

— Attends que j'enlève ce manteau et ces bottes, que je m'humanise !

Brigid ramassa le tout. Barbara regarda Tara. Toujours aussi belle, cette enfant qu'elle aimait. Elle la serra bien fort contre elle.

— Tu m'as manqué, ma princesse, tu m'as beaucoup manqué. Et puis, tu ne pouvais passer Noël toute seule ! Tu as décoré ? Une ambiance festive ! C'est beau ! C'est réellement Noël !

Brigid revint, s'assit près de Barbara. Tara alla l'embrasser.

— Comme je suis contente ! C'est le plus beau cadeau de Noël.

Brigid partie, Barbara lui parla de sa décision de revenir, de visiter la ville de Québec durant l'hiver, de voir la ville sous la neige. Tara lui raconta sa dernière semaine, mais sans mentionner

la soirée de la veille. Tara voulut préparer à souper, mais Barbara se leva, sortit des œufs, du jambon, du fromage et apprêta une bonne omelette, pendant que Tara mangeait son steak. Celle-ci avait voulu le partager, mais pas question.

— Tu travailles fort, tu as besoin d'un bon repas.

— Combien de jours restez-vous ?

— Deux semaines, peut-être trois.

— Et les trois mois, l'été prochain ?

— Si tu as gardé ma chambre, je reviendrai.

Tara l'assura que sa chambre l'attendait. Pendant que Barbara nettoya tout, Tara lui raconta sa vie à l'hôpital, ses rencontres hebdomadaires avec Kathleen, son amie, Joan, les docteurs Poitras et Daoust, elle causait, causait...

— Et l'hiver ? C'est très froid ? Dès demain matin, je vais me chercher un manteau, des gants et au moins dix chandails. On gèle !

— Mais non, sauf quelques petites tempêtes, c'est merveilleux, c'est propre, tout est blanc. On s'habille bien, les maisons, les magasins, tout est chauffé. Il n'y a que de la maison à l'auto, de l'auto à l'hôpital...

Quand elle lui raconta la première neige et la bataille de boules de neige, Barbara la regarda tendrement en riant. Son bonheur était palpable. Tara s'épanouissait. Barbara était rassurée, mais elle irait magasiner pour un manteau d'hiver dès le lendemain. Il était vingt-deux heures passées quand elle prit Tara par la main et monta l'escalier.

— Tu dois dormir. Tu es crevée.

— Demain, c'est lundi, je suis en congé.

— Bien, nous parlerons demain.

Tara se glissa sous les couvertures. Barbara la borda et lui donna un baiser sur le front. Elle la remercia, ferma les yeux. Tout allait bien.

Quand elle ouvrit les yeux à huit heures, une délicieuse odeur de café et de bacon lui titilla les narines. Elle se redressa brusquement. Il y avait quelqu'un en bas ! Puis elle se rappela l'arrivée de Barbara. Son cœur débordait de bonheur, mais pouvait-on être trop heureux ? De la commode, ses photos la regardaient, ils

semblaient donner leur bénédiction. Enfilant sa robe de chambre, elle descendit. Barbara l'accueillit à bras ouverts.

— Comme vous êtes adorable d'être venue ! Mon cœur chante de bonheur.

— Ma chère Tara, ton petit bijou était vide, je n'avais même pas envie d'y entrer. Tu as emménagé chez moi le 26 décembre. Ta venue a changé ma vie.

— Dites plutôt que j'ai tout chambardé dans votre vie.

— Oh non ! Tu m'as apporté de la joie à profusion, c'était un peu comme si j'avais une fille. Je me suis rendu compte de ce que j'avais manqué.

— Et vous êtes un peu ma mère, le genre de mère que j'aurais voulu avoir. Parfois, j'ai peur d'être trop heureuse.

— Impossible ! Ça ne fait que commencer.

— Mais... parlons d'un certain monsieur. Je le comprends, vous êtes tellement belle, distinguée, aimable. Ses yeux brillent quand il parle de vous.

— Tu es trop gentille. J'ai hâte de le revoir. J'ai beaucoup d'estime pour lui. Je le trouve charmant, cultivé, mais... il n'y a pas d'étincelle entre nous. Et puis, je ne veux pas de compagnon de vie.

— De l'estime ? Mmmm ! Il devra boulonner ses sentiments.

Toutes deux rirent de bon cœur.

Barbara planifia ses semaines de vacances. Tara travaillait le jour de Noël, mais était libre au jour de l'An. Brigid recevait la famille de Claude pour le réveillon ; naturellement, Tara et Barbara étaient invitées. Brigid était folle de joie de revoir sa belle-sœur. Entre compatriotes, on se comprend tellement mieux. Le souper de Noël aurait lieu chez Tara.

— Je travaille ce jour-là, nous pourrions préparer des mets à l'avance.

Barbara avait appelé Paul. Celui-ci n'en laissa rien paraître, mais il fut surpris et déçu qu'elle ne lui ait pas dit qu'elle venait, qu'elle ait demandé à Brigid d'aller la chercher à l'aéroport. Il en garda un goût amer. Cette fois, il allait la gâter. Il se consola à l'idée de réveillonner avec elle.

— Tara, Paul m'a dit qu'on peut trouver d'excellents plats tout préparés. Je m'en occupe. Il aimerait qu'on célèbre le jour de l'An au chalet. C'est féerique, à ce qu'il dit.

Elle était d'accord pour tout, mais tenait à contribuer pécuniairement. Pendant qu'elle travaillerait à l'hôpital, Paul et sa tante iraient au centre-ville admirer les vitrines, faire des emplettes.

Quelques instants plus tard, on frappa à la porte ; une livraison de roses pour madame Delaney. Barbara la regarda.

— Un admirateur ? Toi aussi ! Petite cachottière !

Tara soupira. Elle lui raconta l'incident de la veille, sans rien omettre.

— C'est tout ! Le docteur Harvey est un excellent chirurgien, il vit une période difficile.

Elle ouvrit la carte : « Merci, j'ai beaucoup apprécié cette agréable détente. Passez de belles fêtes ! S. H. »

Barbara disposa les fleurs dans un pot et Tara le monta dans sa chambre. Elle ne voulait pas avoir à rendre des comptes. Paul arriva, Barbara voulait aller au Centre commercial Fairview. Ils y firent quelques emplettes. Paul voulut l'amener souper, mais elle déclina l'invitation. Elle voulait se reposer, et surtout passer quelque temps avec Tara. Ils iraient manger ensemble le lendemain.

Les jours suivants s'écoulèrent dans un va-et-vient d'activités. Les cadeaux entouraient l'arbre, les chants et les cantiques de Noël résonnaient dans la maison. Brigid et Claude vinrent prendre un verre chez Tara. Brigid était débordée, Barbara voulait l'aider. Même Paul sut se rendre utile. Kathleen vint à deux reprises, elle était heureuse pour Tara et avait hâte de reprendre leur routine. Comme promis, Paul avait amené Barbara souper dans un restaurant très chic. Cette fois, elle accepta. Champagne, caviar, il n'avait rien laissé au hasard. Cet étalage de richesse la laissa perplexe. Quelques personnes les avaient salués. Visiblement, des gens fortunés, il courtisait les puissants…

À l'hôpital, en le croisant, Tara murmura un merci au docteur Harvey. Elle lui parut épanouie.

— Vous semblez plus joyeuse ?

— Bonne fée, madame Starr, venue, trois semaines avec moi. Si heureuse !

Ils étaient retournés à leurs occupations, et elles étaient légion. Ce n'était pas une période facile pour les malades. Tara avait un bon mot pour chacun, son sourire les apaisait. La petite accidentée se portait mieux. Sa mère était souvent près d'elle. Elle avait montré son appréciation en offrant à Tara une belle boîte de chocolats.

La veille de Noël, il était presque dix-neuf heures quand elle parvint à s'échapper. Le docteur Harvey n'avait pas le cœur à la fête. Il lui offrit ses vœux. Regardant tout autour pour s'assurer qu'ils étaient seuls, elle lui remit un petit paquet. Il l'interrogea du regard.

— Un livre de John Keats.

— *A thing of beauty...* Merci beaucoup ! Passez de belles fêtes !

Elle avait vu le livre dans une librairie et avait pensé à lui. Il venait de perdre sa femme, peut-être qu'il apprécierait...

Les trois semaines passèrent trop vite : l'hôpital, le réveillon, Noël, le jour de l'An au chalet. Tara ne vit pas les jours passer. La messe de minuit et le réveillon chez Claude et Brigid avaient été un franc succès. Le frère de Claude jouait de la guitare, une de ses filles, du violon ; musique et chansons québécoises furent à l'honneur. Plongée dans la culture et les traditions québécoises, elle apprécia leur entrain et leur joie de vivre, à l'image des Irlandais. Naturellement, elle ne connaissait pas les paroles, mais elle aimait le rythme endiablé. Accompagnée de Brigid et de Barbara, elle chanta une chanson irlandaise. On lui réclama une danse avec tellement de gentillesse qu'elle ne put refuser. Brigid avait invité Paul, il se tenait collé contre Barbara, un petit air de possession au coin des yeux. Barbara ne fut pas dupe ; son air de propriétaire lui déplut.

Chez Tara, le soir de Noël, le souper fut excellent mais plus simple, plus serein. Personne ne s'en plaignit, après les abus de la veille... Barbara lui avait offert un ensemble de ski : pantalon et blouson, ainsi que tout l'équipement, y compris les skis, les bottes et les bâtons. Elle n'avait pas négligé Kathleen ni les autres membres de la famille Legault. Tara avait contemplé les skis, convaincue qu'elle ne saurait pas s'en servir.

Ce fut le jour de l'An chez Paul qui remporta la palme. Tous y allèrent. Kathleen, David et Daniel savaient skier et, malgré ses protestations, ils entraînèrent Tara sur les pentes. Après quelques explications rudimentaires, elle s'était retrouvée assise dans le remonte-pente.

— Je pourrai jamais, me tuer...

— Non, non, Tara. On ne monte pas haut. Kathleen restera à côté de toi, Daniel et moi serons en avant. Tu n'as qu'à plier les genoux, mets tes deux skis en V en avant et laisse-toi glisser. Si tu penses tomber, écrase-toi en petit bonhomme.

Plutôt élémentaires, les explications de ces jeunes téméraires! Elle avait confiance en Kathleen et se laissa convaincre.

Quelques minutes plus tard, elle s'abandonna à la pente. Son style laissait à désirer, mais elle descendait. Quelle sensation euphorique! Son cœur battait à tout rompre. Il faut bien que le corps exulte... elle jubilait. Les jeunes avaient oublié de lui dire comment arrêter, et elle heurta Daniel. Il réussit à la retenir et c'est en se tordant de rire que les quatre repartirent.

— Tu as réussi! Tu es capable. Wow! On remonte.

Du bas de la piste, Barbara cherchait Tara des yeux. Elle avait une peur bleue qu'elle se blesse, elle tremblait de tous ses membres. Mais en voyant sa Tara si animée, euphorique, elle se sentit rassurée. Après quatre descentes, Tara déclara forfait et ils se retrouvèrent au chalet, au pied de la montagne. Tous assis devant chocolat chaud, thé ou café, ils parlaient et riaient en même temps. Tara se leva pour enlever son blouson. Les cheveux hirsutes, les joues rouges, radieuse, elle se tourna pour placer son manteau sur le dossier de sa chaise et aperçut trois médecins de l'hôpital, dont le docteur Harvey. Tous la saluèrent. Le docteur Harvey se leva et lui présenta sa sœur, Allana. Elle contempla Tara.

— Quels magnifiques cheveux et quel teint de pêche! Irlandaise?

Gênée, elle fit signe que oui.

— Vous faites honneur à l'Irlande, mademoiselle.

Tara la remercia et ils reprirent leur place. Toute la table voulait savoir qui était ce couple. Tara expliqua qu'il était chirurgien orthopédiste au Lakeshore.

— Il a un nom, cet Apollon ? J'ai presque envie de me casser une jambe.

Tara sourit à Kathleen et murmura : « Le docteur Harvey et sa sœur. » Barbara avait deviné qui il était. Quel homme et quelle prestance ! Elle ne fit aucun commentaire et fit dévier la conversation ; Tara lui en sut gré.

Les autres médecins, qui n'apercevaient Tara qu'en uniforme et les cheveux remontés sous sa cape, furent étonnés.

— Quelle belle femme ! Je vendrais bien mon âme au diable pour une seule nuit avec elle.

L'un d'eux, un peu libertin, leur dit qu'il devrait peut-être tenter sa chance.

— N'y pense même pas ! Quelqu'un a déjà essayé, il a mordu la poussière.

— Mon cher Scott, il n'a pas mon charme.

— Peut-être, mais elle ne fréquente personne. J'ai entendu dire qu'elle était veuve depuis moins d'un an. Alors, elle est libre. À moi la chance !

51

Acquiescer ou refuser ?

Jeudi 5 janvier, Barbara s'envolait vers l'Irlande. Paul aurait voulu l'accompagner, mais Barbara préférait qu'il attende. Durant son séjour, elle n'avait pas négligé Tara, préparant ses déjeuners, passant ses journées de congé avec elle, visitant sa belle-sœur souvent et consacrant du temps à Paul ; mais pas autant qu'il le souhaitait. Il s'attachait de plus en plus, mais elle temporisait. Ils avaient du plaisir ensemble, elle voulait profiter le plus longtemps possible de cette période où chacun aime être avec l'autre tout en étant libre. Le lendemain de son départ, Kathleen et Tara reprirent leurs habitudes. Elles avaient aimé les fêtes, mais étaient contentes de la quiétude du moment. Elles parlèrent de Paul et de Barbara, Tara réfléchissant tout haut à la conclusion de cette idylle.

— J'aimerais bien qu'elle aime lui, mais l'aime pas.

— Elle viendrait habiter au Québec ! Imagine, Tara, ce serait un peu comme ta deuxième Mamie.

— Peu probable… je pense. Qui sait ?

Il se faisait tard. Kathleen partit et Tara monta se coucher.

Quelques jours plus tard, il y eut une grosse tempête de neige. Les routes étaient quasi impraticables. Claude conduisit Tara à l'hôpital dans son petit camion. Elle ne termina son service qu'à vingt heures et il vint la chercher. Le docteur Grant, celui qui s'était promis de la conquérir, s'offrit pour la reconduire. Elle refusa net.

— Garde Delaney, je ne veux que vous être agréable, vous rendre service. C'est tout.

— Merci, gentil, mais quelqu'un vient me chercher.

— Vous avez un amoureux ?

L'attitude d'un homme qui se croit irrésistible ! Il se pencha vers elle, avança son bras et lui barra le passage. Le docteur Scott suivait.

— Monsieur ? Permettez ? Docteur Grant, vous faites votre internat ici ? Ça vous plaît ? Vous n'aimeriez pas changer d'hôpital ?

— Certainement pas, docteur Harvey.

— Comme vous pouvez le constater, toutes les femmes ne succombent pas à vos charmes. Agissez en gentleman et n'importunez plus cette dame.

— Mais elle…

Le docteur Harvey s'approcha de lui. Ses yeux lançaient des éclairs.

— Est-ce un manque d'intelligence de votre part ou est-ce que je me suis mal exprimé ?

— Non ! Je comprends. Mes excuses, madame.

La mine basse, il s'éclipsa.

— Je ne pense pas qu'il vous importune à nouveau. S'il ose encore, venez me voir.

Bouleversée, Tara bafouilla un remerciement.

— Vous attendez quelqu'un ?

— Oui, beau-frère de ma tante, venu me reconduire ce matin avec son camion.

Il restait là planté devant elle à la regarder.

— Vous aimez faire du ski ?

Un sourire éclaira son visage.

— Je début, pas très bonne, skie comme un petit grenouille.

Il éclata d'un grand rire sonore.

— Comme *un petit grenouille* ? Eh bien !

— Mon français n'est pas…

— Il est bien. Vous êtes adorable ! Allez et reposez-vous.

Le docteur Grant ne la relança pas. Elle aimait son travail. Joan et elle continuaient à bien s'entendre. Elle était retournée faire du ski à trois reprises. Chaque fois, le docteur Harvey y était. Il lui avait demandé si *le petit grenouille* avait progressé. Avec un sourire moqueur, elle avait répliqué :

— *La* grenouille, docteur, elle saute moins et glisse mieux.

Rentrer chez elle était toujours un plaisir renouvelé. Quelle oasis de paix ! Ce foyer était tout ce que les Dyer en avaient dit et plus encore. Sa serre était pleine de fleurs. Les graines plantées dès la troisième semaine de juillet avaient donné des résultats miraculeux. Il y avait toujours des fleurs dans son salon et dans sa chambre. Son jardin en serait rempli au printemps. Elle ne s'ennuyait pas, mais elle était jeune, et son corps avait des besoins qu'elle ne pouvait satisfaire. Néanmoins, elle fermait son cœur à tout amour masculin.

Elle aimait bien aller sur le bord ou sur le lac, regarder les jeunes pêcher. Ils perçaient des trous dans la glace, attrapaient de la perchaude, du doré, du brochet, parfois même de l'achigan. La vue de ces poissons frétillant, puis se figeant aussitôt, la faisait frémir.

C'est avec un brin de déception que Paul avait vu Barbara partir. Il venait visiter Tara régulièrement ; il ne tarissait pas d'éloges envers Barbara. Il déboursait au moins cinquante dollars par mois pour les interurbains. Elle revenait en juin, il était convaincu qu'elle finirait par l'aimer. Il était fou d'elle.

Un peu avant Pâques, après une soirée d'heures supplémentaires, alors qu'elle s'apprêtait à monter dans sa voiture, le docteur Harvey l'interpella.

— Garde Delaney, pensez-vous que vous pourriez partager un sandwich avec un médecin qui se sent orphelin ? Nous pourrions aller dans un petit restaurant...

Pâle, les cheveux en désordre, il attendait. Elle se laissa fléchir.

— J'ai restant de *irish stew*, ça vous irait ?

— Ce sera parfait. Je vous suis.

Une demi-heure plus tard, elle s'était changée et ils étaient assis dans la cuisine.

— Pas beaucoup grande cuisine, c'est... repas... passe-partout.

— Il est excellent et merci. Je ne me voyais pas rentrer chez moi, dans un appartement vide. Mais n'allez pas penser que je vais en faire une habitude !

La veille, elle avait eu envie d'une tarte aux pacanes ; elle lui en servit un gros morceau avec une tasse de thé.

— Peut-être vous pas savoir, mais les Irlandais adorent le thé, toutes circonstances. Des amies ? Prendre un thé. Des problèmes ? *Troubles ? Settle,* régler mieux avec un thé. *Projects ?* Une tasse de thé. Venez, prendre au salon.

Il se promena, alla dans la salle à manger, regarda autour de lui.

— Vous me faites visiter votre maison ?

Sans un mot, elle lui montra son bureau ; il approuva d'un signe de tête. La serre le surprit. Il la regarda.

— Vous avez une serre ? Quelle belle façon de se détendre ! Ces fleurs vous ressemblent.

Ils revinrent à l'intérieur. Il posa ses yeux sur l'escalier, mit un pied sur la première marche. Elle le regarda et hésita.

— Ne craignez rien, je suis curieux ou un peu fou, ce soir.

Elle le précéda. Il examina attentivement chaque chambre, vit les photos. Encore des explications ! Elle soupira.

— Des personnes beaucoup aimées et madame Starr.

Il examina chaque photo, ne fit aucun commentaire. Elle apprécia. Ils redescendirent ; il alluma le foyer et se laissa tomber sur un coussin. Elle lui avoua qu'elle détestait avoir à enlever la cendre, mais qu'elle adorait s'asseoir devant le feu. *No pain, no gain !* (On n'a rien sans peine !) Ils restèrent silencieux pendant un long moment. Il prit une profonde inspiration et se jeta à l'eau.

— Tara, j'aimerais que nous soyons amis, rien de plus. Je vous ai remarquée dès le premier jour.

— Votre amie ? Avant, je veux savoir… ce que cela veut dire pour vous…

— Vous savez que ma femme est morte. Je l'ai aimée au premier regard. Elle aimait le plaisir, s'amuser, danser et… être mariée à un chirurgien. On m'avait dit de ne pas l'épouser, mais je l'aimais. Elle avait un amant, le bébé n'était pas le mien… et puis il y a eu l'accident. Malgré tout, elle me manque encore et je me sens souvent seul. Vous n'êtes pas une tête de linotte. Vous êtes bonne, gentille, dévouée, distinguée. Vous et moi sommes des naufragés… j'apprécierais votre amitié. Nous rencontrer de temps en temps, aller au restaurant, peut-être aller skier ou simplement marcher. Disons… une fois la semaine ?

Elle le parcourut des yeux. Elle le comprenait, mais ne voulait surtout pas s'embarquer dans une relation. Il devina ses hésitations.

— Mon père, le docteur William Harvey, est aussi chirurgien; ma mère est décédée. J'ai une sœur et… toutes mes dents.

Il ouvrit la bouche; elle éclata d'un rire tonnant.

— Vous me connaissez pas, vous et moi pas du même monde.

— Ce que je connais et ce que je vois me suffisent.

— Pour le moment, mais…

Elle se devait d'être honnête. Elle soupira et ferma les yeux.

— C'est donc si difficile?

D'une voix basse, elle commença, lui expliquant son enfance, son père, sa mère, son frère Ray, les humiliations des élèves, l'arrivée de Pédopimp, le départ de sa mère et de son père. L'émotion l'étreignait; elle se ressaisit. Elle parla de madame Dever, sa Mamie.

— Elle aussi infirmière, veuve, bonne et charitable, accepté de me garder. Moi avoir sept ans, *really*, je suis née à sept ans. Elle aimée, fait instruire, apprendre la musique, faire de femme… que je suis. Elle décédée l'an dernier.

Puis, elle parla de Sean Dillard, de sa trahison, de son père qui avait failli la violer, de l'arrivée de Patrick Delaney, issu d'une famille à l'aise, qui l'aimait à la folie depuis sa plus tendre enfance.

— Il m'adorait, demandait rien, toujours délicat, étais seule, vulnérable et… enceinte. Pas d'excuses.

Ils se marièrent, elle l'aimait bien, mais ce n'était pas le grand amour. Sa famille l'avait très bien accepté, sauf la grand-mère. Pour elle et pour certaines personnes, elle serait toujours la fille de cette mauvaise femme, cette mère qui avait abandonné ses enfants, Molly. Une traînée! Elle s'arrêta, c'était encore douloureux… Cette grand-mère avait voulu la faire tuer, mais le meurtrier s'était trompé de victime et avait tué Patrick, son mari, le petit-fils de cette femme. Elle parla de ses amis, les Ryan, de Maggie, du chef Starr, de la perte de son bébé et de madame Starr.

— Elle comme ma Mamie. Encourager moi partir, quitter l'Irlande. *Whatever I do*, quoi que je fasse, je serai toujours *just* la fille de…

Bouleversé, ému, il lui prit les mains.

— Mon Dieu, mais c'est une histoire d'horreur que vous avez vécue ! Je ne sais comment vous avez réussi à surmonter toutes ces épreuves et devenir la femme sensée, extraordinaire que vous êtes.

— Extraordinaire ? Non ! J'essaie recommencer une nouvelle vie. Jamais dit à personne, mais vous faites l'honneur offrir votre amitié, je dois dire la vérité. Maintenant vous savoir tout, vouloir encore être mon ami ?

— Encore plus, j'ai encore plus d'estime pour vous. N'ayez crainte, pour moi cette histoire est morte et enterrée. J'avais acheté une maison que j'ai vendue la semaine dernière et je me suis loué un appartement à Westmount. Si vous voulez bien, nous nous reverrons dans une semaine... dix jours, entre amis, pas d'attaches, de l'amitié. Nous pourrions faire du ski... *un petit grenouille* et moi.

— Vous moquer toujours de moi.

— Je vous taquine, vous faites des efforts pour parler français et vos expressions sont exquises.

— Je n'aime pas les personnes de l'hôpital savoir vous et moi amis. Certaines pourraient faire la vie dure.

— Qu'ils essaient ! Je saurai les faire taire. Mais je suis entièrement d'accord. Nous nous conduirons comme... des collègues. Si vous voulez bien me donner votre numéro de téléphone, je vérifierai votre horaire et vous appellerai pendant vos journées de congé. Vous travaillez fort, vous avez besoin de repos.

Il se leva, la remercia et sortit.

— Merci, Tara, si vous changez d'avis, n'hésitez pas à me le dire, je serais déçu, mais je comprendrais.

Tara passa une nuit mouvementée. Pourquoi avait-elle accepté une telle proposition ? Le docteur Harvey était un homme bien... Westmount... Kathleen lui avait parlé de ce quartier huppé... elle ne se sentirait pas à l'aise dans son monde. À trois heures du matin, elle se leva et appela Barbara. Celle-ci regarda sa montre.

— Tara ? Tu n'es pas couchée ? Qu'est-ce qui se passe ? Tu n'es pas malade ? Un accident ?

— Non, non, rien de tout cela. Je suis en pleine forme. J'ai besoin de vos conseils.

— Hmmm ! Ça doit être sérieux pour que tu m'appelles en pleine nuit.

Tara était hésitante, elle lui parla du docteur Harvey, de sa visite, de leurs confidences et de leurs relations futures, relations d'amitié.

— Je n'aurais pas dû accepter, je ne veux pas m'engager, lui non plus, mais j'ai peur que ça chamboule ma vie et...

— Ma chère Tara. Tu sais que je ne désire que ton bonheur. Il est normal d'avoir un ami, d'échanger, de vivre des expériences. Si ça ne te plaît pas ou s'il est désagréable, tu n'as qu'à lui dire que tu préfères être seule.

— Il aura de la peine.

— *So what?* (Et puis?) Tu n'es pas là pour le materner. Si la relation te pèse, tu laisses tomber. Sinon, vous passerez d'agréables moments ensemble. La vie est faite pour être vécue.

Tara se sentit soulagée, elle remercia son ange gardien et se coucha en paix. Elle se réveilla et eut à peine le temps de s'habiller avant de partir pour l'hôpital. Elle ne vit le docteur Harvey que tard dans l'après-midi. Il la salua à peine et continua son travail. Parfait ! On était lundi. Jeudi et vendredi étaient ses jours de congé. Il avait peut-être oublié... Au contraire, le mardi soir, le téléphone sonna. Il savait qu'elle et Kathleen se rencontraient le vendredi soir. Est-ce qu'elle acceptait de souper avec lui jeudi soir ? Elle hésita, il n'insista pas. Elle se ressaisit. Oui, elle irait.

— Je ne vous emmène pas à l'abattoir, Tara.

Elle éclata de rire. Il avait deviné son hésitation.

— Je vous prendrai à dix-huit heures et... merci.

Les deux jours passèrent en coup de vent. Le jeudi, elle nettoya sa maison, travailla dans sa serre, fit marcher Rusty, prit un long bain et à dix-sept heures, elle cherchait quels vêtements porter quand le téléphone sonna. Il se décommandait. Tant mieux ! Erreur ! C'était Barbara, elle voulait lui parler, savoir... Tara la mit au courant : elle avait accepté, elle serait fixée après la soirée. Son dilemme, quoi porter ? Des jeans et son manteau de ski ? Barbara s'exclama :

— Tara, tu es une dame, tu n'as que de beaux vêtements. Mets ta robe bleu marine, elle te va bien. Et ne remonte pas tes cheveux, tu n'es pas une vieille fille. Porte aussi ton ensemble en or, boucles d'oreilles et pendentif. Et ton beau manteau, tes belles bottines en cuir, tes gants et un foulard…

Tara riait tellement qu'elle eut de la peine à dire :

— Oui, oui, maman.

52
L'amitié

À dix-huit heures pile, il sonnait à la porte. Elle était éblouissante. Lui-même portait un long manteau bleu foncé avec foulard assorti. Ils allaient à Montréal, souper dans un excellent restaurant de son choix. Ils parlèrent peu durant le trajet, une musique classique les enveloppait. Elle se laissa bercer. Le patron avait pris leurs manteaux. Il connaissait le docteur et lui avait réservé une table en retrait. La robe de Tara faisait ressortir sa taille élancée, et les regards étaient fixés sur elle. Lui-même ne passait pas inaperçu, il était très élégant dans son deux-pièces marine. Ils formaient un couple séduisant. Ils s'assirent. Le sommelier s'approcha. Scott commanda un vin blanc, attendit qu'il revienne avec la bouteille, versa le vin et la regarda.

— Je lève mon verre à la plus jolie des femmes. Cette robe vous va à merveille. Merci !

Elle rougit. Toute autre femme aurait été gonflée d'orgueil. Pas elle !

— Est-ce que je fais erreur ou aviez-vous changé d'avis ?

Elle hésita, puis lui raconta sa nuit sans sommeil, son appel à madame Starr...

— Je dois des remerciements à cette dame et je comprends vos craintes. Je vais faire de mon mieux pour que nous n'ayons que des sorties agréables ; une sortie à la fois.

Il lui demanda ce qu'elle désirait manger.

Tout était délicieux et ils mangèrent de bon cœur. Quel contraste avec certaines femmes qui ne faisaient que picorer ! Elle était tellement authentique, unique. Il lui relata son enfance, les mauvais coups qu'il avait faits, d'abord avec son frère, puis à l'univer-

sité, son voyage en Europe. Il l'amena à parler de Maggie, il s'amusa de la voir s'animer en racontant leurs jeux, Pipelette, l'Irlande... Il était près de vingt-deux heures quand ils ressortirent.

— Veux-tu marcher un peu ?

— Oui, j'adore admirer toutes lumières, vitrines, les passants, ville qui bouge.

— Tu aimes magasiner ?

— Non, pas vraiment. Je porter bien vieux jeans, mais chère tante, madame Starr, mourir !

Elle l'imita :

— Tara, tou es une dame. L'oublie jamais ! Tara, *walk tall!*

Elle avait froncé les sourcils, imité la voix de sa tante ; impossible de ne pas rire.

— Cette dame a raison, tu es une dame, Tara, ne pense jamais le contraire.

Une demi-heure plus tard, il la déposait chez elle.

— Tara, merci pour cette agréable soirée. Pourrons-nous récidiver ou suis-je banni à vie ?

— Merci. J'ai aimé aussi, vous êtes gentil et — un sourire aux coins des yeux — je pense... reprendre encore une chance avec vous.

Elle était drôle, tellement honnête et rafraîchissante ! Scott attendit qu'elle soit entrée et repartit, ne l'ayant pas touchée, pas même effleurée. C'était agréable.

Le lendemain, elle s'ouvrit à son amie Kathleen, en lui demandant de garder le secret. Cette dernière fut surprise. Ce n'était qu'une relation d'amitié, rien d'autre.

— Si je vois qu'il veut autre chose, j'arrête de le voir et il le sait.

— Eh bien ! Si ça t'apporte du bonheur, tant mieux. C'est un bel homme, il a une prestance et tu es si jolie. Pas juste jolie, tu es une bonne personne. Je suis contente pour toi.

Elle disait vrai, mais elle éprouvait aussi un pincement au cœur. Avec Tara, elle pouvait parler lecture, arts, géographie et musique, elles partageaient une belle complicité.

Tara goûta son premier printemps au Québec. Même si en avril, la neige fondante n'était plus très belle, plutôt sale, les rayons

du soleil réchauffaient la terre, les rigoles débordaient et les trilles frénétiques des oiseaux résonnaient dès l'aube. Une sorte de frénésie s'emparait des gens. On ouvrait les fenêtres, c'était la résurrection. Tara vivait intensément cet épanouissement de la nature. Elle se sentait bien dans son âme, plus sûre d'elle-même. Son français s'était beaucoup amélioré. Un soir qu'elle nettoyait son patio, accompagnée de Kathleen, elle confia à son amie ce qu'elle ressentait.

— Tu sais, dans pays chauds, il fait pas assez froid pour la nature gelée, les insectes meurent pas, tout est toujours *the same*, pareil. Ici, l'hiver, tout est gelé, glacé et au printemps tout est lavé, purifié ; les personnes font grand ménage de maison, lavent et rangent le linge d'hiver. Comme une… résurrection. Brigid dit que ça sent le net.

— Et tu aimes ce changement de saison ?

— Ah oui ! Je suis prise dans la roue qui tourne, hâte de sortir vêtements plus légers, planter fleurs et quelques légumes.

Tara et le docteur Harvey, Scott dans l'intimité, avaient continué de se rencontrer une fois la semaine, parfois deux, de s'appeler. Ils étaient bien ensemble. Scott n'avait jamais essayé de l'embrasser, mais l'avait prise dans ses bras à trois ou quatre reprises ; parfois, ils marchaient main dans la main. Malgré toutes ses belles paroles, malgré sa détermination de garder leur relation au niveau de l'amitié, il était tombé follement amoureux d'elle. Elle le désirait aussi. Quand elle le regardait, elle avait parfois l'envie de lui caresser le visage, les lèvres… Non ! Elle ne devait pas ! Juste un ami !

Déjà l'été, son deuxième au Québec. Navan reculait un peu plus chaque jour, mais l'Irlande lui manquait — elle se remémorait les endroits visités avec sa Mamie : *Newgrange, The Hill of Tara, The Ring of Kerry,* les Irlandais, si chaleureux. Heureusement, le lac, son petit coin de paradis l'attirait, lui parlait de liberté, de grands espaces, d'espoir, d'infini.

53
L'année de l'amour

1967. C'était l'année de l'amour, c'était l'année de l'Expo. On ne parlait que de cette île qu'on avait « inventée », de tous ces pays qui y auraient leur pavillon, des millions de visiteurs. Il y avait de la magie dans l'air. Barbara arriva au début juin. Paul ne tenait plus en place depuis plus d'un mois, il espérait pouvoir conquérir son cœur, pour de bon. Il avait planifié des visites à l'Expo, des soupers aux chandelles, sans parler de la splendide broche en or qu'il lui avait achetée ! Lui, habituellement si calme, causait, causait, une véritable machine à paroles ! Tara l'écoutait, éprouvant un fou rire qu'elle ne parvenait pas à maîtriser.

— Oui, Tara, je sais, je suis fou ! Fou d'amour. Est-ce possible ? À mon âge ! Je veux qu'elle devienne ma femme, je veux vivre avec elle.

— Eh bien ! allez-y ! Qui sait ? Peut-être...

Le 10 juin, quand Barbara atterrit à Dorval et qu'elle aperçut Paul, elle se tourna d'abord vers Tara et l'embrassa ; hésitant quelques secondes, elle sourit, puis donna l'accolade à Paul. Les braises n'étaient pas des plus ardentes !

Les rencontres entre Tara et Scott se faisaient un peu plus chaleureuses. Lorsqu'il dut se rendre à un congrès médical aux États-Unis, il fut malheureux comme les pierres, et il lui fallut toute sa volonté pour se concentrer sur les sujets traités. Elle-même ressentait un vide dans son cœur. La cinquième soirée, n'en pouvant plus, il se traita de tous les noms, mais à vingt et une heures, il prit le téléphone, hésita et l'appela.

— Comment va *mon petit grenouille* ?

— Ah ! Scott, je pensais à toi !

— Tu t'ennuies de moi?

Elle ne répondit pas.

— Un tout petit peu?

— Oui, un peu.

Il parla du congrès, lui demanda de ses nouvelles; ils discutèrent de tout et de rien, riant sans raison, puis se dirent bonsoir.

— Je serai de retour dans trois jours. Décommande tous tes soupirants, parce que nous sortons! Bonne nuit, ma belle Irlandaise.

— Bonne nuit, Scott.

Se levant, il se mit à siffler. Le simple fait d'entendre sa voix et cette façon de dire les choses en français... son cher *petit grenouille*! Il aurait tout donné pour l'avoir dans son lit. Homme d'action, la patience ne faisait pas partie de ses vertus. Il le faudrait pourtant; il ne voulait pas la faire souffrir, mais il échafaudait des plans.

À son retour, ils passèrent toutes leurs journées de congé à l'Expo. Parfois, Barbara se joignait à eux, d'autres fois Paul l'accompagnait ainsi que Claude et Brigid.

Tous aimaient bien Scott, qui le leur rendait bien. Lors d'un barbecue chez Tara, il avait conquis le cœur des jeunes, s'étant élu chef cuisinier... à l'unanimité. Ensuite, secondé de Claude, David et Daniel, il avait tout nettoyé, puis s'était lancé dans une partie de soccer endiablée. David et Daniel avaient bien essayé de lui enlever le ballon, mais ses échasses les distançaient. Tara, Brigid et Kathleen s'étaient jointes à eux. Ils avaient eu un plaisir fou. En voulant frapper le ballon, Tara s'était étendue de tout son long. Scott s'était élancé et l'avait soulevée comme une plume. Elle n'était pas blessée, mais taquin, Daniel insista pour faire venir un médecin. Scott joua le jeu, lui toucha le front, tira les oreilles et déclara:

— Oui, commotion cérébrale. Vite, une ambulance!

— Veux-tu bien arrêter, je ai rien du tout.

— Incohérente! Il va falloir l'hospitaliser.

Le tout se termina dans une hilarité générale. Barbara et Paul n'avaient pas participé activement, mais s'étaient bien amusés. Barbara aimait bien ce médecin. Une force de la nature, homme du monde, charmant, prévenant; Scott avait vite compris qu'elle

était son alliée, même si elle n'exercerait aucune pression. Son amour pour Tara était inconditionnel. Barbara avait vite perçu cet amour. Tara était plus prudente, plus réservée, mais Barbara n'était pas dupe, il ne lui était pas indifférent. Lui la dévorait des yeux.

Un jour qu'ils se promenaient dans le Vieux-Montréal, il lui acheta un gros cornet de barbe à papa ; elle le dégustait avec gourmandise. Quand elle eut fini, un morceau lui resta collé sur le côté gauche de la lèvre supérieure. Il se pencha et le lécha. Ce geste accompli sans arrière-pensée réveilla son désir, il la prit doucement dans ses bras et l'embrassa. Elle lui toucha les lèvres, recula, le regarda ; sa main droite s'interposa entre eux. Des sentiments contradictoires l'agitaient. Elle se mit à marcher vite, il la suivit. Cela ne devait pas arriver ! Ils n'étaient que des amis ! Il lui prit la main et la guida vers un banc. Il l'entoura de ses bras.

— Ma chère et unique Tara ! Je m'excuse, je ne veux pas te peiner. Oui, je t'aime, plus que tout au monde, et je ne veux pas te faire souffrir. J'étais honnête, je pensais sincèrement que nous pourrions rester amis. Je n'avais pas prévu tomber follement amoureux de toi. J'aurais dû, je suis à blâmer. Si tu ne veux plus me voir, je comprendrai. Je ne veux pas te faire souffrir.

Découragé, peiné, il fouillait son regard.

— Cher Scott. Pas à te blâmer, je t'aime aussi, mais pas m'engager maintenant. Juste vingt-deux ans.

— Et moi trente-deux, je suis trop vieux pour toi ?

— Mais non, un beau corps d'athlète, tu...

— Continue, j'aime ça.

Ils se mirent à rire. Il prit son visage dans ses mains.

— Mon adorable *petit grenouille* que j'adore. Qu'allons-nous faire ? On n'arrête pas de se voir ? Je t'en prie ? Tu ne veux pas avoir ma mort sur la conscience ?

— Toi me sembles dangereusement bien. Pourrions nous voir comme avant ?

— Ce sera pire que la torture chinoise, j'aurai toujours envie de t'embrasser... comme... maintenant.

— Quelques mois de réflexion, tu veux ?

— Quelques mois ? Combien ? Et après ?

— Six mois, si nos sentiments sont mêmes, nous sortir ensemble comme amoureux. Rien de *definitive* avant deux ans.

— Six mois ? Tu veux ma mort ? Deux ans ? Je ne dormirai plus ! Je ne mangerai plus ! Je serai un vieillard ! Je vais mourir !

— Un risque... prête à courir.

— Regarde, je suis plutôt frêle, fragile comme une poupée en porcelaine.

La comparaison était tellement ridicule qu'elle s'esclaffa.

— Ah Tara ! Je t'aime plus que moi-même. Et toi, tu m'aimes... un peu ?

Elle lui rappela qu'il avait de l'âge et qu'elle devrait bientôt lui procurer une marchette. C'était matière à réflexion. Il n'aurait jamais dû lui dire son âge.

— Mais oui, je t'aime, j'ai essayé lutter contre cet amour, mais pas succès. Nous allons aller doucement.

— Je me soumets à ta volonté, puisqu'il le faut, mais ne sois pas impitoyable, je crains de rater mes opérations, de blesser un patient...

Il était comme un gamin, elle était si désirable !

— C'est du chantage ! On pourra...

— ... s'embrasser de temps en temps, plus si tu désires.

Il pourrait la prendre dans ses bras au moins une fois à chaque sortie et lui donner un baiser. Il acquiesça, mais en espérant la garder dans ses bras le plus longtemps possible.

Ils repartirent. Scott se mit à chanter : « *Save the Last Dance for Me.* (Réserve-moi la dernière danse.) » Sa voix faussait. Tara se boucha les oreilles, mais lui continua. Alors, elle se mit à chanter en gaélique. Sa voix pure, les mots, l'intonation le saisirent au cœur. Il l'écouta religieusement. Cette femme ! Il voulait l'épouser, avoir des enfants... la tête lui tournait. Arrivé à la maison, il la serra dans ses bras et lui donna un petit baiser sur les lèvres, puis un deuxième.

— Je suis un homme heureux, Tara. Merci !

Elle le regarda s'éloigner et resta dehors à admirer le lac ; la lune argentée veillait aussi. Inquiète, Barbara la trouva pensive.

— Je n'aurais pas dû céder à sa demande. Mon travail à l'hôpital me procure une grande satisfaction, je suis à ma place dans la

profession d'infirmière. J'aime ma maison. L'amour pourrait me causer plus de peines que de bonheur. Scott a eu de bons parents. Comment son père, le docteur Harvey, réagirait-il à la relation de son fils avec une étrangère, une Irlandaise par surcroît ? Et sa sœur ? Leurs amis, le personnel hospitalier ? Ils venaient de milieux tellement dissemblables. À son premier mariage, il s'était épris d'un corps sans cervelle, une intrigante... mais de leur monde, au moins. On dirait qu'il répète la même erreur, un corps de déesse mais le cœur, le cerveau ? Eux ne se contenteraient pas de vagues renseignements, et elle ne pouvait ni ne voulait tout révéler. Quel guêpier !

— Ma chère Tara, la première question à te poser est : « Est-ce que tu l'aimes ? »

— Oui, je l'aime énormément et il est fou de moi. J'avais épousé Patrick parce que j'étais enceinte. Il avait toutes les qualités, mais je ne l'aimais pas d'amour. Pas d'étincelle, comme vous dites.

— Et avec Scott ?

— Ah ! ma tante, je l'aime à la folie... mais je ne veux pas faire de folie.

— Scott, c'est un homme bien ; il est tombé amoureux de toi dès votre première rencontre ; tu peux lui faire confiance, le reste est secondaire. Je suis si heureuse pour toi.

Tara posa sa tête sur son épaule, Barbara se mit à chantonner une ballade irlandaise. Un sentiment de paix parcourut la jeune femme.

— Ma chérie, il ne faut pas avoir peur du bonheur, il faut avoir le courage de le saisir et de le garder. Parle à Scott de tes appréhensions, il comprendra. Maintenant, rentrons, une tasse de thé s'impose.

Ce sont ces considérations qu'elle partagea avec Scott quand elle le revit deux jours plus tard. Il ne voulait rien entendre, mais elle avait des choses à dire. Il devait cadenasser son cœur et déverrouiller son cerveau. Repliant son corps, il entra dans sa coquille et ferma les yeux. Ses appréhensions étaient justifiées. Il avait une profession de prestige, il était veuf, financièrement à l'aise ; les jeunes femmes de « son monde » lui faisaient les yeux doux, et certaines pouvaient être impitoyables. Tara le regardait, elle aimait

l'homme, pas son prestige. Il se déplia, ouvrit les yeux, l'air sérieux, l'air chirurgien.

— Ma chère Tara, tes objections sont valables, et je ne t'en aime que plus. La plupart des jeunes femmes sauteraient sur l'occasion. Mon père est un homme bon, mais il ne te connaît pas, il ne sera peut-être pas enchanté de mon choix. Certains de nos amis vont s'étouffer de jalousie, d'autres sortiront leurs griffes. J'ai beaucoup réfléchi avant de te déclarer mon amour. Je suis même prêt à m'exiler pour vivre avec toi. Je ne peux te promettre une vie sans embûches. Mais je peux m'engager à t'aimer. Je t'aime de tout mon être. Si ton amour est aussi profond que le mien, nous serons heureux.

Il se tut, ses yeux l'imploraient. Elle désirait être sa femme, sa Mamie cautionnerait leur amour, mais elle ne voulait pas s'engager définitivement sans agir avec prévoyance.

— Je t'aime aussi, je pense nous pouvons être heureux. Jamais je demanderai de quitter ton pays pour moi. Je suis encore craintive et fragile, il faudra patience et beaucoup d'amour.

Il fut entendu qu'ils iraient lentement jusqu'à Noël.

— Noël. Nous pourrons…

— … nous fiancer ! J'attendrai, mais le 1er décembre, je t'enlève, deux journées entières, juste nous deux. À présent, tu veux bien jouer quelque chose, ma chère Irlandaise ? Ta musique m'enchante, j'ai un trop-plein de bonheur et je parle à mon père dès aujourd'hui.

54

Au tribunal ?

Scott tenait l'assentiment de son père pour acquis, mais la réaction de ce dernier fut tout autre. Qui était cette jeune fille ? D'où venait-elle ? Quitter l'Irlande ? Scott s'était déjà laissé piéger par une intrigante, alors celle-là ? Il voulait la rencontrer. Sa sœur l'avait vue, elle la trouvait très belle, mais c'est tout ce qu'elle pouvait dire. Scott était abasourdi. Tara est l'antithèse de sa première femme.

— Papa, je l'aime et j'ai l'intention de l'épouser. Je le ferais demain si elle disait oui, mais elle préfère attendre. Notre relation n'a été que platonique jusqu'à ce jour.

— Elle a peut-être plus de jugeote que toi. Je veux la rencontrer.

— Nous irons bientôt souper ensemble, papa, et n'oublie pas que je l'aime plus que moi-même. C'est une perle : honnête, dévouée, sensée… elle est aussi musicienne.

— Quel genre de musicienne ?

— Elle joue du piano et chante comme…

Scott avertit Tara qu'ils mangeraient bientôt avec son père. Pour ne pas l'inquiéter, il ne dit rien de leur conversation.

Un jeudi soir, il lui dit qu'ils souperaient avec son père et sa sœur le samedi suivant. Elle appréhendait cette rencontre.

— Et s'ils m'aiment pas ?

— Impossible ! Moi, je t'aime.

— Je veux pas mettre de distance entre toi et ta famille. *Never !* Jamais.

Le samedi suivant, elle s'habilla avec soin. Elle choisit une robe en velours vert foncé, mit des boucles d'oreilles, ajouta un pendentif

en argent. Ils parlèrent peu durant le trajet. Le père et la sœur de Scott étaient déjà au restaurant quand ils arrivèrent. Monsieur Harvey la détailla avec intérêt. Cette femme avait fière allure, ses cheveux roux, son teint d'albâtre... on ne pouvait se tromper sur ses origines! Scott défiait son père du regard. Il la présenta.

Ils causèrent boutique. Tara était sur ses gardes. Barbara lui avait rappelé de ne pas se laisser intimider:

— *Walk tall*, Tara! Scott t'aime et c'est l'essentiel.

Pendant le repas, le père la questionna, d'abord de façon anodine, puis les questions devinrent plus personnelles. Elle était Irlandaise? Dublin? Sa famille? Ses parents?

— Mon père est décédé, ma mère est à Londres. Mon mari est décédé trois mois après mon mariage. C'était un homme bien, de bonne famille.

Elle était enceinte, elle avait perdu son bébé à sept mois de grossesse. Il voulut avoir des détails. Mal à l'aise, Allana regarda Tara. Celle-ci se redressa, fixa le docteur William dans les yeux, et d'une voix douce, mais ferme et posée, affirma:

— Docteur Harvey, je comprends. Vous aimez votre fils et vous voulez pas qu'il se retrouve avec une personne peu recommandable. Comme père, c'est tout à votre honneur. Mais... j'ai l'impression de passer devant l'inquisition et ça... m'offense un peu. Je suis Irlandaise et pas m'excuser et teindrai pas mes cheveux en noir. Jc suis financièrement à l'aise, pas très impressionnée par les titres de noblesse et de fonction; alors votre fils est un grand chirurgien, moi je suis indifférente. Mais... je le côtoie depuis plus d'un an. Il est non seulement compétent, mais juste, généreux de son temps et de sa personne. C'est pour ces raisons que je l'aime. Je suis une bonne personne et si vous voulez prendre le temps de me connaître, peut-être vous trouverez quelques qualités.

Elle poussa un soupir et se tut. Il la regarda et éclata de rire.

— Échec et mat! Mademoiselle, je constate que notre statut social n'est pas votre première préoccupation. Je m'excuse d'avoir manqué de tact, je vous ai jugée avant de vous connaître. Vous avez raison; faisons plus ample connaissance. L'Irlande a perdu une ambassadrice formidable, c'est à notre avantage. Levons nos

verres ! À votre santé, Tara Delaney. Gardez votre chevelure rousse, vous êtes superbe.

Le repas se poursuivit dans la gaieté. Tara était détendue et Scott se retint pour ne pas l'embrasser. Quand ils se séparèrent, le docteur insista pour qu'ils renouvellent l'expérience. Cette femme n'avait rien d'une magouilleuse.

— Ma femme jouait du piano. Vous me feriez grand plaisir si vous m'invitiez chez vous. J'aimerais bien vous entendre jouer. Je vous promets d'être muet comme une carpe.

Scott pouffa, Tara sourit. Le docteur paraissait moins intimidant.

— Pas nécessaire. C'est un plaisir, parler avec vous. Promis, vous aurez une invitation bientôt.

Quand Scott fut seul avec elle, il l'entoura de ses bras. Peiné par l'attitude de son père, il avait été estomaqué puis subjugué par la justesse et le ton de sa réplique. D'une voix calme, sans aucune animosité, elle avait exprimé sa déception et affirmé ses valeurs.

— Mon cher *petit grenouille*, tu as été magnifique. J'admire la femme que tu es, droite, franche et qui n'accepte pas de se laisser intimider, pas même par un grand médecin. Mon père possède une personnalité forte, peu de gens osent lui tenir tête. Il respecte les gens qui se tiennent debout. Tu t'en es fait un allié.

La semaine suivante, ému, le docteur William Harvey se laissait bercer par les *Quatre Saisons* de Vivaldi, magnifiquement interprétées par Tara. Elle l'avait invité, il avait accepté. Étonné par la propriété, mais encore plus par l'ameublement, la décoration, il avait considéré la jeune femme sous un nouvel angle. Elle n'avait pas besoin d'eux. Quand elle lui fit visiter la serre, la gorge nouée, il la contempla.

— Ma femme adorait les fleurs, elle aurait été ravie de vous connaître.

Un verre de vin à la main, comme elle l'avait fait avec Scott, elle décida de lui raconter sa vie.

— Quand on s'est rencontrés, j'ai caché une partie de ma vie, j'avais déjà dit à Scott, mais que je dirai à personne d'autre. Au restaurant, c'était pas l'endroit, ni le temps. Vous êtes son père, et

je vous dois toute la vérité. Ensuite, si vous le décidez, je serai pas fâché et je sortirai pas avec Scott. Pas des paroles en l'air, jamais je détruirai votre relation avec votre fils. J'ai trop souffert, j'apprécie l'importance de la famille. Je vous demande de m'écouter.

Confortablement installée dans son salon, sans rien omettre, elle avait ouvert son cœur et ravivé ses blessures. Le docteur Harvey, stoïque, écoutait. Son cerveau cartésien avait tout enregistré. Il était resté silencieux. Puis Tara s'était levée, était allée chercher la gabardine du docteur et la lui avait présentée.

— Madame Delaney, remettez ce manteau à sa place et revenez vous asseoir. Vous n'êtes nullement responsable de ce qui vous est arrivé ; votre mère avait de grandes qualités, mais son enfance, les circonstances... elle est partie. En le faisant et en vous confiant à cette bonne madame Dever, votre Mamie, qu'elle avait choisie indirectement, elle vous a rendu un service incommensurable. L'inconduite des parents ! La suite, votre grossesse, l'assassinat de votre mari, votre courage à reprendre votre vie en main, tout cela vous honore. Je comprends que le chef Starr, les Ryan et madame Starr vous tiennent en haute estime. D'ailleurs, j'envie mon ami, Paul Benson, il ne cesse de me parler de cette dame Starr et de vous qui possédez toutes les qualités. Maintenant, Tara, puisque, si j'en crois mon fils, vous ferez bientôt partie de ma famille, jouez-moi encore un morceau, quelque chose...

— Pas si vite, nous sortons ensemble, pas question de mariage tout de suite. Il faut prendre le temps de nous connaître bien. Je ne veux pas être malheureuse ou que votre fils regrette notre union.

Il se mit à rire. Irlandaise jusqu'aux bouts des doigts.

— Dites donc, j'aime votre franchise et votre sagesse.

— Docteur Harvey, merci ! Votre approbation et votre considération comptent beaucoup pour moi. Votre fils est un homme chanceux.

— Je ne suis pas certain qu'il soit toujours de cet avis. Maintenant...

Soulagée, elle s'était installée au piano et avait laissé parler l'harmonie de son cœur. Totalement libérée, elle joua sa pièce préférée, puis deux ballades irlandaises, qu'elle entonna, une en

anglais et l'autre en gaélique. Dans le silence de cette rencontre, sa voix pure s'élevait vers son pays. Subjugué, le docteur l'écoutait. Personne, aucun homme surtout, ne pourrait rester insensible à cette femme. Il se leva, lui donna un baiser sur le front.

— J'espère que vous me ferez l'honneur de jouer de nouveau pour moi. Depuis ma retraite, et plus encore depuis que je suis veuf, je me sens seul. La prochaine fois, nous irons souper ensemble, si vous ne voyez pas d'inconvénient à manger avec un vieux monsieur.

— Ma foi, vous cherchez des compliments ! Vous vous savez bel homme, personne vous dirait vieux monsieur. Oh non ! Je vois pas Scott chaque soir, un peu plus souvent maintenant, mais souvent je suis libre. J'aurai du plaisir à causer avec vous.

Il l'embrassa sur les deux joues, s'avança pour prendre congé quand Barbara rentra. Le père de Scott ! La ressemblance était frappante, elle lui tendit la main.

— Docteur Harvey, je suis Barbara Starr, la tante de cette jeune fille, que j'adore comme ma fille.

Elle mit la main sur l'épaule de Tara. Il sourit et tendit la main.

— Madame Starr, c'est un plaisir, et ne craignez rien, je ne veux aucun mal à ma future bru.

— Me voilà rassurée. Tara, tu nous offres une tasse de thé ? Oh ! Excusez-moi, vous partiez. Eh bien ! À notre prochaine rencontre.

Il l'admira du regard. Décidément, les belles femmes ne manquaient pas, en Irlande. Quelle dame, de la classe !

— Aucun homme digne de ce nom ne s'éclipse devant une si belle dame. Permettez, Tara ? Vous voulez bien nous faire une tasse de thé ?

Cet homme n'est pas complexé, pensa Barbara. Fin causeur, homme du monde, pendant une heure il discuta avec Barbara, n'essayant pas de lui en mettre plein la vue. Il la questionna sur sa vie en Irlande, parla de lui. Ils avaient tellement de plaisir qu'après quinze minutes Tara s'éclipsa sans même qu'ils le remarquent. Quand elle revint au salon, son « beau-père » se levait.

— Vous êtes les deux plus belles femmes que j'aie jamais rencontrées, intelligentes, agréables ; c'est une journée à marquer

d'une pierre blanche. Tara, me ferez-vous l'honneur de m'inviter avant le départ de votre charmante tante?

— Certainement! Nous aurons un dernier barbecue dimanche; huit ou dix personnes. Vous voulez venir?

— Je ne manquerais pas cette fête pour tout l'or du monde.

Il lui donna l'accolade, releva les yeux sur Barbara, lui serra la main et se dirigea vers sa voiture en chantonnant, même si le temps était maussade.

Tara et Barbara se regardèrent, s'esclaffèrent; Barbara secoua la tête:

— *Righ nan Dùl!* (Dieu de l'univers!) Quel homme! Quelle prestance! Scott est son clone. Tel père, tel fils.

— Ma chère tante, vous avez fait une deuxième conquête. À l'avenir, quand un homme se pointera le nez, je vous enferme dans votre chambre.

— Ne crains rien, je suis immunisée. Tout de même, cet homme a un charme...

Le cœur léger, Tara monta se coucher. À peine s'était-elle glissée sous les couvertures que Scott l'appelait; il riait tellement qu'elle ne comprenait rien de ce qu'il disait; son rire était communicatif. Finalement, riant toujours, mais un peu plus cohérent, il lui raconta que son père lui avait téléphoné après les avoir laissées. Pourquoi son fils ne lui avait-il donc pas parlé de cette magnifique madame Starr, une belle femme, veuve, attirante?

— Tu lui as dit? Paul l'adore et veut se marier avec elle?

— Oui, ma chère Tara, il connaît Paul. C'est un ami, il m'a demandé si ta tante adorait Paul.

— Non, elle a de l'amitié pour lui, mais pas le grand amour.

— «Alors, elle est libre! Mon fils, la vie est pleine de surprises», qu'il a dit. Ta tante lui est tombée dans l'œil. Je ne l'ai jamais vu ainsi. Le connaissant, il va tenter sa chance.

— Imagine! Toi et moi! Ma tante et ton père!

Plus amoureux que jamais, Scott voulait oublier son père et ne penser qu'à sa belle Irlandaise. Elle faisait de son mieux pour ralentir ses ardeurs; son cœur et son corps étaient en symbiose, mais n'avaient pas préséance sur sa raison. Elle aimait et était aimée, elle irradiait de bonheur.

55

Barbara et Paul

Barbara partageait le bonheur de Tara. Elle-même fréquentait Paul chaque semaine, au grand plaisir de Tara. En août, ce dernier l'avait amenée à Québec. Il avait réservé deux chambres à l'hôtel ; malheureusement, elles n'étaient pas contiguës. Il ne s'en formalisa pas ; cette fois, elle allait tomber dans ses bras. Visiter le Parlement, les plaines d'Abraham, faire un tour de calèche, manger dans les cafés-terrasses... Paul ne regardait pas à la dépense. En passant devant l'étal d'un orfèvre, il lui acheta une belle broche en cuivre. Elle refusa, mais il insista tellement qu'elle se laissa persuader.

La visite de la ville de Québec fut une découverte ! Étonnée, charmée, conquise, Barbara regardait, admirait chaque site, chaque immeuble. Avant de rentrer à Pointe-Claire, il lui fit visiter la région de Charlevoix. Quand il l'avait prise dans ses bras, elle n'avait pas résisté ; il méritait bien une petite récompense !

Trois jours après leur retour de Québec, il l'amena visiter sa maison. Elle n'y tenait pas vraiment, mais se laissa convaincre. C'était un domaine princier dans un quartier huppé. L'intérieur était à la hauteur de l'extérieur ; meubles de style, solarium ; il n'était pas à plaindre. En partant, Paul lui demanda de l'épouser. Elle l'aimait bien, mais elle n'était pas prête à quitter son pays. Ils convinrent de se donner une année avant de prendre une décision définitive. Barbara était financièrement à l'aise, Paul aussi. Elle n'avait pas l'intention de faire le ménage, d'entretenir une maison.

— Raccommoder tes chaussettes et te servir tes repas sur un plateau d'argent, très peu pour moi ! Je veux bien cuisiner à l'occasion, mais je ne veux être la bonne d'aucun homme.

Il n'avait pas besoin d'une servante, mais d'une égale. Si elle acceptait de l'épouser, ils auraient une bonne et un jardinier. Il avait décidé de vendre sa maison.

— Je t'en supplie, ne fais pas ça. Je me sentirais très mal à l'aise.

— Néanmoins, j'aimerais te faire visiter quelques maisons.

Ils en visitèrent quatre, l'une d'elles plut beaucoup à Barbara. Située à Beaconsfield, impeccable, meublée avec goût, cuisine fonctionnelle, salle à manger, grand salon, deux grandes chambres à coucher, salle de bain moderne, et belle cour paysagée. Barbara se serait vue dans cette maison… si elle aimait vraiment Paul. En voyant son enthousiasme, ce dernier décida de l'acheter. Il ne voulait pas courir le risque qu'un autre acheteur le prenne de vitesse.

— Paul, j'aime cette maison, mais je ne veux pas que tu l'achètes pour moi. Je suis franche, je t'aime bien, mais de là à t'épouser…

— Ma chère Barbara, tu sais que je t'aime passionnément, tu es libre, si tu décides que tu veux bien de moi, la maison sera là pour nous deux. Dès que ma maison sera vendue, j'habiterai celle-ci, mais j'aimerais que tu sois là pour choisir les meubles. Je n'achèterai que le strict minimum.

Quand Tara apprit la nouvelle, elle pleura de joie, mais Barbara eut tôt fait de refréner son enthousiasme.

— Non, non et non ! Je vais l'appeler et lui dire d'annuler tout ça. Je ne l'aime pas d'amour, je ne pourrai jamais l'épouser !

Paul fut extrêmement déçu de son appel ; il lui rappela qu'ils avaient un an avant la décision finale. L'espoir lui donnait des ailes.

56

Escroc en chemise de soie

Le dimanche suivant, la famille Legault, Paul, Scott et son père étaient réunis chez Tara et Barbara. Paul avait été surpris d'y voir arriver son ami, William, muni de deux bouteilles de vin et d'une belle boîte de chocolats. Lui-même, d'habitude si empressé, n'avait rien apporté ; il en fut très mortifié. Quand il s'aperçut que Barbara parlait à William, lui souriait comme à une vieille connaissance, il ressentit un léger pincement au cœur. Les conversations allaient bon train. Les jeunes s'amusaient. Pendant que Tara et Kathleen servaient des rafraîchissements, Scott préparait le barbecue. L'heure était à la fête. Tout à coup, une voiture s'arrêta dans l'entrée ; deux hommes en habits en descendirent. Scott et Tara s'approchèrent d'eux.

— Bonjour, messieurs. Qui êtes-vous et que pouvons-nous faire pour vous ?

— Sergent Bourque, de la Gendarmerie Royale du Canada, et voici l'officier Blake.

Ils présentèrent leurs insignes. Le sergent leva les yeux sur la véranda.

— Nous recherchons un monsieur Paul Benson. Il est ici ?

D'un geste de la main, Scott indiqua la galerie. Paul se leva, le visage livide. Le sergent s'avança.

— Monsieur Benson, nous aimerions vous parler.

Un simulacre de sourire aux lèvres, celui-ci s'avança. Le sergent le fixa.

— Vous êtes bien Paul Benson, directeur d'une succursale de la Banque Royale du Canada ?

— Oui, c'est moi. Que me voulez-vous ?

— Monsieur Benson, vous êtes en état d'arrestation ! Vous êtes accusé de détournement de fonds et de blanchiment d'argent. Vous n'avez rien à dire, rien à espérer d'aucune façon, que vous disiez quelque chose ou non, mais tout ce que vous direz pourra servir de preuve contre vous lors de votre procès. Officier Blake !

En moins de deux, Paul était menotté. Frappés de stupeur, tous se levèrent ; Barbara s'avança, suivie du docteur Harvey.

— Paul, que se passe-t-il ?

Humilié, rouge comme une écrevisse, il détourna la tête. Barbara, Scott et son père consultèrent le sergent du regard. Scott s'adressa au sergent Bourque.

— Il doit y avoir une erreur.

— Je regrette monsieur, mais il n'y a pas d'erreur.

Le docteur Harvey demanda à Paul :

— J'appelle ton avocat ?

Ce dernier ne répondit pas. La tête penchée, en moins de deux minutes, il avait vieilli de dix ans. Quand le docteur s'offrit pour aller avec lui, le sergent s'interposa.

— Inutile, monsieur, il ne sortira ni ce soir ni demain. Appelez son avocat.

La GRC agit toujours ainsi dans de tels cas. Ils firent asseoir Paul à l'arrière ; en état de choc, il n'avait pas relevé la tête.

Sidérée, Barbara se laissa tomber sur une chaise. Les larmes aux yeux, Tara vint la rejoindre, l'entoura de ses bras.

— Détournement de fonds, blanchiment d'argent ; c'est grave.

Ils se regardaient, la regardaient. Le docteur Harvey se leva.

— Je connais son avocat, je l'appelle tout de suite.

— Comment ai-je pu donner mon amitié à cet homme ?

— Vous ne pouviez savoir, nous avons tous été bernés... s'il est coupable.

— La GRC n'arrête pas une personne un dimanche après-midi sans avoir des preuves en béton. Il n'y a pas d'erreur...

Le docteur Harvey revint. Me Travers s'occuperait de Paul. La GRC allait le questionner et ensuite, s'ils le croyaient coupable, ils

le conduiraient en prison. Fixant Barbara et devinant son désarroi, il s'approcha.

— Paul est mon ami, je vais faire tout ce que je peux pour l'aider, s'il est innocent. Madame Starr, venez, nous allons nous éloigner, vous voulez bien ? Tara, le barbecue peut attendre un peu ? Nous reviendrons bientôt.

Heureuse de s'éloigner, Barbara se leva et le suivit. Ils roulèrent en silence pendant une dizaine de minutes, puis William arrêta sa voiture devant un café-terrasse.

— Un thé ? Un café ? Un cognac ?

— Un cognac, s'il vous plaît. Un remontant s'impose.

— C'est ce que le docteur aurait recommandé.

Elle sourit, mais le cœur n'y était pas.

— Madame Starr, vous n'y êtes pour rien dans cette affaire.

— C'est curieux, Paul est poli, gentil, attentionné, et parfait gentleman, mais... je ne pouvais pas l'aimer. Je n'y comprends rien. Je vais tâcher de ne plus penser à cette visite de la GRC.

— Vous ne pouviez l'aimer. Votre intuition féminine ne vous trompait pas. Vous savez, j'entendais des rumeurs, il roulait carrosse, pour un directeur de banque. Mais les rumeurs, je ne les commente jamais. Trop souvent, il s'agit de jalousie ou de mesquineries, très peu pour moi.

— Il voulait m'épouser. Je n'ai jamais pensé à me remarier ; il persistait... moi... pas d'étincelles... Pas cette sensation... d'adolescente, de folie, où plus rien n'existe. Vous savez, ce n'est pas la raison qui mène l'amour. En amour, les choses les plus belles sont celles que souffle la folie, et elles n'étaient pas au rendez-vous.

Le docteur Harvey l'écoutait et sentait un souffle de folie l'envahir. En réalité, lui avait eu le coup de foudre dès qu'elle lui avait tendu la main et l'avait regardé dans les yeux.

— Il a du goût, le monsieur ! Madame Starr, je n'ai peut-être pas le charme de Paul et je suis sincèrement désolé de ce qui lui arrive... mais pas assez désolé pour ne pas vous dire que je suis heureux que vous soyez ici avec moi. Je suis ravi de vous connaître.

Son assurance calme, ses yeux rieurs la firent sourire.

— Vous ne faites pas de détour.

— Madame, je suis un homme d'action, mais toujours respectueux. Avec moi, vous avez l'heure juste. Ces paroles peuvent vous sembler déplacées en ce moment, mais j'aime les choses claires et… les belles Irlandaises. Qui plus est, si Paul est innocent, je serai à ses côtés. Dès demain matin, je fais des démarches pour tirer le tout au clair. S'il est coupable, notre amitié ne tient plus.

— Merci de votre franchise, je partage vos valeurs.

Avant d'aller rejoindre les autres, il avait une proposition à lui faire.

— Il se peut que les journaux s'emparent de cette histoire. Ce n'est pas banal, un directeur de banque accusé de détournement de fonds, de blanchiment d'argent, alors ils vont chercher le moindre détail susceptible de soulever l'intérêt. Parfois, ils sont comme des charognards. Vous n'allez pas vous morfondre chez Tara en espérant qu'ils ne viennent pas !

Ce qu'il lui proposa la laissa pantoise. Pourquoi ne pas s'éloigner pendant cinq, six jours ? Laisser la poussière retomber…

— Nous pourrions aller faire un tour en Ontario, visiter la région des chutes du Niagara, ou ailleurs. N'ayez crainte, vous pouvez me faire confiance. Peut-être me trouvez-vous trop vieux pour vous promener avec moi ?

— Docteur Harvey, j'aurai bientôt cinquante-quatre ans, et « vieux » n'est certainement pas l'adjectif qui me vient à l'esprit quand je vous regarde.

— J'ai soixante-deux ans… et toutes mes dents.

Il ouvrit la bouche toute grande, comme Scott l'avait fait devant Tara. Interloquée, elle rit de bon cœur. Ce fut à son tour de rire.

— Alors, l'évaluation est concluante. On oublie tout et on va se balader un peu pendant quelques jours ?

— Mon petit doigt me dit de me méfier.

— Madame, je suis chirurgien, ne l'oubliez pas, je coupe et recouds les doigts méfiants.

— Pourquoi pas ! Je ne vais pas m'enfermer dans un couvent.

— Madame, je suis convaincue que ce n'est pas pour vous. Trop irlandaise, comme Tara.

— Je prends cela comme un compliment.

— Madame, c'en est un!

Sans plus de façon, il se leva, mit son bras sous le sien; ils retournèrent à la voiture. Elle se sentait moins opprimée, la vie était toujours belle.

Quand ils revinrent chez Tara, tous se questionnaient des yeux, mais en les voyant causer comme de vieux amis, la tension diminua. Scott se pencha vers Tara et murmura:

— Regarde mon père, il flotte. C'est la première fois depuis que ma mère est morte que je le vois ainsi. Il va entortiller ta tante.

— Voyons, il ne la connaît pas.

— Moi, je connais mon père. Cupidon vient de le frapper en plein cœur. D'ici deux jours, il se promènera avec elle.

— *M'endail!* (Mon cher!)

Les jeunes sortirent les salades et le pain. Scott fit cuire les pommes de terre, les côtelettes d'agneau et les saucisses. Brigid et Tara mouraient d'impatience; elles voulaient parler à Barbara, mais celle-ci riait et causait avec le docteur Harvey comme si de rien n'était. Durant le repas, Barbara annonça qu'elle partait pour cinq à six jours avec le docteur Harvey. Il s'était offert pour l'amener visiter les chutes du Niagara, et elle avait accepté.

Scott faillit s'étouffer. Son père ne fut pas dupe et lui lança un regard assassin. Il valait mieux que madame Starr s'éloigne, si les journaux avaient vent de l'histoire... Son père avait raison, mais comme cet incident tombait à point! Tara regarda sa tante, elle lui sourit. C'était bien ainsi!

Quand le docteur Harvey et les Legault furent partis, Barbara, Scott et Tara restèrent silencieux. Après quelques minutes, Tara leur confia que parfois les policiers la terrifiaient et que de voir Paul menotté lui avait été très pénible. Malgré son calme apparent, Barbara aussi avait été secouée.

— Cette peur est viscérale pour nous. Chez nous, parfois quand la police emmenait quelqu'un, il ne revenait pas. Tara, il vaut mieux ne plus penser à cet homme qui nous a tous trompés. Scott, heureusement que votre père était là!

Scott avait le fou rire. Tara lui donna un coup de coude.

— Il m'a bien fait comprendre que je ne dois pas rester ici à me morfondre ou à attendre les journalistes. Nous allons sortir, aller

nous promener. Nous partons pour une semaine, en Ontario. Ça ne vous dérange pas ?

— Chère madame Starr, j'en suis très heureux. Mon père est comme son fils, adorable, charmant... et surtout séducteur et très humble.

— Je ne suis pas femme à me laisser enjôler. Tara, je monte prendre un bain et me reposer, la journée a été rude.

Scott voulut ajouter quelque chose, mais se ravisa. Quelques instants plus tard, il partait. Tara monta.

Assise sur le lit de Tara, sa tante lui ouvrit son cœur. Vieillir seule ne lui semblait plus du tout attirant. Paul lui avait ouvert les yeux. Elle avait eu du plaisir en sa compagnie, mais elle n'allait pas le pleurer. S'il était innocent, elle irait le voir, l'encouragerait, mais plus de sorties avec lui.

— Et le docteur Harvey ? Il vous plaît ?

— C'est un homme qui dégage une énergie, un magnétisme, mais sans ostentation. Bel homme, pas une once de gras, bien musclé, bien mis, il a de l'assurance. Quand ses yeux bleus me regardent, il me désarçonne.

— Ma foi, vous l'aimez !

— Je vais cadenasser mon cœur, mais... je vais être son amie. Il a raison, il vaut mieux que je m'éloigne, et je vais avoir du plaisir durant ce voyage.

Elle serra Tara dans ses bras.

— T'ai-je dit combien je t'aime ? Tu es précieuse ! Quand j'étais en Irlande, tu me manquais tellement !

— Je vous aime aussi beaucoup, vous êtes si bonne pour moi, une présence aimante, rassurante. Je vous souhaite des vacances remplies de rires et de plaisirs.

Le docteur Harvey avait vu juste. Le lendemain, la photo de Paul Benson faisait la une des journaux. On parlait même d'une amie, une dame, mais sans mentionner son nom. Le docteur Harvey l'appela, il lui enjoignit de n'ouvrir la porte à personne, sous aucun prétexte. Il se rendait au poste de police, puis passerait la prendre. Elle devait se tenir prête. Cinquante minutes plus tard, elle vit sa voiture remonter l'entrée. Soulagée, la valise à la main,

elle se précipita à l'intérieur. Il la salua. S'installant confortablement, elle se laissa bercer par Bach. Quelques instants plus tard, il lui tendit la main ; ce simple geste la toucha.

— Bonjour, chère madame. Je suis honorée de votre présence. Je suis allé au poste de police ; Paul n'a pas voulu me voir ; il m'a envoyé un message laconique : « Je suis coupable, je plaide coupable, il n'y aura pas de procès ; on ne fera pas des gorges chaudes à mes dépens. »

— Je suis peinée pour lui, mais c'est un choix qu'il a fait. Choix égale toujours conséquences. Je tourne la page.

— Oublions tout cela, voulez-vous ? Merci de me faire confiance. Il fait beau, je me sens comme un petit garçon qui fait l'école buissonnière ; c'est très agréable.

— C'est presque gênant à avouer, je devrais être triste, mais je me sens merveilleusement bien et je vais savourer chaque minute de ces vacances.

Il se mit à chanter, il chantait aussi mal que son fils.

— La voix, c'est un don de famille ? Votre fils fausse autant que vous.

En riant, il l'assura qu'elle allait lui donner un complexe. Badinant à son tour, elle rétorqua qu'il ne savait probablement pas la signification de ce mot.

57
Le cœur n'a pas d'âge

Les cinq jours suivants se déroulèrent dans une atmosphère de détente et de charmante bonhomie. Les deux amis convinrent de laisser tomber les titres et de s'appeler par leur prénom. William était un compagnon intéressant, agréable, un bon vivant. Il laissa sa compagne libre de s'arrêter et d'admirer ce qu'elle aimait, aussi longtemps qu'elle le désirait. À Niagara, elle s'émerveilla devant les chutes. À bord du bateau *Maid of the Mist*, ils se rendirent près des chutes. Un peu affolant, mais un frisson de plaisir. Partout, ils prirent des chambres contiguës; il n'entra jamais dans sa chambre, du moins pas les quatre premiers jours. Le cinquième soir, assis dans un restaurant aux lumières tamisées, pendant qu'ils dégustaient un digestif, ils se regardèrent dans les yeux. Lui prenant les mains, il les caressa doucement.

— Ma chère Barbara, je vous aime. Dites que je suis fou, c'est possible, mais je vous ai aimée dès que je vous ai vue entrer dans le salon, chez Tara. Le coup de foudre! Il existe. J'ai adoré ma première femme, je ne pensais jamais ressentir un tel amour, mais c'est arrivé. Vous êtes tout ce qu'un homme peut désirer et bien plus encore. Et vous?

— Je vous aime aussi! Je vous ai aimé au même moment. Je vous connais peu; vous semblez avoir une forte personnalité, mais je pourrais m'y adapter. L'étincelle, mon cher William...

— Pour vous, ma chère Barbara, je suis prêt à devenir doux comme un agneau.

Il se leva et déposa un doux baiser sur ses lèvres.

— Venez, j'ai une envie folle de vous prendre dans mes bras.

Main dans la main, ils retournèrent à l'hôtel. Il la fit entrer dans sa chambre, la serra dans ses bras, l'embrassa avec une tendresse et une ardeur qui le fit frissonner. Il la caressa tendrement avec amour et délicatesse, et elle répondit à ses avances. Sans une parole, ils se déshabillèrent et s'aimèrent. La passion fut tellement intense qu'ils en furent surpris. Ensuite, allongée dans ses bras, Barbara lui caressa le visage.

— À notre âge, agir ainsi ! Mais… merci, William, je ne pensais jamais ressentir pareille passion, autant d'amour pour un homme ; j'ai fait l'amour avec vous et nous ne sommes pas mariés. Ce n'est pas bien, mais je ne pourrai jamais regretter un tel plaisir. Jamais je n'aurais cru possible d'aimer autant.

— Barbara, mon amour, vous êtes la seule femme avec qui j'ai fait l'amour depuis que je suis veuf. Voulez-vous m'épouser ?

— Oui ! Non ! C'est trop tôt, on se connaît à peine.

— C'est oui ou c'est non ? Disons… à Noël ?

— C'est de la pure folie… mais c'est oui.

La seconde chambre ne servit pas cette nuit-là.

Le samedi à quinze heures, pendant que Tara et Scott se prélassaient sur la véranda, William et Barbara arrivèrent. Bras dessus, bras dessous, ils les rejoignirent. Scott et Tara sourirent.

— Tara, qu'est-ce que j'avais dit ?

Tara embrassa sa tante et regarda son futur beau-père.

— Ta tante et moi allons nous marier. Au début décembre.

Interdits, Tara et Scott s'avancèrent vers eux. Tara sautait de joie. Elle en pleurait. Scott était tout aussi ému.

— Je suis si contente ! Merci, docteur Harvey ! Ma tante va demeurer ici, je vous adore. Vous, ma tante, je vous adore encore plus. Venez !

Ils entrèrent, Tara sortit une bouteille de vin et des coupes. Avec leur assentiment, elle appela Claude, Brigid et Kathleen. Scott téléphona à sa sœur Allana. Cette dernière était sous le choc ; elle adorait son père, mais il agissait vraiment comme un adolescent ! Elle dut convenir que cette dame Karr était bien. Tout de même ! Il venait à peine de la rencontrer. Si elle-même avait agi ainsi, son père l'aurait fait interner. Brigid, elle, jubilait. Sa belle-sœur ne repartirait pas.

Il était près de minuit quand on se sépara. William viendrait chercher Barbara le lendemain, en après-midi. Ils avaient des choses à discuter. Scott accompagna son père, les deux hommes s'embrassèrent. Allana fit de même. Il semblait si heureux !

— Merci, Scott, grâce à toi, je redeviens un homme heureux. Merci ! Merci !

En Irlande, le chef Starr et son épouse étaient dépassés par les événements. Sa belle-sœur, si indépendante, avait donné son cœur à un Canadien, pas celui dont elle avait vanté les mérites, mais le père de Scott.

— Ma belle-sœur va s'exiler dans ce pays. Je ne la verrai plus.

— Mais si, tu la verras, elle te l'a dit. Et puis, elle n'est pas encore partie, elle va revenir, sa maison est ici.

Le lendemain, le docteur Harvey et Barbara eurent de longues conversations. Le docteur avait une imposante demeure, de style anglais, avec de belles grandes pièces. Dans le grand hall d'entrée, trônait un majestueux escalier tournant, en chêne ; venait ensuite le salon avec vaste foyer, puis la salle à manger adjacente. De larges moulures et plinthes aussi en chêne ornaient toutes les pièces. La maison était peinte de couleurs douces, neutres. « *Old money dœsn't go flashy* (Quand on a de l'argent, on n'en fait pas étalage) », avait pensé Barbara en la visitant. Magnifique, très chaleureuse. William aimait cette maison, il guettait sa réaction.

— Ma chérie, j'aime cette maison, je m'y sens bien… comme dans une vieille chaussure confortable. Cela dit, je t'aime encore plus.

— J'aimerais une résidence bien à moi, mais celle-ci me plaît aussi.

Les larmes aux yeux, il la serra dans ses bras.

— Si tu préfères vivre ailleurs, je la vendrai.

— Merci pour cette marque d'amour ; je serai heureuse ici avec toi.

Ils s'assirent dans le solarium devant un grand parterre manucuré et des massifs de fleurs. Cette pièce était sa préférée. William avait longuement réfléchi ; cette maison avait été décorée et meublée par sa première femme, il voulait qu'elle change tout le mobilier, qu'elle la fasse peinturer à son goût.

— Cher William, je ne changerai pas tout le mobilier, seulement celui de notre chambre.

— Tout ce que tu voudras, mon amour ; cette maison a besoin d'une cure de rajeunissement. Avec toi, je me sens comme un jeune débutant.

Elle le regarda en souriant.

— Je n'ai pas beaucoup d'expérience, mais je pense que tu es aussi performant qu'un jeune débutant.

Comme il aimait cette femme ! Ils discutèrent finances ; elle conservait son argent, il pouvait la faire vivre. Barbara lui rappela qu'ils allaient former un couple et qu'elle aimerait contribuer de diverses façons. Tel père, tel fils ! Ce n'était pas négociable. Pour le mariage, ils convinrent d'une cérémonie toute simple, la famille immédiate et deux ou trois couples d'amis ; une trentaine d'invités tout au plus.

Allana ne s'était pas remise de l'annonce du mariage de son père. Elle ne connaissait même pas cette Barbara Starr, la tante de Tara. Elle aimait bien Tara. Mais son père avait perdu la tête ! Elle l'adorait, son père, elle ferait un effort pour lui plaire... Elle avait été agréablement surprise de l'amabilité et de la gentillesse de cette femme racée, mais elle devrait faire un effort.

Barbara ne rampa pas devant la fille de William. Fidèle à elle-même, chaleureuse, authentique, elle lui parla de leurs projets. Allana s'offrit même pour organiser la réception. Son père était un chirurgien très connu et madame Starr, une grande dame. William protesta un peu, mais Barbara lui donna carte blanche, tout en précisant qu'elle aimerait que le tout reste simple et intime, une cinquantaine d'invités.

— Vous avez toute ma confiance. Je ne serai jamais votre mère ; votre père l'adorait, vous aussi. Je vais simplement tâcher de le rendre heureux et de l'être aussi.

Barbara, Tara et Allana magasinèrent un nouveau mobilier de chambre à coucher et de salon. Allana lui conseilla de changer les carpettes du premier et les tapis du deuxième, ainsi que les tentures. La maison serait repeinte de fond en comble. Allana était emballée, elle n'aurait pas aimé que son père vende la maison où elle était née ; cette maison faisait partie de son héritage.

Scott était tout aussi ravi, cette maison représentait sa mère, son enfance.

Barbara devait retourner en Irlande; elle n'était venue que pour quelques mois. Il lui fallait s'occuper de fermer sa maison, de régler ses affaires matérielles et financières. William tenait à l'accompagner, il ne la lâchait pas d'une semelle.

Deux semaines plus tard, ils partaient pour l'Irlande. Dès leur arrivée, Barbara et William se rendirent chez son beau-frère et sa belle-sœur à Navan. Ils étaient peinés que Barbara s'exile au Canada, mais soulagés de la voir si heureuse. Ce William! « *Quite a catch!* (Une belle prise!) »

Barbara et William se rendirent aussi chez les Ryan. Maggie se joignit à eux. Barbara leur montra des photos de Tara, sa maison, l'extérieur et l'intérieur, la serre, la cour, sa voiture et l'hôpital où elle travaillait.

— Nous sommes très heureux pour elle. Vous savez, nous l'aimons beaucoup, c'est un peu notre fille.

Maggie examinait chaque photo, surtout celle de Scott. Tara lui manquait beaucoup.

— *My God! What a hunk!* (Mon Dieu! Quel beau mâle!) Le père et le fils, deux médecins; ils vont épouser deux Irlandaises. Des hommes sensés!

Son amie Tara... quelle maison! Et ces meubles! Elle était millionnaire! Wow! Elle allait s'enfler la tête! Enceinte de huit mois, Maggie n'avait rien perdu de sa bonne humeur. Peut-être qu'un jour, elle irait au Canada.

58

Que je t'aime !

Quand Tara songeait à sa première année au Canada, elle avait peine à se reconnaître. Arrivée dans un pays inconnu, appréhendant l'avenir, elle était maintenant propriétaire de sa maison, avait un emploi, des amis, un amoureux, et sa tante allait épouser son futur beau-père ! Un vrai roman, presque trop beau pour être vrai. Les événements tragiques d'Irlande ? Un passé lointain, dans un monde où ses pensées et ses émotions étaient enfouies. Mamie n'était jamais très loin, un peu comme son ange gardien. Patrick ? Elle ne voulait se rappeler que sa tendresse et sa grandeur d'âme. Elle parlait bien le français, faisait quelques erreurs encore ; son accent, elle ne le perdrait jamais ; c'était cette partie de son passé dont elle refusait, inconsciemment, de se départir, ce lien du cœur qui la liait à sa terre natale. Elle aimait bien le Québec et le Canada, un pays si grand. Elle adorait Pointe-Claire ; chaque matin, elle n'avait qu'à lever la tête pour apercevoir le lac, sa surface changeante, une merveille chaque jour renouvelée. Perdue dans ses pensées, elle n'entendit pas les coups frappés par Kathleen. Finalement, elle se « réveilla ».

— J'ai cogné trois fois, tu dormais ?

— Non, j'étais ailleurs...

— Rien de grave ? Avec Scott ? C'est le même ravissement ?

— Non, non, un retour sur le passé. Scott ? Je l'aime, notre relation devient sérieuse. Il compte les jours... non, les secondes. À Noël, nous nous fiançons.

— À l'hôpital, ils sont au courant ?

— Oui, mais personne n'ose en parler ouvertement, ils chuchotent, mais je fais la sourde.

— Alors à Noël, vous vous fiancez?

— Oui, et nous nous marierons en juin prochain.

Kathleen était soulagée, elle pourrait continuer à voir Tara seule. Leur amitié s'était épanouie, elles aimaient se retrouver. Tara l'avait rassurée: quoi qu'il advienne, jamais elle ne sacrifierait leur amitié.

— Quand tante Barbara et le docteur Harvey se marient-ils?

— Le 3 décembre. C'est presque incroyable; ils s'aiment comme de jeunes tourtereaux. L'amour n'a pas d'âge.

Le mariage de Barbara et de William Harvey fut empreint de douceur et de sérénité. Tara n'avait pu retenir des larmes de joie; malgré elle, elle se revit à Navan, au bras de Patrick, son visage radieux. Était-ce possible? Un an et demi s'était écoulé depuis son arrivée; dans son esprit, des années-lumière. Mamie, chère Mamie, je sais que tu veilles sur moi, j'entends ta voix me murmurer: «Je suis fière de toi, ne regarde pas en arrière.» Devinant ses pensées, Scott lui prit la main et murmura: «Bientôt, ce sera notre tour!» Elle se ressaisit, c'était la journée de sa deuxième Mamie, Barbara; le temps était à la réjouissance.

Durant la réception, dans une des salles du Reine-Elizabeth, sur l'insistance d'Allana, Tara s'était approchée des nouveaux mariés et, accompagnée de l'orchestre, elle avait interprété la chanson du compositeur Jean Lenoir et popularisée par Lucienne Boyer, *Parlez-moi d'amour*, ainsi que *Love Me Tender*, de Presley. Émus, William et Barbara l'écoutaient, se regardaient amoureusement. William ne touchait pas à terre. Admirant Barbara, il aurait voulu l'avoir dans son lit. Scott écoutait Tara, son accent ajoutait une touche de charme. Il aurait voulu enlever sur-le-champ ce rossignol et lui faire l'amour. Le père et le fils, deux amoureux au sang chaud!

Noël 1967. Tara dormait d'un sommeil de plomb. Elle n'avait laissé l'hôpital qu'à vingt-deux heures la veille. Ensuite, le réveillon chez les Legault s'était terminé au petit matin... Alors, quand on sonna à la porte à six heures trente, elle n'avait pas envie de répondre. On insistait! Enfilant sa robe de chambre, les cheveux en broussailles, elle descendit l'escalier en grommelant.

— Joyeux Noël, mon amour!

Scott se tenait devant elle, un sourire fendu jusqu'aux oreilles. Les yeux écarquillés, elle le regardait sans comprendre.

— Que fais-tu ici ?

— Tu me fais entrer ou tu me laisses geler dehors ?

— Pour m'avoir réveillée ? *Freeze !* Gèle dehors... Non, non, entre, entre.

Il entra, la souleva et la déposa sur le divan. Elle voulut protester, mais il étouffa chaque mot par un baiser.

— C'est Noël, mon amour. Il fallait que je te voie, que je t'embrasse. On se fiance aujourd'hui, dans onze heures, vingt-huit minutes et trente secondes. Tu m'entends ?

— Je suis morte de fatigue. Tu as oublié le réveillon ?

— Trop de monde. Tu veux qu'on aille se coucher ?

— Scott ! Je veux aller dormir.

— Avant, tu dois me souhaiter un Joyeux Noël et des centaines d'autres. Ce Noël est d'une importance capitale. Tu sais, je viens de vivre six mois d'attente, anxieux, souffrant. Alors à partir d'aujourd'hui, mon *petit grenouille* rousse ?

Il attendait, la questionnait d'un sourire inquiet. Elle n'avait pas oublié, elle y avait même pensé sans arrêt. Elle se lova dans le creux de son épaule et murmura : « Oui, chéri ! » Il poussa un profond soupir de soulagement, se leva sans la lâcher, se mit à valser dans le salon en chantant la chanson de Johnny Hallyday : « Que je t'aime... » Il était fou, fou d'amour, et elle l'adorait. Il grimpa l'escalier, la déposa sous les couvertures, fit semblant de se glisser à ses côtés. Horrifiée, elle le repoussa. Il s'allongea sur les couvertures. Un long silence suivit, puis il retira son manteau, qu'il n'avait pas pris le temps d'enlever, sortit deux petites boîtes de sa poche et les lui tendit.

— C'est ton cadeau de Noël.

— Mais tu m'en as déjà donné quatre hier soir.

— C'était hier soir ; là, c'est différent, plus intime, tu ne trouves pas ? Ouvre !

Dans la première, une paire de boucles d'oreilles en perles.

— Qu'elles sont belles ! *Too much !* C'est trop, Scott.

— Chut ! Chut ! Rien n'est trop beau pour toi. Ouvre l'autre !

Dans la petite boîte rectangulaire, une broche en forme de grenouille, sertie de jolies pierres vertes. Elle secoua la tête, cet homme était... Elle l'attira vers elle et l'embrassa ; leur baiser s'éternisa, des flammes léchaient son corps ; il ne fallait pas, elle le repoussa difficilement, mais gentiment. Son corps avait une envie folle de lui faire l'amour, il la désirait, mais il se retint. Il releva la tête, la contempla. Jamais besoin d'artifices, elle était belle à croquer. Dormir à ses côtés ! Ni passé ni futur, seul l'instant présent. Son cœur débordait, ses sens brûlaient de passion.

— Dors, ma chérie. Je viendrai te chercher à dix-huit heures.

Il dégringola l'escalier, elle resta allongée, admira les boucles d'oreilles, sourit en regardant la broche. Leur premier Noël en amoureux et leurs fiançailles. Un pur bonheur !

Les fiançailles eurent lieu chez le docteur Harvey et Barbara. Ils avaient voulu organiser une réception grandiose, mais Tara s'y était catégoriquement opposée. Elle capitula quand ils insistèrent pour qu'elle ait lieu chez eux, mais ils durent limiter le nombre d'invités. Ils se mirent d'accord sur une trentaine ; la famille Legault au grand complet, son amie Joan, Allana et son ami, deux couples amis de Scott et quelques vieux amis du docteur. Ce dernier adorait son fils et Tara, Barbara rayonnait de bonheur, du sien et de celui de sa « fille ». Ils ne lésinèrent pas sur les coûts. Un traiteur et deux serveurs s'occupaient des invités.

Scott se leva et présenta à Tara la bague de fiançailles.

— Je porte un toast à ma future épouse, celle qui a conquis mon cœur et que j'aime plus que moi-même. Merci, Tara !

La bague était toute simple, ornée d'un beau solitaire, un diamant d'une extraordinaire pureté. Émue, Tara l'embrassa. À son tour, le docteur porta un toast à son fils et à sa future bru, une perle, qu'il était heureux d'accueillir dans sa famille. Après le repas, il s'enquit auprès de Tara. Est-ce qu'elle accepterait de jouer pour lui et leurs invités ? Barbara le souhaitait aussi.

— La plupart sont vos amis, et vous nous feriez un si grand plaisir !

Orgueilleux, il se faisait une joie de montrer le talent musical de sa future bru. Astucieux, il savait s'y prendre, elle ne put refuser. Il invita tous les invités à s'asseoir. Scott connaissait son père,

difficile de lui dire non! Il s'accouda sur le piano. Un silence religieux puis Beethoven, Pachelbel, Bach, Vivaldi; pour terminer, *L'Enfant au tambour* et *Douce nuit*. Les invités se mirent à chanter et Tara joignit sa voix aux leurs. Scott la dévorait des yeux, mais elle était ailleurs, la musique était son amant. Barbara et William, serrés l'un contre l'autre, émus, étaient fiers d'elle.

Le temps s'écoulait. Amoureux fou, Scott comptait les jours et surtout les nuits, il piaffait d'impatience. Durant les vacances et leurs jours de congé, il lui fit découvrir la ville de Québec, les régions environnantes, Ottawa, les chutes du Niagara sous la glace, etc.

Quel merveilleux pays, si immense! Elle ne regrettait pas d'être venue s'y établir.

Le 17 mars, fête des Irlandais, alors qu'ils soupaient en amoureux, Scott lui fit remarquer qu'il était plus que temps de fixer la date de leur mariage. Barbara aussi lui en avait parlé. C'était tellement un grand pas, elle temporisait. La regardant amoureusement, il lui demanda ce qu'elle pensait du 8 juin?

Elle inclina la tête:

— *Tha, Mo Shearc!* (Oui, mon chéri!)

Malgré l'atmosphère sophistiquée du restaurant, il se leva d'un bond, la prit dans ses bras et l'embrassa sous les applaudissements des convives. Confuse, elle essaya de se dégager. Des voisins de table souriaient avec tendresse. «Elle a dit oui?» D'un signe de tête, il acquiesça.

Il lui demanda de répéter «Oui, mon amour» en gaélique.

— *Tha, Mo Shearc!*

— J'aimerais une lune de miel à Hawaii. Penses-tu que deux mois et demi pour la préparation du mariage et trois semaines pour la lune de miel suffiront? Tu sais que Barbara va vouloir t'aider, alors...

Un frisson la parcourut, deux mois, et elle serait sa femme. Il y avait tant à faire. Tara lui demanda s'il était trop tard pour arrêter chez son père et Barbara.

— Ils nous attendent.

Surprise, Tara s'exclama:

— Tu étais certain que j'accepterais?

— Non, mais je l'espérais de tout mon cœur, et je savais que tu voudrais en parler à Barbara. Si nous ne sommes pas là dans une demi-heure, cela voudra dire que tu as refusé, mais... je pense qu'elle doit déjà être à préparer la liste des choses à faire.

Il ne se trompait pas! Ils guettaient leur arrivée. La porte s'ouvrit; William et Barbara les embrassèrent. Barbara tint longtemps Tara contre son cœur. Le docteur Harvey exultait. Un Dom Pérignon et du cristal les attendaient.

— Scott, je suis heureux d'accueillir cette belle Irlandaise dans notre famille. Je suis choyé d'en avoir une. Qui aurait cru? Alors, la date?

— Le 8 juin! Nous avons un peu plus de deux mois. C'est suffisant!

Barbara ne fut pas de cet avis.

— Mais ça ne nous laisse que peu de temps pour tout préparer!

— Ne vous en faites pas, je connais une belle salle, un excellent traiteur, je veux payer la note.

— William, en Irlande, c'est la famille de la mariée qui supporte les coûts. Je n'ai jamais eu d'enfant, si j'avais eu une fille, j'aurais aimé qu'elle soit la jumelle de Tara; je la considère comme ma fille par adoption. Je vais payer la note.

William prit Barbara par la taille, la caressa du regard.

— Ici, au Québec, c'est la même coutume, mais nous deux, chérie, pour mon fils et ta fille, nous deux allons payer la note. Ce sera une belle noce.

Tara et Scott se regardaient. On parlait de leur mariage.

— Holà! C'est notre mariage, pouvons-nous être consultés?

— Non, pas pour la réception! Scott, tu vas t'occuper des alliances, de tes vêtements, de la lune de miel; Tara et moi, des choses de femmes: sa robe, notre liste d'invités. William et Scott, vous nous donnerez la vôtre. Maintenant, buvons à ce charmant couple.

Scott et Tara étaient bouche bée. Ils se regardèrent, puis éclatèrent de rire; ils essayaient d'arrêter mais, fébriles, ils recommençaient de plus belle. Scott se leva.

— Viens, Tara, ils n'ont pas besoin de nous. Nous reviendrons un peu avant le 8 juin, quand tout sera prêt.

Tara se leva, ils se dirigèrent vers la porte. Barbara et William leur barrèrent le chemin.

— D'accord! D'accord! On a compris. Buvons un verre de champagne.

Barbara et Tara décidèrent de se retrouver le lendemain afin de planifier les préparatifs. Le docteur William rayonnait de bonheur. Des tas d'idées lui trottaient dans la tête, il avait hâte d'en discuter avec sa chère Barbara.

Ils se séparèrent. Une demi-heure plus tard, Tara était chez elle, dans les bras de Scott. Il la tenait serrée contre lui. Il caressa ses cheveux, embrassa son cou, tout son visage, trouva ses lèvres qu'il effleura doucement, ses baisers se firent plus ardents, plus exigeants. Elle passa ses bras autour de son cou et lui rendit ses baisers, leurs cœurs battaient à l'unisson. Leurs corps brûlaient de désir. Ils durent se faire violence, la passion occultait leur raison.

— Tara, je t'aime et je vais t'aimer toute ma vie. Je suis un homme de parole, je veux que tu te souviennes de mes mots. Je veux vivre avec toi, avoir des enfants avec toi, vieillir à tes côtés. Jamais je ne te laisserai tomber. Je suis le plus heureux des hommes.

— Je t'aime aussi, de tout mon cœur, et j'ai confiance en notre amour.

Ils avaient déjà discuté de l'endroit où ils allaient habiter. Tara adorait sa maison et l'idée de la vendre la rebutait. Mais ils voulaient des enfants, deux, peut-être trois, ils auraient besoin de trois à quatre chambres, d'une salle de jeu. Malheureusement, sa maison n'était pas assez grande.

— D'ici, la vue est tellement belle, je vois l'eau… et ma serre, ça me brisera le cœur de ne plus l'avoir.

— Je suis chirurgien, je sais réparer les cœurs brisés. Tu auras une serre et, s'il le faut, je déménagerai le lac. Nous visiterons quelques propriétés et achèterons celle que tu aimes. Ensuite, je ferai construire une serre, encore plus grande que celle que tu as. Tu veux bien venir en visiter?

— Ton appartement?

— On n'élève pas des enfants dans un appartement.

Ils décidèrent de chercher quelque chose à Beaconsfield, l'hôpital étant à proximité. Elle avait un sentiment d'appartenance avec le Village, la pointe, les magasins. Scott donna un coup de fil à son agente d'immeubles, il lui expliqua clairement ce qu'il désirait.

— Rappelez-moi uniquement quand vous aurez trouvé ce que je cherche. En attendant, je cherche de mon côté, je suis très pressé.

L'agente flaira la bonne affaire. Le connaissant, elle ne perdit pas de temps en frivolités. Le lundi matin, elle lui laissa un message à l'hôpital. Aussitôt son quart de travail terminé, il la rappela. Elle avait quatre maisons à lui présenter, mais trois ne remplissaient pas ses conditions.

— Elles ont d'autres avantages…

— Madame Baker, elles ne m'intéressent pas.

— J'en ai une autre, tout ce que vous désirez et même plus, mais le prix…

— Quand peut-on la visiter ?

Tara et Scott s'y rendirent aussitôt. Imposante, elle avait fière allure. De larges fenêtres laissaient pénétrer la lumière extérieure. Scott pria l'agente de les attendre dans la voiture, il voulait visiter seul avec sa future épouse. Le premier étage comprenait une cuisine doublée d'un grand boudoir, un salon avec foyer en pierre des champs, une salle à manger avec porte-fenêtre donnant sur une véranda, un bureau et une salle de bain. Une belle cour paysagée avec piscine creusée. Quatre chambres à coucher à l'étage, une salle de bain attenante à la chambre principale, celle-ci s'ouvrait sur un balcon donnant sur un lac. Tara était bouche bée.

— Mais c'est le lac Saint-Louis ? Quelle vue !

— Je t'avais dit que je le déménagerais. Romantique, n'est-ce pas, ma chérie ? Tu nous imagines faisant l'amour ici, face au lac ? Nous pourrions nous exercer, là, maintenant…

Il l'embrassa. Il y avait une seconde salle de bain à l'usage des trois autres chambres. Une moquette épaisse et soyeuse recouvrait tout le deuxième, ainsi que le salon et la salle à manger. Au sous-sol, une grande salle de séjour, une salle de lavage, deux autres chambres et une salle de bain. La maison entière, y compris le sous-sol, était très éclairée.

— Mais elle doit coûter une fortune?

— Viens, chérie, nous allons discuter du prix avec l'agente.

Le vendeur demandait 95 000 dollars. Scott offrit 85 000 dollars.

— Pas un sou de plus. Arrangez-vous avec le vendeur et rappelez-moi s'il accepte.

De retour chez elle, ils discutèrent de l'arrangement financier. Tara tenait à contribuer et, malgré les protestations de Scott, elle ne céda pas d'un poil. Scott décréta que la propriété serait à leurs deux noms. Elle vendrait sa maison, lui avait déjà vendu la sienne l'année précédente. Il ne manquait que la serre.

— Avec une si belle résidence, je pourrais m'en passer.

— Il n'en est pas question. Quand nous aurons des enfants, tu auras besoin d'un coin à toi pour te détendre, oublier les bouteilles et les couches et... pour fleurir cette maison. Est-ce que tu l'aimes? Je veux que tu te sentes bien à l'idée d'y vivre avec moi... et nos enfants.

— Oui. Même si je suis triste à l'idée de vendre la mienne, celle-ci réjouit mon cœur, mon âme; oui, je la veux. Nous emporterons mes meubles, ils sont dignes de cette maison.

— N'oublie pas les deux coussins.

Son père et Barbara étaient heureux, ils leur remirent un chèque de 25 000 dollars. Scott protesta, mais William s'entêta.

— Notre cadeau de noce à vous deux. Je n'ai qu'un fils et Barbara n'a qu'une fille; vous nous feriez beaucoup de peine en refusant cet argent. Ta mère aimait les fleurs, Tara aussi. Fais-lui construire sa serre.

Tara ne voulait pas, mais Scott lui expliqua que son père et sa tante seraient très chagrinés s'ils refusaient. N'ayant pas le courage de les contrarier, elle capitula.

Les quelques rénovations et réparations nécessaires avaient été confiées à Midas. La maison serait repeinte de fond en comble, ils avaient choisi les teintes; Scott partageait les goûts de Tara. Sa maison serait décorée avec goût, il se fiait à son jugement. Les tapis seraient remplacés par ceux qu'ils avaient choisis. Scott avait quelques meubles, dont un bureau en chêne et une bibliothèque, qu'il tenait à garder. Barbara, Tara et Allana avaient choisi

de nouvelles tentures, les fenêtres de la nouvelle maison étant beaucoup plus grandes. Allana aimait sa future belle-sœur qui, tout comme sa tante, était la discrétion même. Scott s'était entendu avec Midas pour que tout soit prêt, y compris la serre, avant leur mariage. Une compagnie de déménagement avait été engagée pour emballer et déménager le tout. Tara avait protesté.

— Mais ça va coûter une fortune! On pourrait au moins *pack* nos affaires, ce n'est pas si difficile.

— Chérie, regarde ces mains, je dois les protéger, elles sont faites pour caresser ma femme d'abord, pour opérer et soigner les malades, pas pour les déménagements. Les tiennes, mon amour? Pour me flatter, m'exciter, tu comprends. J'adore mon travail, il est exigeant, alors chez moi, je veux être bien.

La question des finances était déjà réglée. Tara était très économe, même si elle avait relâché les cordons depuis son arrivée... un peu trop, affirmait-elle. Quand Scott avait vu son livre de comptes, il avait failli pouffer de rire, mais devant la mine sérieuse de Tara, il s'était ressaisi.

— Mamie m'a enseigné que, sans sécurité financière, une femme est sans défense. Vivre comme ma mère le faisait? Jamais! Plutôt mourir!

— Mon adorable *petit grenouille*! Non seulement belle et bonne, mais elle va m'apporter le bonheur, le plaisir et la sagesse de Salomon.

Ému, Scott avait vite compris que c'était un sujet délicat. Il lui fallait être d'accord, s'il voulait garder l'harmonie dans son ménage. Tara était l'opposée de sa première femme, elle voulait un foyer stable, une certaine sécurité. Son comptable, Bob Johnson, s'occupait de ses économies. Scott avait quelques placements, sa mère lui avait laissé 150 000 dollars en héritage.

— Je ne pratique que depuis cinq ans et demi. J'ai vendu ma maison, le cadeau de mon père et Barbara, alors... je ne suis pas dans la rue.

— Scott, je ne veux pas que ce soit « mon argent » et « ton argent ». Nous mettons tout en commun.

— Pas question! Cet argent t'appartient, tu l'as gagné et tu vas le garder. Je peux faire vivre ma femme.

Tara protesta, mais en vain. Scott était intraitable. Elle eut beau dire, il demeura inflexible. Il payerait les dépenses de son foyer.

— Incluant tout ce que ça comprend : l'électricité, le chauffage, la nourriture, la bonne, le jardinier, les sorties, tout.

Elle ne pourrait contribuer à certaines dépenses avec ses économies ? Muette de stupéfaction, elle fouilla son regard. Il avait son visage de chirurgien. Les larmes aux yeux, elle se leva et se mit à arpenter la pièce. Elle s'arrêta et le domina du regard. Ses yeux brillaient, son tempérament irlandais en pleine ébullition.

— Ce n'est pas une union et *not fair*, pas juste. Je vais être ta femme, mais je serai toujours une femme libre, je ne veux pas avoir à justifier toutes mes décisions. Je veux bien que tu paies les dépenses du quotidien, mais je veux pouvoir dépenser cet argent à ma guise. Comme t'acheter un cadeau si ça me tente, peut-être de courtes vacances inattendues, une surprise pour nous, parfois même un vêtement, un petit cadeau pour nos enfants, mes amis. Je vais faire en sorte de ne pas tout dépenser cet argent, les intérêts. O.K. Parfois même, si nécessaire… un peu du capital. Je ne veux jamais mentionner en public mon argent ou le tien, nous formons un couple.

Elle resta debout, guettant sa réaction. Il lui fit signe de venir s'asseoir à ses côtés, mais elle ne bougea pas. Il se leva, la prit dans ses bras. Il ne pouvait qu'admirer son courage et sa détermination. Bien des femmes lui faisaient des avances, elles auraient bu ses paroles, auraient acquiescé à ses moindres désirs. Pas Tara ! Intérieurement, il s'en réjouissait.

— Ma chérie, tu as raison. Cet argent, tu en disposeras à ta guise. J'aimerais parfois que tu m'en parles, j'aimerais savoir ce que tu en fais. Si tu m'achètes un cadeau, s'il vient de toi, ce sera différent. Nous allons avoir un compte conjoint et tu t'occuperas du budget. D'accord !

Soulagée, elle se dirigea vers le piano et se mit à jouer. Les notes exprimaient son bonheur. Le visage de son père s'imposa à Scott, il sourit. William lui avait dit que cette Irlandaise avait du sang dans les veines. Elle ferait une épouse incomparable, comme sa Barbara.

— Mais ne compte pas qu'elle dise toujours oui, elles ont le courage de leurs convictions. Une vie passionnée et intéressante t'attend, mon fils.

Il devait s'expliquer.

— Tara, entendons-nous, tu as les cordons de la bourse, mais je n'ai pas l'intention de venir te quémander de l'argent, jamais. Je suis un homme raisonnable qui aime bien vivre. J'ai hâte de passer mes soirées chez nous avec toi. Mais nos journées de congé et les fins de semaine, nous allons recevoir des amis, sortir, aller au théâtre, faire du ski, jouer au golf...

— Mais je ne sais pas jouer!

— Tu vas prendre des leçons, je veux jouer au golf avec ma femme.

Un sourire en coin, elle affirma qu'il allait compliquer son budget.

59

Mon adorable *petit grenouille*

Le dimanche, après son travail, Tara se rendit chez Barbara ; Allana y était déjà. William nageait en plein bonheur. Après un bref souper, elles s'installèrent dans la cuisine. Scott vint les rejoindre une heure plus tard. Sirotant une bière, il s'assit au salon avec son père. Barbara avait pris de l'avance, une longue liste attendait Tara et Allana. D'abord, la cérémonie à l'église. Tara voulait que sa tante lui serve de témoin, mais celle-ci refusa.

— Tu as été mon témoin, tu es jeune, mais je suis trop vieille pour être le tien. Tu dois prendre quelqu'un de ton âge. Que penses-tu d'Allana et de Kathleen ?

Allana rougit de plaisir. Kathleen aussi serait ravie.

Elles demandèrent à Scott s'il avait un ami qu'il souhaitait avoir comme témoin. Oui, Jeff, son ami de toujours. Allana avait un copain. La réception ? Tara préférait quelque chose de simple. Le docteur William en avait discuté avec Barbara et sa fille, il désirait une belle réception, avec au moins deux cent cinquante invités. Tara poussa les hauts cris. Elle n'en voulait pas plus de cinquante. Calmement, Barbara la raisonna.

— Une jeune femme doit avoir un grand mariage, c'est le plus beau jour de sa vie. Scott n'est pas le premier venu, il est chirurgien, tout comme son père. Allana est professeure à l'Université McGill. Ils ont des amis, des collègues de travail, des gens avec qui ils fraternisent, sortent. Scott est fou d'amour pour toi, il voudra le montrer au monde entier. Son père est presque aussi pire et moi, tu es ma fille adoptive chérie. Tu dois tenir compte de toutes ces personnes.

Tara soupira. Elle entrait dans un monde tellement différent de celui de son enfance ! Elle voulut contribuer aux dépenses.

— Tara, nous avons suffisamment d'argent, ne te tracasse pas avec ce détail. Fais-nous plaisir et concentre-toi à être heureuse. Repose-toi, sors avec Scott. Nous sommes tellement favorisés !

— Alors, je vous laisse carte blanche.

— Merci. Tu ne seras pas déçue.

— Je n'ai personne pour me conduire à l'autel. Pensez-vous que le docteur Harvey accepterait ?

Elle fit venir Scott et le lui demanda.

— Ma chère, il va être fou, fou ! Il va t'offrir un trône.

Elle alla au salon, s'approcha du docteur.

— J'ai un grand service à vous demander. Je comprends si vous ne voulez pas.

— Demande, ma chère Tara, demande.

— Je n'ai pas de père, je me demande si vous voulez me servir de père et me conduire à l'autel.

— Tu as pensé à moi ? Te conduire à l'autel ? Tara, ce sera un grand honneur pour moi. Merci ! Merci !

Avec un trémolo dans la voix, il ajouta :

— Tara, vous êtes un cadeau du ciel. Quel veinard, mon fils !

Scott s'était approché de Tara.

— Mon père n'oubliera jamais cette marque d'affection.

Les dames retournèrent aux préparatifs du grand jour. La réception était entre les mains de Barbara, William et Allana. Pour les invitations, ils choisirent une belle carte en papier parchemin, décidèrent du libellé en lettres dorées et la montrèrent à Tara et Scott. Les yeux écarquillés, Tara regarda son fiancé ; celui-ci hocha la tête. William connaissait une bonne imprimerie.

— Il faudra les poster trois semaines avant le mariage ; les gens doivent avoir le temps de répondre.

— Ta robe, Tara ! Il te faut une robe élégante, un ensemble de voyage et quelques toilettes, des accessoires. Tu épouses un chirurgien ! Je veux une robe chic, élégante, mais simple.

Les brillants et le froutefroute…

Allana et Barbara faillirent s'étrangler. Tara rougit, se reprit.

— Brillants et… frou-frou, ce n'est pas mon genre. Comme j'aimerais que Maggie soit là ! Elle fait partie de mon passé, des bons et des mauvais moments. Je lui dois tant !

— Je comprends. Tu dois l'appeler, elle va être heureuse pour toi.

Elles causèrent encore quelques instants, puis Tara et Scott les quittèrent.

— On se marie, toi et moi, mais ne t'oblige pas à faire des choses qui te déplaisent. On peut aller se marier quelque part en secret.

— Pas question. Ce mariage, c'est un événement important de ma vie. Je t'épouse parce que je t'aime passionnément et que, sous ton apparence sévère, parfois autoritaire, tu es un homme bon et généreux. Alors pour ton père, pour ma chère Barbara, pour ta sœur, toi et moi, nous aurons un beau mariage. Je leur ai donné carte blanche.

— Carte blanche ? À mon père ? À Barbara et Allana ? *Oh boy !* Ce sera une journée inoubliable ! Mais que nous soyons vingt ou cent ne changera rien à nous deux et au plus beau jour de ma vie, parce que je t'aime et que tu seras ma femme pour toujours.

La nouvelle du mariage du docteur Harvey et de madame Delaney se répandit dans l'hôpital comme un feu de brousse. En général, les membres du personnel étaient heureux pour eux, mais quelques infirmières étaient vertes de dépit. Un si bel homme et cette étrangère, cette Irlandaise intrigante ! Elles n'osèrent toutefois pas afficher publiquement leur jalousie. À part garde Peters.

— Pour une jeune femme qui ne voulait pas fréquenter les hommes, vous vous êtes plutôt bien débrouillée !

— Je n'ai rien contre l'amour.

— L'amour, l'argent et le prestige…

— Garde Peters, je suis financièrement indépendante et le prestige, c'est pas pour moi.

— Belle, riche et sainte. Mes félicitations !

Tara resta figée sur place. Joan la trouva immobile, les yeux au loin.

— Toc, toc, la rousse est en Irlande ? Reviens sur terre.

Tara lui raconta sa rencontre avec garde Peters.

— Elle a tout essayé pour attirer ton amoureux dans ses filets, il ne la regarde même pas. Alors, oublie ça. Elle est juste jalouse ; elle a commencé à sécher, et ça la désole. Je suis contente pour toi et j'espère que tu ne m'oublieras pas.

Tara l'assura qu'elle serait invitée, qu'elle serait avec ses amis et qu'elle avait l'intention de continuer à travailler. Joan était aux anges.

— Ma chère, je vais aller m'acheter une belle robe, même si je dois casser mon cochon. J'ai bien hâte.

Barbara et William eurent beaucoup à faire. Parfois, ils discutaient à la maison, sous les draps ou au restaurant. William préférait parler au lit ; c'était tellement plus facile de se mettre d'accord ! Un soir, alors que Barbara parlait de Tara, elle lui avoua que la seule ombre au tableau était l'absence de son amie d'enfance, Maggie. Mariée depuis deux ans, avec un bébé, celle-ci ne pouvait se permettre une telle dépense. Le docteur William la questionna.

— Ça peut coûter combien pour le billet d'avion ?

— Aller-retour, en argent canadien, un peu plus de 600 dollars.

— Ce n'est pas la mer à boire ! Ce mariage va nous coûter quatre à cinq mille dollars, à part les cadeaux et quelques petites folies. Notre maison est payée, nous avons des économies, nos pensions, alors... Veux-tu t'occuper de la faire venir ? Nous voulons que Tara soit heureuse. Si elle l'est, Scott le sera.

— Docteur William, vous êtes un chic type et je vous adore. Quel merveilleux cadeau !

Il fut convenu que Barbara s'en chargerait. L'après-midi même, elle appelait Maggie. Son absence était ce qui manquerait le plus à Tara.

Surprise, Maggie était incapable d'articuler un seul mot. Barbara dut s'y prendre à deux fois pour qu'elle revienne sur terre. Est-ce qu'elle acceptait d'être une des trois filles d'honneur de Tara ? Est-ce que son mari pourrait s'occuper du bébé ?

Maggie en discuterait avec lui, elle était déjà folle de joie à l'idée de revoir Tara.

— *I miss her so*. (Elle me manque tellement.)

Il fut convenu qu'elle arriverait cinq jours à l'avance, peut-être le lundi, afin de passer quelques jours avec Tara avant son mariage. Barbara ferait faire sa robe dès son arrivée. Quelques heures plus tard, Maggie rappelait. Elle viendrait, elle mourait d'impatience. Il fut entendu qu'elles n'en diraient rien à Tara.

Le week-end du 2 juin, Tara et Scott étaient assis côte à côte dans le salon. En ce qui les concernait, les préparatifs étaient terminés. Ils connaissaient peu les détails de la réception. Plus de cent soixante-quinze personnes avaient répondu à l'invitation. Sa robe, son voile, ses chaussures et ses gants reposaient dans sa garde-robe, de même que son costume de voyage et quelques robes et accessoires. Scott s'était acheté un bel habit, avec chemise et tout le tralala.

— Tu sais, ma chérie, que c'est notre dernier samedi en célibataires.

— Tu as hâte ? Tu as des regrets ? Il est encore temps.

— Ma chère Tara, oui, j'ai des regrets : encore une longue semaine sans toi. J'ai apporté quelque chose pour toi.

Elle avait vu la longue boîte.

— Tu veux l'ouvrir ?

Elle l'ouvrit, retira le papier de soie blanche et en sortit un splendide collier de perles.

— Tu ne peux te marier sans un collier de perles.

Muette, elle effleura les perles, elles devaient coûter une fortune. Elle aurait voulu le disputer. Anxieux, il la regardait.

— Tu veux bien l'essayer ?

Elle se leva ; il le lui attacha.

— Tu l'aimes ? Viens te regarder dans le miroir.

Elle se laissa faire.

— Comme c'est beau ! *Too much !*

Elle se blottit dans ses bras. Pour elle, il décrocherait la lune. Il l'aimait tellement ! Il ne la quitta qu'à minuit. Sachant que Maggie arrivait le lundi soir, il était aussi excité qu'un gamin. Le dimanche, ils soupèrent chez Barbara et William. Allana et son ami, Daniel Després, s'étaient joints à eux. Allana était très à l'aise avec eux, mais surtout avec sa future belle-sœur ; son calme, son savoir-vivre, sa bonté naturelle la charmaient.

60

Une apparition !

Lundi après-midi, sitôt arrivée, Tara avait troqué son uniforme pour un beau pantalon rouille, une blouse beige et un pendentif en argent. Scott venait la rejoindre chaque jour après son travail. Elle avait préparé un bouilli, une recette de Brigid, dont il raffolait. Dix-huit heures ! Scott se faisait attendre ; ce n'était pas nouveau, il devait parfois s'attarder à l'hôpital. Une bouteille de vin refroidissait. On frappa à la porte. Elle n'attendait personne. Elle jeta un coup d'œil par la fenêtre, mais ne vit personne. On insistait. Tout à coup, une voix forte se fit entendre.

— *Temair ! A shìorraidh ! Tog ort !* (Tara, pour l'amour de Dieu, grouille !)

Cette voix ? Tara s'élança et ouvrit. Figée, elle regardait Maggie sans comprendre. Impossible ! Elle cligna des yeux à deux reprises.

— *Maggie ? Is that really you ?* (C'est bien toi ?)

— Qui est-ce que tu attends ? Pipelette ?

Tara se jeta dans ses bras, elle pleurait, pleurait…

— Vas-tu me laisser entrer ou attends-tu que la neige tombe ?

— Entre ! Entre !

Comme elle refermait la porte, elle aperçut Scott, son père et Barbara. C'était eux !

Stupéfaite, bouleversée, folle de joie, Tara ne se contrôlait plus. Scott entra la valise de Maggie et la fit asseoir. Debout devant Maggie, Tara la regardait sans y croire.

— *My God ! My God !* C'est bien toi ! Tu es venue ! Tu es venue !

Elle riait et pleurait, et les trois autres avaient les larmes aux yeux.

— Mais ma foi, Tara, le froid a déréglé ton cerveau ! Il y a deux docteurs ici, faites quelque chose ! Et vous, Scott, vous ne pouvez pas épouser une femme dans cet état. C'est pathétique !

D'un coup d'œil circulaire, dépitée, elle les contempla, secoua la tête, ouvrit son sac à main, tira quatre mouchoirs de papier d'un petit paquet et en donna un à chacun.

— *Air m'onair* ! (Franchement !) Ces trois braillards m'ont fait venir ici pour te voir, et toi, t'es encore pire ! Honnêtement, je retourne en Irlande ! Je vous avertis, j'ai laissé mon français en Irlande.

Elle provoqua un éclat de rire général. Quelle actrice ! C'était bien son amie, son âme sœur, Maggie. Tara la prit dans ses bras.

— Et maintenant, qui est le responsable de cette surprise ?

Elle se dirigea vers Scott, il secoua la tête et indiqua son père. Elle s'approcha de lui et l'enlaça.

Vous êtes un ange ! Jamais je n'oublierai ce que vous faites pour moi. Je ne pourrai jamais vous remercier assez pour cette merveilleuse surprise. Comment avez-vous pu savoir ?

— Tu as mentionné que Maggie allait terriblement te manquer le jour de ton mariage. Ma chère Barbara, ta tante, m'en a parlé, et nous avons décidé de la faire venir.

— Je vais essayer d'être digne de votre amour et de votre confiance.

Ils se levèrent, ils voulaient les laisser seules. Maggie et Tara avaient certainement des tas de choses à se dire. Scott partit aussi, non sans avoir embrassé Tara.

— Tu ne viens pas à l'hôpital demain, tu es en congé pour les deux prochains mois. Maggie et toi avez à parler. Je viendrai passer une heure avec toi un peu plus tard. Les quatre prochains jours sont pour Maggie et toi.

Elles étaient allées chez les Murphy. Maggie voulait voir sa tante Jen ainsi que son oncle Bill, son cousin et sa cousine Berth et Marleen. Ils étaient heureux de la rencontrer et de revoir Tara. Malheureusement, ils ne seraient pas au mariage de Tara — ils partaient pour Londres.

Ce furent des journées enivrantes, parmi les plus belles de toute la vie de Tara. Maggie, c'était Navan, leurs années de jeux, Mamie,

le *cubby house,* les folies; un parfum du passé. Tara voulait tout savoir sur le père et la mère de Maggie, mais surtout sur sa vie de couple, sur son bébé.

— Tyler? Ma chère, pas encore un an et il maîtrise la géométrie, l'algèbre, parle trois langues et... fait encore dans sa couche. Jack pense qu'il sera le prochain maire de Navan, puis ensuite...

— Tu es folle! Je suis tellement contente de te voir!

Elles parlaient, riaient, se rappelaient leurs années au couvent, le mariage de son frère et le moment où Eileen s'était étendue de tout son long sur la piste de danse.

— Mouvement que tu avais baptisé: *Eileen's glide and slide.*

— Cette chère Eileen, elle en voit de toutes les couleurs! Son beau Sean boit et couraille. Son père essaye de le raisonner, mais Sean l'envoie promener.

— Ils se méritent. Ils ne me manquent pas du tout.

Tara lui fit visiter Pointe-Claire, elles se promenèrent le long du lac, visitèrent Montréal, montèrent dans les Laurentides. Tout fut un enchantement.

— J'aimerais détester ce pays, mais c'est tellement beau que ni Jack ni ma famille ne me croiront quand je tenterai de leur expliquer la splendeur des paysages.

— Ne t'en fais pas, je vais t'acheter un grand calendrier et des cartes postales, ils pourront apprécier ces visions féeriques.

— Mais ce n'est pas l'hiver, la neige et les tempêtes.

— C'est différent, mais tout aussi enchanteur.

Tara lui raconta sa première tempête de neige, dehors, en chemise de nuit, pendant qu'il neigeait.

— *Brindezingue!* (Toc-toc) Ma pauvre amie. Retournons chez toi, j'ai peur d'être contaminée.

Kathleen leur rendit visite à deux reprises. Maggie l'aima sur-le-champ. Scott venait voir Tara, il impressionnait beaucoup Maggie. Distingué, charmant, il avait de la classe et elle se sentait petite devant lui. Il les amena souper au restaurant, fut gentil, les fit rire. Il la sentait mal à l'aise. Elle était l'amie de Tara, quoiqu'il ne reconnût pas en elle la jeune femme dont Tara lui avait parlé. Maggie observait son amie. Celle-ci évoluait dans un autre monde, comme si elle y était née. Sa maison, les meubles, la serre... Tara

lui avait parlé de tout cela, mais elle n'avait jamais réalisé à quel point tout était luxueux. Tous ses vêtements étaient d'un chic! Elle-même s'était acheté quelques morceaux. Ils étaient ternes à côté de ceux de Tara. Intérieurement, c'était la même Tara, fine, bonne, mais extérieurement, elle était devenue une femme du monde, un monde dont Maggie ne ferait jamais partie. La maison qu'ils venaient d'acheter, une grande maison, luxueuse, le foyer, la salle à manger, le salon... une maison de... médecin! Tara glissait d'une pièce à l'autre, parfaitement à l'aise, comme un poisson dans l'eau. Barbara? Elle fut gentille, aimable, mais elle avait l'élégance et la distinction des grandes dames, et son mari, le docteur William, possédait cette même enveloppe dorée, indestructible. Quand on a de l'argent, on peut se permettre d'être gentil, charmant; d'ailleurs, on a toujours raison, pensa Maggie. La jalousie lui était inconnue, mais elle ressentait une forme de tristesse. Tara était toujours son amie et elle le serait toute sa vie, mais elles n'étaient plus sur la même longueur d'onde.

La robe de fille d'honneur lui allait très bien, mais elle redoutait la journée du mariage avec son escorte, Alain, un ami de Scott.

— Si Pipelette voyait ta maison, tes meubles et ton Apollon, elle serait tellement bouleversée qu'elle tomberait en convulsion. Je vais faire en sorte de laisser tomber quelques photos près de sa maison, je lui laisserai juste assez de temps pour qu'elle puisse les regarder.

— Tu sais, Maggie, tout cela n'a plus d'importance. Ça me semble si loin! J'ai tourné la page. Mais je suis contente que tu sois venue. Ces derniers jours sont un cadeau inoubliable, non monnayable. Merci!

La veille du mariage, il y eut répétition à l'église. Alain était un type charmant, sans prétention.

— Est-ce que toutes les Irlandaises sont aussi jolies? C'est presque péché.

— Certainement! Et toutes brillantes, gentilles et... humbles.

Il s'esclaffa! Maggie se détendit.

Le lendemain matin, Tara était agitée. Maggie essaya de la dérider, mais rien n'y fit. Le mariage n'avait lieu qu'à seize heures.

Heureusement, Barbara arriva vers neuf heures. Elle avait apporté sa toilette et pris les choses en main. Elle prépara un café, des fruits, des rôties, avec fromage et confitures. Tara n'avait pas faim.

— On va s'asseoir et se détendre. Tara, tu as besoin de toutes tes forces. La cérémonie, le photographe, recevoir les invités à la salle de réception… Tu auras besoin d'énergie.

— C'est trop, je pense que je vais me sauver.

Elle avait à peine fini sa phrase que Scott arriva.

Il comprit la situation, la prit dans ses bras, la berça, et se mit à chanter. Barbara et Maggie se bouchèrent les oreilles, Tara riait. Maggie n'y tint plus. Elle s'approcha :

— Tara, mes sympathies. Si tu l'épouses pour sa voix, sauve-toi, et vite !

— Ma chérie, je t'aime. C'est notre journée. Si tu ne veux pas de tout ce flafla, fichons le camp.

— On ne peut pas. Barbara, ton père et Allana ont tout préparé.

— Alors, commençons par déjeuner. J'ai faim ! Je suis en pleine croissance. Il y en a pour moi ?

Maggie s'affaira. Ils rirent et mangèrent de bon cœur.

— Maintenant, ma belle, viens faire un tour dehors avec ton futur mari. Quelques minutes vont nous faire du bien.

Barbara et Maggie étaient soulagées. Scott se promena dehors avec Tara.

— Je vais être à tes côtés et tout va bien aller. Fais-moi confiance, mon amour. C'est le plus beau jour de notre vie. Ne gâchons pas cette belle journée. Souris, savoure chaque minute. Ce soir, tu seras ma femme et tu ne le regretteras jamais.

Il l'embrassa tendrement et partit. À quinze heures, les quatre femmes étaient prêtes. Barbara était très élégante dans un ensemble pêche. Vêtues de robes pastel, les demoiselles d'honneur étaient ravissantes. Tara était éblouissante dans sa robe de satin ivoire. Sophistiquée, corsage ajusté, encolure en rond brodée de perles discrètes, manches longues garnies de perles, beaucoup d'amplitude dans la robe. Un voile mi-longueur retenu par un petit diadème perlé. Elle portait le collier et les boucles d'oreilles de perles offerts par Scott. Son bouquet, quelques orchidées.

Les dames étaient très émues ; Barbara la regarda avec tendresse.

— Comme tu es ravissante ! Et comme je suis heureuse de te connaître ! Je t'aime beaucoup. Tu commences une nouvelle vie, nos maisons ne sont pas très loin l'une de l'autre, tu pourras toujours compter sur moi.

Tara la regarda avec affection et amour. Maggie s'approcha.

— Je me réjouis d'être venue, je suis ravie pour toi.

— Merci, Barbara, d'être là pour moi, vous êtes un peu ma mère. Et toi, ma chère Maggie, cette semaine est un vrai cadeau.

À quinze heures trente, deux limousines blanches arrivèrent ; le docteur William en descendit. La même stature que son fils, habit bleu marine, il s'avança vers la porte. Barbara l'embrassa. Tara sortit, il la regarda.

— Qui est cette jolie femme ? Ma future bru ? Tara, vous êtes splendide ! C'est un grand jour pour vous, et un moment très mémorable pour moi.

Il l'aida à monter dans la limousine, Barbara prit place avec eux. L'autre limousine amenait les demoiselles d'honneur. Le marié et les garçons d'honneur les attendaient à l'église.

61

Pour toujours, mon amour

Samedi 8 juin 1968. L'église Saint-Joachim était pleine à craquer, il y avait même des curieux à l'extérieur. Tara tremblait. Le docteur William avança le bras y déposa le sien et chuchota :

— Détendez-vous, vous êtes entre bonnes mains !

Puis, avec un clin d'œil :

— Je suis médecin, fiez-vous à moi. Vous êtes musicienne, vous connaissez la note, nous avancerons en cadence au son de la marche nuptiale. Allons-y très lentement, s'il vous plaît, faites durer mon plaisir.

Elle lui sourit. Les premières notes se firent entendre. Les demoiselles d'honneur avancèrent lentement, Maggie lui fit un clin d'œil. Le docteur William, fier comme un paon, Tara à son bras, avançait posément, salua quelques confrères, fit sourire Tara. Un murmure d'admiration l'accueillit, elle rougit. Toute cette foule ! Scott l'attendait. Il la regardait approcher, le cœur lui battait à tout rompre. Il murmura : « Merci mon Dieu ! Qu'elle est belle ! » Son père releva le voile de Tara, déposa un chaste baiser sur sa joue.

Scott tendit la main, elle se glissa à ses côtés. Il la dévorait des yeux.

— Ma belle Irlandaise, mon adorable *petit grenouille*, merci !

Elle esquissa un léger sourire et la cérémonie commença. Essayant de se recueillir, flottant comme sur un nuage, elle répondit aux questions du prêtre. Oui, elle voulait l'épouser, elle l'aimait d'amour. Quelques instants plus tard, il les déclarait mari et femme. Scott l'embrassa et ils se tournèrent vers la foule. Il la savait nerveuse.

— Souriez, madame Scott Harvey. *Walk tall!* ma chérie. Je suis si heureux ! J'ai envie de chanter.

Elle ne put retenir son rire, se redressa. Les flashs du photographe crépitaient, sans oublier ceux des nombreux amis et curieux. Une demi-heure plus tard, ils montèrent dans la limousine. Scott la serra dans ses bras.

— Madame Scott Harvey! Nous sommes mariés. Heureuse, mon amour? Un ange est à mes côtés, je pense que je suis au ciel.

— Non, nous sommes bien sur terre. Oui, je suis très heureuse, mais je suis encore un peu nerveuse.

— Ne t'inquiète pas, je ne te lâche pas d'une semelle.

Ils pénétrèrent dans une splendide salle de réception de Westmount, décorée de tulle et d'orchidées à profusion. Tara, Scott, son père, Barbara, Allana, Kathleen, Maggie et leur escorte se placèrent en rang pour accueillir les invités. Tara s'y attendait, mais elle n'avait jamais pensé être contemplée de si près et avoir à serrer autant de mains. Quelle différence avec son premier mariage forcé, célébré presque en cachette!

À l'aise, le visage radieux, Scott se délectait de cette journée; avec fierté, les yeux brillants d'amour, il présentait Tara avec un plaisir évident. Aussi imposant que son fils, le docteur William se tenait près de sa femme, Barbara, et de sa bru, fier du choix de son fils. Ils avaient payé pour que la décoration, le service et la soirée soient impeccables. Claude et Brigid étaient assis à la table d'honneur. Barbara était heureuse; ce Québec leur avait apporté, à elle et à sa chère Tara, l'amour, la sécurité et un avenir prometteur.

Maggie souriait, mais le cœur n'y était pas. Le bonheur de Tara la réconfortait, mais elle préférait de beaucoup son mariage tout simple, à Navan, à cette foule affublée de serge, de soie, de dentelle et de bijoux. Alain était charmant, mais elle ne se sentait pas à sa place. Tyler, son cher bébé, et son mari lui manquaient. Elle avait hâte d'être au lendemain, alors qu'elle retournerait en Irlande. Ce pays? Pointe-Claire? Merveilleux, mais pas pour elle.

La réception fut à l'image de Barbara et William: sophistiquée. Scott ouvrit la danse au bras de Tara, ses pieds et son cœur en parfaite symbiose. Détendue, Tara, gracieuse sylphide, se permit de savourer son bonheur. Le docteur William prit la relève, Tara était maintenant sa fille. Il regrettait que sa première femme, sa

Chloé, ne soit pas là pour partager le bonheur de son fils, mais il était reconnaissant pour Barbara qu'il aimait tendrement ; ils étaient tellement bien ensemble, des amis, des amants, des amoureux.

À vingt-deux heures, Scott et Tara s'éclipsèrent ; il avait réservé une suite au Reine-Elizabeth. Le lendemain, quatorze heures, ce serait le départ pour Hawaii. Une douzaine de roses, une bouteille de champagne et des truffes étaient disposées sur une desserte. En un tournemain, Scott avait retiré veston et cravate, tout en couvrant Tara de baisers. Il lui avait enlevé son diadème et son voile, et cérémonieusement déboutonné sa robe. Elle ne voulut pas l'enlever. Il ferma les draperies, tamisa la lumière et tira le couvre-lit. Doucement, il la déshabilla. Elle détourna la tête pendant qu'il ôtait le reste de ses vêtements ; il sourit malicieusement, s'allongeant tendrement à ses côtés. Tara ! Ses tentacules l'enlaçaient ; une chaleur indécente l'enveloppa. Lentement, doucement, il l'étreignit, caressant chaque centimètre de son corps.

— Tara, ma chérie, comme tu es belle ! Laisse-moi t'aimer.

Patrick lui avait fait l'amour à peine une vingtaine de fois ; elle n'avait jamais ressenti la passion si exigeante, si brûlante, qui la consumait en ce moment. Amoureux fou, en proie à un désir qui le dévorait, Scott dut se faire violence pour freiner son ivresse. Leurs lèvres se rencontrèrent, un courant électrique les traversa. Il ferma les yeux, buvant la chaleur et la douceur de sa peau, se régalant de sa texture ; elle trembla de désir, s'agrippa à lui. Sa chevelure rousse, éventail soyeux, auréolait son visage, ses yeux brûlants l'envoûtaient. Emportée par l'amour qui la consumait, elle répondit à son ardeur. Il lui fit l'amour, elle ressentait un plaisir si grand que son corps obnubila sa raison ; elle était ailleurs, et cet ailleurs résidait dans cette zone où ni l'heure ni le temps n'existent. Ils vibraient au même rythme. Il la tint longtemps contre lui, il la voulait encore, mais il devait attendre. Elle soupira de contentement et lui sourit.

— Mon adorable *petit grenouille* ! Comme je t'aime !

— Et je t'aime aussi, je n'aurais jamais imaginé pareil plaisir.

Ils prirent une douche. Gênée, elle n'osait le regarder. Il n'insista pas. La proximité de son corps de déesse réveilla ses instincts

et ils s'aimèrent encore. Elle n'avait jamais imaginé ! Son corps en redemandait. À une heure du matin, ils tombèrent endormis. La bouteille de champagne n'avait pas été ouverte.

Le lendemain matin, ils refirent l'amour. Une fois leurs valises prêtes, Tara appela Maggie ; celle-ci brûlait d'envie de partir. Leurs avions partaient à deux heures d'intervalle ; les deux amies avaient convenu de se rejoindre à l'aéroport. William et Barbara conduisirent Maggie. Barbara s'était rendu compte que Maggie ne cadrait pas dans la famille de William ou dans la sienne. Belle joueuse, elle s'était efforcée de paraître à l'aise, mais Barbara n'était pas dupe. Même Tara en avait pris conscience ; cette visite l'avait comblée, même si son cœur avait été attristé. Scott avait fait semblant de ne rien voir, il ne voulait que le bonheur de Tara. Les adieux furent déchirants. Un sentiment de perte, de finitude submergea Tara. Toutes deux refoulèrent leurs larmes, mais leurs cœurs sanglotaient.

Scott serra son épouse dans ses bras. C'était leur lune de miel, il ne voulait pas qu'elle soit assombrie. Deux heures plus tard, ils s'envolaient vers Hawaii, en première classe.

— Tara, notre lune de miel commence et nous allons profiter de chaque seconde.

— Oui, docteur Harvey, votre patiente a besoin de soins.

— Je vais soigner amoureusement chaque millimètre de ce beau corps.

L'hôtel Hyatt Regency Waikiki Beach Resort and Spa, Honolulu. Scott n'avait rien ménagé. Vingt et un jours de rêve dans un environnement luxueux. Leur chambre donnait sur la plage entourée de palmiers royaux et de fougères tropicales. Service impeccable, nourriture excellente. Ils firent l'amour, se baignèrent et se détendirent au soleil. Lorsque Tara avait enfilé son maillot de bain, Scott s'était exclamé : « Il est très décent mais tu vas faire un malheur. » Il avait raison ! Dès qu'elle enleva son manteau de plage, les regards s'étaient tournés vers cette femme au corps de déesse et à la chevelure de feu. Certains tentèrent de s'approcher furtivement d'eux, mais un seul regard de Scott les arrêta net. Assis au bord de la piscine, bercés par une musique hawaiienne langoureuse, sirotant une boisson servie dans une noix de coco,

ils étaient seuls au monde. Scott avait oublié l'hôpital pour se consacrer à sa femme. Il la choyait, prévenait ses moindres désirs.

— Arrête ! Je vais devenir insupportable.

Il ne craignait rien, elle était trop honnête pour abuser. Ils parlaient de leur maison, de leur vie à deux, de leurs projets. Tara voulait continuer de travailler ; Scott aurait préféré qu'elle demeure à la maison, mais ne s'opposa pas. Il aurait une femme de ménage et un jardinier.

— Pour faire... quoi ? Je suis tout à fait capable de m'occuper d'une maison et d'un jardin. JE ne suis pas en porcelaine.

— Cette femme travaille déjà pour mon père, elle viendra chaque vendredi faire le lavage, le repassage, passer l'aspirateur, laver les salles de bain, faire le ménage, quoi ? Oui, j'ai besoin d'une femme, pas d'une servante, et tu auras bien assez à faire. Je veux que tu t'occupes de toi et de moi, que tu me déshabilles, que tu me dorlotes — sourire en coin — que l'on ait du temps pour nous. Des soirées en amoureux, sortir, recevoir des amis.

— Et toi, tu l'as déjà engagée, sans m'en parler ? À l'avenir, j'aimerais être consultée avant que tu prennes une décision qui me concerne.

Il la regarda, elle semblait déçue. Il en fut peiné.

— Désolé, je pensais bien faire, ça ne se reproduira plus.

— Je te crois. J'aimerais seulement que tu me promettes une chose. Je suis une femme raisonnable, si jamais quelque chose te déplaît, tu me le diras, nous en discuterons, pas de chicane.

— Je te le jure. Au travail, je peux être bref, parfois cassant, je hais quand des patients, surtout des enfants, souffrent de la négligence ou de l'incompétence d'un employé. Dans notre maison, nous vivrons en harmonie. Ce sera la maison du bonheur, avec des dizaines de petites têtes rousses courant partout.

Son air horrifié le fit éclater de rire.

Les vingt et un jours passèrent en coup de vent. Ils se levaient tard, faisaient l'amour avec une ferveur toujours renouvelée. Tara se surpris à prendre l'initiative, et Scott l'aimait chaque jour de plus en plus. Pas d'éclat de voix, toujours de bonne humeur, tout l'émerveillait. Elle avait gardé son cœur d'enfant, cette faculté de voir le merveilleux dans les choses toutes simples ; elle rayonnait

de bonheur. Ils se reposèrent, louèrent une voiture et firent le tour de l'île, visitèrent le *Polynesian Cultural Center.* Ils admirèrent des indigènes de différentes îles du Pacifique en costumes d'apparat descendant une rivière sur des bateaux richement décorés ; Tara en avait des frissons. Après un repas gastronomique, dans la soirée, ils assistèrent à un spectacle culturel grandiose. Du haut d'une montagne, des guerriers munis de flambeaux descendaient vers l'amphithéâtre, tout en bas, pour ensuite s'engager dans des danses endiablées. Tara n'avait pas assez d'yeux pour tout voir. Elle vivait un rêve et espérait ne jamais se réveiller. Si Mamie vivait, comme elle serait heureuse ici ! Maggie aussi revenait souvent dans ses pensées.

Sans s'en rendre compte, Tara s'était métamorphosée, elle s'était intégrée dans un univers totalement différent de celui qu'elle avait connu en Irlande. Épouser un chirurgien, c'est entrer dans un monde où les gens voyagent en première, descendent dans les hôtels chics, mangent dans les grands restaurants, jouent au golf, s'habillent de vêtements griffés ; ce n'était pas désagréable, mais elle n'était plus la Tara de Navan. Elle avait toutefois gardé ses valeurs, sa bonté, son sens de la justice, son honnêteté ; elle avait pris de l'assurance. Scott n'était pas snob, il se sentait aussi bien chez les Legault que chez un collègue chirurgien ou chez un avocat, mais il aimait les bonnes choses que l'argent procure.

Le 29 juin, ils rentraient. William, Barbara, Allana, les Legault, « leur suite », comme Scott les appelait, étaient tous à l'aéroport. Ils avaient décidé de souper ensemble en attendant l'arrivée des nouveaux mariés. Le docteur William avait conversé avec Kathleen, heureux d'apprendre qu'elle étudiait en médecine.

— Si jamais vous avez besoin d'un endroit pour aller en stage ou d'une bourse pour étudier à l'étranger, faites-moi signe. Je suis retraité, mais je siège à quelques conseils d'administration, je peux encore ouvrir des portes.

Kathleen l'avait remercié gentiment.

Tara lui avait manqué. Celle-ci sortit la première, suivie de Scott. Ils resplendissaient de bonheur. William et Barbara les conduisirent à leur nouvelle maison. Tara et Scott avaient pris rendez-vous avec « leur suite » pour le lendemain soir.

Leur cœur battait en accéléré. Quand la voiture s'engagea dans l'entrée, Tara avait des fourmis dans les jambes.

— Un instant, madame Harvey, j'ouvre la porte et je reviens.

En deux enjambées, il l'avait soulevée. Il franchit le portique avec elle. Leur foyer les attendait ; tout avait été placé, les meubles, les tentures, la vaisselle... aucune boîte ne traînait, tout était à sa place. Un gros bouquet de fleurs sur la table du salon leur ouvrait les bras. Scott souleva Tara de nouveau et s'élança dans l'escalier.

— Notre chambre, chérie ! Regarde le beau lit qui nous attend, notre salle de bain. Je me sens sale, pas toi ?

Il lança ses vêtements par terre et, malgré les protestations peu convaincantes de Tara, il la déshabilla. Un savon parfumé, de la mousse, de belles serviettes, il fit couler l'eau de la douche et lui tendit les bras. Tara n'était pas encore parfaitement à l'aise avec sa nudité, et le corps de Scott la faisait rougir. Il lui aurait fait l'amour sur-le-champ, mais il se retint. Tout en la caressant et en la taquinant, il la lava ; elle lui frotta le dos et un peu le devant de son corps, mais sans s'aventurer plus bas.

— Un médecin doit être extrêmement propre partout. Tara ! Plie-toi ! Mes jambes, mes pieds ?

Il lui chatouilla un sein avec ses orteils ; malgré elle, son corps réagit, ses seins se dressèrent. Il refit le même manège avec l'autre pied, le feu le consumait. Ils se rincèrent, puis le temps de rabattre les couvertures, il lui faisait l'amour tendrement, passionnément. Comme elle l'aimait ! Plus tard, il se promena nu, se ravisa, mit un caleçon et sortit sur le balcon. Elle enfila une chemise de nuit, le rejoignit et se serra contre lui.

— Sainte bénite, Tara, tu me prends pour un saint ! Ton corps dans ce tissu en dentelle me damnera. J'ai encore envie de toi.

Elle rentra et revint avec un de ses cotons ouatés, qui ne couvrait que le strict nécessaire.

— Je pense que je vais te faire porter une ceinture de chasteté.

Elle l'entoura et l'embrassa. Ce geste spontané lui chavira le cœur.

Affamés de nourriture, ils s'habillèrent et descendirent à la cuisine. À leur grande surprise, une partie de l'îlot renfermait un mini-cellier garni d'une vingtaine de bouteilles. William et Barbara y étaient pour quelque chose. Scott leur avait laissé des clefs, ils en avaient profité pour garnir le cellier et le réfrigérateur. Il choisit une bonne bouteille, sortit deux verres en cristal et versa le vin. Le réfrigérateur? Il était plein. Elle questionna Scott du regard, il fit semblant de ne pas la voir. Elle regarda ses magnifiques verres en cristal.

— Tu ne les aimes pas? Tu en préfères d'autres?

— C'est que... ils sont si beaux! Ce serait mieux pour visite.

— Ma chère Tara, il y a des gens qui gardent le plus beau pour la visite ou pour les grandes occasions. Ils s'en servent donc rarement ou même jamais. À leur décès, on les sort et on les remet aux héritiers ou, si la femme décède en premier, la seconde épouse s'en sert. Si c'est l'homme, la femme les conserve. Nous sommes les personnes les plus importantes dans cette maison. Nous avons de belles choses, nous allons en prendre soin et nous en servir. Le soir, quand je prends un verre de vin, je veux le boire dans un beau verre. D'accord?

— Parfaitement. À cent ans, quand j'aurai un pied dans tombe, je briserai tous les verres et ta prochaine épouse devra elle-même s'en acheter.

— Je n'attends rien de moins de toi.

Duo de rires. Première mise au point. Quelques minutes plus tard, ils dévoraient du jambon, des œufs, des tomates, du fromage et un morceau de gâteau au fromage. Scott l'aida à ramasser la vaisselle. Ils firent le tour de la maison, seuls les tableaux n'avaient pas été accrochés. Midas viendrait lundi. Scott n'était pas habile avec un marteau.

— Mais je suis très habile avec mes mains, n'est-ce pas?

Il sortit sur le patio. Tara le suivit et aperçut la serre; une fois et demie plus grande que la première, avec un grand établi. Toutes ses plantes, ses fleurs, trônaient sur les tablettes. Au bout, une autre porte s'ouvrait sur la cuisine. Elle se demanda si elle pourrait être à la hauteur.

— Comment pourrais-je rendre tout ce que tu fais pour moi ?

— En m'aimant, tout simplement. Ton amour rend tout facile. Je suis le plus heureux des hommes. Il nous reste plus d'un mois de vacances, nous allons en profiter. Faire l'amour, dormir, manger, dans cet ordre, et… recommencer !

62

Les nouveaux mariés

La vie de Tara et Scott se déroulait sans anicroche. Tous deux connaissaient déjà la vie de couple. Tara pendant à peine trois mois, Scott un peu plus d'un an. De dix ans son aîné, il avait une expérience de la vie. Tara était plus jeune, mais la succession des malheurs qu'elle avait surmontés, l'influence de Mamie et de Barbara, toutes deux avisées et aimantes, avaient trempé son caractère. Le fruit ne tombe jamais loin de l'arbre ; Tara possédait le même caractère, les mêmes valeurs. Elle aimait rendre service, faire plaisir ; plus vivace, elle aimait rire, taquiner, jouer du piano. Chaque jour, Scott bénissait le ciel de l'avoir mise sur son chemin. Elle l'avait fait attendre, mais elle en valait la peine. Pendant leurs semaines de vacances, ils avaient profité de la piscine ; désormais, dès qu'il revenait du travail, Scott se jetait à l'eau. Certains soirs, ils se baignaient nus, avec la lune comme seule spectatrice. Tara aimait cette maison autant que la première. Le soir, s'asseoir sur le balcon, regarder le lac, écouter son clapotis, ses humeurs changeantes, quel enchantement ! Sur le petit divan en osier, à deux places, elle se lovait contre son mari… la vie leur était favorable.

C'était leur premier été comme mari et femme ; ils étaient heureux. Chaque soir, sauf les jours de pluie, ils mangeaient sur le patio entouré de fenêtres et de moustiquaires. Scott s'occupait du barbecue.

Deux, trois fois la semaine, ils faisaient de longues promenades. Parfois, ils se rendaient dans les Laurentides, ils assistaient aussi à des spectacles, soupaient en amoureux, recevaient des amis. William et Barbara les visitaient souvent. Kathleen venait parfois le vendredi soir, Scott y tenait. Les deux jeunes femmes reprenaient

alors leur rituel : assises sur les coussins, elles se confiaient leurs rêves.

Tara travaillait maintenant de jour. Scott y était pour quelque chose. Dès son travail terminé, il se hâtait de rentrer. Elle arrivait plus tôt et préparait le souper. Chaque vendredi, quand elle rentrait, la maison était impeccable, les meubles avaient été astiqués. Stella, la femme de ménage, était passée partout, la lessive était faite, le linge, plié, repassé... Tara n'avait qu'à le ranger. Au début, elle voulait passer l'aspirateur ; elle époussetait durant la semaine, jusqu'à ce que Scott lui explique gentiment qu'il devrait remercier Stella, et que c'était bien dommage.

— C'est son gagne-pain, tu es sa quatrième cliente, elle est très contente ; elle aime bien la jeune femme du médecin.

La première fois que Stella vint travailler, Tara se sentit mal à l'aise. Une femme de ménage ? Inconcevable ! Stella visita la maison, lui dit ce dont elle avait besoin. Un produit différent pour ne pas abîmer les beaux meubles ; celui dont Tara se servait n'était pas à la hauteur.

— Madame, fiez-vous à moi, je sais ce que j'ai à faire.

Tara lui remit une clef de la maison et se rendit chez Barbara... à reculons. Faire changer son lit et laver ses sous-vêtements par une étrangère, c'était plutôt embarrassant ! Un mois plus tard, elle n'y pensait même plus et elle était heureuse de pouvoir se consacrer à son couple, à sa serre, sortir. Elle glissait dans le confort et l'aisance. Parfois, Barbara et elle allaient magasiner.

Septembre apporta la froidure ; Scott avait de beaux habits, mais peu de chandails. Tara lui en avait acheté un beige et un bleu marine.

— Ils sont beaux et je les aime. Merci ! Tu as bon goût. Un petit cadeau ?

Elle hocha la tête. Il l'embrassa et se mit à chanter l'éternelle chanson qu'il fredonnait quand arrivait un heureux événement, *Save the Last Dance for Me*. Il la fit valser, tout en chantonnant. Elle l'adorait.

Brigid lui avait appris à cuisiner certains plats canadiens. Tara les réussissait très bien. De plus, elle s'était acheté un livre de recettes qu'elle suivait à la lettre. Scott trouvait tout délicieux.

Parfois, il rentrait plus tard. Elle l'accueillait toujours avec un sourire, l'embrassait, montait avec lui et s'assoyait sur son tabouret « royal », selon son expression, pendant qu'il prenait sa douche. Ces petites attentions le touchaient. Ensuite, ils redescendaient, s'installaient dans une chaise longue et sirotaient un verre de vin — dans du cristal, naturellement — tout en grignotant de petits canapés. Quand il arrivait plus tôt, il l'aidait à mettre la table, il se montrait toujours attentionné. Un soir que son père était à la maison, Scott arriva un peu tard. Tara s'était excusée et avait tout de même accompagné son mari pendant qu'il se douchait et se changeait ; celui-ci avait été surpris et ému.

— Mon fils, chéris cette femme comme la prunelle de tes yeux. Peu d'hommes ont ta chance. C'est une perle, comme ma Barbara.

— Papa, je le sais et j'en prends soin. Je suis un homme heureux et comblé. La vie nous sourit et j'apprécie chaque minute.

Mais on n'échappe pas à son destin !

63

Tournant du destin

Maggie avait été heureuse et soulagée d'être de retour chez elle, de retrouver son mari et son bébé. Elle avait tenté d'expliquer ses états d'âme à ses parents. Tara avait été folle de joie de la retrouver ; Scott était un vrai gentleman ; ils avaient tous été aimables et gentils, mais...

— Elle n'est plus des nôtres, elle est toujours gentille, elle se ressemble, mais elle vit dans un autre monde. Ils se sont acheté une maison qu'on ne pourrait jamais rêver d'acheter. Ses meubles ? Comme dans les magazines... c'est très différent. Voyager en première, manger dans les grands restaurants, s'habiller chic, tout cela est naturel pour elle. Comment vous expliquer ? La même personne, mais tellement différente.

C'est à ces paroles que Grace, sa mère, songeait en ce jour de février, après un appel de Tara qui leur offrait ses souhaits pour la Saint-Valentin. Une tasse de thé à la main, elle s'apprêtait à laver son plancher lorsqu'elle crut entendre frapper. Comme elle n'attendait personne, elle n'y fit pas attention. Les coups redoublèrent.

— *Grace Ryan, open up !* (Ouvrez-moi !)

Elle ne reconnut pas la voix et entrouvrit. Incrédule, elle regarda la femme qui se tenait devant elle.

— *Holy Mary, mother of God, is that you*, Molly ? Molly O'Brien ? (Sainte Marie, mère de Dieu, est-ce bien toi, Molly ?)

Cheveux plus foncés, une cicatrice à l'arcade sourcilière gauche, plus maigre, un visage ravagé, mais le même sourire crâneur. Les bras ballants, Grace la dévisageait.

— Je peux entrer ?

— Mais oui, entre, entre !

Elle pénétra dans la maison, prit une chaise, pendant que Grace lui versait du thé et préparait des rôties. Elle reprit un thé avec Molly. Elle ressentait de la pitié ; se levant, elle l'embrassa.

— Bienvenue chez nous, Molly.

Cette dernière avala de travers et murmura : « Merci ! »

— Es-tu revenue à Navan pour rester ?

— Je suis arrivée hier soir à Dublin ; j'ai pris le train pour venir ici.

— As-tu rencontré quelqu'un ?

— Pipelette ! *Óinseach !* (Folle !) Je l'ai saluée bien bas. Elle me fixait, les yeux révulsés, la bouche ouverte ; je pense qu'elle a eu une attaque d'apoplexie, parce qu'elle avait toujours la bouche grande ouverte quand je suis partie.

Elle éclata de rire. C'était bien Molly.

— Mes enfants ? Ils ont déménagé ? Où ?

— Seize ans que tu es partie, Molly, tu reviens bien tard.

— J'ai payé ! Madame Ryan, j'ai chèrement payé. Je ne les ai jamais oubliés. Un ami me donnait régulièrement des nouvelles. Tara ? Ray ? Je vous en supplie...

Elle sortit une photo froissée de Tara et Ray. Grace l'observa. Une pauvre femme... Elle ne pouvait lui jeter la pierre.

— Je mérite votre mépris ; je ne vous demande pas de me comprendre ; vous avez toujours été une femme juste, votre Maggie et Tara étaient inséparables. Dites-moi tout.

— Pauvre Molly, je ne te méprise pas ; mais tu dois savoir que tu as fait une chose impardonnable, une mère qui abandonne ses enfants ! Seize ans ont passé et tu veux revenir dans leur vie maintenant !

— Non, jamais ! Je ne le mérite pas et je ne le ferai pas, mais dites-moi ce qui leur est arrivé.

Grace réchauffa le thé et elles s'installèrent au salon. Grace revit Tara avec sa petite valise, s'en allant chez madame Dever. Elle commença par le lendemain du départ de Molly ; le choc, le désespoir de Tara, Ray comprenait moins, il avait sa deuxième mère, Tara. L'incompréhension, la souffrance de cette petite fille de sept ans qui croyait en l'amour de sa mère ; la honte, les sarcasmes de certains enfants. Michael, déboussolé, comprenait très bien ce qui

arrivait à sa famille, mais était incapable de réagir ; Pipelette qui voulait les envoyer dans un orphelinat ; finalement, l'oncle Stanley et la tante Ceili avaient pris Ray. Quel déchirement pour Tara ! L'intervention du curé et la décision de madame Dever d'accueillir Tara.

Le visage baigné de pleurs, accablée de remords, les mains jointes, la tête penchée, Molly suait d'angoisse en buvant chaque parole. Quand Grace mentionna le nom de madame Dever, elle releva la tête.

— C'est ce que j'espérais de tout mon cœur. Stanley et Ceili sont du bon monde ; madame Dever, la meilleure des femmes.

— C'est vrai, Molly, mais penses-tu que Tara et Ray les préféraient à toi ? Une mère, Molly, ça ne se remplace pas. Tara aurait marché sur le feu pour te retrouver, elle pensait que c'était de sa faute, croyait qu'elle n'avait pas été assez obéissante, pas assez gentille, pas assez... pas assez... Elle t'a attendue. Je pense que son cœur n'a jamais cessé de t'attendre, mais je ne suis pas certaine qu'elle aimerait te revoir. Michael avait donné les meubles et était parti en Angleterre, lui aussi ; il voulait arrêter de boire, il pensait peut-être te retrouver. Il a échoué et est décédé deux ans plus tard. Tara et Ray, abandonnés par leurs deux parents. Comment faire accepter une chose pareille à des enfants ?

— Je comprends, mais continuez, où sont-ils ?

Hésitante, Grace continua. Les belles années de Tara avec madame Dever, qu'elle a toujours appelée Mamie. Tara l'aimait et Mamie l'adorait, la jeune fille accomplie, honnête, distinguée, musicienne. Ray n'avait pas su profiter de l'amour et de l'attention de son oncle et de sa tante qui l'adoraient. Le portrait de son père. Très tôt, il avait fait des mauvais coups pour finalement partir en Angleterre avec un voyou.

— Même toi, Molly, tu n'aurais rien pu faire pour lui.

Tara à l'école de nursing, le décès de Mamie, la goujaterie des Dillard...

Un déferlement de rage s'empara de Molly, elle bondit :

— Je les tuerai !

— Tu ne tueras personne. Indirectement ou directement, tu es la cause de tout ce qui lui est arrivé, ne l'oublie pas, Molly.

— Mon Dieu! Et tout ça, pour l'amour d'un salaud de la pire espèce!

Les larmes reprirent. Grace avait mal pour cette pauvre femme.

Le mariage de Tara avec Patrick Delaney, le complot pour l'assassiner, mais par erreur c'est lui qu'on assassina... Molly pleurait de plus belle, les sanglots secouaient son corps. Grace arrêta de parler, mais Molly lui fit signe de poursuivre.

— Tara était enceinte. À sept mois, le soir du mariage de Maggie, personne ne sait ce qui est arrivé. Soudainement, elle a eu des contractions et, malgré les efforts du docteur Fitzsimmons, elle a perdu son bébé. Tous étaient surpris. Tara était une femme en pleine santé. À son décès, Mamie lui avait laissé sa maison, un héritage; elle est partie vivre quelques mois chez la belle-sœur du chef de police Starr, à Dublin, puis elle a immigré au Canada. Elle a épousé un médecin chirurgien il y a trois mois, Maggie est allée au mariage. Tara est une dame maintenant, elle vit dans une superbe maison. Je le répète, c'est une dame, elle est aimée et heureuse.

Molly se déplia d'un bond.

— *A Thiarma Dhia!* (Juste ciel!)

Des rires se mêlaient à ses larmes. Ses yeux s'allumèrent.

— Merci, Grace Ryan! Merci!

— Je t'en prie, Molly. Mais dis-moi, pourquoi es-tu revenue? Que t'est-il arrivé? La cicatrice? Tu boites?

— Ce n'est pas grave. Mon châtiment est mérité.

64
La descente aux enfers

Alors commença le récit d'une escapade qui avait tourné au cauchemar. Francis Lennon, Pédopimp, était un type de la pègre, un souteneur qui aurait tué sa mère pour satisfaire ses caprices de petit caïd. Peu de temps après leur arrivée à Londres, ses belles paroles et son air distingué firent place à un être abject et contrôleur. Installés dans un petit deux-pièces miteux, ils sortaient rarement. Francis craignait le trafiquant de drogue à qui il avait volé de l'argent. Quelques amis, des crapules de son espèce, venaient lui rendre visite.

— Il m'envoyait dans la chambre pendant qu'ils conspiraient quelque mauvais coup. Sans argent, dans une ville que je ne connaissais pas, j'avais essayé de le raisonner.

— Toi, la pute, ferme-la ! Une femme qui abandonne ses enfants et qui vient me faire la leçon ! Je commence à être fatigué de tes airs de vierge offensée. Tu vas commencer par gagner ta croûte. J'ai un client qui a hâte de te rencontrer.

Le lendemain matin, pendant qu'il dormait, Molly lui avait volé cinquante dollars et s'était échappée. Le premier autobus l'avait amenée à New Cross ; elle était entrée dans un restaurant, avait commandé un sandwich et un thé. Assise paisiblement, réfléchissant, elle avait décidé de se trouver un emploi afin de pouvoir retourner à Navan. Le propriétaire lui avait indiqué le nom d'un restaurant, pas très loin, qui cherchait une serveuse. Le pas léger, elle s'y dirigeait lorsque Francis et deux de ses comparses étaient apparus de nulle part et l'avaient traînée dans une voiture. Il n'avait pas ménagé les coups et, quand ils étaient rentrés dans leur logement, il lui avait cassé la jambe avec une barre de fer.

— Tu n'es pas prête de te sauver, ma garce, et ta jambe cassée ne t'empêchera pas de te les ouvrir...

Horrifiée, Grace la contemplait avec compassion. Pauvre femme ! Molly poursuivit son récit. Sa jambe la faisait tellement souffrir qu'il avait dû se résigner à l'amener à l'hôpital. Elle avait supplié le médecin de l'aider. Celui-ci l'avait crue. Il avait fait escorter Francis hors de l'hôpital, avait immobilisé la jambe de Molly dans un plâtre et demandé à une collègue, qui s'occupait des plus démunis, de venir chercher une jeune femme en détresse. Deux heures plus tard, Jessica l'avait amenée chez elle pour quelques jours. Malgré les médicaments, Molly fut très malade. Cette dame l'avait soignée, l'avait encouragée à apprendre un métier et lui avait trouvé un emploi dans un hôpital à Canterbury, à quelque cent milles de Londres.

— J'étais partie depuis plus d'un mois, sans un sou, je savais que mes enfants étaient déjà placés. Je ne pouvais revenir. Quel avenir auraient-ils eu avec moi ? Après ma guérison, j'ai commencé à travailler à l'hôpital, je voyais à l'entretien. Bonne travaillante, après six mois, j'ai eu une augmentation. Jessica m'avait trouvé une chambre chez un vieux couple, ils étaient très gentils avec moi ; ils aimaient parler de leur fils qui était à l'étranger. La dame avait été coiffeuse. Ça m'intéressait. J'ai économisé, suivi le cours les fins de semaine. Un an plus tard, je travaillais dans un salon. Les hommes, les partys ne m'intéressaient plus. Le propriétaire du salon était veuf, sans enfant, il voulait m'épouser, mais je n'étais pas libre. De plus, je ne l'aimais pas vraiment d'amour. Le sexe ne l'intéressait pas beaucoup, mais il aimait ma compagnie et j'aimais sa bonté, son savoir-vivre. Beaucoup plus instruit que moi, il m'a fait visiter les musées, manger dans des restaurants huppés, m'a donné un certain vernis. Nous avons habité ensemble pendant quatorze ans. Il est décédé il y a trois mois, il avait soixante ans.

— Il connaissait ton passé ?

— Je ne lui avais rien caché. Il a toujours insisté pour que je revienne voir mes enfants. Chaque jour, je priais pour eux ; je n'avais pas le courage de venir les déranger dans leur nouvelle vie. Avant de mourir, il m'a fait jurer d'essayer de les retrouver. Alors, je suis venue. Voilà !

Elle se leva pour partir ; Grace regarda l'horloge. Il était presque onze heures.

— Molly, tu vas me tenir compagnie, je vais t'entretenir des derniers événements ; tu vas rattraper le temps passé.

Molly voulait savoir si madame Delaney était toujours vivante.

— Oui ! Ça n'a pas été facile pour elle, elle a perdu son mari, son fils unique a été assassiné par sa mère ; heureusement que ses deux filles sont près d'elle. Secondées par leur mari, elles ont repris la ferme.

— Elles ont des enfants ?

— Sandra a accouché le même soir où Tara a perdu son bébé. Elle avait eu un autre bébé dix mois plus tard, mais on n'a jamais vu ses enfants. Elle n'a pas un caractère facile et n'a pas été très gentille avec Tara. Shannon a un bébé de six mois. Sa mère demeure avec elle dans la grande maison. Sandra a rénové la vieille maison.

— Le docteur Fitzsimmons est-il toujours à Navan ?

— Il a un cancer de la prostate généralisé ; il n'a plus que quelques semaines à vivre.

— Je ne veux pas trop être vue à Navan, mais j'aimerais bien lui parler avant de partir. Il voulait coucher avec moi, comme il l'a fait avec quelques jeunes femmes, mais j'ai toujours refusé. Ça ne l'a pas empêché de me dépanner à l'occasion. Pensez-vous… ?

— John va rentrer bientôt, il a oublié un outil dont il avait besoin.

À peine avait-elle fini de parler que John entra. Figé, il regardait Molly sans comprendre. C'était bien elle, elle avait vieilli. Son prince charmant avait dû se changer en crapaud !

— C'est bien toi, Molly ?

— Oui, et je partais.

— Non ! Non ! Reste à dîner ! On t'a connue, Maggie est toujours l'amie de Tara. Ta fille est un peu la nôtre, on a toujours veillé sur elle.

Molly se rassit. Grace souffla à John qu'elle lui parlerait de Molly plus tard. Elle lui demanda s'il voulait bien accompagner Molly à l'hôpital, elle voulait voir le docteur Fitzsimmons avant

de repartir. John ne savait plus quoi penser, elle arrivait inopinément et repartait aussitôt...

— Certainement, c'est juste à côté. J'arrêterai le voir avec toi.

Les larmes aux yeux, Molly fit ses adieux à Grace, la remercia et sortit. Grace pleurait à chaudes larmes. Pauvre femme ! Une enfance malheureuse, un mari ivrogne, un mauvais choix en amour. Elle était bien à plaindre.

Le docteur Fitzsimmons n'était plus que l'ombre de lui-même. Il reconnut Molly. Heureux de la voir, il étendit la main, elle la prit et s'assit à ses côtés.

— C'est bien toi, Molly ! Tu as changé, mais tes yeux sont les mêmes.

D'une voix rauque, il lui demanda de ses nouvelles, mais elle voulait surtout lui parler de Tara.

— C'est vous qui étiez là quand elle a perdu son bébé. Que s'est-il passé ? Ma Tara, une jeune femme en bonne santé !

Le docteur Fitzsimmons ferma les yeux ; pâle comme un mort, il respirait avec difficulté. John prit peur.

— Il n'est pas bien ; partons, Molly.

— Une minute, je vous en supplie. Colin, dites-moi, Tara était en bonne santé, pourquoi ?

— *Dia ! Dia ! Tha mi duilich ! Tha mi duilich ! Tha mi duilich !* (Mon Dieu ! Je regrette !)

— Colin, je n'ai pas été une bonne mère, mais Tara est une bonne fille, vous avez été bon pour moi, parlez.

— C'est la salope ! Elle m'a fait chanter !

Bouleversé, John se prit la tête à deux mains.

— Je n'en ai pas pour longtemps, je ne veux pas mourir avec ce crime sur la conscience. Monsieur Ryan, allez chercher la police.

John s'élança à l'extérieur, pendant que Molly, le visage décomposé, fixait le docteur Fitzsimmons. Navan est une petite ville, John repéra le chef Starr tout près de l'hôpital. Il lui expliqua la situation et en moins de trois minutes, il était dans la chambre. Il salua Molly. Debout près du lit, il considéra le docteur Fitzsimmons.

— Vous me reconnaissez, docteur ?

— Oui, vous êtes le chef de police.
Le chef lui demanda son adresse, sa date de naissance, etc.
— Vous avez une déclaration à faire. Je vous écoute.
— Molly, *Tha mi duilich!* (Je regrette!)

65

J'avoue

Le docteur se signa. D'une voix faible mais ferme, il commença. Veuf très jeune, il aurait aimé se remarier, la seule femme qu'il avait aimée était madame Dever, mais elle n'avait pas voulu de lui. Son corps avait des besoins, alors il avait eu des aventures discrètes, il récompensait parfois ses conquêtes. Molly, elle, avait refusé ses avances. La jeune Sandra Delaney avait souvent besoin d'argent et elle savait s'y prendre. Il ne pouvait lui résister.

— Elle était capable ! Elle est partie pour l'Angleterre et s'est mariée. J'étais soulagé. Quand Tara a épousé Patrick, elle est revenue, mais n'est pas venue me voir. Je respirais mieux, je la savais capable de tout, mais je l'avais sous-estimée. Quand Patrick est décédé et que Tara a annoncé son intention de partir pour le Canada, elle est entrée dans mon bureau en furie. « La fille de Molly ne partira pas avec le bébé de mon frère. Jamais ! » Elle avait un plan. Un plan diabolique.

Il laissa échapper un gémissement, l'infirmière entra. Elle avait vu arriver le chef et voulait savoir ce qui se passait. Elle offrit un antidouleur, mais il la congédia. Le chef l'avisa qu'il l'appellerait, si nécessaire. Il ferma la porte, la rouvrit, elle était encore là. Il ne plaisantait pas. D'un ton sans réplique, il l'apostropha : « Si je vous retrouve à écouter, je vous arrête. » Elle ne se le fit pas dire deux fois. Le docteur continua son récit.

— Sandra allait faire semblant qu'elle était enceinte. Quand Tara aurait son bébé, je n'avais qu'à dire qu'il était mort-né et le remettre à Sandra. J'ai refusé net. Alors, elle m'a sorti le nom de quelques femmes avec qui j'avais couché. Elle menaçait de ruiner ma réputation, de me traîner dans la boue.

— Mais en vous dénonçant, elle se dénonçait aussi.

— Elle s'en fichait, elle voulait l'enfant de son frère.

Le chef et John tressaillirent. Molly se mit à gémir. John la prit dans ses bras.

— Le jour du mariage de Maggie, quand Tara commença à avoir des contractions, Sandra se rendit à l'hôpital en même temps que moi. Je renvoyai l'infirmière. Tara accoucha prématurément. Le bébé était petit, mais vigoureux. Sandra était dans une autre chambre, je prétendis qu'elle venait d'accoucher elle aussi. Le bébé passa une semaine dans un incubateur et Sandra sortit de l'hôpital avec… une jolie petite fille, l'enfant de Tara. Le pire, c'est qu'elle ne l'a jamais aimée ; elle ressemble trop à Tara.

Bouillant, John bondit de rage, mais Molly l'avait précédé ; elle saisit le moribond à la gorge. Le chef s'interposa, il essaya de détacher ses doigts, mais elle tenait bon. John hésita, ce monstre n'avait que ce qu'il méritait.

— John, aidez-moi ! Elle va le tuer !

John s'avança lentement, à deux, ils réussirent à faire lâcher prise à Molly. Le docteur toussa, émit un long sifflement et se remit à respirer. John le toisa avec horreur.

— Mais c'est monstrueux ! Et le mari de Sandra ? Il ne s'est douté de rien ? Vous avez volé le bébé pour le donner à cette garce, pendant que Tara repartait les mains vides. C'est criminel ! On a essayé de la violer, on a assassiné son mari, et vous lui avez volé son enfant ! Vous êtes un être ignoble ! Chef, retournons à la maison. Je veux une copie de cette confession. Et vous, docteur Fitzsimmons, vous méritez de brûler en enfer.

Furieux, John sortit en tenant Molly. Le chef à leur suite, ils retournèrent chez John. Quand Grace vit le chef entrer, suivi de John qui soutenait Molly, elle se signa. Cette dernière était méconnaissable. John et le chef paraissaient bouleversés.

— Qu'est-ce qui vous arrive ? Avez-vous eu un accident ? Le docteur est-il mort ?

John s'exclama :

— J'espère que ce monstre va crever le plus vite possible ! Est-ce qu'il reste du brandy dans la bouteille que Maggie a rapportée du Canada ? J'ai besoin d'un remontant.

Grace en versa trois verres, mais John lui en versa un à elle aussi. Elle hésita, puis l'ingurgita d'un trait, comme les trois autres. Molly demeurait prostrée, toute énergie s'était retirée de son corps. Grace eut peur. Le chef prit la parole. Il lui raconta tout ce qui s'était passé, sans rien omettre. Grace respirait avec peine.

— Comment ont-ils pu faire une chose pareille ? C'est un crime !

— Cette petite est la fille de Tara, et vous allez la sortir de cette maison, l'amener ici et appeler Tara. Je n'ai pas été une bonne mère, mes enfants ont payé, mais Tara a le droit d'avoir son enfant.

— Vous savez, ce n'est pas si simple.

John se mit debout devant le chef; il le foudroya du regard. D'une voix calme, sans réplique, il déclara :

— Molly a raison et vous le savez. Vous avez été là pour Tara, vous l'avez soutenue, encouragée, votre belle-sœur est comme une mère pour elle ; vous devez le faire.

— J'y pense, mais je songe aussi que Tara vient de se marier, qu'elle est heureuse. Cela va peut-être détruire sa vie de couple, elle est dans la haute société maintenant. Je ne veux pas anéantir son bonheur.

Il y eut un long silence, un silence qui dérange, un silence qui ne donne pas une deuxième chance. Grace comprenait son dilemme, mais elle était mère avant tout, et Tara devait savoir qu'elle avait une enfant. Grace prépara du thé, sortit des biscuits et on se mit à table.

— Je vais au poste rédiger mon rapport, puis j'appellerai Tara. C'est une décision lourde de conséquences, c'est vrai, mais elle a le droit de savoir. John, vous pouvez rester ici. Et vous, Molly ?

— Elle reste avec nous. Elle ne partira pas ce soir.

— Non, je partirai pour Dublin dès que je saurai ce qui va arriver pour l'enfant de Tara. J'ai une chambre à l'hôtel, je ne veux pas que Tara sache que je suis ici, je ne veux pas la bouleverser. Je retourne en Angleterre d'ici deux ou trois jours.

— Mais Molly ! C'est grâce à vous qu'elle va retrouver son enfant.

— Grace, n'insiste pas, je ne changerai pas d'avis. Me voir ne ferait que raviver de vieilles peines.

Grace pleurait doucement. Pauvre malheureuse, elle n'avait pas eu de chance !

66

Communication d'outre-tombe

L'hiver était rigoureux, Tara et Scott se souciaient peu du froid. Allongés devant le foyer, Tara et Scott, enlacés, se redisaient leur bonheur. Scott avait hâte d'être père, mais il aimait être seul avec elle.

— Tu verras, si je tombe enceinte, nous aurons peut-être des jumeaux.

— Parfait ! Des enfants qui te ressemblent, j'en veux une douzaine.

Ils avaient pris dix jours de congé ; ils firent du ski et reçurent des amis de Scott. Même la neige et le froid n'altéraient pas leur bonheur.

Le temps fila. Déjà la Saint-Valentin. Ils avaient décidé de fêter en amoureux, mais William et Barbara avaient demandé de se joindre à eux. Alors... La semaine précédente, Tara avait eu des nausées, Scott était fou de joie.

— Tu es enceinte, j'en suis certain ! Tu dois arrêter de travailler, te reposer.

— Attends un peu, c'est peut-être une gastroentérite.

— Tu me fais marcher ! Non, non, tu es enceinte. Oui ?

Il la souleva, se mit à danser et à chanter sa fameuse chanson : *Save the Last Dance for Me*.

— Scott, arrête ! Si je suis enceinte et si le bébé t'entend, il ne voudra jamais venir au monde.

— Mais non, ma chérie, lui et moi, nous nous comprenons déjà.

— Et si c'est une « elle » ?

— Nous nous comprendrons aussi. J'aime bien sa mère.

— Pas de préférence ?

— Non, parce que je sais que l'un des douze sera un garçon.

Tara insista pour qu'il n'en parle à personne avant qu'elle en soit certaine.

— Pas avant un mois, Scott.

— Tu me fais souffrir ! Je veux l'annoncer à tout le monde.

Scott lui avait acheté une douzaine de belles roses jaunes. Son beau-père arriva avec une grosse boîte de chocolats Laura Secord. Barbara était chez la coiffeuse.

Il était neuf heures trente. Tara se préparait à appeler Kathleen, mais à l'instant même, le téléphone sonna. Elle répondit.

— Tara ? *This is Douglas Starr, Chief of police from Navan.* Je sais qu'il est un peu tôt...

— *Chief Starr ? Is someone dead ?* (Est-ce que quelqu'un est décédé ?) *Maggie ? The Ryan ?*

— Tara, je pense que vous feriez bien de vous asseoir. Ce que j'ai à vous dire est presque incroyable et lourd de conséquences.

Elle tira une chaise et il commença par lui révéler ce qu'il venait d'apprendre.

— J'aimerais être près de vous pour vous expliquer la situation. Tara, quand vous étiez enceinte et que vous avez fait une fausse couche, le jour du mariage de Maggie, le docteur Fitzsimmons vous a dit que votre bébé était mort-né. Eh bien ! c'était faux ! Il est bien vivant.

— Vivant ? Comment ? Où est-il ?

— On vous l'a volé.

Tara poussa un cri et perdit connaissance. Scott s'élança vers elle, pendant que son père prenait l'appareil.

— Allo ?

— *Who are you ?* (Qui êtes-vous ?)

— Je suis le docteur William Harvey, le beau-père de Tara.

— Occupez-vous de votre bru et passez-moi son mari.

Scott avait mouillé une serviette. Tara revenait à elle. Son beau-père la déposa sur le divan et ordonna à son fils de prendre le téléphone.

Le chef Starr s'identifia et lui fit le récit de ce qui s'était passé.

— Mais ce sont des monstres ! Assassinat, viol, vol, enlèvement d'un enfant, c'est terrible. Où est son enfant ? Allez le chercher !

— John Ryan et moi partons dans quelques instants, je voudrais d'abord reparler à Tara.

— Elle a perdu connaissance. Je m'en occupe et je vous appelle dans une heure.

— Je me rends chez les Dalton et je reviendrai chez les Ryan. Je vous rappellerai. Docteur, j'aime beaucoup Tara, je suis heureux de son bonheur ; je suis très peiné...

Scott était secoué, il prit Tara dans ses bras, la berça, tout en expliquant à son père ce qu'il venait d'apprendre. Le docteur William avait peine à croire ce qu'il entendait.

— Ma chère Tara, comme on a été cruel envers vous ! Vous avez une petite fille. J'ai hâte de la voir.

— Et moi donc ! Chérie ! Je vais être père deux fois dans un an !

— Tara ! vous êtes enceinte ! Vous nous rendez doublement heureux. Vous avez besoin de votre tante, elle vous aime comme sa fille. Je vais la chercher.

Tara éclata en sanglots, les larmes coulaient à flots. Scott lui chuchotait des mots doux.

— Tu veux mon enfant ? Je ne peux pas t'imposer *mon enfant* ! Peut-être ne voudront-ils pas s'en séparer ? Un gros choc pour la petite, je sais, je comprends. Ma petite fille ! Elle ne me connaît pas ; j'ai perdu presque... trois années de sa vie.

— Mon amour, cette Sandra ne l'aime pas. Je te jure, la petite va courir dans tes bras et les miens. J'ai le tour, avec les Irlandaises. Et je vais l'aimer, cette petite. C'est l'enfant de Patrick et de toi. Patrick était un homme bon et honnête, tout comme son père et sa mère. Cette enfant sera la nôtre. Tu veux bien que je sois son père ?

Riant avec ses yeux mouillés de larmes, Tara se jeta à son cou, puis se leva et embrassa son beau-père.

— Ma petite Tara, pensez-vous que nous pourrions refuser d'accepter votre enfant ? Votre petite va aussi avoir besoin d'un grand-papa et d'une grand-maman. Si elle ressemble à sa mère, je

vais être fier de me promener avec elle. Cette démone ne pourra pas la garder. Elle va aller en prison!

— Que diront vos amis?

— Personne ne peut mépriser une femme à qui on a enlevé son enfant. Si quelqu'un ose nous snober, il ne mérite pas d'être notre ami.

Scott se leva, il était encore tôt, mais il avait besoin d'un verre. Tara refusa le sien, elle ne prendrait aucun alcool durant sa grossesse. Éperdu d'amour pour sa femme, conscient de ce que son cœur de mère devait souffrir, il aurait voulu tuer cette femme sans scrupule qui avait planifié son méfait pendant des mois et volé son enfant. Le docteur William aussi. Il se leva, enfila son manteau et ses bottes.

— Je reviens tout de suite.

Il fit diligence. Choquée, bouleversée, peinée, Barbara eut de la difficulté à comprendre que la sœur de Patrick ait enlevé le bébé de Tara. Un autre nuage pendant que le soleil était à son zénith. Elle avait à peine franchi la porte que Tara se jeta dans ses bras.

— Ma chérie, cette épreuve est la pire de toutes, mais tu as un mari qui t'adore, ton beau-père et moi et... tu es enceinte. Cachottière!

— Je viens de l'apprendre. Scott voulait passer dans les rues et le crier fort, fort, j'ai refusé. Merci d'être là, nous attendrons ensemble. Le chef doit rappeler plus tard.

Scott alluma un feu dans le foyer. Silencieux, chacun regardait les flammes lécher les bûches, perdu dans ses pensées.

67

Le châtiment de Némésis

Il était près de seize heures quand le chef et son assistant, suivis de John, s'immobilisèrent devant la maison d'Acton et de Sandra. Acton leur ouvrit. Surpris, il les regarda, pendant que Sandra leur offrit un thé. Les fouillant du regard, Acton prit la parole.

— Mais c'est une descente ! Désolé, je n'ai plus de drogue.

Le chef prit la parole.

— Nous ne venons pas pour toi, Acton, nous venons pour Sandra.

— Sandra ? Qu'est-ce qu'elle a fait ? Elle a oublié de payer une contravention ? Vous n'avez pas besoin de venir à trois pour ça.

Il commençait à s'échauffer.

— Non, j'aimerais que ce soit une contravention, mais c'est beaucoup plus grave. Sandra, tu te souviens du docteur Fitzsimmons ? Votre crime ? Nous venons chercher l'enfant de Tara que tu lui as volée.

Blanche comme une morte, Sandra n'avait pas ouvert la bouche. Acton la suppliait du regard, elle ne le voyait pas. Elle n'avait jamais imaginé être découverte. Ce vieux fou, elle aurait dû le tuer !

— Sandra, qu'est-ce qu'ils veulent dire ? Ce n'est pas vrai ! Tu n'as pas volé l'enfant de Tara ?

Hargneuse, elle lança :

— C'est aussi l'enfant de Patrick !

Le chef relata la confession du docteur Fitzsimmons. Un goût amer dans la bouche, Acton regarda Sandra avec horreur. Sa femme ! Au même moment, une petite fille se glissa dans la cuisine.

— Mais c'est tout le portrait de Tara ! Tu ne l'as jamais remarqué, Acton ?

— Elle disait que… Oh ! je deviens fou. Comment as-tu pu faire une chose pareille ?

John sortit un bonbon de sa poche et le tendit à la fillette. Elle sourit, regarda Sandra, celle-ci détourna la tête. Acton se tourna vers le chef.

— Que va-t-il se passer maintenant ?

— J'ai parlé à Tara et à son mari tout à l'heure. Ils vont prendre le premier avion et venir la chercher. Tara va ravoir son enfant. Maintenant, Acton, tu vas l'habiller et nous la remettre. John l'amène chez lui.

Acton regarda la petite. À l'instant même, il comprit pourquoi sa femme ne l'avait jamais aimée. Une douleur lui vrilla le cœur.

— Mais je l'aime, cette petite. La fille de Tara ! Sandra, c'est criminel !

Il alla chercher quelques chandails, des bas, un pyjama ; avec des gestes mécaniques, il l'habilla. Il aimait cette enfant, mais elle n'était pas à lui. Tara avait déjà trop attendu.

— Briana, tu es une grande fille, tu vas aller avec ce monsieur, il est très bon. Tu veux bien faire ça pour moi ? Tu vas être gentille, toujours gentille. Je t'aime ! Va !

— Oui, papa, beaucoup gentille. Je t'aime !

Elle se dirigea vers John, recula, récupéra une petite poupée en ratine. John la prit dans ses bras, sortit et referma la porte du seul foyer que Briana eût jamais connu. Le chef et son assistant attendirent que l'auto se fût éloignée, puis ordonnèrent à Sandra de prendre quelques vêtements et lui passèrent les menottes.

— Sandra, vous avez le droit de vous taire, tout ce que vous direz pourra être utilisé contre vous.

Acton les regardait sans comprendre. Moins d'une heure plus tôt, il était chez lui avec sa femme et ses deux enfants.

— Où l'amenez-vous ? Qu'allez-vous faire ?

— Acton, elle a commis un crime. Pendant des mois, elle a prémédité d'enlever cette enfant. C'est très grave. Elle couchera à Navan ce soir. Demain, nous la transférerons à Dublin.

— Mais c'est un cauchemar. Sandra ! Dis quelque chose !

— Appelle un avocat!

Désespéré, Acton s'écrasa sur le divan et se mit à pleurer. Sandra n'était pas toujours facile à vivre, elle était ambitieuse, mais ils n'étaient pas malheureux. Comment avait-elle pu planifier cet enlèvement et lui faire croire que Briana était son enfant? Elle avait bien joué son jeu. Il se rappela cette première grossesse. Fou de joie, il voulait toucher son ventre, le regarder, mais elle disait que son corps était déformé, etc. Ils faisaient l'amour dans le noir. Avant d'être emmenée, elle n'avait même pas embrassé le petit Cassidy, dix-huit mois, qui dormait dans son petit lit. Pauvre enfant, il n'avait plus de mère. Qu'allait-il devenir? Le nom de Sandra ferait la une des journaux. « Une femme de Navan arrêtée pour avoir enlevé l'enfant de sa belle-sœur en 1966. » On le croirait complice. Prostré pendant plus d'une heure, il réfléchissait à son avenir. Il se releva et appela sa mère en Angleterre. Ce fut vite décidé. Il prépara sa valise, celle du petit, sans oublier quelques jouets, fruits, jus et biscuits.

Deux heures plus tard, le petit Cassidy à ses côtés, quelque 400 livres (960 dollars CAN) en poche, l'argent des semences, Acton roulait vers Dublin. Il prit le traversier qui partait en direction de Hollyhead, en Angleterre. Jamais il ne remettrait les pieds à Navan. Sandra n'était plus la femme qu'il avait aimée. Elle lui avait menti; elle avait enlevé un nouveau-né. Il ne pourrait jamais lui pardonner. Deux petits enfants, Briana et Cassidy, vivaient un drame qui allait changer le cours de leur vie.

Le chef avait installé Sandra dans une cellule; elle n'avait pas ouvert la bouche. Son arrestation serait bientôt sur toutes les lèvres, de même que l'enlèvement de la petite Briana. Il ferma les yeux et revit Tara, chaque épisode tragique de sa vie; il l'avait vue démolie lors du meurtre de son mari, il l'avait encouragée à partir, à refaire sa vie. Maintenant que tout lui souriait, elle retrouvait l'enfant qu'elle croyait morte. Comment son mari réagirait-il? Il fixa le téléphone, regarda sa montre, il était midi à Montréal. Poussant un profond soupir, il composa le numéro. Scott répondit aussitôt.

— Hello doctor! Chief Starr speaking. The Ryans have a most delightful little girl, the prettiest thing you ever saw, an exact replica

of Tara. May I give Tara the good news? (Bonjour, Briana, la plus merveilleuse petite fille, la plus jolie des petites filles, est présentement chez les Ryan. Elle est une copie conforme de Tara. Puis-je annoncer la bonne nouvelle à Tara?)

— *Certainly and bless you chief.* (Certainement et soyez béni.)

Debout, comme un papillon sortant de sa chrysalide, tremblante d'anticipation, Tara saisit l'appareil.

— Oui, chef Starr.

— Tara, je l'ai dit à votre mari, mais je veux avoir le plaisir de vous l'annoncer moi-même; Briana, la plus merveilleuse petite fille, la plus jolie des petites filles, est présentement chez les Ryan. Elle est une copie conforme de sa mère. Vous n'aurez pas à attendre, je fais préparer les papiers nécessaires et vous pouvez venir la chercher.

Tara était comme Jean qui pleure et Jean qui rit.

— Merci! Merci! J'espère qu'elle n'est pas trop perturbée.

— Tara, ne vous en faites pas, les enfants sont forts, l'amour vient à bout de tout.

Elle appela les Ryan. Maggie répondit.

— Tara, ma chère, tu as une adorable petite, pas aussi bien que mon gars, mais, que veux-tu? Tu n'as pas mes gênes. Elle parle comme une grande fille.

Tara riait maintenant de bon cœur. Elle parla à Grace. Cette dernière la rassura, la petite était un peu perdue, mais elle avait bien mangé. John était allé lui chercher une belle poupée, elle s'amusait avec, mais sans lâcher Penny, sa petite poupée miteuse en ratine.

— Ça va bien aller, un enfant reconnaît toujours sa vraie mère.

Tara raccrocha, les regarda tous. Elle semblait grandie. Scott prit la situation en main.

— Nous allons appeler l'hôpital, je serai absent une semaine et toi, ma chère Tara, tu viens de prendre ta retraite.

Tara ouvrit grand les yeux. Scott prit un air sévère... mais pas méchant.

— Tara, pas de discussion. Ici, c'est moi le chef. La petite Briana va avoir besoin de sa maman. J'appelle l'aéroport, nous partons

demain pour l'Irlande. Tu seras prête. Nous sommes parents d'une petite Irlandaise. *Well! Well!* Papa, nous sommes envahis par l'Irlande. Y penses-tu, trois Irlandaises?

Tara lui sauta au cou; la scène était des plus touchantes.

— Briana veut dire «douce et vertueuse» en gaélique, et Scott veut dire le meilleur mari au monde, le meilleur homme, tu es un ange. Jamais je n'oublierai ce que tu fais pour moi.

— Un ange? Tara, avec ma grandeur, tu pourrais au moins dire un archange! Je vais avoir deux femmes pour me servir, peut-être trois... *Yessss!* Maintenant, femme (avec un sourire), il est midi trente, j'ai à peine déjeuné et je meurs de faim!

William se leva et déclara qu'il allait chercher le dîner; il serait de retour dans quinze minutes. Barbara le remercia. Il revint avec du poulet, une salade et des frites. Scott ouvrit une bouteille de champagne. Tous mangèrent avec appétit, sauf Tara. Son cœur était à Navan. Elle essaya d'imaginer sa fille. La réalité la rattrapait. Barbara suggéra d'attendre au lundi pour partir. Il fallait acheter un mobilier pour cette petite fille, des vêtements, des jouets. Le docteur William intervint. Le dimanche, les magasins étaient fermés. Si Tara le voulait, ils partiraient tout de suite choisir un mobilier et des vêtements pour Briana.

— Dans moins de deux heures, tu auras acheté ce que tu veux et tu seras de retour. Fiez-vous à moi, le tout sera livré ce soir.

— Mais c'est samedi!

— Je sais, mais ce sera fait. Toi, Scott, tu iras à l'hôpital, tu dois transférer tes patients à un collègue. Barbara, tu prépareras les valises. Dès que nous serons de retour, Tara ira se coucher. Elle doit se reposer, dans moins de neuf mois, il y aura un autre enfant dans cette maison.

Il la questionnait du regard. Tara lui sourit. Barbara avait de la peine à se retenir. Un vrai général organisant ses troupes! Amusé, Scott ne quittait pas son père des yeux. Il était dans son élément. Homme de décision, de pouvoir se rendre utile, de prendre les rênes le comblait. C'était d'autant plus facile qu'il aimait beaucoup sa bru.

— Merci, vous êtes trop aimable. J'irai avec vous.

Scott appela l'aéroport, réserva deux places, en première, vol

direct, pour l'aller, et trois places pour le retour. L'avion partait à sept heures le lendemain. Il se rendit à l'hôpital. À sa demande, Barbara réserva une chambre à deux lits au Central Hotel de Dublin. Ensuite, elle appela son beau-frère. Le chef lui assura que son ami, Pat McCauly, viendrait les chercher et les conduirait à Navan.

Tara n'avait aucune idée des vêtements à apporter pour Briana. Barbara lui suggéra de n'acheter que trois ensembles.

— Quand elle sera ici, Scott et toi irez l'habiller. Imagine votre plaisir ! Tu as épousé un homme exceptionnel, il sera un excellent père.

Tara en était consciente. Elle partit avec son beau-père.

Barbara appela Brigid, et Allana, la sœur de Scott, la mit au courant des derniers événements ; abasourdie, Brigid ne savait que dire. On voyait ces drames au cinéma, dans les romans, pas dans la vraie vie ! Kathleen essayait de comprendre la conversation, mais elle ne pouvait imaginer pareille bêtise humaine. Une heure plus tard, Brigid arrivait avec Kathleen, elles avaient acheté une maison de poupée et une petite horloge Fisher Price, où de petits animaux « parlants » remplaçaient les chiffres.

Arrivés chez Eaton, son beau-père la guida vers le rayon des bébés.

— Je pense qu'il vaudrait peut-être mieux acheter un lit junior qu'un lit de bébé, car elle va dire qu'elle n'est plus un bébé.

Il avait raison. Elle regarda les prix, certains ensembles étaient très coûteux, mais c'est précisément ceux-là que son beau-père examinait.

— Tara, je vous en prie, laissez-moi payer le mobilier. Si ma femme vivait, elle aurait été tellement heureuse d'accueillir votre petite, elle aurait voulu le faire, et Barbara est du même avis. Briana est notre première petite-fille, ne nous refusez pas ce plaisir.

Impossible de refuser. Il acceptait son enfant comme sa propre petite-fille, il avait hâte de la voir. Il attendait la réponse…

— D'accord, mais vous ne devrez pas trop la gâter.

Il promit, mais elle n'était pas convaincue qu'il tiendrait parole. Il choisit le plus beau lit junior, une commode, une coiffeuse avec une chaise. Un petit fauteuil berçant complétait le tout.

— Ça vous plaît ? Vous l'aimez ?

— Superbe ! Beaucoup trop cher.

— Mais non, Scott veut une grosse famille, douze ?

Il la taquinait. Puis il glissa un « petit » cadeau dans la main du gérant ; le sourire aux lèvres, ce dernier confirma que le tout serait livré avant dix-huit heures, à défaut de quoi le docteur annulerait l'achat. Ils se hâtèrent vers les vêtements. Grace lui avait dit que Briana était grande, mais pas très grosse ; elle acheta une robe en lainage, un pantalon, deux chandails, des sous-vêtements, un manteau d'hiver, des chaussettes, des souliers, des bottes, des bonnets et des mitaines. Son beau-père ajouta un beau lapin en peluche rose. Tara avait les larmes aux yeux. Elle l'embrassa. Elle alternait du français à l'anglais ; quand elle était nerveuse, inévitablement elle revenait à sa langue maternelle. Tout à fait normal.

— Ce que vous faites pour ma petite que je ne connais même pas me touche beaucoup. Je ne l'ai jamais vue sourire, faire ses premiers pas, entendue dire ses premiers mots. Vous êtes droit et généreux. Vous êtes le père que j'aurais aimé avoir.

— C'est un beau compliment que vous me faites, ma chère Tara. Merci. J'aime les enfants et j'ai bien hâte de voir ma petite Briana.

Il proposa d'aller prendre le thé au cinquième ; elle accepta volontiers.

À seize heures trente, ils étaient de retour, Scott aussi. Durant leur absence, les Legault et Allana aussi avaient magasiné. Des jouets des Legault, une literie complète d'Allana : draps, oreillers, taies, couvertures, tous portant le motif Holly Hobbie. Scott et Tara riaient de bonheur. Celle-ci avait complètement oublié la literie. Chacun s'offrit pour garder la petite lorsqu'ils sortiraient. Scott secoua la tête.

— Cette enfant ne portera pas à terre — touchant le ventre de Tara —, l'autre qui attend son tour. Il va falloir agrandir la maison.

Ils partirent tous. Scott et Tara se retrouvèrent en tête à tête. L'arrivée inopinée de Briana allait radicalement changer leurs habitudes de vie.

— Enfin seuls ! Tara, tu sais que je veux des enfants, ton enfant sera le mien et je vais l'aimer comme le mien ; nous serons trois à attendre notre bébé.

— Scott, un enfant est parachuté dans ta vie et...

— Non, Tara, ton enfant se joint à nous, je ne vois aucun problème.

Il se mit à rire, elle le regardait sans comprendre.

— Ma chérie, mon père va la gâter, tous les prétextes lui seront bons pour venir ici et... tout ça va grever ton budget ; l'avion, l'hôtel...

— Je n'y avais pas pensé ; je vais retirer...

— ... de notre compte à nous deux, Tara. Tu comprends ! Mon petit cœur d'amour, tu veux bien me faire plaisir ? Joue-moi quelque chose.

Elle comprenait. Les grandes joies et les grandes peines... et la musique ; celle-ci accentue les premières et anesthésie les secondes. Elle s'installa au piano et laissa harmoniser son cœur ; chaque note les enveloppait, les hypnotisait. Elle le regarda ; elle toucha son ventre puis se mit à jouer la *Berceuse* de Brahms, et la préférée des mamans irlandaises : *Too-ra-loo-ra-loo-ral, Too-ra-loo-ra-li...* Elle termina par *Save the Last Dance for Me,* qu'ils chantèrent ensemble. Il chantait toujours aussi faux, mais elle n'entendait que le son de son amour.

Ils montèrent à leur chambre, prirent un bain et... Tara se donna corps et âme ; passionnément. Leur vie allait changer, mais pas leur amour. Il s'allongea à ses côtés. Sitôt la tête sur l'oreiller, elle tomba dans un profond sommeil ; il la regarda dormir ; que de souffrances et de peines elle avait supportées ! Cette fois, ils allaient boucler la boucle. Elle dormait si bien, il n'osa bouger et il s'endormit.

Barbara les réveilla, il était dix-neuf heures. Le sommeil les avait revigorés. William avait réservé une table dans un bon restaurant pas très loin. Tara accepta, elle ne tenait pas à préparer un souper. William était le chauffeur attitré pour la soirée, Scott en fut soulagé. Sans se l'avouer, il était un peu las et ne tenait pas à conduire. La grosse Lincoln Towncar de son père lui convenait parfaitement.

Dès leur arrivée, William avisa le serveur qu'il souhaitait un service rapide, mais excellent. Ce fut tout cela. Un peu plus sereine, entourée de ceux qu'elle aimait le plus au monde, Tara mangea avec appétit dans une atmosphère plus détendue. Un peu plus de deux heures plus tard, ils étaient de retour.

— C'est la Saint-Valentin, ma chérie. Mets ton plus beau déshabillé, le noir en chiffon, et porte tes perles. Il n'est pas trop tard. Ce soir, nous célébrons la fête des amoureux, notre fête.

Tara se prépara avec soin. Elle se maquilla légèrement, mit son plus beau négligé qui couvrait tout, mais laissait deviner encore plus. Il revêtit son pyjama en satin bleu marine.

— Tu es prête ? Splendide ? Tu es merveilleuse.

— Pas mal non plus, docteur Harvey. Mon escorte ce soir ? Si vous êtes gentil, je vous inviterai peut-être dans mon lit…

Seuls, allongés l'un contre l'autre devant le foyer, ils jouissaient du moment présent ; leur dernier soir seuls. Parfois, les mots sont superflus.

68

Retrouvailles miraculeuses

Samedi, 15 février 1969. Tara revenait dans son pays. Il était près de vingt et une heures quand ils atterrirent à Dublin. Scott la sentait nerveuse, mais sa présence, son assurance et son amour la rassuraient. À l'hôtel, Tara eut beaucoup de difficulté à s'endormir. Scott la prit dans ses bras, lui parla en douceur, elle ferma les yeux et finit par s'assoupir. À neuf heures, le lendemain, le chef Starr se présenta à l'hôtel. Accompagnée de son mari, Tara ne ressemblait en rien à la jeune femme partie presque trois ans plus tôt. Raffinée, vêtue de vêtements griffés, c'était une vraie dame. Son mari respirait la puissance et le pouvoir; il n'avait d'yeux que pour elle. Le chef avait du service, en un coup d'œil, il avait tout saisi. Ses yeux s'allumèrent à son approche. Il s'avança et la serra dans ses bras.

— Ma chère Tara, je suis ravi de vous revoir! Docteur Harvey, content de faire votre connaissance. J'avais affaire à Dublin, j'ai préféré venir vous chercher. Avez-vous des bagages?

— Tout est dans cette valise. Allons-y!

Tara s'enquit de son épouse et de sa fille. Ils causèrent quelques instants, puis le chef s'adressa à Scott. Il regrettait que son premier voyage en Irlande se déroule dans de telles circonstances.

— Vous savez, Tara m'a beaucoup parlé de son pays, de sa Mamie, de vous, de votre famille, des Ryan. Je vous suis extrêmement reconnaissant pour tout ce que vous avez fait pour elle, et plus encore de l'avoir encouragée à émigrer au Canada. Sinon, je n'aurais jamais rencontré cette femme merveilleuse que j'aime plus que tout au monde.

— Docteur Harvey, je suis sincèrement heureux de vous connaître.

— Tara et moi voulons des enfants. Alors, Briana…

— Il en veut douze…

Le chef rit de bon cœur. L'oxygène circulait mieux dans l'auto.

— Nous commençons aujourd'hui avec Briana, que je considère déjà comme ma fille. Et dans moins de neuf mois, Tara accouchera de notre deuxième enfant.

— Je suis content pour vous. Malheureusement, avant d'arriver là, il y a des choses à régler.

— J'ai dû aller chez les Delaney. La pauvre madame, elle ne s'est jamais vraiment remise de la mort de son fils. Son mari vous aimait ; elle aussi. Quand elle a appris que sa fille avait enlevé votre enfant, elle s'est écriée : « Pauvre Tara, lui enlever son enfant ! » J'ai dû la conduire à l'hôpital. Elle désire vous voir, elle veut vous demander pardon.

— Mais ce n'est pas sa faute.

— C'est sa fille, alors elle se croit responsable. Tôt ce matin, j'ai appris qu'Acton avait pris le traversier pour l'Angleterre samedi soir. Je pense qu'il est retourné chez ses parents avec son fils. Quand on est allés arrêter Sandra avant-hier, il la regardait avec horreur. Il ne voudra plus jamais la revoir.

Tara regardait Scott. Celui-ci la connaissait bien, il connaissait son grand cœur, il avait peur de la voir souffrir.

— Madame Delaney m'a reçue à bras ouverts, c'est une bonne personne. Que va-t-il arriver à Sandra ? Je ne porterai pas plainte.

— Elle a commis un crime très grave, elle va aller en prison. Vous devrez venir témoigner.

— Pas question ! Jamais ! Ma femme ne témoignera pas ! Nous venons chercher sa fille et nous repartons.

Tara prit la parole. Au nom de leur amitié, elle supplia le chef de faire en sorte que Sandra ne soit pas punie trop sévèrement.

— Je le fais par amour pour madame Delaney. Je ne reviendrai plus jamais à Navan. Laissez-moi à l'hôpital, ma petite peut attendre quelques minutes. Scott chéri, attends-moi.

La tête haute, Tara entra dans l'hôpital. Tous les regards étaient fixés sur elle ; elle ne vit personne. La rencontre fut déchirante.

Madame Delaney voulut lui demander pardon, mais Tara l'arrêta. Elle l'embrassa. Cette femme, jadis grande et forte, était toute frêle, désespérée. Ses yeux suppliaient Tara. Elle lui prit la main et s'assit à ses côtés.

— Chère madame Delaney, ce que votre fille a fait est monstrueux, mais ce n'est pas de votre faute. Je viens chercher mon enfant; par amour pour vous et pour votre fils Patrick, je ne porterai pas plainte contre elle. J'ai un bon mari, comme votre Patrick, je suis heureuse.

Madame Delaney lui baisa les mains.

— Je comprends pourquoi mon Patrick vous aimait tant.

— Mais il y a une condition.

— Laquelle? Tout ce que vous voudrez...

— Vous allez reprendre courage. Shannon a un enfant, ce petit a besoin de sa grand-maman. Sandra aussi aura besoin de vous. Mère un jour, mère toujours. J'enverrai régulièrement des photos de Briana aux Ryan. J'en ajouterai pour vous.

Madame Delaney la remercia avec profusion. Tara l'embrassa et sortit.

Le chef et Scott l'attendaient.

— Pauvre madame Delaney! Si sa fille va en prison, j'espère que ce sera assez près pour qu'elle puisse la visiter. J'ai un mari exceptionnel, mon beau-père m'aime comme sa fille, votre belle-sœur est ma seconde Mamie. Nous avons des amis, une belle maison, et maintenant notre Briana! Nous allons faire notre possible pour la rendre heureuse. Je sais que Scott va être bon pour elle; alors ça ne me donnerait rien de porter plainte. Sandra va payer pour son crime toute sa vie. Certaines personnes ont la mémoire longue et la langue acérée, j'en sais quelque chose.

— Tara, vous êtes une femme admirable. De là-haut, Mamie doit être fière de vous, comme je le suis.

Dix minutes plus tard, il les laissa chez les Ryan. Tara embrassa ses amis, mais rapidement elle se dirigea vers la petite fille aux boucles rousses. Scott murmura à Grace:

— C'est Tara, en miniature!

Les mains sur les hanches, l'enfant fixait Tara.

— Tes cheveux, même couleur que moi!

— Oui, je m'appelle Tara, et je suis ta maman.

— Non ! J'ai une maman et un papa.

— Alors tu vas avoir une autre maman et un autre papa.

— Je suis l'autre papa. Tu veux me dire bonjour, Briana ?

— Très grand. Tu es méchant ?

Scott éclata de rire, Briana attendait.

— Non, je suis doux comme — pointant Peggy — comme ta petite poupée, et j'ai quelque chose pour toi.

Il sortit de sa poche un petit miroir, un peigne et deux belles barrettes roses. Elle les prit, se regarda. Il reprit les barrettes, remonta ses cheveux et les lui mit. Elle s'admira dans le miroir, lui sourit et alla les montrer à Grace. Tara avait observé la scène. Où avait-il pris toutes ces choses ? Elle avait envie de l'embrasser. Ils passèrent une heure chez les Ryan. En observant Scott et Tara, Grace comprit ce que Maggie avait voulu dire. Élégante, posée, Tara n'était plus la même. Une vraie dame ! Scott était un homme de « la haute », comme on dit en Irlande. Poli, aimable, une noble prestance, une aisance naturelle, il était charmant mais, comme John lui avait dit dans la cuisine : « Grace, il n'est pas du genre à inviter au pub du coin. Tara ? Elle semble être née dans son monde. »

Tara et Scott s'apprêtaient à partir quand Grace fit signe à Maggie d'amener Briana à l'extérieur. Inquiète, Tara les regarda ; quelque chose clochait, elle frémit. John prit la parole.

— Docteur Harvey, Tara, nous avons quelque chose d'important à vous dire. Tara, tu nous connais assez bien pour savoir que nous sommes des gens de parole. Cependant, nous ne pouvons vous laisser partir sans trahir une parole donnée. Tara, si nous ne le faisons pas, tu nous en voudrais jusqu'à ta mort.

— De quoi s'agit-il ? Vous m'inquiétez ! Parlez !

— Tara, tu dois savoir que si tu repars aujourd'hui avec ton enfant, c'est grâce à ta mère.

— Ma mère ? Où est-elle ? Que vient-elle faire dans ce drame ?

Tara pâlit. Ses yeux fouillaient les alentours. Scott la prit dans ses bras. Il était furieux.

— Expliquez-vous ! Tara a déjà assez souffert !

Grace raconta l'arrivée de Molly, deux jours plus tôt. Elle retraça la vie que cette dernière avait menée après son départ de Navan. Tara pleurait en silence. Quand Molly avait pu revenir, il était trop tard.

— Trop tard? A-t-elle réalisé le mal qu'elle nous a fait?

— Nous ne voulons pas défendre ta mère; elle nous a fait jurer de ne pas te dire qu'elle était venue ici, elle ne veut pas déranger votre vie. Elle retourne en Angleterre demain soir. Sans elle, tu n'aurais pas ta Briana.

Bouleversée, choquée, heureuse, le cœur en émoi, Tara attendait la suite. Scott ne comprenait rien à ces gens.

John lui fit le récit complet de la visite de sa mère au docteur Fitzsimmons. Plus jeune, ce dernier avait essayé de sortir avec elle, Molly avait refusé. Alors, elle le connaissait bien. Elle voulait savoir comment Tara, une jeune femme en santé, enceinte de sept mois, avait pu perdre son bébé. Sa mère voulait une réponse logique, et il devait la lui donner. John raconta tout, tout le récit que le docteur avait fait de cet horrible enlèvement, pendant que le chef Starr enregistrait sa déposition. Quand il commença à narrer que le docteur était sorti avec Sandra Delaney et que cette dernière le faisait chanter, Tara pâlit.

— Vous connaissez la suite. Ta mère a tenté d'étrangler le salaud. Elle a ordonné au chef Starr d'aller, sur-le-champ, chercher ton enfant.

Tara frémissait. Sa mère était tout près. Elle demanda doucement:

— Elle ne veut pas me voir?

— Elle donnerait sa vie pour toi, mais elle refuse de chambarder la tienne. Elle estime qu'elle n'en a pas le droit, elle veut que tu continues ta vie avec Scott et la petite Briana. Nous regrettons d'ouvrir une vieille blessure, mais en notre âme et conscience, nous ne pouvions faire autrement.

Scott était bouleversé. Que Tara retrouve sa fille, il en était heureux. Sa mère? Un peu moins. Il savait qu'elle y pensait souvent, il la voyait regarder la photo de sa mère, espérant toujours la revoir un jour. Sur ces entrefaites, le chef arriva. Les adieux furent pénibles, ils ne se reverraient probablement jamais. Tara remercia

ses amis d'avoir brisé la promesse faite à sa mère. John, Grace et Maggie les regardèrent partir avec tristesse, mais aussi avec apaisement et regret, soulagés de la savoir heureuse et avec son enfant. À peine montée dans la voiture, Briana s'endormit dans les bras de sa mère. Son enfant contre son cœur, Tara pensait qu'il allait éclater. Trop de bonheur!

— Chef Starr, avant de nous reconduire à l'hôtel, voudriez-vous me déposer à l'hôtel où se trouve ma mère?

— Docteur Harvey, Tara, c'était mon intention. Je suis content que vous ayez retrouvé votre petite fille. Sans votre mère, le docteur aurait emporté son crime dans sa tombe. Je suis sincèrement peiné pour tous vos problèmes.

— Tara et moi pourrons les surmonter. Son bonheur est ma principale préoccupation.

L'auto s'arrêta devant l'hôtel, Briana dormait toujours. Scott la prit dans ses bras; Tara entra seule. Son cœur battait la chamade. Elle demanda le numéro de la chambre de Molly O'Brien. Cette dernière était euphorique; Tara avait retrouvé sa petite Briana. Toutefois, elle était triste à l'idée de ne jamais la revoir. Mais ce sacrifice s'imposait, elle ne pouvait s'insinuer dans sa vie. On frappa à la porte.

— J'arrive!

Elle alla ouvrir.

69
Pourquoi maman ?

— Tara ! Tara ! mon Dieu ! Tara !

Elle la dévora des yeux. Son enfant ! Elle se jeta à genoux.

— Pardon ! Pardon ! Pardon pour toute la peine que je t'ai faite... pardon... je ne mérite pas...

Un torrent de larmes inondait son visage, elle pencha la tête. Tara la regardait, voulait la frapper, la détester, mais le cœur a de ses élans insensés ! Elle avait rêvé à ce moment, elle l'avait souhaité... Sa mère était là devant elle. Avançant les bras :

— Relève-toi, maman ! Comme j'ai souffert à cause de toi ! Ray et moi avons été séparés à cause de toi ! J'ai subi les pires humiliations, à cause de toi, ma mère ! Comment as-tu pu penser que nous pouvions être plus heureux sans toi ?

— Je sais tout ça, Tara. Je ne mérite pas ton pardon ni ton amour, mais sache que je ne vous ai jamais oubliés. Chaque jour de ma vie, j'ai pensé à vous deux et je vous ai toujours aimés. Madame Dever était une bien meilleure mère que moi et elle a fait ce que je n'aurais jamais pu faire. Tu es une femme instruite, courageuse, distinguée, tu as un bon mari, l'amour. Ma seule contribution : je t'ai ramené ta Briana.

Tara se remit à pleurer. Que d'années à l'attendre !

— Ah ! maman ! Comme j'ai rêvé de cet instant ! Comment as-tu pu penser qu'une étrangère pourrait te remplacer ! Une mère ne se remplace pas !

Hésitante, Molly lui tendit les bras. Elle lui caressa les cheveux, effleura son visage, la serra contre son cœur. Tara se laissa aller. Redevenue enfant, tout contre sa mère, elle se sentait entière, enfin libérée ! Molly la fit asseoir près d'elle. Au même moment,

Scott entra, Briana dans ses bras. Il regarda Molly; elle soutint son regard.

— Je suis la mère de Tara.

— Et moi Scott, son mari qui l'adore. Si vous la faites encore souffrir, je vous tue. On se comprend bien?

— Parfaitement! Et j'espère que vous tiendrez parole!

Briana pleurnichait. Tara la fit asseoir sur elle. Molly les regardait amoureusement.

— Tara, Scott, je n'ai pas l'intention d'aller avec vous au Canada. Je ne veux pas entrer dans votre vie et la bouleverser.

— Mais maman, tu veux disparaître de nouveau?

— Non! Je donnerais tout pour être avec toi, mais voici ce que je propose. Je retourne en Angleterre, je vous laisse mon adresse et mon numéro de téléphone. Tara, tu pourras dire que tu as rencontré une tante que tu aimes bien et que nous communiquons de temps à autre. C'est déjà plus que je mérite. Qui sait? D'ici deux ou trois ans, nous pourrons peut-être nous retrouver...

— Maman! Tu disparais pendant seize ans, je te retrouve, et tu veux que je t'appelle ma tante et qu'on se voie dans quelques années? Je n'y comprends rien!

— Écoute, Tara, je ne peux pas et je ne dois pas aller avec toi maintenant. Crois-moi, ça ne causerait que des problèmes.

Scott comprenait très bien son raisonnement. Il se leva.

— Nous sommes fatigués. Les quarante-huit dernières heures furent éprouvantes pour Tara. Elle est enceinte. Nous allons donc retourner à notre hôtel. Que diriez-vous de venir nous rejoindre vers dix-neuf heures? Nous souperons dans notre suite. Tara et vous déciderez de ce que vous voulez faire. Mais ne disparaissez pas!

Molly leur promit de venir. Elle embrassa Tara, donna une bise à Briana, lui caressa les cheveux. Tara la regarda s'éloigner en boitillant. Elle pensa à ce barbare qui lui avait cassé la jambe. Pauvre maman! Elle l'aimait toujours autant, elle était sa mère.

Ils ne parlèrent pas durant le trajet vers l'hôtel. Dans leur chambre, Tara baigna Briana; celle-ci réclamait son papa. Tara lui parla doucement, commanda un potage et un dessert, qu'elle

dévora. Ensuite, elle la mit au lit et lui chanta une berceuse irlandaise. Quinze minutes plus tard, la fillette dormait profondément, Penny dans sa main. Scott commanda un café et un jus pour Tara. Cette dernière se doucha, mit une robe d'hôtesse et vint s'asseoir à ses côtés. La sentant hésitante, il la serra dans ses bras.

— Cher *petit grenouille*. Ton passé revient en force. Tu as retrouvé non seulement ton enfant mais aussi ta mère !

— Comme tu dois être déçu de tout ce qui m'arrive et perturbe notre vie de couple ! Nous attendons notre premier enfant et…

— … je suis déjà papa. Ta fille, je l'aime déjà. Ta mère ? Elle t'aime et t'a toujours aimée, elle a chèrement payé sa folie. Elle a raison, allez-y lentement. Apprends à la connaître, d'abord à distance, tu peux lui parler chaque semaine ; tu verras, tout finira par s'arranger. Vous serez à nouveau réunies.

— Elle m'a tant manqué ! Mais… tu as raison, nous allons renouer nos liens *progressively*.

Puis, l'enlaçant avec tendresse :

— Merci, mon amour, peu d'hommes réagiraient comme tu le fais. Comment pourrais-je te prouver ma reconnaissance ?

— Peu d'hommes ont une épouse comme toi. Tu me demandes comment me prouver ta reconnaissance ?

Avec un sourire en coin :

— À quelle heure arrive ta mère ?

On cogna à la porte. Molly entra. Elle avait mis un soin particulier à sa toilette ; elle avait rajeuni. À quarante ans, malgré la cicatrice à l'arcade sourcilière et une légère claudication, elle était encore une jolie femme. Elle offrit une belle boîte de papier et d'enveloppes parchemin à Tara, de même qu'une petite croix en or pour Briana. Scott avait appelé le maître d'hôtel. Le repas ? Simple, mais excellent ; la conversation, agréable. Il se rendit compte que Molly n'était pas une ignare. C'était une femme renseignée, dotée d'un savoir-vivre et d'un sens de l'humour. Tara était à la fois étonnée et fière d'elle. Elle n'était plus la *Easy Molly*, mais une femme cultivée, financièrement autonome. La mère et la fille se mirent d'accord ; elles se parleraient régulièrement et s'écriraient.

— Ce qui veut dire une fois par semaine. Et tu n'es pas ma tante, tu es ma mère !

— Merci, Tara. Je n'en mérite pas tant. C'est le plus beau jour des seize dernières années ! Je vais prier pour vous.

Si tout allait bien, dans un an ou deux, elles pourraient se rencontrer. Tara aurait voulu qu'elle vienne avec eux, mais accepta le compromis. Scott souhaita bonne chance à Molly et se retira, soulagé. Malgré son amour inconditionnel pour Tara, il ne la voulait pas avec eux… pas maintenant. Molly l'avait compris. Tara regarda sa mère, le cœur gros, elle l'embrassa. Molly la serra dans ses bras ; cette séparation était un véritable crève-cœur. Tara n'avait revu sa mère que quelques heures.

— Tara, ma chérie, j'ai eu le bonheur de te retrouver, nous nous reverrons. Ne sois pas triste, tu as ta petite fille, tu vas avoir un autre enfant, tu as un bon mari. Ne gâche pas tout cela en pensant et en pleurant pour moi. Tu es une femme formidable. Mon unique bonheur est de te savoir heureuse. On se parle dans trois jours. Je t'aime et je suis fière de toi. *Sláan go fóill! Tá grá agam dhuit*! (À bientôt ! Je t'aime !)

Aussitôt ces mots prononcés, elle sortit. La porte à peine fermée, Scott fut à ses côtés.

— Viens te coucher, mon amour. Une nouvelle vie commence. Elle sera belle. Une petite rousse que l'on va aimer, un bébé attendu avec amour, ta maman avec qui tu vas refaire des liens et la dernière chose, et non la moindre, un mari exceptionnel, aimable, gentil…

— Oui ! Oui ! Oui ! Pas mal ! Allons nous coucher.

Ils prirent l'avion le lendemain matin. Au lever du jour, Briana avait pleuré, elle ne savait pas où elle était ni qui ils étaient. Tara lui avait mis une belle robe en lainage rouge, des collants de la même couleur et des petits souliers vernis. Ceux-ci étaient un peu grands, mais la fillette ne voulut pas les enlever. D'une main, elle tenait Penny, sa vieille poupée en ratine, de l'autre la main de Tara. Dans la salle d'attente, en attendant de monter à bord, elle scrutait le visage des gens, ses yeux étaient partout, agités. Un tremblement dans la voix, elle implora Tara :

— Je veux ma maman et mon papa.

Tara étouffa ses larmes. Scott prit la petite dans ses bras.

— Non ! Ils ne viennent pas, mais ils pensent à toi dans leur cœur. Tu vas rester avec nous maintenant.

— Et Cassidy, mon petit frère ? Il vient pas ?

Elle se mit à pleurer, elle pleurait sans bruit, et le cœur de Tara pleurait aussi ; elle se rappelait le départ de Ray.

Même Scott était bouleversé. Ses pensées s'entrechoquaient : le docteur Fitzsimmons, Sandra, les souffrances que Tara avait dû ressentir à l'abandon de sa mère. Quels monstres ! Il prit Briana par la main, se promena avec elle, lui montra les avions, lui expliqua que ces gros jouets en métal volaient dans les airs. Elle écoutait tout.

— Nous allons aller dans le ciel. Oui ! Et nous allons voler comme les oiseaux. Ensuite, nous arriverons dans une grande maison ; ton grand-papa et ta grand-maman t'attendent.

Les yeux perplexes, elle le regarda. Elle ressemblait tellement à Tara.

— *I have no grandpa; just one grandma!* (Je n'ai pas de grand-papa, juste une grand-maman.)

— Eh bien ! tu vas en avoir deux autres et ils ont hâte de te voir.

Sur un banc, pas très loin, le visage caché derrière un magazine, Molly pleurait doucement. Elle avait voulu revoir sa Tara ; elle était là tout près, si près… la serrer dans ses bras. Mais elle avait compris… elle ne devait pas…

Scott déposa Briana dans les bras de Tara, ils se dirigèrent vers la porte d'embarquement ; quinze minutes plus tard, ils montèrent dans l'avion. Tara se retourna, elle avait senti une présence, mais ne vit personne… Briana se lova contre elle. Au décollage, la jeune femme contempla son Irlande qui s'éloignait, s'effaçait lentement. Elle regardait, mais une partie de son cœur ne suivait pas. Briana aussi avait mal. Les blessures faites aux enfants ne guérissent jamais. Le cœur gros, à mi-voix, Tara lui chanta une berceuse irlandaise : « *Too-ra-loo-ra-loo-ral. Over in Killarney, many years ago, me Mither sang a song to me* (Là-bas à Killarney, il y a longtemps, ma mère m'a chanté cette chanson.) » Scott écoutait sa voix mélodieuse, cette douce mélodie qui berçait leur âme. Tara comprenait la

souffrance d'un enfant, elle serait une maman empathique et attentive.

À leur arrivée, il neigeait. À peine éveillée, Briana s'agita. William et Barbara les attendaient. Scott et Tara tenaient une petite fille par la main ; celle-ci regardait partout ; il y avait beaucoup trop de monde ! Tara et Scott perçurent son désarroi. Il la prit dans ses bras et Tara lui chuchota :

— *Don't worry darling, I love you.* (Ne t'inquiète pas, chérie, je t'aime.)

— La petite Briana ! Je suis si heureux, je pense que je vais pleurer !

Le docteur William et Barbara avaient de la peine à retenir leurs larmes. Leur petite-fille ! Scott la déposa. Tara arrangea sa robe, s'approcha de son beau-père :

— *Briana, this is your* grand-papa. (Voici ton grand-papa.)

Elle leva les yeux et l'esquisse d'un sourire se dessina sur son visage.

— Grand-papa ?

Elle prononça ce mot avec un accent irlandais tout à fait adorable. Il se pencha vers elle :

— Bonjour, Briana !

Tara se tourna vers Barbara :

— *This is your* grand-maman ! (Voici ta grand-maman !)

— *I have one !* (J'en ai une !)

— *I know. This is your second* grand-maman. (Je sais, tu en as une seconde.)

Elle la regarda, hésita et avança la main.

Tara enleva les souliers de sa fille, lui mit des bottes, puis une tuque. Briana examina ses pieds. Elle préférait ses souliers, mais Scott lui expliqua qu'il faisait trop froid. À leur sortie de l'aéroport, une belle neige les accueillit. Stupéfaite, Briana leva les yeux au ciel.

— Qu'est-ce que c'est ? Le ciel coule !

Ils éclatèrent de rire. Tara expliqua.

— C'est très beau, c'est blanc, c'est doux... touche ! On peut jouer dans la neige et faire de gros bonshommes de neige.

Briana ne comprenait rien de ce que cette femme, sa seconde mère, disait.

Le docteur Harvey alla chercher la voiture et ils se dirigèrent vers la maison. Il fut convenu que les nouveaux grands-parents les laisseraient seuls pour cette première journée, mais ceux-ci avaient la ferme intention de se reprendre le lendemain.

— Briana, voici notre maison.

— Non, ce n'est pas ma maison, elle est trop grosse.

— Oh non! Elle n'est pas trop grosse, bientôt je vais avoir un bébé.

— Comme Cassidy?

— Oui, et j'espère que tu pourras m'aider.

— Je suis une grande fille, j'aide toujours, mais je veux Cassidy.

Scott lui enleva son manteau, sa tuque, ses bottes, pendant que Rusty la frôlait. Elle sourit, mais ses yeux désespérés regardaient cette maison sans la voir; les larmes glissèrent sur ses joues. Le cœur de Scott saignait pour cette enfant et sa mère. Il demanda à Tara de préparer une collation. Il prit la fillette par la main et lentement, en douceur, il lui fit visiter la maison. Il lui parla comme on parle à une adulte. Quand elle vit sa chambre, Briana s'approcha des jouets, mais n'y toucha pas. Le mobilier la laissa indifférente. Ils redescendirent et Tara leur servit des sandwiches au jambon. Elle en mangea un morceau et un biscuit au chocolat, but un peu de lait. Tara et Scott avalaient avec difficulté. Tara lava sa fille et lui mit un pyjama. La fillette s'approcha près de la fenêtre, les yeux au loin, perdue dans son petit monde. Elle soupira. Une épreuve trop lourde pour une si petite fille! Tara la borda et Scott vint l'embrasser.

— Bonne nuit, je t'aime beaucoup, Briana.

Un pauvre sourire éclaira son visage. Tara s'assit à côté d'elle.

— Je sais, Briana, que c'est difficile pour toi, mais je suis ta vraie maman. Quand tu étais bébé, tu étais mon enfant, mais on est venu te chercher, alors je t'ai perdue.

— Et ma mère m'a trouvée?

— Non, elle t'a prise. Je ne sais pas si tu comprends, mais je t'ai cherchée longtemps. J'ai beaucoup pleuré. Maintenant, je t'ai trouvée.

— Oui, mais je ne te connais pas, je connais juste l'autre maman et l'autre papa. J'aimerais retourner dans ma maison.

Des yeux, elle implorait Tara. À cet instant, si Sandra s'était trouvée devant elle, Tara l'aurait tuée pour le mal qu'elle lui avait fait et la souffrance de Briana.

— Tu ne peux pas retourner, ma chérie, je regrette. Nous allons être très gentils avec toi. Veux-tu essayer de dormir ? Il est très tard. Je vais laisser la veilleuse allumée. Tu es fatiguée ; Scott, notre bébé et moi aussi. Tu veux dire bonsoir au bébé ?

Tara lui mit la main sur son ventre.

— Il est là, bien au chaud.

Briana toucha délicatement le ventre de sa mère, elle la regarda et sourit. Tara se mit à fredonner la berceuse qu'elle lui avait chantée dans l'avion, *Too-ra-loo-ra-loo-ral*. La fillette s'endormit. Scott arriva sur la pointe des pieds ; il les contempla. Tara ne lui avait jamais parue aussi belle. Le regard embué, il la prit par la taille.

— Viens, ma chérie.

Elle se serra contre lui ; il avait été une présence rassurante, aimante, avec Briana et elle. Elle l'adorait.

— Mon amour, je sais que c'est difficile, ça te brise le cœur de la voir malheureuse et ça me peine beaucoup aussi. Mais Briana n'a pas encore trois ans, aie confiance en notre amour pour elle, donne-lui quelques mois et elle aura oublié.

— J'espère que tu dis vrai ; elle ne sait pas un mot de français.

— Un enfant apprend vite, dans trois mois, elle sera une petite Québécoise… avec un accent irlandais, un deuxième *petit grenouille*.

Malgré leur fatigue, l'amour fut plus fort que la raison, ils firent l'amour et s'endormirent.

Quatre heures ! Tara se réveilla, sa vessie débordait ; elle se faufila dans la chambre de Briana. Sa petite fille était assise devant la fenêtre, le visage baigné de larmes, un de ses bras sur Rusty. Tara fit taire son cœur, la souleva, s'assit dans la chaise et la berça, tout en chantonnant doucement : « *When Irish eyes are smiling, so early in the morning.* » Briana s'endormit profondément. Tara retourna au lit, mais elle eut beaucoup de difficulté à dormir. Le

visage de sa mère s'interposait, elle l'avait retrouvée. Comme elle aurait aimé l'avoir près d'elle! Une mère est toujours présente quand on a besoin d'elle.

Briana ne se réveilla qu'à huit heures trente. Le regard atone, elle se laissa habiller et coiffer par Tara, mais elle demanda à Scott de lui mettre ses barrettes. Ce dernier lui parla comme si de rien n'était et Tara prépara des crêpes. D'abord, un jus d'orange, elle se lécha les lèvres. Tara sourit de bonheur et lui servit une belle crêpe, deux à Scott et deux pour elle. Scott versa le sirop d'érable, avança son couteau pour la lui couper, mais Briana l'arrêta.

— *I'm not a baby, I can do it.* (Je ne suis pas un bébé, je peux le faire.)

— C'est bien vrai, tu as deux ans.

Elle regarda Tara et leva ses sourcils, sa mimique était à croquer.

— J'ai presque trois ans.

— *Well! Well!* Presque trois ans! C'est vrai que tu es pas mal grande. Penses-tu que tu pourrais m'aider à déblayer la neige sur le perron?

Tara faillit s'étouffer de rire; Scott ne touchait jamais à la pelle.

— Je ne sais pas ce que ça veut dire, mais je peux aider.

— Parfait! Mange ta crêpe. Elles sont délicieuses, je les adore.

Il se lécha les lèvres et se frotta le ventre. Briana éclata de rire. Ce rire cristallin illumina le visage de Tara.

Après le déjeuner, elle alla chercher l'habit de neige de Briana, un cadeau de William et Barbara — un autre! — tout simplement ravissant. Scott s'habilla aussi. Quand Briana l'aperçut avec sa grosse tuque, elle se couvrit la bouche pour ne pas pouffer, son visage devint rouge et elle éclata de rire. Elle regarda sa mère.

— *He does look funny! Yes*? (Il a l'air drôle! Oui?)

— Oui, il est très drôle, c'est un gros nounours, mais il est gentil.

Tara remit une pelle à Scott et une plus petite à Briana. Elle lui murmura:

— J'espère que tu sais t'en servir!

L'air choqué, il lui donna une bise et sortit. Il se mit à pelleter, il n'allait pas vite; Briana l'imitait. Cinq minutes plus tard, il fit

semblant de tomber et lança un peu de neige à la fillette. Elle le regarda, mais il fit semblant de ne pas la voir. Deux minutes plus tard, il récidiva. Elle planta sa pelle dans la neige. Les mains sur les hanches, elle braqua ses yeux sur lui.

— T'as fait exprès. Attends ! Moi aussi, je vais t'en envoyer.

Joignant le geste à la parole, elle reprit sa pelle et lui lança une pelletée de neige au visage. Les sourcils enfarinés, de la neige sur sa tuque, il la regarda et, d'un air décidé, il lui en lança encore. Rusty courait, sautait. Briana se défendit. De la fenêtre, Tara riait de plaisir. Quelques instants plus tard, ils se secouèrent et rentrèrent. Scott annonça à Tara que sa petite fille lui avait lancé de la neige. Briana se défendit. C'est lui qui avait commencé. Tara l'aida à retirer son habit de neige et lui demanda si elle aimait la neige.

— *Yes ! Yes ! It's fun !*

Scott expliqua à Briana qu'il était médecin et qu'il devait se rendre à l'hôpital. Tara était infirmière, elle aussi travaillait à l'hôpital et soignait les malades, mais maintenant, elle restait à la maison parce qu'elle attendait un bébé et devait faire attention à sa santé. Il embrassa Briana en lui demandant de faire attention à Tara.

Briana le regarda partir, il lui envoya un baiser ainsi qu'à Tara. Tout à coup, la fillette sembla pensive ; elle fit le tour du rez-de-chaussée, marchait, tournaillait, avançait nonchalamment, suivie de Rusty. L'animal semblait comprendre sa peine… Tara s'avança vers le piano, l'ouvrit et se mit à jouer. Briana s'arrêta net ; bien malgré elle, elle la regarda jouer. Tout en continuant, sa mère lui fit signe de s'asseoir à ses côtés, mais elle resta debout. Finalement, elle se hissa sur le banc, elle regardait les doigts courir sur les notes. Tara se mit à jouer la *Berceuse* de Brahms, puis elle enchaîna avec *Gingle Bells*, qu'elle se mit à chanter. Briana sourit. Enfin, elle joua *Too-ra-loo-ra-loo-ral* et Briana répéta quelques mots.

— Est-ce que tu aimes la musique ?

— Oui, quand tu joues.

— Veux-tu jouer quelques notes ?

— Pas capable.

Tara lui prit la main droite, la posa sur les notes et commença : *Too-ra-loo-ra-loo-ral.* Elle répéta deux fois.

— Tu vois, tu peux jouer un peu. Si tu veux, je te montrerai encore, quand tu le sauras, on fera une surprise à Scott. Elle ne répondit pas.

Tara alla dans la cuisine, prit une banane, en tendit la moitié à Briana et lui prépara un chocolat chaud avec deux petites guimauves sur le dessus. Elle s'en fit un aussi, mais sans guimauves. Elle mélangea celui de Briana, puis but lentement. Briana l'imita.

— Tu sais, le lait est très bon pour la santé et pour mon bébé.

— Pour moi aussi, surtout avec du chocolat, beaucoup bon pour la santé. Beaucoup !

Tara mit la vaisselle sale dans le lave-vaisselle. Briana n'en avait jamais vu, elle la questionna.

— C'est un peu bizarre, tu laves pas ?

Tara lui expliqua qu'elle préférait faire autre chose. Ensuite, elle se rendit dans sa serre ; Briana la suivit. Étonnée, elle regardait sans comprendre.

— Une maison en vitre pour des fleurs ? Très bizarre, ici.

Tara expliqua qu'il faisait parfois froid, comme aujourd'hui, alors les fleurs gelaient. Comme elle aimait beaucoup les fleurs, elle en voulait dans la maison, même l'hiver, alors Scott lui avait fait construire cette serre. Briana ne comprit pas tout. Tara enleva les fleurs mortes, nettoya les plantes, en coupa deux bouquets et arrosa les autres.

— Nous allons mettre des fleurs dans le salon et dans ma chambre.

— Et la mienne ? Je peux en avoir ?

— Certainement ! Viens, on va aller les mettre dans des vases.

Tara en plaça au salon et divisa les autres, un bouquet pour sa chambre et l'autre dans un beau vase, pour la chambre de Briana.

On sonna à la porte, Briana sortit dans le corridor en courant, Tara à sa suite. Tara lui expliqua qu'il ne fallait jamais ouvrir la porte sans d'abord regarder pour voir qui y était.

— Grand-papa et... grand-maman, je peux ouvrir.

Tout sourire, ils embrassèrent rapidement leur bru, s'excusèrent, mais ils voulaient voir Briana, à qui ils donnèrent deux gros

bisous sur chaque joue. Celle-ci semblait contente de les voir. Après avoir enlevé son paletot et ses bottes, William prit sa petite fille sur ses genoux et s'informa de ce qu'elle avait fait. La digue s'ouvrit : la neige, le pelletage avec Scott, la neige qu'il lui avait lancée, le piano, les fleurs, son grand-père, ses souliers neufs, elle était lancée. Quelle jolie petite fille !

— Tara, Barbara, si vous avez quelque chose à faire ou à vous dire, faites-le, je m'occupe de ce trésor. Je pense que nous allons aller faire un tour.

Reconnaissante, Tara passa dans la cuisine ; d'un coup d'œil, Barbara vit qu'elle était fourbue. Les derniers jours avaient été émotionnellement et physiquement épuisants. Barbara prit les choses en main. Tara voulait préparer une soupe, un poulet, des légumes, etc.

— Je n'ai rien pour dîner ou souper, je dois, je dois...

— Ma chère, tu dois te reposer, et c'est ce que tu vas faire illico presto. William, chéri, notre bru tombe de fatigue.

— Tara, vous êtes enceinte. Allez vous coucher, on s'occupe de tout.

Elle n'eut pas la force de protester. Sa tante la guida vers l'escalier et appela du renfort. Stella, à la rescousse ! Barbara n'avait pas le goût de se taper quelques heures de popote. Expliquant que Tara avait besoin d'aide, elle demanda à Stella si elle pouvait la dépanner. Stella savait non seulement faire des ménages, elle savait aussi très bien cuisiner. Tout serait fait. Elle ajouta même :

— Je vais lui préparer deux bonnes casseroles, à cette chère madame Harvey !

Barbara fit un clin d'œil complice à Briana ; celle-ci souriait.

70

Pour l'amour de Briana

William et Barbara offrirent à Briana de faire une promenade et d'aller manger des frites et des hamburgers. Stella resterait à la maison jusqu'à leur retour. Briana fut enchantée d'aller se promener. Barbara lui mit son beau manteau, un petit chapeau en fourrure blanche et un manchon assorti, achetés sans l'avoir dit à Tara. La fillette était tout simplement adorable.

Tara s'était douchée, elle s'apprêtait à se mettre au lit quand elle entendit la porte se refermer. De la fenêtre, elle les regarda partir. Briana semblait au septième ciel. Quand Tara vit le chapeau et le manchon en fourrure, elle ne put s'empêcher de rire. Ils avaient manigancé dans son dos, mais elle ne leur en voulait pas. Ils avaient su gagner le cœur de sa Briana, elle ne dirait rien. Elle se laissa tomber sur son lit et s'endormit d'un sommeil de plomb.

Il était près de quinze heures trente quand Briana la réveilla.

— Regarde mes beaux souliers, les autres, trop grands. J'aime mieux ceux-là. Tu aimes la boucle sur le dessus ? Tu les aimes ? Grand-papa et grand-maman, très gentils. Oui ? Tu viens manger ? C'est tout préparé.

Elle avait tout débité sans reprendre son souffle. Tara l'assura qu'elle aimait les chaussures, mais elle se promit d'en parler avec William et Barbara… une autre fois. Elle mourait de faim, la fillette était ravie.

— Vous êtes très gentils, j'aime bien mon grand-papa et ma deuxième grand-maman. Tu les aimes aussi ?

— Je les aime beaucoup, ils sont très bons.

Tara mangea un bol de soupe et un hamburger que Barbara lui avait acheté. Briana montra un paquet de biscuits enrobés de

chocolat, un autre petit spécial... Elle en mangea deux et but un grand verre de lait.

— Tu avais faim, tu as beaucoup mangé, c'est bon, bon.

Elle était tout sourire. Quand les grands-parents partirent, quelques instants plus tard, la petite fille leur envoya la main. Le lendemain, ils iraient lui montrer la glace sur la rivière et les pêcheurs.

Quand ils furent partis, Tara, qui n'avait pas eu le temps de placer les vêtements qu'elle avait achetés à sa fille dans les tiroirs et la garde-robe, demanda à Briana de l'aider. L'air sérieux, celle-ci inspecta chaque morceau; elle préféra la robe aux pantalons, affectionna particulièrement les collants de différentes couleurs. Tara lui promis qu'elles iraient magasiner avec Scott samedi, dans quatre jours, trois dodos. Elle s'assit avec elle et s'amusa avec les jouets; Briana n'était pas trop emballée, les larmes étaient proches.

— Est-ce que je pourrai voir papa et maman bientôt? Et Cassidy? Je veux les voir.

— Briana, je regrette, mais ils sont très loin. Je suis ta maman et Scott est ton papa. Tu dois rester avec nous.

Les lèvres tremblantes, la fillette s'assit près de la fenêtre. Tara essaya de l'amuser, mais elle ne répondit pas. La prenant dans ses bras, elle se colla contre elle. Briana voulait les seuls parents qu'elle avait connus, et Tara la comprenait, elle souffrait. Le cœur n'y était pas, elle se revoyait à sept ans. Elle se mit à chanter, sa voix calma sa petite, qui s'endormit. Tara la déposa sur le lit, la couvrit et sortit sur la pointe des pieds. Leur valise était encore pleine; elle rangea le tout puis descendit mettre la table.

Quand Scott arriva à dix-huit heures, la cuisine embaumait. Tara était ravie et soulagée de le voir. Briana se réveilla.

— Comment vont mes deux princesses?

Il serra Tara dans ses bras. La journée avait été longue. Il s'était surpris à la chercher dans l'hôpital.

— Et ma petite Briana, elle me donne un gros bisou?

Elle lui sauta au cou. Avec un sourire taquin, il les regarda.

— Quel bel accueil! Maintenant vous deux, les femmes, allez me préparer un verre, je veux me détendre.

— Ça va pour cette fois, mon beau docteur, mais ...

Tara se rendit à la cuisine, suivie de Briana. Un verre de vin pour Scott, un peu de boisson gazeuse dans un beau verre pour Briana, pour elle, de l'eau minérale. Pour tous, un plateau avec quelques morceaux de fromage et des crudités. Tara apporta le plateau, Briana, les serviettes. Scott était assis sur le divan. Tara se plaça à sa droite et Briana à sa gauche. Il avait le fou rire.

— Je suis ravi ! Deux belles femmes pour me servir ! Comment a été ta journée, Tara ?

Briana mourait d'envie de lui raconter ce qu'elle avait fait, mais Scott lui demanda d'attendre son tour.

— Les adultes d'abord. On n'interrompt pas les adultes, Briana.

Elle aurait aimé parler tout de suite, mais se tut. Tara ne fut pas longue, elle préférait attendre à plus tard. Quand vint le tour de Briana, il eut de la difficulté à la suivre, la fillette voulait tout dire en même temps et si vite...

— Prends ton temps, recommence.

Elle reprit, lui montra ses souliers que grand-papa lui avait achetés et qui étaient plus beaux que les autres. Scott regarda Tara, qui leva les mains en signe d'impuissance. Briana raconta ensuite la sortie, les frites, les hamburgers. Essoufflée, elle s'arrêta.

— Et... j'ai joué du piano. Tu veux que je te montre ?

Elle n'attendit pas la réponse, prit la main de Tara et elles se mirent au piano. Tara joua *Too-la-roo-la-roo-la*, puis prit la main de Briana et celle-ci joua les six notes.

— Tu vois ?

Scott la félicita, lui assurant que bientôt elle saurait très bien jouer.

— Tara était fatiguée, beaucoup fatiguée, elle a dormi.

Scott et Tara éclatèrent de rire. Dorénavant, impossible de cacher quoi que ce soit dans cette maison ! Ils soupèrent de bon cœur. À sept heures, Scott lui donna son bain — il avait mis de la mousse —, causant de tout et de rien, puis l'enveloppa dans une belle serviette, la poudra et l'habilla d'un beau pyjama rose.

— Tu es très jolie, superbe même.

Tara prit un livre et lui lut une histoire, ensuite elle la berça, la coucha. La fillette s'endormit paisiblement.

Quand elle redescendit, Scott l'embrassa passionnément, elle lui avait manqué. Elle lui raconta sa journée, la bonté de son père et de sa tante, elle n'avait presque rien fait, à part se reposer. Il était soulagé ; il se promit de les appeler pour les remercier. À l'hôpital, tous voulaient avoir des nouvelles de Tara et de sa petite fille.

— Je leur ai dit : « Notre petite fille, la fille de Tara est ma fille, elle lui ressemble comme deux gouttes d'eau, aussi jolie et aussi aimable. » On m'a dit que j'étais un homme chanceux.

Il avait une bonne nouvelle à lui annoncer.

— Tu connais le docteur Harding, qui habite tout près d'ici ? Tu sais que sa femme est médecin, elle aussi ; elle a décidé de prendre quelques années pour rester avec leurs enfants. Ils ont une petite fille de trois ans et demi et un garçon de quinze mois. Elle meurt d'envie de te connaître. Sa petite fille pourrait jouer avec Briana.

Tara était hésitante, elle était secrète sur sa vie privée.

— Tu n'as pas besoin de la visiter tous les jours. Imagine, Briana pensera moins à Navan et en plus, elle apprendra le français beaucoup plus vite. Ça va être bon pour elle et pour toi.

Un fragment de la vie de Tara, son cœur et ses pensées étaient ailleurs, sous silence.

Le lendemain matin, Tara appela sa mère. Elle n'avait pas mentionné son nom depuis leur retour ; elle brûlait d'entendre sa voix. Quand cette dernière répondit, un soupir de soulagement s'échappa de sa poitrine. Sa mère était bien là, à nouveau, elle était sa petite fille. Une envie folle de sauter dans le premier avion pour aller la rejoindre l'envahit. Il ne fallait pas ! Pendant dix minutes, elles se parlèrent, de mère à fille. Molly la questionna sur la petite Briana, Tara lui raconta tout, puis raccrocha en promettant de la rappeler la semaine suivante.

— Bonne semaine, ma chérie ! Je vais t'écrire. Je vais attendre ton appel. Embrasse ton mari et ma petite-fille pour moi. Ma chérie, je t'aime.

— Oui… tu sais… je t'aime, maman.

Quelle douceur dans ces mots ! Un sentiment de plénitude, d'euphorie ! Elle nageait en plein bonheur. Sa mère l'avait toujours aimée.

À dix heures trente, Carole Harding l'invita à prendre le thé. Ne craignant plus rien, elle accepta. Un bébé dans les bras, Carole lui ouvrit la porte avec un grand sourire.

— Merci ! Merci ! Tara, comme je suis contente de te voir ! Je deviens folle enfermée avec mes deux marmots.

Elle semblait parfaitement saine : grande, mince, très blonde, jolie, une bonne tête sympathique. À ses côtés, une petite blonde qui fixait Briana. Elle lui tendit la main, Briana regarda Tara qui lui fit signe d'aller. Ce fut le début d'une belle amitié. Carole était une femme bien dans sa peau, sans une once de jalousie. Elle s'extasia devant la beauté et la grâce de Tara. Avec elle, pas de faux-fuyants ni de subterfuges. Elle était médecin, cultivée, et pas snob pour deux sous. Détendue, Tara appréciait cette nouvelle amie en devenir. Carole lui demanda si elle accepterait qu'elles sortent ensemble une journée par semaine. Elles partiraient vers dix heures et reviendraient avant le souper.

— Mais Briana, Fanny et Claude.

— J'ai une excellente gardienne, ma belle-mère, et toi…

— Mon beau-père et Barbara.

— On commence par un bon massage, une mise en plis, un manucure, le dîner, ensuite on visite un musée, on magasine, on décidera…

Tara hésitait. C'était tentant, mais elle avait sa vie, sa petite fille ; celle-ci venait tout juste d'arriver dans sa vie, elle voulait lui consacrer de son temps avant la venue du bébé. C'est en ces termes qu'elle expliqua son dilemme à Carole. Celle-ci comprit. Tara pourrait venir la rejoindre après sa mise en plis et son manucure ?

— Toi, tes ongles sont très beaux et tes cheveux, magnifiques. On pourrait peut-être dîner ensemble et revenir avant le souper ?

Tara s'engagea à y réfléchir. Elle passa une bonne heure avec elle. Briana et Fanny ne se comprenaient pas, mais elles s'amusaient follement. Tara promit à Briana d'inviter Fanny à venir jouer à la maison.

Au retour, elle prépara des spaghetti pour le dîner. Briana mangea avec appétit. L'après-midi passa très vite. Elle fit un lavage,

passa quelque temps dans sa serre et prépara un rôti de bœuf au jus, le préféré de Scott, des légumes et des pommes de terre au four, ainsi qu'un gâteau au chocolat. Elle alla à l'épicerie, acheta du pâté de foie gras, du jambon, deux tranches de saumon fumé et des poudings pour Briana. Elles attiraient les regards. Briana était bien sa fille!

Scott arriva un peu plus tôt. Son foyer! Qu'il faisait bon y revenir! Ce fut le même rituel que la veille. Briana courut chercher le plateau et les serviettes, et les présenta à Tara. Scott croisa les bras, allongea les jambes et d'un air de pacha, regarda Tara. Celle-ci le toisa de haut, lui prit la main et l'entraîna vers la cuisine. C'était bien peu de chose pour tant de bonheur. Briana se serra contre lui, gigota un peu quand il leur demanda ce qu'elles avaient fait. Tara parla de Carole. Scott se réjouit, il insista pour qu'elle sorte avec elle.

— C'est une excellente personne, aimée et respectée de tous, et son mari, Clyde... du bonbon! Tu ne pouvais choisir meilleure amie. Vas-y, fais-toi pomponner un peu. Tu verras, ça te fera du bien. Ce sera aussi excellent pour Briana.

— Tu as fini, Tara? C'est mon tour? Je peux parler?

On l'assura qu'elle pouvait parler, alors ils eurent droit au récit de ce qu'elle avait fait avec sa nouvelle amie, Fanny.

— Elle a beaucoup de jouets, mais je comprends rien à ce qu'elle dit. C'est pas grave, on s'amuse ensemble et je pourrai jouer encore avec elle. Tara l'a dit.

On mangea avec appétit, tout était délicieux.

— Si tu continues, je serai obèse en moins de six mois, j'aurai besoin d'un fauteuil roulant.

— Ça n'a rien à voir avec ma cuisine! Ton âge, peut-être?

— Mon âge? Je sors à peine de l'adolescence. Tu vas me payer ça... ce soir.

Elle aimait le taquiner. Ce soir, elle avait envie de faire des folies.

Tara donna son bain à sa fille; ensuite, Briana se blottit dans les bras de Scott pendant que Tara jouait du piano. La petite insista pour interpréter sa partie; elle joua seule ses six notes,

rayonnante de fierté. Scott monta la coucher. Il la berça et lui chanta *Save the Last Dance for Me.* Elle s'endormit avant qu'il ait terminé.

— C'est ta voix, chéri, elle chloroforme un peu...

L'attrapant, il la serra dans ses bras.

— Viens, allons prendre un bain.

Il lui parla de sa journée. Il avait pratiqué une opération difficile, un petit garçon de deux ans avec une mauvaise fracture. Tara savait qu'il avait beaucoup d'empathie pour les enfants. Il insista pour qu'elle prenne soin d'elle et de leur deuxième enfant.

— Tara, comment allons-nous l'appeler? Y as-tu pensé?

— Oui. Si c'est un garçon, William; si c'est une fille, Barbara.

— Comme tu es gentille! Si c'est un garçon, mon père ne touchera plus à terre; il ira te décrocher la lune.

— Si c'est une fille, Barbara lui achètera un trousseau de princesse; elle ne manquera de rien. Ce matin, j'ai appelé maman. Comme c'était bon d'entendre sa voix! J'ai une mère, Scott. Je suis si heureuse, comme une petite fille avec sa maman. Je sens que tu veux que j'attende, mais ne t'inquiète pas, elle n'arrivera pas ici demain matin. Notre entente? Oui!

Heureux pour Tara, il l'assura qu'il comprenait. Un jour, elles se reverraient.

— Peut-être l'an prochain... donnez-vous du temps, donne-nous du temps. Il faut penser à Briana et au bébé à venir. Briana n'a pas de marraine ni de parrain au Québec. Penses-tu qu'on pourrait trouver quelqu'un ici?

Elle y avait songé, elle pensait demander à Kathleen et au docteur Alain. Depuis leur mariage, Kathleen avait commencé à fréquenter le garçon d'honneur qui l'avait accompagnée lors du mariage, le docteur Eddy. Celui-ci avait terminé son internat et pratiquait à Saint Mary's. C'était un gentil garçon, il l'avait invitée à sortir à quelques reprises. Leur amitié avait progressé, ils étaient amoureux, mais n'envisageaient pas de mariage avant deux ans. Kathleen n'avait pas encore terminé ses études. Scott approuva son choix. C'était une excellente idée. Satisfaits et heureux, ils se couchèrent et dormirent du sommeil du juste.

Scott avait fait peinturer la chambre du bébé. Lui ne touchait ni à un marteau ni à un pinceau. Mais quand Tara avait voulu s'y mettre, elle avait provoqué une « sainte » colère.

— Chérie, tu peux faire ce que tu désires, acheter ce que tu veux, mais je ne veux pas te voir peinturer cette chambre. Promets-moi que tu ne le feras pas, je t'en supplie !

Elle lui donna sa parole. Parole donnée, parole tenue ! Il veillait sur elle comme un faucon ; ils attendaient le bébé avec impatience. Scott était en adoration devant Tara, elle le rendait si heureux ! Molly aussi insistait pour qu'elle fasse très attention. Leur relation avait évolué, elle était faite de compréhension, de tendresse et d'amour. Tara découvrait une mère plus sage, posée ; elle appréciait la chance d'avoir retrouvé sa fille et, surtout, que cette fille lui ait pardonné ce qu'elle-même ne se pardonnerait jamais. Tara la tenait au courant de tout ce qu'elle vivait. Scott était soulagé et rassuré. Au début, il avait craint que sa belle-mère arrive sans crier gare. Quand il comprit qu'il n'en serait rien, il commença à avoir un certain respect pour elle.

Tara s'épanouissait, ce bébé, elle l'aimait déjà. Scott nageait en plein bonheur. Il parlait au futur bébé, lui inventait des histoires sans queue ni tête. Tara en riait aux larmes. Franchement, il n'était pas doué. Barbara, Tara et Briana avaient magasiné le petit lit, la commode et la literie. Naturellement, son beau-père avait insisté pour acheter la chaise haute et la poussette, la plus belle et la plus chère. Quand il apprit que son petit-fils s'appellerait William, il avait littéralement pleuré de bonheur.

— Tara, Scott m'a dit que c'était votre décision. Je sais que vous n'avez pas eu la vie facile, mais je ne pense pas qu'il existe meilleure femme que vous. Le cœur sur la main, attentive aux besoins des vôtres, jamais un mot de calomnie, je suis honoré de vous avoir comme bru.

— Moi aussi, vous m'avez acceptée dans votre famille, malgré notre première rencontre plutôt…

Elle le taquinait et il riait de bon cœur.

— Oui, j'avais commencé de façon un peu raide ; je me rappelle ces yeux irlandais qui lançaient des éclairs. Vous m'aviez remis à

ma place, ce que peu de gens avaient osé faire. Je l'avais mérité et j'ai respecté votre honnêteté.

— Vous savez, ce sera peut-être une fille...

— Eh bien! je l'aimerai tout autant! Mais je mentirais si je disais ne pas espérer que ce soit un garçon.

Briana venait s'asseoir sur son père; elle aussi parlait au bébé, elle l'attendait avec impatience.

— J'ai tellement hâte qu'il vienne, je vais pouvoir t'aider, mais c'est long, trop long.

Puisque Scott lui avait dit de faire attention à sa mère, la fillette se sentait investie d'une mission. Si sa mère se dépêchait trop, travaillait vite, levait un gros objet, etc., elle la disputait.

— Maman, tu ne dois pas te fatiguer, papa est médecin, faut que tu sois raisonnable, papa l'a dit. Viens te reposer.

Elle insistait jusqu'à ce que Tara décide de s'asseoir pendant quelques minutes... le bébé fatiguait. Briana s'amusait souvent avec Rusty, celui-ci l'avait adoptée.

Tara devait accoucher à la mi-novembre. On était à la mi-octobre, elle était grosse, l'escalier devenait de plus en plus long et abrupt. Depuis l'arrivée de Briana, les mois avaient filé; les deux premiers furent parfois difficiles. Scott restait patient, aimant. Le grand-père de la fillette devait se faire violence pour ne pas trop la gâter; Barbara était un peu plus raisonnable. Ils venaient la chercher au moins une fois par semaine. Parfois, Barbara restait avec Tara; le docteur William allait alors se promener avec Briana, la présenter à ses amis, visiter le parc Lafontaine, le lac des Castors; ils dînaient ensemble. La fillette adorait ces sorties, elle choisissait toujours un très, très bon dessert. Comme il l'aimait! Il s'en était ouvert à Barbara.

— Ma chère Barbara, je n'aurais jamais cru aimer autant cette petite; pour moi, elle est la fille de Scott autant que celle de Tara; elle est ma petite-fille. Tu sais, nous allons devoir modifier nos testaments; nous devons assurer l'avenir de nos petits-enfants; je veux qu'ils ne manquent de rien, les meilleures écoles, la sécurité financière... Tu comprends?

Briana s'adaptait bien à son nouveau foyer. Au début, malgré la peine qu'elle ressentait, Tara ne lui passait pas tous ses caprices;

sa fille avait du caractère, mais comprenait vite. Elle adorait Tara, qu'elle appelait maintenant maman, et Scott était son papa d'amour. Lui aussi l'aimait plus qu'il n'avait jamais imaginé l'aimer. Tara insistait pour qu'elle se tienne bien à table, qu'elle soit polie et… « que je parle après les adultes, parfois ils ne me laissent pas parler, mais je peux lever la main et demander qu'on me donne mon tour ». Tara ne la brusquait jamais, n'élevait pas la voix, parfois elle l'envoyait en pénitence, debout dans le coin du salon. Les yeux en feu, les lèvres pincées, la tête haute, regardant son père avec insistance, Briana obéissait. Elle était drôle à mourir, Scott devait se faire violence pour ne pas rire ; il l'ignorait… son cœur disait oui, mais sa raison, non. Il n'intervenait jamais. C'était difficile, mais il connaissait l'amour de sa femme pour sa fille. Elle était non seulement une bonne épouse, mais aussi une excellente mère.

Sa sœur, Allana, venait les voir chaque semaine ; toujours prête à gâter Briana, elle lui offrait de beaux ensembles griffés. Folle de joie à l'idée d'être marraine du bébé à naître, elle n'arrivait jamais les mains vides. Les Legault étaient toujours en étroite relation avec Tara et Scott ainsi que les Murphy. Briana aimait bien aller chez eux. David et Daniel jouaient avec elle, la promenaient sur leur bicyclette, jouaient au ballon, elle riait aux éclats. Elle les aimait bien. Mais Kathleen était sa préférée. Dès leur première rencontre, elle s'était assise près d'elle. Kathleen lui avait demandé ce qu'elle faisait, ce qu'elle aimait. Elle lui avait acheté d'autres barrettes ; elle l'avait conquise.

Toutes ces personnes évoluaient dans la vie de Tara et de Scott. Parfois, ils sortaient avec Carole et Clyde, mais ils préféraient leurs sorties à deux. Briana et Fanny étaient inséparables, ce qui facilitait la tâche de Tara. Les deux filles s'entendaient bien ; Fanny aimait bien tout décider, mais Briana ne s'en laissait pas imposer. Quand elle mettait les mains sur ses hanches et fronçait les sourcils, elle ne cédait pas.

Tara avait accepté l'invitation de Carole, leurs sorties étaient très agréables et enrichissantes. L'histoire de la métropole la fascinait. Elles avaient visité presque tous les grands centres d'intérêt et ceux de moindre importance. Son français s'améliorait, elle

écoutait des émissions françaises. Elle aimait sa nouvelle patrie, voulait y élever ses enfants et vivre heureuse. Entre-temps, elle grossissait.

— Encore trois semaines et je ne ressemblerai plus à une baleine ; je pourrai me coucher et me retourner dans mon lit. J'ai bien hâte ! Pourvu que le bébé ne retarde pas trop. Je vais éclater.

71

Le plus grand des bonheurs

Bien loin de retarder, le bébé s'annonça le 6 novembre. Les contractions commencèrent en après-midi. Stella avait terminé le ménage de la maison, elle avait même préparé une soupe au poulet et s'apprêtait à partir.

— Le bébé, il arrive, ma bonne dame ! Je connais ça, j'en ai eu quatre. J'appelle votre mari.

— Attendez un peu, ce n'est peut-être... Ouch !

Le docteur avait insisté : Stella devait l'appeler sans faute à la moindre contraction.

— Docteur Harvey, s'il vous plaît ! C'est urgent, sa femme a des contractions.

En moins de deux, il avait pris le combiné.

— Stella, pouvez-vous la conduire ici ? Je vous attends. Faites vite ! Soyez prudente. J'appelle Barbara, elle ira chercher Briana. Non, ne perdez pas de temps, laissez la petite chez Carole.

— Oui, docteur, comptez sur moi.

Scott demanda à sa secrétaire d'appeler Barbara et son père ; elle avait les numéros et devait faire vite. Il se rendit à l'extérieur, un collègue vint lui porter un blouson de ski ; il l'enfila en grommelant. Le cou allongé, il bougeait sans arrêt et, dès qu'il vit la voiture, il s'élança à sa rencontre. La porte était à peine ouverte qu'il aidait Tara à sortir. Une civière l'attendait.

— Ça va, mon amour ? N'aie pas peur, tout va bien aller, je suis là.

Il suivait la civière en bafouillant...

— Scott, calme-toi, je vais juste avoir un bébé. Oh ! Ohh !

Une contraction la fit grimacer. Une infirmière dirigea la civière vers une chambre. Le docteur Walters, l'obstétricien, arriva aussitôt.

— Maintenant, Scott, vous allez vous mettre à côté de votre femme, lui tenir la main, l'encourager et me laisser faire mon travail.

Il examina Tara. Scott trépignait. Les contractions se rapprochaient. La jeune femme haletait, elle serrait les mains de Scott. Ce dernier était blême, sur le point de céder à la panique.

— Faites quelque chose! Elle souffre le martyre.

— Scott, calmez-vous! Ce n'est pas le moment de tomber dans les pommes! Je l'amène en salle d'opération, elle va accoucher très bientôt. Tara, ça va?

Elle fit un signe de tête. Scott la regarda, elle souffrait par sa faute.

— Chérie, plus jamais tu n'auras une telle souffrance, je te le jure.

Elle le regarda et murmura:

— Et les onze autres?

— Il en veut douze? Pauvre Tara, mes sympathies!

À peine installée dans la salle, les contractions s'accélérèrent. Tara poussa un grand cri et la tête du bébé apparut.

— C'est ça, une autre poussée et notre pauvre Scott pourra reprendre sa respiration. Respirez, mon vieux!

Une seconde grosse poussée et le bébé était là, dans les mains du médecin. Il coupa le cordon ombilical, lui donna deux petites tapes sur une fesse, enleva les muqueuses de la bouche, et le petit William Harvey junior poussa un grand cri.

— Votre garçon, madame Harvey! Il est bien vivant et costaud. Félicitations, Scott! Vous êtes père d'un beau garçon.

L'infirmière essuya un peu le nouveau-né, l'enveloppa et le déposa sur Tara. Elle passa sa main sur sa tête, le serra près d'elle. Elle riait et pleurait tout à la fois. Scott l'embrassa, pleurant de bonheur.

— Merci, mon amour, merci! Je t'aime plus que tout au monde.

— Maintenant, Scott, allez avertir votre père qui rugit dans la salle d'attente ainsi que votre belle-mère, pendant qu'on nettoie le

bébé et qu'on s'occupe de votre femme quelques minutes. Vous la retrouverez dans sa chambre.

Scott embrassa à nouveau Tara, caressa son enfant et sortit à grands pas. Triomphant, il pénétra dans la salle d'attente. Les deux grands-parents furent debout simultanément. Avec un sourire de bonheur, il annonça la bonne nouvelle :

— William Harvey junior est né, il est superbe et costaud.

Son père le serra dans ses bras ; Barbara pleurait de bonheur. Scott dut répondre à leurs multiples questions. Tara n'avait pas trop souffert ? L'accouchement s'était bien passé ?

— Tara ? Elle a été extraordinaire. Moi, j'ai failli mourir de peur. Elle ? Un ange, cette femme-là ! Je suis si heureux !

Des larmes de bonheur coulaient sur ses joues. Quelques minutes plus tard, ils purent voir le bébé et Tara. Le bébé ? C'était sans contredit le plus beau de toute la pouponnière. Le grand-papa était en extase devant son homonyme. On se hâta de féliciter la maman. Lavée, changée, rayonnante comme une nouvelle maman, elle exultait. Barbara l'enlaça, son beau-père fit de même. Ce dernier était prêt à lui décrocher la lune ; il songeait déjà à la visite qu'il ferait à son bijoutier. Le soir même, Allana et toute la famille Legault vinrent lui rendre visite.

En arrivant à la maison, Scott appela sa belle-mère.

— Madame O'Brien, vous êtes grand-maman une seconde fois ! Un gros garçon, beau comme un ange.

Il y eut un long silence. Le cœur gros, Molly articula avec émotion :

— Tara va bien ? Ça n'a pas été trop difficile ?

— Non, elle a été très courageuse, elle se porte comme un charme.

— Scott, merci ! Merci d'avoir pensé à m'appeler. J'apprécie votre geste.

— C'est normal, vous êtes la mère de ma Tara et la grand-mère de notre fils. Ils sortiront de l'hôpital dans cinq jours.

— Je n'oublierai jamais votre geste. Docteur Harvey, vous êtes un grand homme. Embrassez de ma part Tara et votre petit garçon… mon petit-fils.

Sur ces mots, elle raccrocha. Scott était ambivalent. D'un côté, il était content qu'elle ne soit pas là ; de l'autre, il regrettait qu'elle ne soit pas au côté de sa fille. C'était trop tôt. Plus tard...

Briana trépignait, elle devait voir son petit frère, il avait besoin d'elle, sa mère était fatiguée et lui aussi. Il y avait mille choses à faire. Les enfants n'avaient pas le droit de visiter les patients, mais Scott, avec l'aide d'un collègue, avait réussi à la faire entrer en douce dans la chambre.

— Maman, maman, j'ai un petit frère ! Je suis contente. Mais tu es malade ?

— Non, non, ma chérie, juste un petit peu fatiguée. Dans cinq jours, je serai à la maison. Il s'appelle William, comme grand-papa. Deux William, un grand et un petit ! Je les aime tous les deux. Et toi, ma grande fille, je t'aime beaucoup.

Exubérante, Briana, cette vieille âme, flattait le visage de sa maman. Scott la fit ressortir en catimini ; Barbara l'attendait. Il revint retrouver Tara. Il était tellement heureux qu'il avait presque peur que son cœur n'éclate !

Quand il confia à Tara qu'il avait appelé sa mère, elle le regarda amoureusement. Cet homme ne cesserait jamais de l'émerveiller. Elle éprouvait un bonheur intense, tenir son enfant dans ses bras, bonheur qui lui avait été refusé avec Briana. De plus, elle avait retrouvé sa mère. Tout bonnement, comme si c'était dans l'ordre des choses, il ajouta :

— Je pense que tu devrais aller en Angleterre l'an prochain. Je dois participer à un congrès à Washington à la mi-septembre. Tu pourrais partir avec Barbara et mon père ; ta tante doit retourner en Irlande pour finaliser la vente de sa maison. Qu'en dis-tu, ma chérie ?

— Et j'amène les enfants ?

— Certainement ! Ils doivent connaître leur grand-mère.

Les rires et les pleurs se succédèrent.

— Alors, tu ris ou tu pleures ? Triste ou heureuse, mon adorable *petit grenouille* ?

— Folle de joie, prête à tout faire pour te rendre heureux.

— Je le suis déjà, mais je me rappellerai cette promesse.

Dans son for intérieur, il n'était pas prêt à recevoir sa belle-mère, à devoir expliquer sa soudaine apparition dans leur vie familiale et sociale. Plus tard... Tara le devinait. Avoir sa mère près d'elle aurait été le bonheur ultime... mais elle attendrait.

L'infirmière leur avait amené le petit William. Elle l'avait déshabillé, ils avaient admiré chaque centimètre de son corps. Il pesait presque huit livres et mesurait vingt et un pouces.

— Indiscutablement un Harvey, mon amour!

— Du moment qu'il a les qualités de mon *cher petit grenouille*, je serai un père heureux. Notre Briana est une enfant adorable, elle a un petit frère, tu as retrouvé ta mère, Barbara vit ici, ma belle-mère... nous sommes comblés.

Tara flottait sur un nuage. Cinq jours plus tard, elle revenait à la maison. La procession des visites reprit et les cadeaux s'accumulèrent. Son beau-père lui avait offert un pendentif orné d'une émeraude d'un vert sombre velouté, lisse, transparent; il scintillait. Une folie que Tara porterait toute sa vie. Barbara avait ajouté les boucles d'oreilles. Son beau-père n'avait pas oublié son petit-fils. Il avait déposé 5 000 dollars dans un compte au nom de Tara, pour le petit William. Un début! Barbara avait fait de même pour Briana.

Son plus beau présent fut celui qui arriva d'Angleterre: pour William, deux ensembles bleu marine et blanc, un pour l'hiver et l'autre pour l'été, avec les casquettes assorties. De taille dix-huit mois et deux ans, exactement pour les fêtes et l'été prochains. À Tara, un beau négligé en satin blanc, garni de fourrure blanche; une folie, que Tara adora... tout autant que Scott.

— Avec tes cheveux roux, ton corps de déesse drapé de satin blanc, tu seras un danger public.

Scott et Briana n'avaient pas été oubliés. À son gendre, Molly avait envoyé une plume avec support en étain couleur or vieilli, avec une inscription: «Papa de l'année.» Très ému, il en resta bouche bée. Le soulevant, il affirma:

— C'est un cadeau unique que je chérirai longtemps.

Chaque cadeau était enveloppé dans du papier de soie. Celui de Briana reposait tout au fond de la boîte. Agitée, la fillette attendait son tour. Quand sa mère lui remit une longue boîte, elle

la déposa sur le plancher, se mit à genoux, son cœur palpitant d'impatience. À l'intérieur, elle trouva une jupe irlandaise en laine, avec le chandail, le béret et la mante assortis.

— C'est le plus beau cadeau de toute ma vie! Je l'aime, ta maman!

Elle ne touchait plus à terre.

Souvent, Briana s'agenouillait près du petit lit de son frère et lui chantait des berceuses apprises de sa mère. Allana trouvait son filleul tout simplement adorable. Barbara se découvrait un instinct maternel qu'elle ne croyait pas posséder.

Brigid et Claude se sentaient très proches de ce nouveau rejeton. Après tout, ils avaient été les premiers à accueillir Tara, ils l'avaient guidée dans l'achat de sa voiture, de sa première maison. La naissance de William avait éveillé la fibre maternelle de Kathleen. Dès ses études terminées, elle épouserait Alain. David et Daniel avaient admiré le bébé, mais celui-ci était trop jeune pour les intéresser outre mesure. Peut-être dans une dizaine d'années?

Son amie Carole et ses deux petits, Fanny et Claude, venaient passer quelques heures avec elle chaque semaine. Carole avait bien hâte qu'elles reprennent leurs sorties, mais Tara n'était pas prête à laisser William seul avec son beau-père ou Barbara.

Un mois plus tard, Scott avait fini par la convaincre d'aller souper avec lui au restaurant. Au début du repas, Tara ne parlait que de William, Scott ne faisait guère mieux. Mais après le deuxième verre de vin, ils se remémorèrent leur première rencontre, leurs fréquentations d'abord platoniques puis l'évolution de leurs sentiments; il y avait eu des moments cocasses, des moments amoureux, des différences d'opinion, mais jamais de désaccords. Leur attachement était formé d'un mélange de tendresse, d'amour, de passion et de respect mutuel.

Tara lui réitéra son bonheur des retrouvailles avec sa fille, grâce à sa mère, sa joie de pouvoir parler à Molly, sa profonde reconnaissance, lui qui avait accepté Briana comme sa fille et avait fait preuve d'une si grande compréhension au sujet de sa mère. Son amour n'oublierait rien, elle l'aimerait jusqu'à son dernier souffle. Mais jamais elle ne pardonnerait à Sandra le mal qu'elle lui avait

fait. Pour elle, cette femme était morte. Elle avait tenu parole et envoyé des photos de Briana à sa belle-mère, par l'intermédiaire des Ryan. Grace lui avait répondu que madame Delaney était décédée deux mois après l'arrestation de sa fille. Son cœur, déjà fortement affaibli par l'assassinat de son fils, n'avait pas survécu au départ de sa petite-fille.

Épilogue

Un matin d'avril, pendant que Scott était à l'hôpital, que Briana jouait chez son amie Fanny et que le petit William dormait, Tara ouvrit son nouveau journal, celui qu'elle avait commencé à son arrivée à Pointe-Claire, et reprit la plume. Elle inscrivit la date, le 24 avril 1970, et commença :

> Dès que j'ai appris que ma petite Briana était bien vivante, j'ai déchiré toutes les pages de mon journal quotidien. Toutes, sauf celles qui se rapportaient à mes années avec ma Mamie, avec les Ryan et avec Ray. Je garde toujours espoir de revoir mon frère un jour, je sais maintenant que tout est possible. Le reste n'a plus d'importance. Mon présent, mon avenir, ma vie, c'est mon foyer ici, à Beaconsfield, mon attachement à Pointe-Claire, mes enfants, revoir ma maman, vivre auprès de ma belle-famille et de mon cher Scott. Mon bonheur, c'est me réveiller dans ses bras chaque matin, le plaisir d'avoir nos deux enfants tout près de nous. Le passé est passé !

TABLE